DORAT EN SON TEMPS

HÉRITAGES
1

Illustration de la couverture :

Portrait de Jean Dorat. Paris, Bibliothèque nationale, Cabinet des Estampes, Na.22.Rés. (Phot. Bibl. nat. Paris).

Frontispice :

La salle de bal des fêtes de 1573 (cf. p. 95). Gravure tirée de *Magnificentiss. spectaculi... descriptio* (Phot. Bibl. nat. Paris).

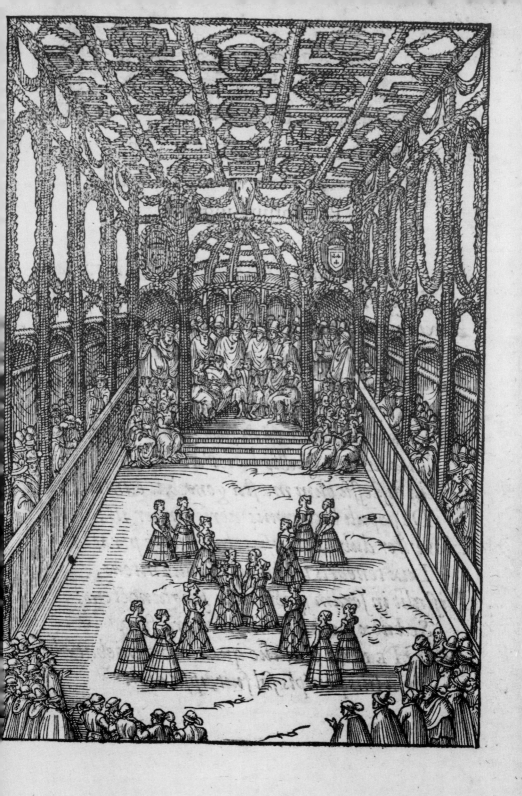

Geneviève Demerson

DORAT
EN SON TEMPS
culture classique et présence au monde

Préface de I.D. McFarlane

Ouvrage publié avec le concours de l'Université de Clermont II
(Centre de recherches sur les civilisations antiques
et Centre de recherches sur la Réforme et la Contre-Réforme)

ADOSA

DU MÊME AUTEUR

Polémiques autour de la mort de Turnèbe. Textes présentés, traduits et annotés. Clermont-Ferrand, Centre de recherches sur la Réforme et la Contre-Réforme (Université de Clermont II), 1975 (Diffusion ADOSA).

Jean Dorat. Les odes latines. Texte présenté, établi, traduit, annoté. Clermont-Ferrand, Association des Publications de la Faculté des Lettres et Sciences Humaines de Clermont-Ferrand, 1979.

ADOSA   B.P. 467   10, boulevard Trudaine   63013 CLERMONT-FERRAND CEDEX

PRÉFACE

Jean Dorat a été victime d'une légende qui, sans être inexacte, n'a pas laissé de le diminuer ou tout au moins de négliger l'étendue du rôle qu'il a joué dans la vie culturelle de l'époque où fleurissait la Pléiade. Le plus souvent, nous voyons en lui le maître de Ronsard, mais sans tenir compte d'autres aspects de sa carrière. Et il faut reconnaître que les disciples qui cherchaient à honorer son œuvre, vers la fin de sa vie, n'ont guère servi leur maître en publiant ce volume de *Poematia* (1586) qui n'est pas seulement incomplet mais revêt un caractère fort peu soigné par le nombre de coquilles qu'on relève, par la pagination qui frise l'excentricité, par la hâte peut-être avec laquelle ce travail a été bâclé.

Ce n'est certes pas une petite affaire d'avoir été pour quelque chose dans la formation humaniste de la Pléiade — et encore aujourd'hui on découvre des documents qui ajoutent de précieux détails au témoignage de Canter sur la façon dont Dorat communiquait son érudition et son enthousiasme à ses disciples. Il reste tout de même regrettable qu'il n'ait jamais déversé son savoir dans des éditions ou des commentaires qui auraient mis en lumière sa vaste connaissance du monde antique et plus particulièrement des poètes grecs. N'oublions pas que c'est l'époque où les humanistes français commencent à se distinguer par des éditions d'auteurs classiques tout à fait remarquables et dont les érudits de nos jours hésitent à se passer complètement. Dorat aurait sûrement pu en remontrer à ses collègues dans ce domaine. Un peu comme George Buchanan, lui aussi helléniste de valeur, il fait le pont entre deux générations humanistes : élève de Jacques Toussaint, il participe activement à la diffusion de la poésie grecque à partir des années 1550 ; et si les humanistes en herbe affluent vers Paris de toutes les parties de l'Europe, c'est en partie à cause de son enseignement.

Mais son importance ne se borne pas à cette activité pédagogique, tant s'en faut. Son rôle de poète — surtout en latin, encore qu'il n'ait

pas négligé le grec et la langue vulgaire — ne peut pas être passé sous
silence. Il a voulu accomplir dans le domaine de la poésie néo-latine
ce que Ronsard devait réaliser dans sa langue maternelle : la défense
et illustration de la culture française — et sous plus d'un rapport il
venait à point nommé. D'une part, il prônait une conception très élevée
de la poésie que les membres de la Pléiade s'efforçaient de faire valoir
en français : poésie et « doctrine » devaient aller de pair, la Muse offrait
la possibilité au poète de dévoiler les mystères de l'univers par l'intermédiaire du « fabuleux manteau », elle accordait au poète un rôle des
plus importants dans la vie culturelle des pays. Il n'est donc pas pour
nous surprendre que ces poètes aient eu des prétentions érudites et
philosophiques, ni que les savants de l'époque se soient engagés dans
les voies de la poésie, témoin Turnèbe, Léger du Chesne, Marc-Antoine
de Muret, George Buchanan, Michel de l'Hospital et leurs émules.
D'autre part, rappelons que sous le règne de François Iᵉʳ, l'humanisme
d'avant-garde, surtout pour des raisons d'ordre religieux, s'était éloigné
de la Cour, de Paris, des pouvoirs centraux ; si Salmon Macrin a pu
rester à la Cour comme *cubicularius regius*, sa position restait somme
toute assez précaire. Mais à partir de l'accession de Henri II au pouvoir,
on assiste à un rapprochement entre l'érudition, la poésie et la Cour.
Certes Henri II, dont les goûts littéraires étaient ceux d'un attardé et
égaré, encourageait peu la jeunesse littéraire, mais Marguerite et son
chancelier, Michel de l'Hospital — qui mériterait vraiment une étude
soignée et à jour — ont tout fait pour protéger les poètes en haut lieu
et pour rendre à la poésie, tant vulgaire que latine, le rôle qui lui revenait à la Cour. Et surtout sous Charles IX, c'est le renouveau de la
poésie de cour qui était restée trop longtemps en friche et que même
de nos jours on a tendance à mettre au rancart. Dans ce domaine, il
ne serait pas excessif de dire que Dorat, *poeta regius*, fait un travail
analogue à celui de Ronsard, poète du roi, en français. La haute poésie
de circonstance refleurit, certains genres reprennent leur rôle accou-
tumé. Point n'est besoin de rappeler la part qu'a eue Dorat dans l'accli-
matation de l'ode pindarique ; rappelons d'autres genres, l'épithalame,
l'épinicion, les mascarades, les églogues de cour qui, sous son égide,
ont connu un regain de faveur. Et quand se déclencheront les guerres
de religion, certains poètes de cour, y compris Dorat, consacreront une
bonne partie de leur talent à défendre et à diffuser des prises de position officielles, et assureront à la poésie engagée une fortune tout à
fait remarquable. On s'est peut-être penché trop longuement sur Dorat
défenseur de la Saint-Barthélemy ; sa pensée religieuse, comme l'a

montré Geneviève Demerson, est plus personnelle, plus nuancée que
l'on ne croyait.

Cette poésie de haute tenue, à laquelle étaient dévolues souvent
des fonctions socio-politiques extrêmement importantes, n'est pas
restée sans écho en France : elle a pu servir de modèle aussi à des
poètes d'origine étrangère et dont certains avaient fait leurs études à
Paris. L'ode pindarique s'est prolongée, par exemple, dans les œuvres
d'un Fédéric Jamot de Béthune ou d'un Scévole de Sainte-Marthe, la
poésie de cour se développe chez les poètes comme Paul Melissus
(Schede) un peu à l'ombre de Dorat; et on peut se demander à quel
point Dorat a encouragé la diffusion de la poésie anagrammatique,
chronogrammatique, numérologique, domaine qu'on était loin de
considérer comme une amusette de salon sans lendemain. Sans doute
Jean Dorat ne peut guère rivaliser de talent avec Ronsard, mais sa conception de la poésie et ses efforts inlassables pour intégrer la poésie
à la vie humaniste, politique et même religieuse de l'époque restent
d'une importance cardinale.

Il était donc grand temps que les mérites et l'activité étonnante
de cet humaniste-poète soient appréciés à leur juste valeur : le livre
de Geneviève Demerson comble une grande et regrettable lacune,
jetant de nouvelles lumières non pas seulement sur Jean Dorat lui-
même, mais sur l'époque dont il était un si insigne représentant. Madame Demerson s'est déjà signalée par ses travaux d'approche : une
belle édition des odes latines de Dorat, des articles nourris sur l'activité
poétique de cette période et une édition, qui ne tardera pas à voir le
jour, des *Poemata* de Joachim Du Bellay : ce volume viendra compléter
l'édition de Henri Chamard qui lui aussi, à son heure, avait compris
l'importance de la poésie néo-latine. Ces travaux sont couronnés par
cet ouvrage très riche en faits et aperçus, qui situe admirablement notre
poète dans l'évolution de la poésie de la Renaissance française, qui
détruit le stéréotype que nous nous étions fait, sans peut-être nous en
rendre compte, et qui fournira un modèle à d'autres seiziémistes aux
yeux desquels l'importance de la poésie néo-latine doit maintenant
être chose acquise. Il faut souhaiter à ce beau travail la large diffusion
qu'il mérite à tant de titres et son prolongement dans d'autres travaux
qui s'inspireront de son exemple.

I.D. Mc Farlane

Professeur de littérature française
à l'Université d'Oxford

Ancien président de l'Association internationale
d'études néo-latines

A LA MÉMOIRE DE L'HUMANISTE
PIERRE DE NOLHAC

AVANT-PROPOS

Au seuil de ce livre, je tiens à exprimer ma gratitude aux maîtres latinistes dont la « doctrine » a informé mon travail, dans ses diverses étapes, MM. Jacques Perret, Pierre Grimal, J.-P. Boucher, Alain Michel, et aussi bien à ceux dont l'œuvre a mis en lumière la pérennité d'une tradition culturelle, les fondateurs des études néo-latines, MM. Josef IJsewijn, et Ian D. Mc Farlane qui m'a fait l'honneur d'accorder une préface à cette étude.

En tant que seiziémiste, je veux aussi saluer respectueusement ici la mémoire de V.-L. Saulnier.

Merci, aussi, à mes « mécènes », mes collègues de l'Université de Clermont-Ferrand II, MM. Jean-Michel Croisille et Pierre Janton, directeurs, respectivement, du Centre de recherches sur les Civilisations antiques et du Centre de recherche sur la Réforme et la Contre-Réforme.

Ce double parrainage reflète parfaitement la double orientation de ce livre : c'est, de fait, dans la fréquentation amicale non seulement des textes, mais aussi des hommes de l'antiquité que Dorat, au cours de sa longue vie, a cherché — et parfois trouvé — la sagesse qu'il fallait à un intellectuel, engagé dans une des périodes les plus troubles de notre histoire.

Geneviève Demerson
Clermont-Ferrand, le 17 juin 1982

ABRÉVIATIONS USUELLES

Œuvres de Dorat :

A. = *Anagrammatum lib. I.*
Ecl. = *Eclogarum lib. II.*
Epgr. = *Epigrammatum lib. III.*
Epth. = *Epithal. lib. I.*
F. = *Fun. lib.*
M.S.D. = *Magnificentiss. spectaculi... descriptio.*
Od. = *Odarum lib. II.*
P. = *Poematum lib. V.*
V.R. = *Variarum rerum lib. I.*

B.C.A. = *Ad belli ciuilis Auctores.*
B.V.M. = *Ad beatissimam Virginem Mariam.*
D.C. = *Ad diuam Coeciliam.*
Exh. = *Ad Regem Exhortatio.*

Autres abréviations :

A.C.N.A. = *Acta conuentus Neo-latini Amstelodamensis.*
A.C.N.L. = *Acta conuentus Neo-Latini Lovaniensis.*
A.C.N.T. = *Acta conuentus Neo-Latini Turonensis.*
B.H.R. = *Bibliothèque d'Humanisme et Renaissance.*
B.S.H.P.F. = *Bulletin de la Société de l'Histoire du Protestantisme
français.*
De I.A. uita = Robiquet, *De Ioannis Aurati poetae Regii uita et la-
tine scriptis poematibus.*
Hum. Lov. = *Humanistica Lovaniensia.*

R.H.L.F. = *Revue d'Histoire littéraire de la France.*
R.H.R. = *Réforme, Humanisme, Renaissance.*
R. et l'H. = Nolhac, *Ronsard et l'Humanisme.*
S.T.F.M. = Société des textes français modernes.

G.D. = Geneviève Demerson.
P. = Paris.

INTRODUCTION

*Poetica facultate imprimis excelluit,
in qua, ut alii ipso docente multum
proficerent, sedula foelicitate effecit.*

J.-A. de Thou

L'Histoire est généralement dure pour la mémoire des professeurs. Même si l'on a eu l'avantage d'enseigner la rhétorique à Rimbaud au lycée de Charleville, on n'est pas sûr de passer à la postérité. Ainsi Sainte-Beuve, qui évoque avec sympathie la propédeutique de la « Pléiade », se contente de noter tout d'abord : « Sous les érudits de l'époque, et soumise à leur forte discipline, s'élevait en silence une génération studieuse et ardente[1]. » Quelques pages plus loin, cependant, le maître de Coqueret a droit à une mention particulière, et le critique note, en reprenant la formule d'A. du Verdier, qu' « on vit une troupe de poètes s'élancer de l'école de Jean Dorat comme du cheval troyen[2] ».

L'IMAGE DE DORAT

De fait, dans la plupart des cas, le nom et le renom du professeur ont traversé les siècles avec ceux de sa progéniture intellectuelle. Il faut, d'ailleurs, reconnaître que les disciples les plus brillants ont toujours généreusement témoigné en faveur de l'humaniste, mettant l'accent sur la science qu'ils avaient acquise auprès de lui et, tout autant, sur sa capacité à créer dans sa « famille » une atmosphère de travail et de joie[3]. H. Chamard en prend acte, et déclare à propos de Dorat : « on ne mettra jamais assez haut le professeur et l'humaniste[4] » et plus loin : « l'humaniste enthousiaste ... sut éveiller des poètes en leur révélant des poètes » (*op. cit.*, p. 101). Chose très curieuse, ces jugements favorables sont présentés, dans les deux cas,

---

1. *Tableau historique et critique de la poésie française et du théâtre français au XVIe siècle*, Paris, 1828, p. 56.
2. *Op. cit.*, p. 58.
3. Cf. notamment Nolhac, *Ronsard et l'Humanisme*, repr. Paris, 1966, p. 52-58. Nous abrègerons désormais *R. et l'H.*
4. *Histoire de la Pléiade*, Paris, 1939, p. 8.

après une condamnation catégorique : « le poète est de valeur nulle »
(*op. cit.*, p. 8), et, avec une nuance : « ce n'est point par ses vers français,
d'une totale insignifiance, qu'il faut juger le principal de Coqueret » (la
périphrase a son prix), « pas même par ses vers latins, plus nombreux,
plus variés, d'une facture plus élégante »; pourtant la conclusion
s'impose : « (il) ne fut pas lui-même un poète » (*op. cit.*, p. 101).

Marty-Laveaux, pour sa part, avait fait une sélection parmi les
vers de Dorat. Ceux qui sont consacrés à la Saint-Barthélemy ont retenu son attention : « Ses vers latins, d'ordinaire plus ingénieux
qu'énergiques, s'élèvent ici à une sorte de lyrisme, et il a ce malheur
de n'avoir jamais été si réellement inspiré que par ce déplorable sujet[5]. »

Telle est donc la vision qui s'impose : Dorat fut un savant professeur et le panégyriste de la tragédie du 24 août. Dès lors le démon
de la physiognomonie se déchaîne dans l'esprit du critique qui commente ainsi le portrait qu'il a placé en tête de son édition de la
Pléiade française : « Sa figure a quelque finesse, mais cette finesse est
subtile et prétentieuse; sa physionomie exprime une fermeté plus
voisine de l'entêtement que de la résolution. L'expression générale est
d'ailleurs d'une placidité qui étonnerait chez cet approbateur forcené
de la Saint-Barthélemy, si l'on ne surprenait en même temps sur ce visage une certaine étroitesse d'esprit plus implacable que la cruauté »
(*op. cit.*, p. X).

Cette tête osseuse, barbue, bien chevelue, porte allègrement ses
soixante-dix-huit ans[6], mais il est difficile, puisqu'il s'agit d'un portrait de profil, de s'imaginer quelle pouvait bien être son expression[7],
et les conclusions de Marty-Laveaux paraissent, à tout le moins, un
peu hâtives. Elles sont révélatrices, en tout cas, du préjugé avec lequel
le critique a abordé son travail.

Il est, certes, dans notre propos de revenir sur les échanges intellectuels entre Dorat et ses disciples, aussi bien que sur son attitude
en 1572[8], mais l'activité du maître ne se réduit pas à l'éducation
humaniste de la Brigade, et il a tout de même écrit autre chose que
les vers consacrés à la Saint-Barthélemy. En ce qui concerne les *Odes*,
par exemple, l'examen du nom des dédicataires montre que Dorat dut
avoir une grande audience[9]. Aussi nous a-t-il paru légitime d'élargir

---

5. *Œuvres* de Jean Dorat, éd. La Pléiade française, Paris, 1875, p. XXX.
6. Ce portrait figurait déjà en tête de l'édition de 1586, avec l'indication IOANNES
AVRATVS POETA ET INTERP. REG. AETA SVAE LXXVIII (Aij v°).
7. Pour d'autres portraits, cf. Nolhac, *R. et l'H.*, p. 57, n. 1.
8. Cf. particulièrement, ci-dessous, p. 290-294.
9. Cf. notre édition des *Odes latines* de Jean Dorat, Clermont-Ferrand, 1980. Les
chiffres romains renvoient à cette édition.

l'enquête et de situer le personnage dans la société de son temps, aussi bien que d'essayer de suivre son propre itinéraire, en utilisant les témoignages d'une œuvre qui, selon la légende, dépassait cinquante mille vers[10].

L'HÉRITAGE CRITIQUE   H. Chamard a fait un bilan de la documentation utilisée par lui pour son *Histoire de la Pléiade*[11]. Il est donc permis de passer rapidement sur un certain nombre de travaux dont il a indiqué la valeur et les limites. Ainsi la notice *Daurat* du dictionnaire de Bayle est sans doute honnêtement faite, mais, note H. Chamard, « il n'est préoccupé que de biographie » (*op. cit.*, t. 1, p. 35). Le plus grave, selon nous, serait que la curiosité érudite de Bayle s'arrête en deçà de l'œuvre des auteurs qu'il étudie, et, même quand il s'agit de textes français, H. Chamard croit pouvoir remarquer : « et peut-être, aussi bien, ne les a-t-il pas lus » (*op. cit.*, *ibid.*). C'est aussi, nous pensons pouvoir le dire, le cas du président de La Monnoye[12].

Niceron, lui, a lu les œuvres, même le latin, dit-il, mais, selon lui, « on peut même dire qu'il est difficile de trouver dans tout son (de Dorat) livre une pièce ou deux qui arrêtent l'esprit et qui puissent contenter ceux qui ont le goût fin et l'oreille délicate[13]. »

Il est vrai que l'édition de 1586 contient un certain nombre de « petits vers » qui se ressentent de la grande facilité de leur auteur, mais le jugement dédaigneux sur le fond nous semble bien révéler que Niceron a lu rapidement, ou même n'a pas lu dans son ensemble le livre dont il parle, car, s'il lui était loisible de rejeter l'œuvre comme monument, on ne peut nier qu'elle soit une mine de solides documents capables d'arrêter l'esprit, qu'on ait ou non « le goût fin et l'oreille délicate ». En fait le manque de sympathie du critique l'a amené à des conclusions erronées[14].

Au XIXe siècle, dans l'entreprise de réhabilitation de la « Pléiade », Dorat est un peu oublié par Sainte-Beuve. Pourtant, si « les lauriers

---

10. Cf. par ex. Nolhac, *R. et l'H.*, p. 53 et n. 1.
11. *Op. cit.*, p. 22-55.
12. Cf. ci-dessous, p. 219.
13. *Mémoires pour servir à l'histoire des hommes illustres dans la République des lettres*, Paris, 1727-1745, t. 26, p. 112.
14. Il s'en prend, par ex., à l'épithète de *praecocia*, qui qualifie les œuvres rassemblées en 1586, et qui « ne convenoit point à un Poëte decrépit » (*op. cit.*, p. 120) ; mais Dorat entend qu'il n'a pas eu l'occasion de mettre la dernière main à l'édition de ses œuvres. En outre, un petit fait montre que Niceron s'est contenté de travailler d'après l'*index nominum*, sans recourir au texte lui-même. L'index note, en effet, à propos d'un certain Chipard, avocat : *socer Aurati*. Niceron tient cela pour acquis (*op. cit.*, p. 114). Or le texte des *Epgr.*, p. 83 a induit en erreur le rédacteur de l'index, car on y trouve imprimé *genero si* (d'où l'idée du « gendre ») : il faut lire *generosi*, qui se rapporte à *uini* : Niceron n'a pas corrigé.

d'Athènes et de Rome soulevaient ces jeunes cœurs[15] », il a bien fallu
qu'on les leur fît connaître. E. Gandar, lui, a « osé écrire » que « c'est
lorsqu'il imite les Grecs et lorsqu'il se livre tout entier à son goût pour
la poésie élevée, que Ronsard est véritablement lui-même[16] » : si le jugement qu'il porte sur le résultat obtenu par le poète vendômois est
nuancé, il ne met pas en cause l'enseignement du maître.

En 1886, le magistrat P. Robiquet soutenait en Sorbonne une
thèse latine consacrée à la vie de Dorat et à sa poésie latine[17].

En ce qui concerne la vie de l'auteur qu'il étudie, Robiquet ne fait
guère que ressasser les témoignages utilisés par Marty-Laveaux dans son
édition des *Œuvres* en 1875[18]. Les textes ne sont pas présentés dans la
suite chronologique[19], et les anecdotes sont amoncelées sans ordre.
En outre, il s'est fait une certaine idée de son personnage, et semble
systématiquement laisser de côté tout ce qui pourrait la contredire[20].
Et surtout, s'il a bien l'intention d'avoir recours aux œuvres mêmes de
Dorat, il ne laisse pas ignorer qu'il les considère comme une calamité
publique à laquelle il faut se résigner puisque le ciel l'a voulu ainsi :
*... Auratus profecto non quinquaginta millia latinorum uersuum
scripsisset (quod quidem posteri ut calamitatem non deplorassent) (De
I. A. uita,* p. 106)[21]. Sûr de son jugement esthétique, il ne se laisse pas
impressionner par le décalage entre ce dernier et l'opinion des contemporains du poète : *Si quis de illo nunc loquatur, multum interesse inter
id, quod iam sentitur... et clamores istos mirantium quidquid musa
Aurati scribebat, quo tempore ipse floruit (op. cit.,* p. 117)[22].

Dans son étude des poésies latines, Robiquet a suivi un classement

---

15. Cf. n. 1.
16. Cité par H. Chamard, *Histoire de la Pléiade*, t. 1, p. 41.
17. *De Ioannis Aurati... uita et latine scriptis poematibus*, Paris, 1887. Nolhac a fait de
ce travail un compte rendu très dur (in *Revue critique d'histoire et de littérature*, n[lle] série,
XXIX (1887, 2), p. 502-507). Dorat lui-même est traité sans aménité. Le critique donne des
indications bibliographiques assez abondantes concernant des liminaires accordés par Dorat.
18. On retrouve les commentaires concernant le second mariage du poète (*De I. A. uita*,
p. 30), par ex. L'erreur de Marty-Laveaux à propos des vers qui concernent, prétend-il, la
Saint-Barthélemy, est reprise ici (p. 44-45) ; sur cette erreur, cf. ci-dessous, p. 291 et n. 131.
19. Ainsi il est question des leçons données au chevalier d'Angoulême en 1563 (*De
I. A. uita*, p. 10), puis de la nomination au Collège royal intervenue en 1556 (*op. cit.*, p. 12) ;
le mariage de l'humaniste en 1548 est mentionné p. 28.
20. Comme Marty-Laveaux, Robiquet a laissé de côté les textes qui sont en désaccord
avec l'idée qu'il se fait du personnage ; cf. par ex. ci-dessous, p. 272, n. 52. Il ignore complètement un texte comme *Ad Regem exhortatio* (1576), qui dérangerait sa conception des
rapports de Dorat et d'Henri III.
21. En outre, il prend gaillardement congé de l'objet de son étude en déclarant : *Itaque,
etiamsi omnes eius latini, gallicique graecique uersus stylo delerentur, fatendum est ab eo
unum opus saltem... magnum poetam, nomine Ronsardum, relictum esse (op. cit.*, p. 123).
22. Cf. aussi *op. cit.*, p. 122 (à propos de Pasquier et de Thou).

méthodologique, mais on peut faire à ce travail les mêmes objections que celles qui s'adressent à l'analyse de la vie.

Le critique allègue souvent des faits sans en apporter de preuve. Quand il ne s'agit que de chronologie, l'erreur est bénigne[23], mais, à l'en croire, Dorat fut le complice de la tuerie du 24 août, il y prêta véritablement la main : Re ipsa *quidem adiutor scelerum, consciusque stragis fuisse uidetur (op. cit.,* p. 41). Le choix de *uidetur* traduit peut-être la mauvaise conscience de Robiquet, mais la justification qu'il présente est erronée : il s'appuie, en effet, sur un texte de 1567 pour accuser Dorat d'avoir causé la mort de Ramus en 1572 *(ibid.)*[24]. Il revient encore sur le sujet à la fin du chapitre consacré aux *Funera et Epithalamia (op. cit.,* p. 98), derechef après avoir traité des *Eclogae et Bucolica (op. cit.,* p. 106)[25].

Ce dernier chapitre, précisément, montre bien le caractère partiel, et de ce fait partial, des informations présentées par le critique : en effet le recueil collectif de 1586 contient des *Eclogarum lib. II* dont le titre n'est même pas mentionné.

Les textes sont présentés dans une successsion qui est peut-être celle de l'édition de 1586, c'est-à-dire dans le plus grand désordre. Ainsi, dans le chapitre consacré aux affaires publiques, la Saint-Barthélemy est mentionnée avant les batailles de la troisième guerre civile[26], la mort de Charles IX avant celle du Connétable[27] dans le chapitre des *Funera.* Dans la conclusion, le critique rapproche les propos de Breton sur les vers de jeunesse de Dorat et ceux de Scaliger sur son activité de correcteur de textes, avant de revenir sur le recueil de 1586 *(op. cit.,* p. 118-119).

Il faut savoir gré, toutefois, à Robiquet, d'avoir donné en appendice à sa thèse un certain nombre de textes de Dorat, qui étaient demeurés inédits, même si certains de ceux qu'il présente comme tels ont déjà été imprimés[28].

D'une manière plus générale, l'ensemble du travail souffre du fait que le critique juge des œuvres et des attitudes politiques ou morales

---

23. Il déclare, par ex., que Dorat habite Paris depuis 1537 *(op. cit.,* p. 32), – cf. ci-dessous, n. 43 – mais il décoche à propos de la mort d'Henri III une remarque maligne, totalement gratuite *(op. cit.,* p. 66).

24. Sur les intentions du *Decanatus,* cf. G. D., « Contestation au Collège royal », in *Vita Latina,* 65 (mars 1977), p. 19-35.

25. Pourtant il a cité *(op. cit.,* p. 45, n. 3) la formule de Sainte-Beuve : « il convient, en jugeant à froid de modérer sa propre rigueur, et de faire la part de la fièvre du temps ».

26. Respectivement, *op. cit.,* p. 38 et 46.

27. Pour Charles IX, mort en 1574, cf. *op. cit.,* p. 89 ; pour Montmorency, mort en 1567, p. 93.

28. L'ode à Camille Morel, par ex. *(op. cit.,* p. 133-136) figure déjà en partie dans *Variorum poematum silua* (Bâle, 1568), florilège *s. n.* Buchanan.

de Dorat avec sa mentalité de citoyen éclairé de la Troisième République. Son esprit scientifique se refuse à admettre que le professeur ait pu croire que Nostradamus était inspiré, comme les anciens prophètes : *neque longe aberat quin crederet Nostradamo, uelut antiquissimis prophetis (De I. A. uita*, p. 87). Alors qu'il n'a fait aucun effort pour essayer de comprendre ce que pouvait bien être la mentalité des citoyens d'un État déchiré par la guerre civile, il s'avise, à la fin de la conclusion, que les temps ont changé et que la liberté d'opinion est un mirage récent : *Eiusque rabiem...moribus temporibusque excusare licet. Vtrinque enim acerrime certabatur... Nemo fere alium pati poterat non eadem de Deo aut religionibus sentire, quae ipse sentiret (op. cit.*, p.122).

En dépit de ce remords tardif, une telle attitude fait que ce travail a prématurément vieilli[29].

Un professeur heureux de l'être, et qui rend ses élèves heureux, est un être fascinant. Pourtant, dans bien des cas, le maître n'a pas beaucoup meilleure presse que le poète royal. Ce n'est pas la personnalité de Dorat[30] qui est alors en cause, mais bien plutôt le contenu de son enseignement[31].

Laumonier, qui manifeste une sympathie éclairée à l'égard de Ronsard, en est totalement dépourvu en face de Pindare. Il le relègue sans hésitation au magasin des antiquités[32]. Dans ces conditions, le seul schéma possible était de considérer que Ronsard avait fait un singulier progrès en se débarrassant de cet encombrant modèle, et en accédant, enfin, à la sincérité facile et simple. Dès lors, toute la responsabilité de l'entreprise devait retomber sur l'initiateur : si Ronsard a pindarisé, c'est la faute de Dorat. Il est certain que, sans lui, Ronsard n'aurait pas connu Pindare, mais le préjugé des grands critiques qui ont travaillé sur

---

29. On peut faire des remarques analogues à propos des « Olympes de cour » (*De I. A. uita*, p. 98) ; au sujet du mécénat (*op. cit.*, p. 122), l'auteur fait preuve de commisération.

30. Sur le jugement de Chamard, par ex., cf. ci-dessus, p. 1. Laumonier a déclaré aussi : « traducteur et commentateur merveilleux, il a dû communiquer sa flamme à l'élite de ses élèves » (*Ronsard poète lyrique*, Paris, 1909, p. 343).

31. D'ailleurs la langue véhiculaire de cet enseignement est aussitôt attaquée : « que l'humanisme ait fait courir de très sérieux dangers aux langues nationales de tous les pays où il a pris force, c'est ce qu'atteste son histoire de la façon la plus nette », déclare H. Chamard (*Les origines de la poésie française de la Renaissance*, Paris, 1920, p. 287) : il semble que les humanistes Pétrarque et Boccace soient accusés d'avoir empêché le développement de la langue toscane.

32. « Cette poésie des jeux athlétiques de la Grèce du Ve siècle av. J.-C. valait surtout par les circonstances de temps et de lieu qui la firent naître » ... elle serait « tout au plus digne de la curiosité des archéologues » (*Ronsard poète lyrique*, p. 343). Chamard, qui a médité sur *La poésie de Pindare et les lois du lyrisme grec* (Paris, 1880) d'A. Croiset, et rend justice à Pindare (*Histoire de la Pléiade*, t. 1, p. 341 et n. 2, p. 343), juge que « l'entreprise téméraire » de Ronsard « ne pouvait avoir qu'un total insuccès » (*ibid.*).

la « Pléiade » est bien visible quand il s'agit de savoir qui a pris l'initiative d'imiter Pindare, et de commettre ainsi une « erreur historique[33] », comme chacun sait.

En 1906, cependant, L. Foulet avait très bien vu que Ronsard avait pindarisé *avant* que son maître n'en fît autant en latin[34]. Est-ce parce qu'on trouvait choquant que le disciple montrât la voie? Toujours est-il que la thèse de Foulet parut inadmissible à tout le monde.

Laumonier déclarait en effet : « Au demeurant, Ronsard est loin d'être seul responsable de sa chimérique entreprise. Je soupçonne fort Dorat de l'y avoir poussé par ses conseils et par son propre exemple » (*Ronsard poète lyrique*, p. 343); « ... il écrivit même — c'est du moins probable — des odes entières sur le modèle des *Olympiques* et des *Néméennes* » (*op. cit.*, p. 344). Nolhac — qui rend pourtant, immédiatement après, justice à Dorat[35] — ne peut s'empêcher de noter : « Dorat est en partie *responsable* des excès du genre » (*R. et l'H.*, p. 51). Enfin Chamard, dans l'*Histoire de la Pléiade*, remarquait à son tour : « par son propre exemple, il a tiré vers un essai de transposition hasardeuse le plus hardi d'entre (ses élèves) » ; et plus loin : « De quelque façon que lui soit venue l'idée de l'ode pindarique, toujours est-il qu'en traitant ce genre *en latin*, Dorat fournissait le modèle d'une transposition savante qui devait conduire Ronsard à traiter le genre *en français* » (t. 1, p. 339-340).

Selon son tempérament, chacun des trois critiques se débarrasse de la note de Foulet, non sans agacement, parfois[36]. De son côté M. I. Silver, quand il a traité en 1937 de la question du pindarisme, n'a pas voulu trancher le débat en disant lequel des deux amis a commis le premier ce qu'il nomme, en traduisant la formule de Laumonier, « a historical error[37] ».

Pourtant les déclarations de Ronsard lui-même —

Le premier en France
J'ai pindarizé (S.T.F.M., t. 1, p. 176) —

33. Selon la formule de Laumonier (*Ronsard poète lyrique*, p. 342).
34. In *R. H. L. F.*, XIII (1906), p. 312-316.
35. « Il sut, mieux que personne, faire sentir la force, le mouvement, la couleur des chants vénérables » (*R. et l'H.*, p. 51).
36. Laumonier reconnaît : « Peut-être a-t-il raison, bien que sa démonstration ne me paraisse pas concluante. En tout cas, Dorat reste à mes yeux, comme philologue et humaniste, l'initiateur en grande partie *responsable* des odes pindariques de Ronsard » (*Ronsard poète lyrique*, p. 344, n. 2). Nolhac apporte une nuance : « On trouve mal appuyée l'opinion contraire formulée dans une note, d'ailleurs intéressante, de Lucien Foulet » (*R. et l'H.*, p. 49, n. 1). Chamard est réservé : « M. Lucien Foulet, dans une note ingénieuse ... a renversé les rôles ... Malheureusement, sa thèse ne se fonde pas sur des arguments péremptoires » (*Histoire de la Pléiade*, t. 1, p. 339 et n. 7 et 340).
37. *The Pindaric Odes of Ronsard*, Paris, 1937, p. 14.

et l'examen de l'ode que Dorat composa sur ce thème[38] prouvent que
c'est bien Ronsard qui a montré le chemin à son maître. Dorat déclare
en effet qu'il va entrer en concurrence avec son disciple, en utilisant
le chant pindarique que Ronsard a fait sien — *suo... Pindari cantu*
(*Ode* IV, str. 1)[39].

Ainsi la manière dont la critique universitaire a résolu ce problème
d'histoire littéraire est très révélatrice, d'une part, d'une certaine
attitude pédagogique : Chamard déclare en effet (il s'agit des Alexandrins) : « Dorat, malgré tout son mérite, a quelque peu faussé le goût
de ses élèves » (*Histoire de la Pléiade*, t. 1, p. 109). Or il est peut-être
naïf de penser qu'un « élève » tel que Ronsard a pu abdiquer tout sens
critique en présence de son professeur.

D'autre part, si Chamard déclare : « ce rêve (l'hellénisme)... c'est
l'âme de Dorat qui l'a rendu possible » (*op. cit.*, p. 111), les épithètes
qu'il donne à ce rêve sont : « aussi grandiose que téméraire » (*ibid.*).

Ainsi en face d'une entreprise pour laquelle il ne ressentait, au
fond, qu'une médiocre sympathie, le critique n'a pu s'empêcher de
chercher à disculper le jeune poète, tenant de la langue nationale, et
de charger l'humaniste, le « responsable », d'une commisération dis-
tinguée : « Ne soyons pas trop sévères. Si ce savant manqua parfois de
goût, il ne manqua pas d'enthousiasme » (*Histoire de la Pléiade*, t.1,
p. 110).

En effet, pour des critiques qui s'intéressent à l'avènement de la
langue française, il faut se hâter de tourner la page du latin, et de
passer aux choses modernes et intéressantes. Même si Chamard a
beaucoup évolué entre le temps où il publia *Les origines de la poésie
française de la Renaissance* (1920)[40] et le début de son *Histoire de la
Pléiade* (1939), Nolhac est passé, à l'égard de Dorat, en particulier,
d'une attitude quasi méprisante[41] à une compréhension sympathique.
D'une part, il a vu combien était stérile l'opposition entre la culture
classique et les progrès de la langue nationale : « La fortune des lettres
françaises, note-t-il, a voulu que Ronsard rencontrât, pour l'introduire
auprès des véritables maîtres de son génie, un guide incomparable, à
la fois docte et enthousiaste » (*R. et l'H.*, p. 52). Sans doute Nolhac est
moins enflammé quand il s'agit du poète : « Nous avons grand'peine
à comprendre que (ses vers) lui aient valu l'admiration générale

---

38. Elle fut imprimée en même temps que les odes pindariques du disciple, qui furent
composées entre 1546 et 1549 (*Histoire de la Pléiade*, t. 1, p. 340).

39. Pour le détail de la démonstration, cf. G. D., « L'ode pindarique latine en France
au XVIe siècle », in *A.C.N.A.*, Munich, 1979, p. 286-289.

40. Cf. par ex. ci-dessus, n. 31.

41. Cf. ci-dessus, n. 17.

de son temps » (*op. cit.*, p. 53)[42]. Mais il est loin de tout condamner en bloc. Une première remarque est éclairante : « sa gloire (est) plutôt desservie aujourd'hui par (les vers) qu'il a faits en langue française » (*ibid.*). C'est admettre que la production latine est pratiquement inconnue. Et le regret de Nolhac se précise un peu plus loin. Il vient, en effet, de parler avec bonheur du beau jour évoqué dans les *Bacchanales*, et il ajoute : « N'aimerait-on point posséder le poème qui a mis Ronsard et ses compagnons dans une telle exaltation lyrique ? Il est tout au long dans les recueils de Dorat, où l'on a oublié de le chercher » (*R. et l'H.*, p. 63 et n. 2).

Cette remarque n'est pas exempte d'amertume : il est certain que le prestige de Dorat a depuis longtemps souffert de l'absence d'une édition de ses œuvres complètes, car, effectivement, il faut « chercher » dans le recueil de 1586, où l'on ne peut reconnaître aucun ordre, d'aucune sorte.

Pourtant, le mal vient de plus loin. Bien que Dorat se soit trouvé compté dans la « Pléiade » française, la quasi-totalité de son œuvre est de langue latine. Or la littérature néo-latine, en France du moins, est une mal-aimée de la critique universitaire. Les latinistes classiques ont longtemps hésité à s'intéresser à une littérature qui a fleuri en dehors du cadre de l'empire romain. Nous avons vu quelle est, d'autre part, à l'égard de l'humanisme, l'attitude des critiques qui se sont occupés de la littérature d'expression française.

La poésie de Dorat se trouve dans son ensemble[43] en dehors des limites chronologiques que s'était fixées D. Murarasu pour son étude sur *La poésie néo-latine et la renaissance des lettres antiques en France (1500-1549)*[44].

L'ouvrage de P. Van Tieghem, *La littérature latine de la Renaissance. Étude d'histoire littéraire européenne*[45], après un tour d'horizon des problèmes généraux, s'attache successivement aux différents genres littéraires, dans tous les pays d'Europe. Il consacre quelques lignes à Dorat, en qui il n'a vu qu'un auteur de liminaires ; viennent s'ajouter les les noms de ses disciples (Baïf, Du Bellay, Belleau) « à qui il avait révélé les beautés de la poésie antique » (*op. cit.*, p. 113-114).

Ainsi, depuis la thèse de Robiquet, l'œuvre de Dorat n'a pratiquement jamais été étudiée par elle-même.

---

42. Le texte de Nolhac est ambigu : on ne comprend pas bien s'il parle de l'ensemble de la production poétique de Dorat, ou seulement des vers français.
43. Seule une épître à Robert Estienne est datée de 1538 (Dorat est encore à Limoges) ; cf. ci-dessous, chap. I, n. 16.
44. Paris, 1928.
45. Paris, 1944.

ORIENTATION DE CETTE ÉTUDE Dorat fut un homme d'études, mais il
ne demeura pas enfermé dans un cabinet.
S'il faut admettre que son œuvre savante ne nous est connue que par
les témoignages de ses disciples et de ses collègues, cela prouve, sans
doute, son incapacité à se consacrer à un travail de longue haleine,
mais c'est aussi le signe de son ouverture sur le monde : si ce professeur
n'a pas écrit de livres, il a, jusqu'à la fin de sa vie, formé des hommes.
Sa culture n'est pas une somme de connaissances vénérables ; elle est le
fruit d'un affrontement continuel entre l'intelligence du maître et
celles de ses disciples. Il a su rester leur ami malgré l'hiatus des générations, et la critique a conservé l'image d'un intellectuel bon vivant[46],
à l'aise lorsqu'il quitte l'obscurité des collèges. Heureux au milieu des
étudiants, Dorat n'a rien d'un grimaud. Il a été reçu chez les grands de
son temps[47] ; à deux reprises il a accompli des fonctions à la Cour[48].
Bon gré mal gré, le professeur, le poète royal, s'est trouvé engagé dans
la vie politique et religieuse du pays. De tout cela, son œuvre porte
témoignage.

Loin de nous l'idée de minimiser le rôle du professeur. Sans doute
il fut avant tout un érudit et un initiateur d'érudits : selon la formule
d'A. Tilley, « he was primarily a scholar and a trainer of scholars»[49],
mais il a été aussi autre chose. Notre propos, comme nous le disions
en commençant, est d'essayer de compléter ce portrait.

Puisque nous nous appuyons, pour ce faire, essentiellement sur
une œuvre poétique, il nous a paru légitime d'étudier d'abord les
problèmes du créateur, et pour commencer celui de son langage,
de ce latin si décrié, jugé si rétrograde[50], et qui pourtant était bien
pour Dorat et ses amis une langue vivante.

Mais Dorat n'a pas créé que des vers ; il a été profondément engagé
dans la vie artistique de son temps. Nolhac, le premier, a insisté sur les
liens qui unissaient l'humaniste et les artistes, ses contemporains[51].
Par la suite, les travaux de Miss Yates ont pleinement rendu justice à

46. Cf. par ex. Nolhac, *R. et l'H.*, p. 60-67.

47. Pour M. de l'Hospital, cf. B. N., Mss. Dupuy 810, f° 103 r° ; pour le cardinal de
Lorraine, cf. B. N., Mss. Lat. 10327, f° 5 r° -v°.

48. Il a accompagné le roi Henri II lors du « voyage d'Allemagne » ; cf. *Ecl.*, p. 29-30. Il
fut poète royal de janvier 1567 à sa mort.

49. « Dorat and the Pleiade », in *Studies on the French Renaissance*, Cambridge, 1922,
p. 227.

50. H. Chamard notait, par ex., à propos du latin de J.-A. de Thou : « A J.-A. de Thou...
il n'a manqué pour être un grand nom dans les lettres, que d'avoir écrit en français sa monu-
mentale *Histoire de son temps* (*Histoire de la Pléiade*, t. 1, p. 29).

51. Cf. *R. et l'H.*, p. 59 et n. 3. H. Chamard traite rapidement du culte de la « Pléiade »
pour les arts (*Histoire de la Pléiade*, t. 1, p. 121-124) et parle surtout de Nicolas Denisot.

Dorat créateur de fêtes[52]. Aussi avons-nous étudié dans un second chapitre les problèmes d'esthétique générale qui se posaient à Dorat, et en particulier la manière dont il concevait les rapports de la poésie avec la musique et avec les arts plastiques : la philosophie de la création artistique est commune à tous les créateurs, à tous les hommes de la *fictio*[53].

Il était légitime de s'intéresser à l'opinion d'un contemporain des guerres de « religion », et personne ne semble avoir douté que Dorat n'ait été tout au long de sa vie un Catholique, et un Catholique fanatique. On n'a, pourtant, étudié alors qu'une attitude sociale, voire politique, et nous y reviendrons[54]. Mais ce Catholique a-t-il une âme ? Il nous a paru intéressant de chercher, d'abord, à connaître ce que fut la vie intérieure de Dorat. Personne, en effet, ne semble s'être avisé qu'il a lui-même énergiquement témoigné de sa « conversion » dans une *Ode* (XXX), qui fut imprimée en 1571. Dès lors, nous avons tenté de retrouver quelle avait été son attitude spirituelle avant cette date, comment, par la suite, il a vécu sa foi nouvelle, et quels retentissements cette conversion a pu avoir, notamment sur sa vie intellectuelle.

Nous n'avons pas étudié ensuite l'œuvre scientifique et philologique de Dorat, non plus que ses méthodes pédagogiques ; nous avons essayé, plutôt, de caractériser sa démarche intellectuelle. Cet esprit vif et curieux, dont l'âge ne semble pas avoir diminué la sagacité[55], possédait une aptitude singulière à saisir les analogies. Dorat toute sa vie, dans tous les domaines, s'en est servi pour forcer les secrets des mots et des choses. Dans les livres, il a recherché l'aide de ceux qui s'efforcent de connaître la structure profonde du monde, aussi bien que celle du langage[56]. Jusqu'ici le fait que Dorat ait pratiqué la mantique n'a suscité, semble-t-il, que des remarques ironiques ou gênées[57]. Tout d'abord,

---

52. Cf. ci-dessous, chap. II, n. 140 et 222.

53. Nous venons d'apprendre, grâce à l'obligeance de M. V. Juren, que nous remercions ici, que Dorat s'adonnait à l'activité graphique : il a desssiné des projets de médailles ; cf. *auct. cit.*, « Jean Dorat et les jetons des derniers Valois », in *Revue numismatique*, série 6, 21 (1979), p. 201 et n. 30.

54. Dans le chapitre intitulé « L'humaniste devant les troubles civils ».

55. On ne voit pas sur quoi Robiquet appuyait son jugement : *senis Aurati, iam delirantis... carmina* (*De I. A. uita*, p. 122). D'après la conversation entre Dorat et Chavigny, qui est rapportée par ce dernier, les facultés intellectuelles du vieillard étaient intactes en 1588 ; cf. ci-dessous, p. 257.

56. M. F. Secret a attiré le premier l'attention sur les rapports de Dorat avec la cabbale ; cf. ci-dessous, p. 122 et n. 17.

57. Niceron, qui vit au siècle des Lumières, croit pouvoir affirmer : « le mauvais goût du siècle où il vivoit, doit lui faire pardonner celui qu'il eut pour les Anagrammes ... Il passa pour un grand devin en ce genre... Il mit même ce badinage puéril tellement en vogue, que tout le monde voulut s'en mêler » (*Mémoires...*, p. 114). A. Hulubei remarque aussi à propos des anagrammes : « Ces puérilités ne faisaient sourire personne, à une époque où l'on croyait à la sorcellerie, aux rêves, aux visions et aux prédictions » (*L'Églogue en France au XVIe siècle*, Paris, 1938, p. 584).

il nous a paru qu'il était dangereux de juger d'une époque d'après les
critères d'un prétendu rationalisme — toujours fragile, au demeurant.
En outre, les procédés du *uates* méritent, selon nous, l'attention en
eux-mêmes. Les périodes troublées suscitent toujours les prophètes
dont elles ont besoin : Dorat connut Marignan et Cerizoles, mais aussi
les désastres de Pavie et de Saint-Quentin. Pourtant, le plus noir était
encore à venir.

La guerre civile, en effet, est un fléau bien pire que la guerre extérieure. C'est ici qu'il faut reparler de l'attitude « catholique » de Dorat,
d'un point de vue politique, et non spirituel, mais il est nécessaire de
ne pas isoler la prise de position sur la Saint-Barthélemy : douze ans se
sont écoulés entre le commencement des guerres de religion et la tuerie
de 1572 ; Dorat est mort seize ans plus tard. La plus élémentaire honnêteté intellectuelle exige qu'on cherche à savoir comment il a réagi
pendant tout ce temps-là.

L'humaniste, on le sait, fut un serviteur du Roi : on le lui a reproché parce que, sur ce point, on n'a guère dépassé l'anecdote de la
cassette de Charles IX[58]. Si Dorat, né sous Louis XII, mort sous
Henri III, a été un sujet fidèle, il serait absurde de croire que le Roi
n'a été pour lui que le dispensateur d'une pension. Sans doute le Roi
demeure bien, à cette époque, la pierre sur laquelle repose tout l'édifice
politique, mais les jugements portés par Dorat sur les rois qui se sont
succédé ne sont pas sans nuances, ni sans couleurs, et son œuvre
présente des témoignages très variés sur les autres catégories sociales.

Notre propos est de voir comment, dans chacun des domaines que
nous venons de délimiter, sa culture intervient comme la référence
fondamentale pour cet homme qui s'est engagé si activement dans
toutes les luttes quotidiennes de son temps.

REMARQUES SUR   Marty-Laveaux a recensé en une mince
LA BIBLIOGRAPHIE DE DORAT   plaquette de soixante-huit pages — dont
la moitié est considérée par lui comme
un appendice — la production française de Dorat. La plupart de ces
textes ont des équivalents latins[59]. L'œuvre latine est beaucoup plus
considérable, et il y a des chances pour que ce soit le latin qui se présente spontanément sous la plume du poète[60].

La seule édition collective des œuvres de Dorat est loin d'être complète : ce sont les *Poëmatia*, imprimés à Paris par G. Linocier en 1586.
Le caractère lacunaire de ce livre est son moindre défaut. Il est d'une

58. Robiquet (*De I. A. uita*, p. 45) renvoie à Marty-Laveaux, *Œuvres* de J. D.,
p. XXXIII.
59. Cf. ci-dessous, chap. I, n. 123.
60. Cf. ci-dessous, p. 15-19.

réalisation technique plus que médiocre[61]. Il ne s'agit pas à proprement parler d'une édition « pirate », puisque Dorat a fini par l'avouer, et a composé une épître pour la présenter à Henri III (*op. cit.*, Aij r°-v°), mais il n'a pas eu la possibilité de revoir lui-même ce travail. Fait plus grave, ce recueil a été rassemblé sans l'aveu de l'auteur. La hâte des *collectores* a fait qu'aux textes de Dorat ils en ont ajouté d'autres qui ne sont pas de lui. Aussi avons-nous indiqué dans le courant de cette étude les poèmes dont l'attribution à Dorat nous a paru douteuse, ainsi que les raisons de nos doutes. D'autre part les circonstances dans lesquelles ce recueil a vu le jour interdisent, à notre sens, qu'on puisse le prendre comme référence quand il permet, par hasard, une analyse de variantes : rien n'autorise, en effet, à dire si les corrections et les coupures qu'il présente sont, ou non, le fait de l'auteur.

En ce qui concerne les textes dont le poète a le plus soigné la forme, c'est-à-dire les odes, le recensement que nous avons tenté n'est probablement pas exhaustif[62]. Pour les poèmes composés dans une autre forme métrique (hexamètres, distiques élégiaques, notamment), nous ne relevons dans la bibliographie que ceux qui font partie d'un recueil composé par l'auteur. Pourtant une production très nombreuse est formée par les liminaires qu'il a offerts, ou qu'on a sollicités de lui, et la variété des dédicataires est une marque de l'entregent de Dorat, aussi bien que de la diversité de ses intérêts[63], et de sa gentillesse[64]. Nous fournissons les indications nécessaires à propos de chacun de ces textes quand nous les utilisons comme documents dans ce travail, mais une récapitulation nous a paru une surcharge inutile dans la bibliographie. Il est certain, en tout cas, que bien des poèmes de Dorat, et pas seulement des liminaires, n'ont pas été encore recensés. Nous avons utilisé notamment ceux qui sont conservés dans les recueils Mss. Lat. 8138, 8139, 10327 de la Bibliothèque nationale. Certains de ces textes sont autographes. Nous pensons, en effet, avoir identifié la main de Dorat dans le brouillon du liminaire pour le *Lucrèce* de Lambin[65], ce qui permet d'authentifier un certain nombre de pièces de Mss. Lat. 10327, rédigées par Dorat à différentes époques de sa vie, ce qui entraîne forcément quelques variations dans le graphisme[66].

61. Sur cette médiocrité, cf. notre introduction aux *Odes Latines* (cf. ci-dessus, n. 9), p. 8-9.

62. Alors que l'impression allait commencer, nous avons encore trouvé une ode sur la mort d'Henri II, conservée dans un recueil *s. n.* Uytenhove (XXI bis).

63. Il offre un liminaire à des médecins (Paré : *P.*, p. 43 ; Joubert : *Epgr.*, p. 69) ; à l'explorateur Thevet (*Ode* XXXIX), par ex.

64. Les grands noms de l'histoire littéraire n'ont pas été seuls à bénéficier des encouragements de Dorat ; il accorda des vers notamment aux *Premières œuvres poétiques* de Joachim Blanchon, Paris, 1583, à la tragédie *Regulus* de Jean de Beaubrueil, Limoges, 1582.

65. « Dorat au travail », in *Mélanges F. Simone*, t. 2, Turin, 1982, p. 155-163.

66. Nous avons l'intention de publier prochainement les lettres adressées par Dorat à l'humaniste limousin Jean Maledent.

D'autre part M. P. O. Kristeller a eu l'amabilité de nous faire connaître l'existence de notes d'étudiant, conservées à la Bibliothèque Ambrosienne de Milan, et je tiens à le remercier ici.

Pour la transcription de tous ces textes, aussi bien que pour celle des œuvres latines citées, nous avons, comme dans l'édition des *Odes*, utilisé les graphies *u, V* et *i, I*, employées en France dans les éditions modernes de textes latins[67]. Il ne s'agit pas seulement d'éviter le disparate. Nous souhaitons que cette uniformisation de l'orthographe soit comme le symbole d'une unité linguistique et culturelle dont Dorat lui-même était parfaitement conscient[68].

68. Nous avons étendu cette graphie aux textes latins cités d'après les éditions Loeb et Teubner.
68. Cf. par ex. les propos qu'il tient à Daniel d'Augé sur les possibilités du latin (cité par Nolhac, *R. et l'H.*, p. 113 et n. 1).

Chapitre Premier
LE CHOIX DU LATIN

*Nefas esset non coli Latinam linguam
et conseruari.*

Th. Buchmann

*Quid non tentatum iam Gallica lingua
relinquit ?*

J. Dorat

Si les œuvres poétiques de Jean Dorat sont bien oubliées, c'est, à n'en pas douter, parce qu'elles ont été écrites en latin, mais un de ses titres de gloire est d'avoir été l'initiateur de poètes de langue française, de Baïf, de Ronsard surtout, et de Joachim Du Bellay, qui proclamaient hautement leur dette envers lui[1]. Une remarque d'A. du Verdier est particulièrement intéressante : Dorat a aidé les jeunes poètes (Ronsard, Baïf, Belleau) « pour façonner leurs ouvrages que nous voyons estre sortis d'eux : si bien que le principal enrichissement de nostre langue luy en est deu[2] ». Il fut, en effet, l'ami, le conseiller de gens qui ont écrit : « Qu'il est impossible d'egaler les Anciens en leurs langues[3] », et « Comment veux-tu qu'on te lise, Latineur[4] ? »

Comment se fait-il que le maître de cette « Brigade » qui illustra la langue française après l'avoir défendue, ait composé à peu près exclusivement en latin, et ce pendant toute sa vie ?

MOTIVATIONS
PERSONNELLES

On peut croire que Dorat a cédé à la facilité. Il est sujet du roi de France, sans doute, mais le français n'est pas la langue qu'il a « succée avecques le laict de sa nourrice ». Natif d'une province de langue d'oc, même s'il n'est pas le modèle de l'escholier

---

1. Cf. par ex. Ronsard, *Odes*, 1, 14 (S.T.F.M., t. 1, p. 135-138), et en particulier la formule : « Si j'ai du bruit il n'est mien, / Je le confesse estre tien. » Nolhac a collationné un grand nombre de métaphores très diverses pour traduire les rapports intellectuels de Dorat et des jeunes poètes ses disciples (*R. et l'H.*, p. 56). C'est bien le souvenir de l'initiateur que ses amis ont conservé ; ainsi en est-il de Muret (Préface des *Iuuenilia*, rééd. Leyde, 1757, p. V). Dorat lui-même, dans l'ode pindarique *Ad P. Ronsardum* (IV, antistr. 4) se présente, non sans un juste orgueil, dans son seul rôle de professeur.
2. *Bibliothèque*, Lyon, B. Honorat, 1585, p. 685.
3. Titre de *Deffence*, 1, 11 (S.T.F.M., p. 74), 1549.
4. Il est impossible de dater avec certitude ce texte, publié pour la première fois en 1587, comme préface posthume de la *Franciade* (S.T.F.M., t. 16, p. 351).

Limosin[5] de Rabelais, il a probablement appris le latin avant le français[6] . On pourrait faire les mêmes observations à propos d'un autre
Limousin, Muret, ou de Michel de l'Hospital, né en Auvergne : ils n'ont
jamais — non plus que Montaigne (cf. 3, 5) — composé que des vers latins.

C'est que le latin apparaît bien comme la meilleure solution culturelle pour les minorités qui ne parlent pas la langue de l'administration
centrale, et ne sont pas en mesure d'imposer à cette dernière leur dia-
lecte et leur patois — on dirait aujourd'hui leur autonomie linguistique:
tel est le cas d'Érasme.

D'autre part, la longévité de Dorat (il meurt à quatre-vingts ans
en 1588, ayant survécu non seulement à Du Bellay, mais à Belleau et
à Ronsard), sa verte vieillesse, le fait qu'il est lié à chaque moment de
sa vie avec le monde des étudiants[7], tout cela nous trompe : en fait,
c'est un homme de la première génération d'humanistes, plus jeune
que Rabelais, certes, mais qui a tout de même plus de quarante ans au
moment de la publication de la *Deffence et Illustration*. Pour les hommes de son âge, ce n'est qu'en entrant en concurrence avec les Italiens
que les Français, barbares, pourront atteindre la gloire : « Dans le
domaine de la culture et de la littérature, note très justement D. Murarasu, l'esprit des Français était hanté par le rêve de dépasser l'Italie.
Ce pays fut sans cesse un exemple, et les Français s'efforçaient de
réaliser chez eux ce que les Italiens avaient réalisé dans leur pénin-
sule[8] ». Or il fallait les battre sur leur propre terrain, celui de la
poésie néo-latine : en effet, comme l'a fait remarquer Chamard, « Après
Pétrarque et Boccace... la langue italienne s'est effacée comme langue
littéraire[9] ». Un homme comme Salmon Macrin[10] (1490-1557) pense
avoir acquis la gloire en acclimatant en France le *carmen* horatien à

    5. L'article de L. Hermann « Qui était l'Escholier limosin de Rabelais ? » (*Mélanges Le-
franc*, Paris, 1936, p. 194-196) ne saurait convaincre : *Pantagruel* qui relate cette mémorable
rencontre fut publié en 1533, et Dorat, en 1538, ne s'est pas encore rendu à Paris (cf. *op. cit.*
en n. 16). M. R. Lebègue a depuis longtemps montré la légèreté de la thèse d'Hermann ; cf.
Rev. des Cours et Conf., 30 mai 1939, p. 303-314.
    6. La langue maternelle de Dorat était la langue d'oc limousine : les registres de la con-
frérie de Notre-Dame-la-Joyeuse, ou des Pastoureaux (à Limoges), à laquelle appartenait sa
famille, sont tenus en cette langue jusqu'en 1550 ; cf. F. Delage, « La confrérie de Notre-Dame-
la-Joyeuse... », in *Bulletin de la Société archéologique et historique du Limousin*, LV(1905),
p. 579 ; cf. A. Leroux, *De l'introduction du français en Limousin du XIVe au XVIe siècle,
notes et documents*, Paris, 1911, en particulier, p. 65. Montaigne, lui, avait appris le latin
même avant le périgourdin ; cf. R. Trinquet, *La jeunesse de Montaigne*, Paris, 1972, p. 354-356.
    7. Préceptorat chez Lazare de Baïf, Coqueret, Collège royal, puis, après sa retraite, magis-
tère dans sa propre demeure ; cf. La Croix-du-Maine, *Bibliothèque*, p. 201 : « Il florist à Paris
cette année 1584... il fait encores tous les jours leçons ordinaires de sa profession... tant il
aime à profiter au public et faire des disciples... tant estrangers que François. »
    8. *La poésie néolatine et la renaissance des lettres antiques en France (1500-1549)*, Paris,
1926, p. 19.
    9. *Les origines de la poésie française de la Renaissance*, p. 287.
    10. Sur l'œuvre de Macrin, cf. I. D. Mc Farlane, « Jean Salmon Macrin », in *B. H. R.*, 21-22
(1959-1960), p. 55-84, 310-349 et p. 73-89.

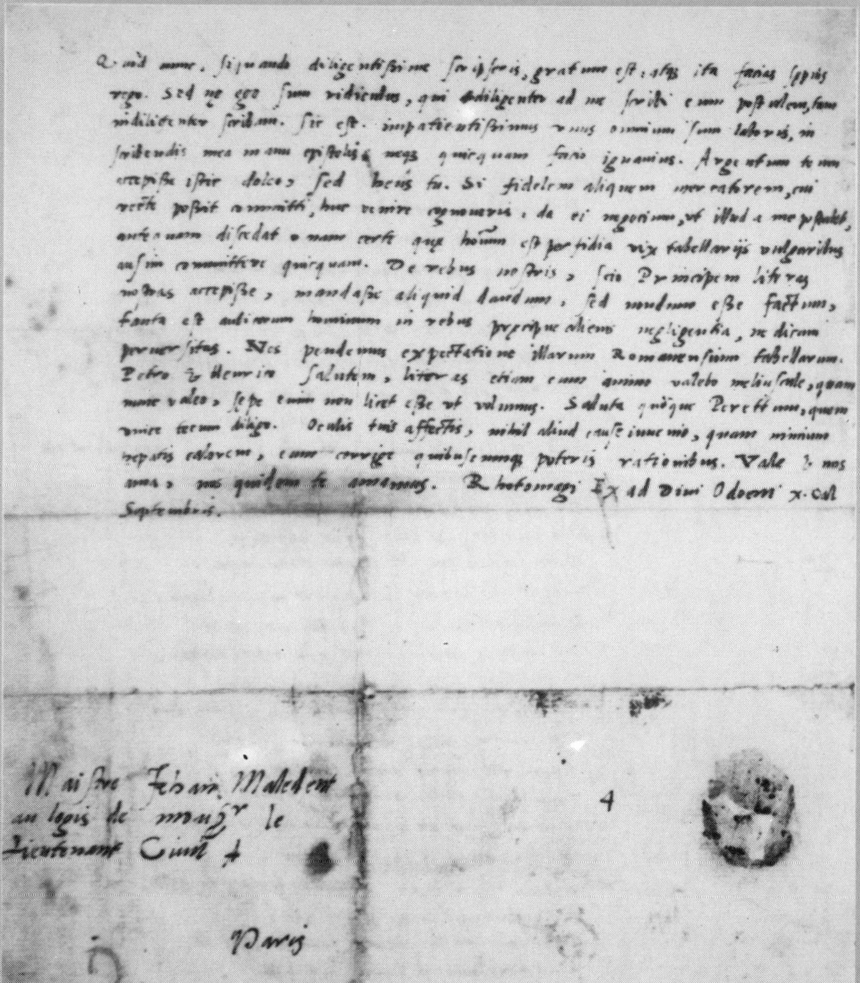

Pl. I. — Autographe de Dorat. Lettre à Jean Maledent (cf. p. 13). Paris, Bibliothèque nationale, Mss. Lat. 10327, f° 26 v° (Phot. Bibl. nat. Paris).

la poésie latine. L'épître de Dorat à Estienne[29] est celle d'un jeune provincial plein d'assurance[30] ; la lettre de Breton s'adresse à un poète qui commence à se faire une réputation par ses vers latins, mais nous ne pouvons savoir comment s'explique cette ascension qui semble rapide : même au moment où il aurait dû chercher à se faire connaître, Dorat ne s'est pas donné la peine de faire imprimer ses vers, ou – peut-être – les a détruits[31].

En tout cas, il a réussi dans son enseignement humaniste et, si l'on en croit Robert Breton, dans sa création poétique latine, quand il va assumer, en 1550, aux yeux du public, la responsabilité de son choix : c'est le latin qui lui convient pour répondre aux vers français que Ronsard lui a offerts en témoignage de sa gratitude :

> Decet nos...
> [...]
> numeros-
> que Gallicos *Latiis*
> Remunerari (*Ode* IV, str. 1).

Le poète a choisi le verbe *decet* : ce terme implique la convenance, le rapport, l'harmonie entre une chose et un être ; le latin sied à Dorat (il s'agit de l'expression du chant pindarique), il fait partie de son rôle, comme il est dans celui de la Muse, chez Horace, de consacrer le souvenir d'un homme par le chant lyrique (*Carm.* 1, 26, 10-12). Or quand on se charge d'un fardeau, il faut connaître ses forces. Quintilien l'avait dit[32], Joachim Du Bellay l'avait répété l'année précédente[33] : Dorat n'était pas homme à méconnaître une telle autorité, ni à négliger un conseil si pertinent. Il a sûrement « sondé diligemment son naturel » : après quoi, une telle déclaration exclut l'hypothèse d'une plaisanterie littéraire : l'émulation[34] est chose sérieuse et l'on ne badine pas quand il s'agit de la dignité de la poésie ; or c'est bien cela le sujet de l'ode où se trouve mentionné ce choix.

Alors pourquoi deux odes en latin l'année même de la « révolution poétique » ? Préjugé d'un pédant de collège, confit dans son mépris des langues vernaculaires ? Une telle hypothèse est insoutenable.

---

29. Cf. ci-dessus, n. 16.

30. A la lettre est joint un distique élégiaque désinvolte (à moins que cette désinvolture ne cache de la timidité) : *Forsitan haec quaeras a te quid pagina quaerat ? / Quaerit, rescribas ni sibi, nempe nihil.*

31. Cf. ci-dessous, p. 121 et n. 15. D'autre part, le naturaliste Pierre Belon offre un témoignage d'une édition des *Œuvres* de Dorat, antérieure à 1551, mais le texte qu'il cite ne nous est pas connu par ailleurs ; cf. G.D., « Dorat imitateur d'Ovide », in *Hum. Lov.* XXII (1973), p. 177 et n. 3, 4.

32. *Tum in suspiciendo onere consulat suas uires* (10, 2, 19).

33. *Deffence*, 2, 3 (S.T.F.M., p. 106-107). Le texte d'Horace (*Ad Pis.*, 38-39) vise plus précisément le choix du sujet -*materiam*.

34. Sur l'émulation entre Dorat et Ronsard, et l'initiative de l'imitation pindarique, cf. ci-dessus, p. 7-8.

L'année précédente, dans le liminaire
(en grec!) de la *Deffence*, Dorat proclamait, citant Homère[35], qu'il n'y a qu'un
seul bon augure, c'est de combattre pour la patrie, et il ajoutait que
Du Bellay, puisqu'il plaidait pour la langue de ses pères, aurait à jamais
le renom d'un bon patriote[36].

En 1550, de fait, les deux odes latines (IV et V) offertes à Ronsard
exprimaient vigoureusement l'admiration du maître ; à ses yeux, c'est
parce que le jeune poète a fait une œuvre *française* qu'il mérite d'être
glorifié :

> At nunc *patriae* principem
> Chelys, apud *Celticos*
> Decus grande populos,
> Decet nos suo
> Sibi Pindari can-
> tu personare : numeros-
> que *Gallicos* Latiis
> Remunerari haud inultos   (*Ode* IV, str. - antistr. 1).

Plus loin, il emploie en outre les termes *patria, indigena* (antistr. 1),
gentilis (ép. 3)[37]. Le français est capable d'exprimer les idées les plus
hautes, il n'est pas indigne de la poésie lyrique. Le poète français
Ronsard est un nouveau Pindare, le prince des poètes, mais son maître
le glorifie en latin : ce faisant, il établit de fait l'égale dignité des deux
langues. Dans ce même texte la double « paire » — *Gallicos / Latiis*
(str. 1) et *meis Italis / Patria* (antistr. 1)[38] — souligne le fait que
l'humaniste ne dédaigne pas d'entrer en concurrence avec son disciple,
qui compose en langue « vulgaire », en lui répliquant en latin. Le
français et le latin sont aptes tous deux à exprimer des idées nouvelles
— *noua plectra resequar nouis* (antistr. 1) — à faire revivre, au-delà du
latin d'Horace (mais en suivant son exemple[39]), la grande poésie de
Pindare à la bouche profonde. Dorat revendique pour le latin aussi la
possibilité de sortir des sentiers battus ; dès le début du poème il rejette
vigoureusement les éternels sujets mythologiques :

> ... Satis Pisa iam,
> Iouisque memoratus
> Olympus, sacrum et
> Herculis patris opus (str. 1).

---

35. *Iliade*, 12, 243.
36. In *Deffence*, S.T.F.M., p. 10.
37. Cf. Ronsard, S.T.F.M., t. 1, p. 136 : « Je ne sçay quelles merveilles / Que *vulgaires* je
randi / Et premier les epandi / Dans les *Françoises* oreilles » (*Odes*, 1, 14).
38. Sur une interprétation différente de *meis Italis*, cf. Nolhac, *R. et l'H.*, p. 49.
39. Ronsard (S.T.F.M., t. 1, p. 45) cite précisément le texte d'Horace (*Epist.* 1, 19, 21-22) :
Libera per uacuum posui uestigia princeps, / non aliena meo pressi pede.

La langue, sans doute, est antique, mais puisqu'on va parler de Ronsard, le sujet sera nouveau et les vers aussi, à leur manière, puisqu'aucun poète latin n'avait osé tenter une création pindarique[40]. Dorat prétend être à sa façon un poète « moderne », et l'idiome employé ne fait rien à l'affaire. Le fond est plus important que la forme qui doit s'adapter.

Pour un homme qui a une quarantaine d'années en 1550, et qui vit chaque jour sa culture au milieu de la fièvre poétique de ses jeunes compagnons, le latin n'est pas une gêne, ni le monstre à abattre, c'est une réalité vivante, bien éloignée de ce que Chamard disait être le latin des humanistes — une langue « à tout jamais fermée, incapable... d'exprimer aucune idée nouvelle[41] ». Ronsard, Dorat et leurs amis se sont peut-être trompés : en tout cas, par leurs efforts conjoints, un grand souffle a balayé le Parnasse.

Si le jeune Ronsard proclame orgueilleusement sa volonté novatrice, son maître, plus diplomate, ne tient pas à effaroucher les vieux poètes, « latineurs » et autres, toujours bien en Cour. C'est pourquoi, à la suite de l'ode pindarique, il se hâte d'expliquer dans un *carmen* horatien de forme alcaïque, moins révolutionnaire, ce qu'est la poésie française de son disciple, et... la gloire que peuvent en espérer les dédicataires. On peut supposer que le poète a saisi, aussi, une occasion de faire connaître à un public étendu son savoir-faire métrique[42], mais les deux textes latins sont bien, chacun à sa manière, des « recommandations » du poète de langue française.

En défendant Ronsard, Dorat s'adresse à la jeunesse studieuse dont il est le père[43] intellectuel ; il songe sans doute aussi à ses collègues érudits, tels que Turnèbe et Lambin, qui jugeront de l'entreprise en connaisseurs[44], mais qui, personnellement, ne pratiquent que la poésie latine. Il espère toucher aussi les amis qu'il s'est faits chez Lazare de Baïf, les grands bourgeois cultivés, tels les Séguier, les cercles de lettrés parmi lesquels sa science et son caractère sont appréciés, en particulier celui de Jean de Brinon, chez qui fréquentait aussi Mellin de Saint-Gelais[45]. Si ce dernier, à cette date, se montre rebelle à tout accommodement,

40. Sur l'influence de l'Italien Lampridio, cf. *A.C.N.A.*, p. 285 (cf. n. 39, p. 8).
41. *Les origines*, p. 293.
42. En composant aussi dans une forme « sérieuse » dont les règles, précises, connues, s'opposaient à l'apparente anarchie de l'ode pindarique. La formule d'Horace *numeris(que) fertur / lege solutis* (*Carm.* 4, 2, 11-12) s'applique particulièrement au dithyrambe. Sur l'impression (très peu différente de celle de la prose) que la lyrique chorale produisait sur Cicéron, cf. *Orator*, 183.
43. « des Poëtes le Père », dit Baïf, *Poemes*, livre 9, *La ninfe Bievre*, éd. M.-L., t. 2, p. 440.
44. Lambin goûta fort les essais pindariques de son ami : *Cum uersus lyricos scribis, cum ... Pindaro... non sine uincendi spe contendere uideris* (dédicace du livre 6 de *Lucrèce*, Paris-Lyon, Roville, 1563).
45. L'histoire littéraire a mis en lumière la querelle entre Ronsard et Saint-Gelais, mais Dorat avait fait beaucoup plus tôt la connaissance de ce dernier ; il note que c'est Mellin qui l'a fait valoir à la Cour (B.N., Mss. Lat. 10327, f° 62 v°).

d'autres poètes de Cour, qui auraient pu prendre ombrage de tout ce fracas, se réjouirent de voir progresser la poésie en France. Salmon Macrin, par exemple, réclame avec insistance au poète pindarique une ode « dircéenne[46] » pour immortaliser le souvenir de sa jeune femme. Si un tel public finit par venir au français de Ronsard, c'est avec le latin de Dorat pour guide, car le jeune homme, dans ce milieu, n'a pas grande audience. L'attitude de Macrin est, à cet égard, significative : pour le « Tombeau » de Gélonis il sollicite Dorat, mais pas Ronsard : il s'est donc converti plus facilement à Pindare qu'au français. La participation de Joachim Du Bellay au « Tombeau » s'explique aussi par l'influence de la coterie néo-latine : Macrin était en rapports très amicaux avec la famille Du Bellay, et c'est lui qui prit l'initiative de faire imprimer les poèmes latins du cardinal Jean[47], mais pour bien montrer sa liberté, Joachim composa un poème en français[48].

Dans cette optique, l'emploi du latin, tout spécialement dans l'ode de forme horatienne, est une *captatio beneuolentiae* : ce poème s'adresse à un public qui ne désarmera pas facilement. La réconciliation entre Ronsard et Mellin[49] n'interviendra qu'après de laborieuses négociations dont Madame Marguerite, sœur du roi, chargea un poète néo-latin, son chancelier Michel de l'Hospital. Lui aussi, en effet, employa le latin pour défendre Ronsard. Comme l'a noté Nolhac, « il est même piquant de voir la langue latine présenter aussi brillamment les hardiesses de la muse française[50] ».

La justification est habile : Michel de l'Hospital, prévoyant l'objection de ceux qui mettraient en avant le fait que les théoriciens grecs et latins ont demandé de la mesure[51], rappelle qu'ils jouissaient déjà d'un langage riche :

> Prisci quod sermonis opes linguaeque uidebant
> Congestas longo tempore diuitias.

Mais l'homme politique a, sur les possibilités du latin, des idées moins révolutionnaires que le professeur ; il déclare que les poètes français vont de l'avant (et ont raison), alors que ce sont les choses anciennes qui plaisent aux latinisants :

> ... cum *nos* omnia prisca iuuent...
> Nulla noui cernentur in *his* uestigia uerbi,
> Nec uocis nouitas *nos* odiosa premet.

46. *Pindarico pectine ; Dircaeo ... carmine* (*Naen. lib. III*, Paris, Vascosan, 1550, p. 60 ; 72).
47. Cf. G.D., « La poésie néo-latine du cardinal Jean Du Bellay », in *Actes du Colloque Renaissance-Classicisme du Maine*, Paris, 1973, p. 309-310. Les vers du cardinal ont été imprimés à la suite des *Od. lib. III*, Paris, 1546.
48. In *Naen. lib. III*, p. 128-133.
49. Dorat composa un *Epicedium* (*Ecl.*, p. 35-42), Du Bellay un *Tumulus* (in *Poésies françaises et latines*, t. 1, Paris, 1919, p. 532-533).
50. *R. et l'H.*, p. 181 : Nolhac cite l'essentiel du texte de Michel de l'Hospital.
51. Il pense visiblement à Horace (*Ad Pis.*, 51-53) : ... *dabiturque licentia sumpta pudenter / (Si) Graeço fonte cadent parce detorta*, lorsqu'il écrit : *Et parce et timide uerba nouare iubent*.

Le chancelier se range parmi eux, par purisme, peut-être, à moins que ce ne soit par habileté diplomatique.

Ainsi ce latin humaniste, employé dans des ouvrages d'« imagination », n'a pas pour fin « la mort des littératures nationales », comme l'a dit Chamard[52].

Si, à son retour d'Italie, Joachim Du Bellay semble avoir craint que sa Muse française ne soit victime de la fantaisie latinisante à laquelle il avait dû céder[53], son vieil ami Dorat, plein de sagesse, l'a rassuré :

> Non quia cum ueteris Romae contendit honore...
> Idcirco patria est oblitus carmina uoce
> Cantare... (*P.*, p. 41).

Mieux encore, il est convaincu que cette expérience aura été enrichissante, et que les Français s'en rendront compte :

> Nunc quoque Bellaii discentes carmina Galli
> Hunc *aliquid* dicent addidicisse *noui (ibid.)*[54].

Quant à lui, il a composé en latin sans remords. En effet le choix de cet idiome a été fondé sur une prise de conscience réaliste de l'auteur, qui tient compte de ses possibilités créatrices, aussi bien que de la capacité de réception des différents publics. Il est tout de même révélateur que deux personnalités de tempéraments bien différents, un homme politique et un professeur, se soient servis de ce langage pour expliquer, défendre, exalter l'œuvre nationale du jeune Ronsard.

SOCIOLOGIE DU LATIN C'est le même souci d'efficacité qui fonde la fulgurante déclaration de Dorat, alors *professor regius*, prétendant rejeter en 1567 l'innovation de Ramus[55] qui voulait enseigner d'ordinaire en français au Collège royal :

> ... Francice docere
> De Regis solitus, *nefas*, cathedra (*P.*, p. 280).

Il semble, du reste, que, dans ce domaine, la prétention de Ramus ait été motivée surtout par le goût de l'innovation : à deux reprises son biographe, Ch. Waddington, le dépeint en citant la même formule d'Étienne Pasquier comme « grandement désireux de nouveautez[56] ». En fait, parmi les multiples travaux scientifiques de Ramus, le seul qu'il jugea bon de traduire en français fut sa *Dialectique*, et le seul texte

52. *Les origines*, p. 291.
53. Cf. notre communication « Les obsessions linguistiques de Joachim Du Bellay », in *A.C.N.T.*, Paris, 1980, p. 513-527.
54. Ces vers, jugés importants, ont été pour la première fois relevés dans la *Farrago poëmatum* de Léger du Chesne en 1560 (f° 372 v°-373 v°) ; ils l'ont encore été dans les *Delit. Poët. Gall.* en 1609 (t. 1, p. 270-272).
55. La violence est également due au fait que Dorat était, à cette date, brouillé avec Ramus ; cf. G.D., « Contestation au Collège royal », in *Vita Latina*, 65 (mars 1977), p. 19-35.
56. *Ramus, sa vie, ses écrits et ses opinions*, Paris, 1855, p. 13, 64 ; cf. aussi N. de Nancel, *Petri Rami Vita*, éd. P. Sharratt, in *Hum. Lov.*, XXIV (1975), p. 248.

qui n'ait pas d'homologue latin est une *Gramere*[57]. En tout cas, la déclaration de ce tenant de la langue nationale sur la nécessité du latin dans
tous les domaines peut donner à penser : *(linguae) Latinae tamen usus
ad loquendum et scribendum requiritur in omnibus Reipub. partibus*[58].

Dorat, comme Ramus lorsqu'il publie — même lorsqu'il enseigne[59] —
tient à être compris de tous, et non pas à enseigner aux seuls Français
de l'assistance, pour la seule satisfaction — grande, il est vrai — de sortir
de l'usage médiéval. Chamard note que « c'est peut-être ici le seul
point où l'humanisme n'ait pas rompu avec le Moyen-Age[60] ».

En fait, il ne s'agit pas du même latin : les humanistes ont eu l'impression que, comme toutes les autres disciplines, le latin était en train
de renaître, après purification, par un retour aux sources : le latin des
épîtres de Rabelais reflète cet effort, cette tension même, vers une langue
plus pure[61], mais la réforme sur ce point était commencée depuis un
siècle[62], et le latin de Janotus n'est tout de même pas celui d'un
universitaire, fût-il un Scolastique.

Si Dorat, dans un poème en latin, prit vigoureusement position
contre Ramus, ce n'est ni par mépris des langues vernaculaires[63], ni
pour la volonté de ne rien changer à une tradition universitaire vénérable
et désuète. Le Collège royal n'était pas le repaire d'un conservatisme
borné, et rien n'était moins traditionnel que la pédagogie du grec et du

---

57. Paris, Wechel, 1555. Ses premiers travaux sur ce sujet, *Dialecticae partitiones*, Paris,
Bogard, 1543, furent suivis des *Institutionum dialecticarum lib. III*, Paris, David, 1547, dont
une édition augmentée de « remarques préalables » d'Omer Talon parut à Lyon en 1553.

La *Gramere* fut publiée à Paris en 1562. Les autres œuvres françaises ne sont que des
traductions de discours latins en rapport avec la vie de l'Université de Paris. Par exemple la
*Harangue touchant ce qu'ont faict les deputez de l'Université de Paris envers le Roi. Com-
posée par P. de la Ramée et mise en français par un de ses amys*, Paris, Wechel, 1557. Il est
vrai qu'en ce qui concerne le latin parlé il était peut-être las des querelles que lui suscitaient les
gens de la Sorbonne à propos de la prononciation « restituée », que la petite histoire appelle la
querelle des *quisquis* et des *quamquam* ; cf. Waddington, *op. cit.*, p. 85-88.

58. *Grammatica Graeca*, Paris, Wechel, 1562, p. 4 (épître dédicatoire au cardinal de
Lorraine).

59. Il traduisait Platon en latin, pas en français (cf. Nancel, *op. cit.* en n. 56 , p. 206).

60. *Les origines*, p. 290.

61. Cf. G.D., « Rabelais auteur latin », in *Bull. Amis Rabelais Devinière*, 3, 3 (1974),
p. 110-113.

62. Cf. D. Murarasu, *La poésie néolatine*, p. 11-17, et J. IJsewijn, « Le latin des Humanistes français », in *L'humanisme français au début de la Renaissance*, Paris, 1973, p. 329-341.

63. Sa position était plus proche de celle de Vivès que de celle d'Érasme qui tenait les
langues nationales dans le plus grand mépris, singulièrement le français : *(lingua barbara et
abnormis) quae aliud scribit quam sonat, quaeque suos habet stridores et uoces uix humanas*
(*De pueris*, 501 f).

Selon l'abbé Vitrac, « Dans l'école de Dorat l'explication des ouvrages d'Homère, de
Sophocle et de Démosthène, de Virgile, d'Horace et de Cicéron, était toujours accompagnée
de la lecture des productions ... de Thibaud de Champagne, de Jean de Meung, d'Alain Chartier,
de Villon et de Philippe de Commines » (*Eloge de J. Dorat, poète et interprète du Roi*, Limoges,
1775, p. 23) : nous n'avons pu retrouver les documents sur lesquels l'abbé Vitrac appuyait ses
affirmations.

latin, que Dorat, semble-t-il, avait mise au point dès son préceptorat chez Lazare de Baïf[64] .

PARIS ET LA
TRANSLATIO STUDII

Renoncer au latin serait, pour Dorat, une véritable amputation : le latin est la langue de la grande république des humanistes, et Paris, dans le courant du XVIe siècle, a pris la succession d'Athènes et de Rome. La *translatio studii* va de pair avec la *translatio imperii*[65] . Maintenant, comme le dit le Rhénan Melissus (Paul Schede), dans un poème latin dédié précisément à Dorat, les Muses habitent la vallée de la Seine[66] .

Faisant l'éloge de la capitale, qu'il interpelle dans une apostrophe rhétorique, Dorat s'écrie en 1573, au moment de la visite des ambassadeurs polonais :

Artibus ingenuis celebres tu uincis Athenas
Et syluas Academi et amoeni culta Lycaei (*P.*, p. 79-80)[67] .

Aussi bien, dès le temps de François Ier, l'héritage d'Alexandrie avait été rassemblé, et Dorat voit dans la bibliothèque royale de Fontainebleau le nouveau temple des Muses, que le roi lui-même a consacré :

Museaeumque nouum Musis sacrauit (*P.*, p. 6)[68] .

LE LATIN
ET LE RÊVE DE LA
TRANSLATIO IMPERII

Un tel monarque mériterait bien d'être l'héritier des Césars, et naturellement le latin seul pourrait être la langue de cet empire. François Ier caressa toute sa vie ce rêve impérial, et ses héritiers n'y ont pas tout à fait renoncé. La poésie encomiastique rappelle que les rois de France sont les héritiers de Charlemagne — la louange est facile à amener quand le roi s'appelle Charles[69] . Les négociations de Jean de Monluc en vue de l'élection d'Henri, duc d'Anjou, au trône de Pologne en 1573, avaient mis en pleine lumière la nécessité du latin. Quelques mois plus tard Dorat,

---

64. Cf. Nolhac, *R. et l'H.*, p. 37-38. Il faisait, somme toute, de la littérature comparée et de la linguistique comparée. Personne n'est plus ouvert aux nouvelles méthodes, dans les domaines les plus variés : il loue, par exemple, Ambroise Paré d'avoir remplacé la médecine livresque — celle qu'enseignait encore Rabelais (cf. par exemple, *Lettre à Geoffroy d'Estissac*, éd. Le Seuil, p. 944-945) — par l'expérience de l'hôpital, et d'avoir fait connaître le résultat de ses efforts par des livres, tous écrits en français... et loués en latin (cf. *P.*, p. 43).

65. Cf. F. Simone, « Influenze italiane nella formazione dei primi schemi della storiografia letteraria francese », in *Lettere italiane* XVII (1965), p. 275-298 ; cf. Ronsard, *Odes*, 3, 23 (S.T.F.M., t. 2, p. 63) ; et *Deffence*, 2, 12 (S.T.F.M., p. 185).

66. *Schediasmata*, Francfort, Corvin, 1574, p. 75.

67. Cf. aussi *P.*, p. 23 et *Ode* II, 102-108.

68. Dorat conseillait les acheteurs de manuscrits pour le compte du Roi (cf. Nolhac, *R. et l'H.*, p. 75).

69. Cf. par exemple *Presage* de I. Dorat, poete du Roy, in *Paeanes siue hymni in triplicem uictoriam*, Paris, Charron, 1569, f° 6 r°.

malgré son âge, proposa avec enthousiasme à Philippe Hurault (chargé des intérêts du roi de Pologne en France) de reprendre du service au Collège royal pour répondre à la demande d'une sorte d'accord culturel, formulée par Henri en faveur de son royaume « sarmate » :

> Hinc mille doctos ducat illuc,
> Mittat et huc totidem docendos.
> Non certe ego annis, non ego uiribus
> Parcam, pigebit pulpita Regia
> Nec publice rursus legentem
> Scandere me... (*Ode* XXXV, 63-68).

Après que la mort de Charles IX eut fait d'Henri le roi de France, le latin resta la langue naturelle des échanges politiques et poétiques avec l'Europe de l'Est :

> Qui (Poloni), quia non norunt nostrae commercia linguae,
> Musa his Romana uoce locuta tua est [70].

Si Henri renonça assez tôt à l'idée de régner à nouveau sur ses sujets orientaux, il ne désespérait pas de voir une troisième couronne venir ceindre son front[71], et c'est par le souhait de l'Empire que se termine le poème sur les noces de Joyeuse :

> Imperio totum terrarum quod premet orbem
> [...]
> Tres mundi includet triplici Diademate partes (*P.*, p. 262).

Un tel événement aurait eu des conséquences politiques, religieuses, mais aussi linguistiques.

En attendant, de nombreux étrangers continuent d'affluer à Paris : ce qui serait « criminel », aux yeux de Dorat, ce serait de les priver de la culture, ou de les réduire à l'aller chercher ailleurs.

L'AUDITOIRE DU COLLÈGE ROYAL — L'auditoire du Collège royal était particulièrement cosmopolite, le corps professoral aussi, du reste : ainsi Dorat lui-même succéda dans la chaire de grec au Flamand Stracel. Croyons-en un étranger, Melissus (Paul Schede) : un auditoire varié et illustre se pressait pour entendre le professeur :

> ... cerno frequentiam scholarum,
> Vel claros adeo uirosque doctos,
> Concursus hominum uel exterorum (*Schediasmata*, p. 75).

Dorat lui-même, vieilli, malade, rappelle, pour demander qu'on lui verse

---

70. *Eglogue Latine et Françoise*, Paris, F. Morel, 1578, A vʳ. Pour une bibliographie de la littérature néo-latine polonaise, cf. J. IJsewijn, *Companion to Neo-Latin Studies*, p. 167-172.

71. Cf. *Ad Regem Exhortatio*, éd. G.D., in *Hum. Lov.* XXVI (1977), p. 200. Ce texte est de 1576. L'espoir de l'Empire est encore matérialisé, un peu plus tard, dans l'arc royal érigé à Paris au moment du mariage d'Anne de Joyeuse (1581) : une figure féminine symbolise la victoire de Moncontour, une seconde la royauté de Pologne, une troisième celle de France, enfin la quatrième porte les insignes de l'Empire : *(Vltima) Imperii cuius manus una insigne Coronam, / Altera fertque Globum (P., p. 257).*

l'arriéré de sa pension, que son enseignement a rayonné bien au-delà de la France, sur l'Europe entière :

> Et per discipulos quot Gallia nouerit ipsa
> Eximios, doctos Graece doctosque Latine,
> Per alios aliis docui quos semper ab oris
> Germanis, Italis, Scoticis, pariterque Britannis
> Atque adeo Graecis Graeca hinc repetentibus ipsa (*P.*, p. 205)[72].

Nous avons déjà évoqué le souvenir de Paul Schede ; de retour chez lui, il garda un ferme attachement aux cercles humanistes parisiens qui l'avaient accueilli : alors que la publication de ses *Schediasmata* de 1574 avait eu lieu à Francfort, l'édition de 1586 sort d'une imprimerie parisienne, Sittart. On le voit rappeller, en latin, bien sûr, l'étendue de l'audience que son ami doit au latin :

> ... nescia nec tuae est
> Europa famae. Suscipere Italis,
> Amare Gallis atque Iberis,
> Teutonibus colere et Britannis,
> Et mansuefacto pectore Sarmati [73].

Ce latin fournissait bien à tous ces hommes un peu plus que le moyen de s'entendre.

Ronsard, à la fin d'un factum en règle contre l'emploi de cette langue — où il vise, il est vrai, plus particulièrement les procédés « cicéronianistes » de Bembo et de Sadolet — déclare cependant : « La langue latine ne sert plus de rien que pour nous truchementer en Allemaigne, Poloigne, Angleterre, et autres lieux de ces pays[74] ».

C'est là, certes, la vision d'un bon sujet du roi de France, pour qui le soleil ne peut pas briller ailleurs qu'à Paris, mais on ne saurait négliger ce « truchement », facteur d'unité.

Sans doute, le latin n'est pas la plus ancienne langue de l'humanité. Sans doute il porte en lui la tare de l'impérialisme de Rome — militaire, politique, culturel[75] d'abord, religieux aussi[76]. Mais, à tout prendre, le latin a ses vertus.

---

72. Sur ce sujet, cf. notamment Nolhac, *R. et l'H.*, p. 210-224. Sur les flatteuses (et lucratives) propositions que lui firent les universités de Padoue et de Pise, cf. Marty-Laveaux, *Œuvres poétiques de Jean Dorat*, Paris, 1875, p. XLII. Dorat fut notamment le maître du Flamand Charles Uytenhove, à qui il demanda, en latin, d'être un des parrains de son fils Charles (*Ode* XXIV, 97-104). On croit vivre au milieu d'une grande famille que le temps et l'espace ne disjoignent pas. Séjournant en 1584 à Anvers, Uytenhove envoie à Dorat un de ces protégés, originaire de Lübeck (B.N., Mss. Lat. 18592, f·50 r·).

73. *Schediasmata*, Paris, 1586, p. 524. Le dernier vers montre que la Pologne, aussi, est à cette date un pays humaniste ; cf. n. 70, fin.

74. S.T.F.M., t. 16², p. 353 ; cf. ci-dessus, n. 4.

75. Aussi beaucoup d'humanistes lui préféraient-ils le grec dont l'impérialisme était « moins sensible que l'impérialisme romain » : cf. C.-G. Dubois, *Mythe et langage au XVIᵉ siècle*, Bordeaux, 1970, p. 65 et n. 34, 35. Les humanistes allemands ont renoncé lentement à l'emploi du latin : cf. p. ex., Joël Lefebvre, « Le latin et l'allemand dans les correspondances humanistes », in *A.C.N.T.*, p. 501-512.

76. Les Réformés ne sont pas toujours les tenants de la langue nationale, les Catholiques ceux du latin : il suffit d'invoquer l'exemple de Théodore de Bèze et celui de Ronsard.

LES VERTUS DU LATIN   Selon l'humaniste réformé allemand
                             Bibliander (Buchmann), c'est une langue
riche, que beaucoup de bons esprits ont illustrée ; en outre, elle a des
sonorités agréables[77] : *Copiosa, quia exculta et aucta multis scriptorum
ingeniis, sono insuper suaui*[78] . Mais surtout, sa grande force réside, de
fait, dans son audience internationale : *diffusa est iam per complures
nationes hominum (ibid.)*. Si les hommes rejetaient ce facteur existant
de leur unité, ils risqueraient de graves désaccords, suscités par leur mu-
tuelle incompréhension[79] , sans parler du risque d'anarchie intellectuelle :
*Quae si amitteretur, et magna confusio sequeretur disciplinarum om-
nium, et magnum inter homines dissidium atque auersio (ibid.)*.

Le latin, du reste, était la langue diplomatique. En octobre 1533,
Jean Du Bellay avait été choisi pour accueillir à Marseille le pape
Clément VII en raison de l'élégance de son expression latine[80] . Henri de Mesmes (dont le précepteur, Maledent, avait été choisi par Dorat)
fut proposé pour « un voyage vers l'Empereur et les Princes d'Allemaigne, où il falloit parler latin[81] ». Aussi le roi de France a-t-il ses
interprètes officiels pour le latin et le grec : Lambin[82], Dorat ont rempli
ces fonctions ; le titre de ce dernier, « interprète des langues Grecque
et Latine », est rappelé dans le Privilège du Roi qui figure en tête de la
deuxième partie de l'édition de 1586.

Avant que les États ne se referment sur eux-mêmes, tout occupés à
consolider leurs institutions politiques et celle des religions qui s'est
finalement imposée, les idées et les hommes ont circulé dans cette
Europe humaniste. Érasme de Rotterdam explique en latin à l'Anglais
Thomas More au début de l'*Éloge de la folie*, qui lui est dédié, comment ce petit livre a été conçu lors d'un voyage d'Italie en Angleterre.
François Ier avait invité, en 1523, Érasme à s'installer dans son royaume.
Plus tard, le Limousin Muret s'acclimata si bien en Italie qu'il ne revint
pas en France, mais fut sollicité par le roi Étienne Batory, successeur
d'Henri d'Anjou, d'aller enseigner le latin en Pologne. Muret lui-même

---

77. Cf. ci-dessus, n. 63.

78. *De ratione communi omnium linguarum et literarum commentarius*, Zurich, Frosch,
1548, p. 31.

79. Pour Bibliander qui est théologien, la multiplicité des langues est une conséquence
de la chute (cf. par ex. Luther, cité et traduit par C.-G. Dubois, *Mythe et langage au XVIe siècle*,
p. 54).

80. Pour la harangue prononcée par Jean Du Bellay à cette occasion, cf. *Gallia Christiania*,
t. 7, col. 161. Rabelais témoigne de l'admiration des Romains eux-mêmes devant le latin de
son protecteur (*Lettre à J. Du Bellay*, éd. Le Seuil, p. 956).

81. H. de Mesmes, *Mémoires*, éd. Frémy, Paris, 1886, p. 168.

82. Ronsard, Amyot et Henri de Mesmes furent les garants de Lambin quand il sollicitait
de Charles IX les fonctions d'*interpres regius* pour la langue grecque (cf. Nolhac, *R. et l'H.*,
p. 156).

dit que les Allemands et les Polonais n'ont plus rien à envier à l'Italie, et c'est à un Italien qu'il écrit : *Germani ac Poloni... permulti et earum linguarum (Latine et Graece) utramque perfectissime callent et... litteras ac liberales disciplinas amant*[83] .

A l'Est, la République humaniste est toujours bien vivante, et sa langue aussi.

Or cette élite intellectuelle a souvent été formée à Paris ; c'est peut-être Muret qui avait introduit dans la capitale le poète polonais Jean Kochanowski qui, avant de composer en son « vulgaire », avait cultivé la muse latine[84] ; André Dudith, un Hongrois, avait suivi les cours de Dorat[85] . Les poètes français qu'ils ont fréquentés à Paris ont en eux un public de choix, lorsque ces étrangers sont retournés dans leur pays : encore faut-il se faire entendre d'eux.

C'est l'argument que Baïf met en avant pour justifier qu'en 1577 il se décide à publier une production latine[86] :

> Nunc iuuat et flauum Rheni transcendere flumen,
> Transque Pyrenei montis iuga, transque niuosas
> Alpes ferre pedem, Dacorum notus ad oras,
> Germanis, pariterque Italis et clarus Iberis,
> Qui mea scripta canent[87] .

Tel était bien le sort des vers latins de nos humanistes[88] .

Or que ce soit pour trouver un consolateur ou un garant, c'est vers Dorat que Baïf se tourne, rappelant qu'il fut aussi bien professeur que poète. Mais l'aspect en quelque sorte « réactionnaire » de l'entreprise ne dut pas avoir l'approbation du vieux maître : Baïf, en effet, prétendait se situer dans la ligne des Néo-latins italiens, notamment de Navagero. Malgré le témoignage d'affectueuse reconnaissance que son élève lui offre, Dorat apprécia sans doute modérément de voir son nom (seul nom de poète français, il est vrai) aux côtés de ceux de Sannazar et Flaminio :

> Me iuuat (et possum) comitem me uatibus aetas
> Addere quos tulit haec, Sincero Flaminioque,
> *Auratoque meo*, duce quo mihi Pegasis unda
> Peruia, et Aonii patuerunt auia montis[89] .

---

83. La lettre de Muret, datée de Rome, est du 1er décembre 1577 (*Epist.* 1, 66).

84. Cf. Nolhac, *R. et l'H.*, p. 207-209.

85. Cf. *op. cit.*, p. 210.

86. Une partie de cette production est bien plus ancienne, quoi qu'il en dise, car Baïf s'est toujours plu à latiniser, voire à helléniser. Sur les différents motifs qui l'ont poussé à revenir au latin de sa jeunesse, cf. Augé-Chiquet, *La vie, les idées et l'œuvre de J. A. de Baïf*, rep. Genève, 1969, p. 465.

87. *Carm. lib. I*, Paris, Patisson, 1577, f° 31 r°.

88. L'université de Ljubljana, par ex., possède une édition des *Poëmatia* de 1586, qui serait parvenue dans cette ville par les soins d'un humaniste serbe qui avait fait des études à Vienne. Les Douza firent connaître Dorat à Leyde, Camerarius à Munich, etc.

89. *Op. cit.*, f° 30 v°.

On n'est plus au temps de Salmon Macrin[90], quand les Français cherchaient éperdument à se hisser au niveau des Italiens tant admirés, et secrètement jalousés. Et surtout l'allusion au fait que Baïf était le « compatriote » de Navagero ne dut pas plaire à Dorat :

> Me Nauagero socium quae patria quondam
> Vna eademque tulit parili donabit honore[91].

Le fils de l'ambassadeur Lazare de Baïf a beau être né à Venise de mère italienne et se situer, modestement, avec les Italiens, dans l'ombre de Virgile, Ovide, Properce ou Catulle, on n'a pas deux patries. Il ne nous semble pas que ce soit sous l'influence de son maître que Jean-Antoine ait pu s'engager dans cette voie. Selon Augé-Chiquet[92], pourtant, ce serait bien Dorat le vrai responsable du retour de Baïf vers sa Muse latine. Ce n'est pas l'« idéologie » latinisante du maître que l'érudit met en cause, mais bien plutôt le goût du vieil humaniste pour le vagabondage littéraire.

Augé-Chiquet, en effet, s'appuie sur le texte d'un poème français de Baïf où l'on voit les deux amis qui se rendent aux champs en emportant leurs auteurs grecs ou latins (les Bucoliques, notamment), en format de poche : selon Augé-Chiquet, quels « beaux vers » pourrait-on « pourpenser » en pareille compagnie, sinon des vers latins ? La conclusion, pourtant, est hâtive. Ce texte, qui ne fut publié qu'en 1573, dut être composé beaucoup plus tôt, et ne justifie pas le changement de point de vue qui est celui de Baïf en 1577[93]. La vocation « européenne » et en quelque sorte « supranationale » affichée par Baïf dans ses vers latins, n'était pas pour déplaire à son maître, mais, pour les hommes de sa génération, ce cosmopolitisme intellectuel généreux va de pair avec un patriotisme exigeant[94] : que le latin universel fasse connaître la France.

LES TRADUCTIONS   Pour un esprit théologique — tel celui de Calvin — la pluralité des langues peut être vaincue, depuis le miracle de la Pentecôte[95], grâce à la traduction du divin message par des êtres ayant vocation à cela : il n'y a pas de langue privilégiée, puisque chacun croyait, ce jour-là, entendre la sienne dans la bouche des Apôtres.

Nous ne pensons pas que l'œuvre de Dorat contienne un témoignage

---

90. Cf. ci-dessus, p. 16-17.
91. *Carm. lib. I*, f˙ 30 v˙.
92. *La vie, les idées, et l'œuvre de J. A. B.*, p. 470.
93. Si la composition était à peu près contemporaine de la publication, on verrait mal Dorat, âgé de plus de soixante-cinq ans — et souffrant de la goutte — se promenant dans une campagne désolée par la guerre civile, en compagnie d'un vieux jeune homme de plus de quarante ans. Ce texte de *Passetems* (M.-L., t. 4, p. 418) doit plutôt avoir été composé aux moments des jeunes (ou presque jeunes) années de nos poètes, vers 1550-1552.
94. Cf. D. Murarasu, *La poésie néolatine et la renaissance des lettres antiques*, p. 35.
95. *Actes des Apôtres*, 2, 3-12.

sur la suprématie du latin[96], mais, avant ou après sa « conversion[97] », Dieu est absent de ses préoccupations linguistiques, et sa position est seulement pragmatique : l'essentiel est d'être compris, et par le plus de gens possible. Aussi la nécessité de la traduction s'impose-t-elle, si l'on peut dire, dans les deux sens.

NÉCESSITÉ DES TRADUCTIONS

Quand il s'agit d'un ouvrage de grande vulgarisation, la traduction en langue vulgaire est maintenant indispensable, même si l'auteur avait cru, au moment où il écrivait, que son latin toucherait un public plus étendu (Dorat en fait la remarque à propos de l'*Histoire des plantes* de Geoffroy Linocier) :

> Vtile ut ad plures illius usus erat,
> Pluribus ut prosint fuerant quae scripta latine,
> Nunc ea turba rudis Gallica facta leget (*P.*, p. 15).

Nous avons vu que Dorat jugeait normal que le chirurgien Ambroise Paré fît connaître ses découvertes dans des livres écrits en langue fran-. çaise[98] : la même remarque vaut pour les récits de découvertes géographiques, comme ceux de Thevet : grâce à lui les Français connaîtront le monde sans quitter le coin de leur feu[99].

Mais chacun a toujours tendance à juger que ce qui compte dans l'Univers n'est que le grossissement de son propre milieu de vie : enseignant à des gens qui, pour la plupart, savent peu ou mal le français, les professeurs royaux s'efforcent de traduire en latin les œuvres qui, à leurs yeux, méritent de dépasser les limites du royaume. Ainsi, par les soins de Dorat, le poème de Ronsard *Exhortation au Camp du Roy pour bien combattre le jour de la bataille*[100] devient*Ronsardi exhortatio ad milites Gallos latinis uersibus de Gallicis expressa*[101]. L'*Hinne de Bacus*[102] devient *Hymnus in Bacchum*[103]. Une seule et même plaquette renferme aussi une œuvre française de Baïf (transcrite dans une orthographe phonétique, elle est très difficile à déchiffrer) et une ode sapphique *De profectione et aduentu Henrici Regis Polonorum in regnum suum, Ode Ioannis Aurati ex Gallico Ioannis Antonii Baïfii*[104], d'une lecture plus aisée. On pourrait multiplier les exemples. C'est dans le même esprit que Lambin a inséré, au milieu de son commentaire sur l'*Art poétique*

---

96. Pour lui, la langue originelle paraît bien être l'hébreu; cf. *Ad Regem Exhortatio*, 252 (cf. ci-dessus, n. 71), mais ce témoignage est tardif (1576).

97. Cf. *Ode* XXX.

98. Cf. ci-dessus, n. 64. Néanmoins une version latine des *Œuvres* fut imprimée en 1582.

99. Cf. *Ode* XXXIX; cette idée est exprimée dans les deux dernières strophes de l'ode.

100. S.T.F.M., t. 9, p. 3.

101. *P.*, p. 46-50.

102. S.T.F.M., t. 6, p. 176; l'éditeur de 1555 était Corrozet.

103. *P.*, p. 375-384 : la « version latine de Jean Dorat » avait déjà été publiée avec le texte même de Ronsard en 1555 (il en est de même pour l'édition séparée de l'*Exhortation* en 1558).

104. Paris, D. du Val, 1574.

d'Horace, deux passages de la *Franciade* (traduits par Dorat), l'invocation à la Muse et la prophétie de Cassandre[105], pour faire, si l'on peut dire, une publicité internationale à ses amis : *ut intelligent exterae nationes, quae et qualia ingenia efferat nostra Gallia, et quantopere apud nos floreant bonae litterae liberalesque doctrinae*[106] . Si, pour ces hommes, le domaine de la langue vulgaire n'apparaît pas suffisamment étendu, en tout cas, c'est bien la France que leur latin sert à illustrer.

Pour Lambin, l'œuvre du traducteur — qui est de l'ordre de la *doctrina* — est à faire connaître en même temps que celle du créateur — *litterae* — car les deux tâches sont également difficiles. Dorat fait une remarque analogue à propos de la traduction en français (par Chomedey) d'une œuvre écrite en italien, l'*Histoire de l'Italie* de Guichardin :

> Vtrius ambiguum labor, et patientia maior,
> Scriptane cui tot sint, an qui ea transtulerit (*P.*, p. 307).

Pour lui, spontanément, c'est en latin qu'il compose, mais il se traduit volontiers lui-même, quand il pense pouvoir toucher un public différent.

En effet, la traduction n'est pas pour lui une genre littéraire, comme le concevait Sébillet[107] — genre contre lequel Du Bellay était parti en guerre[108] , non plus qu'un outil d'enrichissement de la langue française, comme le disait Peletier[109] . Ce n'est qu'une nécessité qu'il supporte, sans se donner la peine de transmettre les réflexions d'un auteur qui est son propre traducteur, mais en faisant laborieusement passer son latin dans une langue qui n'est pas vraiment la sienne, mais celle des sujets de son maître, le roi de France (qui, après tout, le paie pour cela).

Il n'a, par exemple, aucune estime personnelle pour les courtisans ignares[110], mais ils sont des lecteurs possibles pour la poésie encomiastique et satirique : il donne, dans ces cas, une « version » française de son poème. Ainsi pour faire pression sur le « questeur », il écrit un billet mi-figue, mi-raisin *Ad sacri consili proceres* et donne aussitôt la

---

105. *Horace*, éd. Lambin, Francfort, Wechel, 1577, p. 435-436 : le français figure dans la colonne de droite, le latin dans celle de gauche.

106. *Op. cit.*, p. 435. Pour la bibliographie des traductions en latin, cf. J. IJsewijn, *Companion to Neo-Latin Studies*, p. 296-297.

107. « La Version ou Traduction est aujourd'hui le Poëme plus frequent et mieux receu des estimés Poëtes et des doctes lecteurs, a cause que chacun d'eus estime grand œuvre et de grand pris, rendre la pure et argentine invencion des Poëtes dorée et enrichie de notre langue » (*Art poëtique françois*, § 14).

108. « ce labeur de traduyre ... est chose laborieuse et peu profitable, j'ose dire encor' inutile, voyre pernicieuse à l'acroissement de leur Langue » (*Deffence*, 1, 6, fin, S.T.F.M., p. 42).

109. « Davantage, les traduccions quand eles sont bien fêtes, peuvêt beaucoup anrichir une Langue. Car le Traducteur pourra fêre Françoese une belle locucion Latine ou Grecque e aporter an sa Cité avec le poes des santances, la majesté des clauses e elegances de la langue etrangere » (*Art Poëtique*, § 31).

110. C'est aussi le point de vue de Budé, *De Asse*, Paris, Josse Bade, 1516, f° 83 v°-87 r°.

traduction *A Messieurs du Conseil*[111], qui ne pourront pas dire qu'ils n'ont pas compris (ils ont même droit, en plus, à un jeu de mots). Il compose une pièce de circonstance *In originem nominis et matrimonii Henrici Regis Nauarrae et Margaritae Valesiae eius uxoris* et la fait suivre de la « Version des susdits »[112]. La plupart des pièces du « Tombeau » de Montmorency[113] sont traduites ; la description des fêtes du mariage de Joyeuse l'est aussi[114].

On peut remarquer, toutefois, qu'il ne traduit jamais ses propres odes : il est donc ici en accord avec la *Deffence* qui conseillait... « de ne traduyre les Poètes » (titre de 1, 6), « à cause de ceste divinité d'invention qu'ilz ont plus que les autres... bref ceste energie, et ne scay quel esprit, qui est en leurs ecriz ». Ces poèmes, plus difficiles, s'adressent à un public éclairé. Ainsi l'*Epithalame ou chant nuptial sur le mariage de Henry de Lorraine, duc de Guyse, et de Catarine de Cleves, comtesse d'Eu*[115] n'est pas la traduction des quatre *carmina* alcaïques que renferme la même plaquette, mais une composition originale qui traite du thème de la Paix (dont l'édit de Saint-Germain, signé le 8 août 1570, a fait espérer le véritable retour). Si Dorat a laissé ses trois disciples, Ronsard, Du Bellay et Baïf, ainsi que M.-Cl. Buttet et J.-P. de Mesmes, traduire l'ode de 1550 *Qualis quadrigis...*, sur le trépas de la reine de Navarre (VI), c'est pour exciter leur émulation, plutôt que pour rendre son texte plus accessible : en effet la fille de la reine défunte, Jeanne de Navarre, à qui le cardinal Jean Du Bellay offrait, pour la distraire, des vers latins en réponse aux siens[116], pouvait comprendre sans difficulté, tout comme la reine Catherine, ou Marguerite, sœur du Roi, et les vrais « grands » (les Guise, les Du Bellay, les Châtillon), ou les grands bourgeois qui ont l'oreille des rois, les Séguier et Michel de l'Hospital notamment. Au milieu de ces fins lettrés, Henri II, qui n'a pas la culture de son père, lit tout de même le latin[117]. L'*Ode* XIII, qui lui est dédiée, n'est pas traduite, non plus que les poèmes qui sont offerts à Charles IX ou à Henri III personnellement[118].

---

111. *P.*, p. 166-167 (le texte latin en distiques élégiaques, le texte français en alexandrins).
112. *P.*, texte : p. 144 ; traduction : p. 146 (le texte latin en distiques élégiaques, la « version » en alexandrins).
113. *Epitaphes sur le tombeau de haut et puissant seigneur Anne duc de Montmorancy (sic)* ... par J. Dorat poete grec et latin du Roy, Paris, P. G. de Roville, 1567.
114. *P.*, texte, p. 251-262 ; traduction, p. 263-274.
115. Paris, chez l'auteur, 1570. Seuls les textes latins ont été relevés, en 1586, dans *Epithal. lib. I*, p. 233-238 ; cf. *Odes* XXVI-XXIX.
116. A la suite des *Od. lib. III* de Salmon Macrin, Paris, 1546, p. 98-103.
117. Il a confié l'éducation de ses enfants à des humanistes : Amyot fut le précepteur du futur Henri III ; Dorat lui-même enseigna le grec et le latin aux filles aînées du roi et au bâtard d'Angoulême — à qui il offrit un *Genethliacon* en mètres catulliens (B.N., Mss. Lat. 10327, f˚ 12 r˚-13 r˚).
118. Cf. par ex. *In nuptias Caroli IX* in *P.*, p. 243-249 ; *Ad Regem Exhortatio* (à Henri III), cf. ci-dessus, n. 71.

QUALITÉS
INDISPENSABLES
AUX TRADUCTIONS

L'ancien professeur royal de grec, interprète royal pour les langues grecque et latine, est un traducteur sérieux, conscient que, comme le note Peletier, « la plus vrê espece d'Imitacion, c'est de traduire »(*Art poëtique*, § 30). C'est là une tâche austère, un travail d'esclave, car le traducteur, continue Peletier, « s'asservit non seulement a l'Invancion d'autrui, mês aussi a la Disposicion, e encor a l'Elocucion tant qu'il peut, e tant que le lui permet le naturel de la langue tranlative ».

Du reste, en 1540, Étienne Dolet avait publié à Lyon un opuscule traitant de *La manière de bien traduire d'une langue en autre*, mettant en lumière les cinq règles indispensables :

— il faut être instruit du fond des choses, de la pensée de l'auteur, du contexte historique : sur ce point le traducteur-auteur est privilégié ;

— il faut connaître à fond la langue du texte à traduire et la langue « tranlative » : Dorat sait bien le latin ; quant au français, il a eu le temps de le perfectionner, puisqu'il est à Paris depuis les années 1540[119] ;

— il n'est pas nécessaire de rendre un mot pour un mot, mais bien plutôt la vive énergie de la phrase (par énergie Dolet entendait à la fois ἐνάργεια, la vue claire et distincte, aussi bien que ἐνέργεια, la force signifiante) : un poète sait bien que, comme le dit encore Peletier, « les traduccions de mot a mot n'ont pas de grace » (*Art poëtique*, § 33), mais un professeur sait aussi qu'il s'agit là d'un choix esthétique, et ne peut que souscrire au commentaire que Peletier ajoute aussitôt : « non qu'eles soêt contre la loe de la traduccion » *(ibid.)* ;

— il faut « se garder d'usurper motz trop approchants du Latin et peu usités dans le passé » : la tentation pour un créateur néo-latin — dont le français, de surcroît, n'est pas la langue maternelle — devait être forte. D'ailleurs ses disciples y ont cédé souvent, et Ronsard s'est vu reprocher « sa Muse en François parlant Grec et Latin » ;

— la dernière recommandation de Dolet visait les nombres oratoires : Dorat, qui n'a guère composé en latin que des vers, a toujours publié des traductions versifiées.

DORAT
TRADUCTEUR DE LUI-MÊME

Nous ne prétendons pas examiner ici toutes ses « versions françoises », mais nous avons choisi deux textes témoins assez longs pour tenter de montrer dans quel esprit il a travaillé.

Le lecteur qui prend connaissance successivement, dans l'édition de 1586, des deux poèmes consacrés aux noces de Joyeuse avec la sœur de la reine, est surpris de trouver dans le second (*P.*, p. 263-274), une

---

119. Cf. Baïf, *I Livre des Poemes, Au Roy*, 105-113.

traduction du premier (*op. cit.*, p. 251-262). En effet, si le volume des deux textes est analogue, le premier est intitulé : *Amphiteatrum, siue Hippodromus Regius, cum geminis arcubus ad D. Dom. Annam Iouïsium*, et le second *Epithalame ou chant nuptial sur le tres-heureux et tres-joyeux mariage de Anne duc de Joieuse, et Marie de Lorraine*. En réalité les deux titres sont complémentaires et, apparemment, le poète royal — qui avoue candidement (?), en latin et en français, qu'on a dû le relancer[120] — a composé en guise d'épithalame une description détaillée du cadre des réjouissances, à la création duquel il a d'ailleurs contribué : l'*ekphrasis* lui a permis de ne pas se mettre en frais d'« Invancion ».

Pour la « Disposicion », elle est rigoureusement la même dans les deux poèmes[121].

La traduction, sans être littérale, est exacte. Seules quelques nuances sont supprimées[122]. Le « naturel de la langue tranlative » n'a pas trop souffert. Les souvenirs de sa langue maternelle, où abondent les noms en -ade, l'ont fait créer, assez joliment selon nous, la « couvade » (23) pour traduire *tepidum premis... cubile* (25), la « frescade » (207) pour rendre *ramosa... in umbra* (201). Quant à la traduction de *grege... in illo* (26) par « brigade » (24), elle montre que le poète se sent tout rajeuni, et se croit revenu un instant aux belles années 1550.

A la question, « traduire pour qui ? » la réponse, ici, est simple : pour les courtisans, et il ne faut pas s'étonner si, pratiquement, tous les textes que Dorat a traduits de latin en français ont été composés après sa nomination comme poète royal[123]. Plus que le développement

---

120. *Heus, quid in obscuro facis hic, Aurate, cubili* (*P.*, p. 251) ; « Que fais-tu là, Dorat, en cet obscur repos » (*op. cit.*, p. 263).

121. Le volume des énoncés est sensiblement le même en latin et en français (nous notons, chaque fois, les références pour le latin, puis pour le français).
Le poète montre comment il a été amené à participer aux travaux de la fête (1-54 ; 1-52). Il évoque successivement les noces de Thétis et de Pélée (55-107 ; 53-104), puis les tableaux de la vie d'Achille (108-137 ; 105-141) : c'est l'arc offert au duc. Puis il présente l'arc royal et ses figures symboliques (138-171 ; 142-176), puis sept tableaux prophétiques (172-245 ; 177-256). Il montre alors l'amphithéâtre, les « cabinetz des Dieux », et le grandiose feu d'artifice (246-289 ; 257-298). Enfin le poète note la générosité du roi et lui souhaite l'Empire (290-312 ; 299-320).

122. Le poète n'indique pas dans le texte français la valeur symbolique de la corne d'abondance — *foecundae coniugis omen* (100). Plus frappant : le troisième présent offert, qui était un daim « fuyard » — *damam ... fugacem* (103) — présage de la déroute des ennemis, est dans le texte français « une herbe tousjours vive » (99), symbole d'un amour et d'une gloire durables. Le dieu Prothée, porteur du quatrième présent — *quartus ... Proteus* (105) — est décrit, mais pas nommé dans le texte français (101). On dirait que le poète a ressenti quelque lassitude au bout d'une centaine de vers et a laissé aller son imagination. On peut lui reprocher encore le fait que la colère de Jupiter — *ira* (140) — est devenue la « grandeur » (144).
Une vraie faute cependant (elle prouve que, comme toujours, Dorat a travaillé vite) : (*uirtus*) *Tellurem Coelo, Coelum terraeque solebat / Iungere* (56-57) est traduit par un chiasme qui n'est qu'une redite : « La terre au Ciel, au Ciel la Terre » (54).

123. Quatorze textes — dont certains sont très longs (jusqu'à 14 pages) — présentent 2 versions dans les *P.* Il y en a 7 dans les *Epgr.* 6 textes, qui ont fait l'objet de publications séparées, présentent aussi 2 versions (5 du latin en français, 1 du grec en latin). Notez que l'ode grecque dédiée au cardinal de Châtillon (*Od. lib. II*, p. 225-227) n'a pas de traduction latine.

de la langue nationale, c'est un impératif sociologique qui l'a amené
à se traduire. Le poète, mort à la fin de l'année 1588, n'a pas vraiment
connu la fin de la république humaniste en France[124]. Pourtant, s'il a
pris conscience de l'évolution[125], on ne peut enregistrer aucun regret
nostalgique de la part de ce vieillard. Que le français « y aille » si le
latin « n'y peult aller ». Il ne pouvait imaginer, toutefois, qu'un jour
viendrait où la réciproque serait impensable, et où l'on regretterait
que les « divines têtes » de Dorat, de J.-A. de Thou, de leurs amis,
n'aient pas choisi de s'exprimer en langue nationale.

LES PROBLÈMES DE LA   Le latin de Dorat *semble* couler faci-
« FABRIQUE RENOUVELÉE » lement — certains blâment même cette
                         facilité[126] ; il est devenu pour lui *comme*
une langue maternelle : ses amis et lui ne sont pas de ceux qui vont
« recueillant de cet orateur et de ce poëte ores un nom, ores un verbe,
ores un vers et ores une sentence », mais le mal vient de plus loin et,
dès 1549, Joachim Du Bellay a bien posé un vrai problème théorique :
leur latin est une création de l'Art, non pas un jaillissement de la Nature,
et l'on ne peut espérer « rendre cete fabrique renouvelée semblable à
l'antique, etant manque l'Idée de la quele faudroit tyrer l'exemple pour
la redifier[127] ».

En effet le corpus que nous possédons est fini, borné : il ne peut
rendre compte que d'une partie de ce qui fut l'usage. Malgré les témoignages des grammairiens, nous ne pouvons que très partiellement connaître la phonétique de cette langue : alors, comment « sonnent » les
poèmes ? Prenant comme point de départ de sa réflexion ce qu'il juge
être la syntaxe classique, l'écrivain « néo-latin » peut constater que telle
tournure n'est pas conforme, mais il lui est beaucoup plus difficile de
savoir quel est l'effet produit par cette sorte d'écart : s'agit-il d'une
négligence volontaire — mais alors, dans quelle intention ? pastiche ?
citation ? — ou d'un lapsus ? Dans ces conditions, comment peut-il
tenter d'employer un tour du même type ? Quelle que soit, d'autre part,
l'étendue de ses lectures, il ne peut espérer sentir le degré d'usure d'une
métaphore, ni avoir une « connotation » aussi riche et variée qu'un
Romain de culture analogue à la sienne.

La *Deffence*, cependant, fait état de vocation double : « ce qu'on
peut juger par les œuvres latines et Thoscanes de Petrarque et Boccace[128] ». On peut, du reste, se demander si Du Bellay, quand il écrivait
cela, pensait qu'il deviendrait un jour lui-même poète néo-latin, mais

124. Cf. par ex., les regrets de Scévole de Sainte-Marthe, *Pindarica* in *Poëmata recens aucta
et in lib. XV tributa*, Poitiers, 1596, p. 125, 128, 129.
125. Cf. ci-dessus, p. 31.
126. Cf. par ex., Marty-Laveaux, *Œuvres* de J. D., p. XLIII.
127. *Deffence*, 1, 11 (S. T. F. M., p. 80-81).
128. 1, 11, (S. T. F. M., p. 75).

il reconnaît, après coup, que ses Camènes n'étaient pas préparées à une telle entreprise — *incultae*... *Camoenae*[129] , et qu'il s'est laissé emporter vers les gouffres tyrrhéniens :

> Tunc ego Tyrrhenum praeceps sum raptus in aequor,
> Tunc me tristis hiems in uada caeca tulit *(ibid.)*.

C'est là un aveu de son insuffisance : tous ses lecteurs pouvaient reconnaître l'allusion à Horace et aux voiles trop petites pour un si rude effort[130] . Vivant dans un milieu romain ultralatinisé, peut-être J. Du Bellay s'est-il mieux rendu compte de sa faiblesse que les poètes néo-latins demeurés en France ne pouvaient le faire : Dorat, en tout cas, ne témoigne de rien de tel.

Celui qui fut l'auteur de la *Deffence*, en particulier du chapitre 2, 12 — *Exhortation aux Françoys d'ecrire en leur Langue* — nous fournit un témoignage privilégié, celui d'un théoricien, qui est aussi un bon humaniste, et un créateur particulièrement lucide :

> Illa (Gallica Musa) quidem bella est, sed magis ista (Latina)
> [placet (p. 453).

Son maître aurait pu souscrire à la lettre de cette déclaration[131] .

Si Chamard semble faire une distinction entre « le latin comme langue scientifique universelle » et « en tant que langue artistique[132] », de fait la plupart des problèmes se posent dans les deux cas.

La première difficulté a été soulignée par Étienne Pasquier, s'adressant en 1552 à l'humaniste Turnèbe : après avoir, comme Joachim Du Bellay, évoqué le problème de la connaissance imparfaite que nous avons de ce langage — « lequel mesmement ne nous a laissé que quelques livres en petit nombre » — Pasquier montre qu'à des temps différents doivent correspondre des langues différentes : « J'adjouste que les dignitez de nostre France, les instrumens militaires, les termes de nostre praticque, brief la moitié des choses dont nous usons aujourd'huy, sont changées et n'ont aucune communauté avec le langage de Rome. En ceste mutation, vouloir exposer en latin ce qui ne fut jamais latin, c'est, en voulant faire le docte, n'estre pas beaucoup advisé[133] . »

Cette difficulté, réelle, n'est d'ailleurs pas nouvelle, mais le latin semble avoir toujours eu une remarquable capacité d'adaptation et d'enrichissement. Ainsi, par exemple, avant le triomphe que Cn. Manlius Vulso célébra en −187 sur les Gaulois d'Asie[134] , les Romains n'avaient

---

129. Dédicace à Marguerite, p. 432 (cf. ci-dessus, n. 49).
130. *Carm.* 4, 15, init.
131. A condition de la tirer de son contexte cynique ; cf. ci-dessus, n. 53.
132. *Les origines*, p. 291 (il ne voit que « demi-mal » dans le premier cas, mais considère les littératures néo-latines comme autant de calamités nationales).
133. *Œuvres*, Amsterdam, 1723, t. 2, col. 8. Mais l'œuvre poétique *latine* de Pasquier est considérable.
134. Tite-Live, 39, 6.

jamais vu de tissus brodés, de mobilier précieux, ni de vases ciselés : les hommes qui, jusque-là, ne savaient guère, comme dit Horace, que « placer des écus sous la garantie de billets faits en règle », ont aussi vite appris à nommer ces objets de luxe qu'à s'en servir, et Cicéron, quelque cent ans plus tard, peut détailler les trésors de la vaisselle volée par Verrès sans risquer d'être mal compris. Dans un autre domaine, Lucrèce était conscient de la pauvreté de la langue de ses pères — *patrii sermonis egestas* (1, 832) — quand il la comparait au grec. Malgré les efforts du poète épicurien, Cicéron ressent parfois le même malaise — *Graeci illi, quorum copiosior est lingua quam nostra... (Tusc.,* 2, 35), mais il sait bien, au fond, qu'il s'agit d'un cliché, et que le grec peut avoir aussi ses faiblesses : *ô uerborum inops interdum, quibus abundare te semper putas, Graecia (ibid.).* Bien que Cicéron nous semble avoir réussi à faire du latin une langue philosophique[135], Sénèque se plaint encore, et commence une lettre par ce constat de carence : *Quanta uerborum nobis paupertas, immo egestas sit... intellexi (Ad Luc.* 58, 1).

Pourtant ce latin dont on se plaint tant a réussi à trouver des ressources pour traduire, à son tour, le message de l'*Évangile*, et transmettre les commentaires et les polémiques qu'il a fait naître[136]. Après des pré-renaissances sporadiques, arrive une vraie première renaissance, celle de l'époque carolingienne.

Aux temps de la république, le peuple romain, disaient ses ennemis, n'était jamais aussi glorieux qu'au lendemain des désastres ; le même schéma historiographique pourrait s'appliquer à sa langue : étouffé sous les vagues barbares, le latin ressort ailleurs, toujours accueillant, toujours vivant :

> merses profundo, pulchrior euenit (*Carm.* 4, 4, 65).

VOCABULAIRE TECHNIQUE   Les humanistes de la première génération ont eu à nommer l'imprimerie : pour ce faire, ils ont dérivé le vocable d'une source grecque, forts de l'autorisation d'Horace :

> ... uerba ...
> Graeco fonte... parce detorta (*Ad. Pis.* 52-53).

Ainsi Rabelais nomme l'imprimeur *calcographus*[137], Dorat préfère *typographus*[138] .

---

135. Cf. par ex., R. Poncelet, *Cicéron traducteur de Platon. L'expression de la pensée complexe en latin classique*, Paris, 1953 ; cf. J. M. André, *La philosophie à Rome*, Paris, 1977, p. 20.

136. Cf. par ex., J. Fontaine, *Aspects et problèmes de la prose d'art latine au IIIe siècle.* *La genèse des styles latins chrétiens*, Turin, 1968.

137. *Lettre à Geoffroy d'Estissac*, éd. Le Seuil, p. 945.

138. Cf. ci-dessus, n. 16. Pour quelques traits caractéristiques du vocabulaire néo-latin, cf. J. IJsewijn, *Companion to Neo-Latin Studies*, p. 242-246.

On n'a même pas toujours besoin d'avoir recours à l'emprunt. Prenons précisément comme exemple la dénomination des « instrumens militaires » dont parlait Pasquier : à la lecture du poème composé par Dorat pour célébrer la victoire du duc d'Enghien à Cerizoles en 1544[139] , on ne se trouve pas dérouté par des périphrases qui seraient chargées de désigner les réalités modernes, ni par des vocables monstrueux, mais le commandant des chevau-légers est nommé *dux equitum leuium*[140] , le détachement de cuirassiers *cohors cataphracta*, les lanciers *equites*, l'artillerie *tormenta* et les balles *glandes*[141] : la comparaison est aisée puisque nous possédons un compte rendu de cette bataille, rédigé en prose française par Martin Du Bellay qui joua en cette journée un rôle non négligeable[142] . La Muse latine ne s'est pas laissé griser par le Progrès au point d'aboutir à l'extravagance, et elle n'a pas sacrifié non plus la précision du vocabulaire. Même une célébration lyrique du siècle des découvertes ne suscite pas un intolérable jargon : évoquant le métal qui peut devenir un canon ou une presse — version moderne de *falx/ ensis* — suivant la volonté de l'homme, Dorat précise :

> ... ars recentum est
> Aere libros, Iouis aere tela
> Conflare, in usus unica dispares
> Vt lenta plumbi lamina seruiat,
> Nunc pacis instrumenta formans,
> Horrida nunc trucis arma belli   (*Ode* XXXIX, 27-32).

Le plus choquant dans ces vers serait l'assimilation métaphorique du boulet de canon avec le carreau du foudre, mais il n'est peut-être pas totalement dépourvu de bon sens de laisser entendre que l'homme qui dispose d'une pièce d'artillerie se prend pour Jupiter tonnant[143] .

C'est, sans doute, la transposition des termes concernant l'administration[144] qui pose le plus de problèmes, non certes au créateur néo-latin, mais au traducteur moderne : s'il y perd son latin, c'est parce qu'il s'égare dans le maquis des institutions de l'Ancien Régime.

139. *P.*, p. 83-89 ; cf. aussi p. 345.
140. On attendrait plutôt *dux equitum expeditorum*, mais César dit *leuis armatura*, *B. G.* 2, 10, 1 (cf. aussi Cicéron, *Phil.* 10, 14) pour l'infanterie légère.
141. Pour *cohors cataphracta*, cf. Tite-Live, 35, 48, 3. Pour *glandes*, cf. César, *B. G.* 7, 81, 4 : évidemment le mode de propulsion est différent.
142. *Mémoires relatifs à l'histoire de France*, Paris, 1821, 1re série, t. 19, p. 485-506 ; visiblement Dorat a travaillé d'après ce compte rendu.
143. La poudre à canon — *puluis pyrius* — évoque l'orage (avec un commentaire dubitatif) dans la légence des *NOVA REPERTA* qui la concerne : *Manu quati tonitrua atque fulmina/ Datum uidetur inferis ab inuidis.*
Il faut, du reste, remarquer que toutes les légendes de ces gravures de Ph. Galle (d'après des cartons de Ian Van der Straet), qui présentent les principales découvertes du XVIe siècle, sont en latin.
144. Montaigne posait le problème d'une manière générale : « c'est une piperie ... d'appeler les offices de nostre estat par les titres superbes des Romains, encore qu'ils n'ayent aucune ressemblance de charge, et encores moins d'authorité et de puissance » (1, 51).

Or ce procédé d'assimilation a toujours été familier au latin : Tite-Live nomme un des stratèges de la ligue achéenne *praetor* (39, 35), et, tout comme Salluste, il dénombre les « légions » de l'ennemi. Il n'est pas plus étrange de voir Dorat, ou J.-A. de Thou, appeler le Parlement de Paris *Senatus* et l'assemblée des notables *Conuentus*.

Ainsi le vocabulaire peut être celui de la Rome antique, quoique la réalité qu'il désigne soit différente : il s'agit seulement d'admettre que, selon le contexte, le même signifiant aura des signifiés différents. Cette nécessité n'est pas propre au néo-latin, et ce n'était pas là une raison pour stériliser toute veine néo-latine.

VOCABULAIRE
DE L'ABSTRACTION

Étienne Pasquier, dans sa polémique avec Turnèbe, n'avait mis en avant que les « choses dont nous usons aujourd'huy », c'est-à-dire les noms concrets. Mais, selon L. Febvre, « la vraie difficulté n'était pas là. Elle commençait quand il fallait faire un tour *Dedans le clos des occultes idées* », et il précise : « Le latin fait pour exprimer les démarches intellectuelles d'une civilisation morte depuis plus de douze siècles — le latin était-il capable d'accoucher des idées qui hésitaient à naître[145] ? »

D'abord, l'historien a écarté un peu rapidement l'objection que les Scolastiques et les théologiens avaient bien exprimé en latin « des pensées qui n'avaient pas été conçues par les Latins et les Grecs » : ces pensées, selon lui, se hâtaient d'aller « s'abriter sous l'aile d'Aristote dans toute la mesure où elles le pouvaient » (p. 396). Remarquons en passant que, s'il s'agit bien de *langage*, Aristote lui-même ne pourrait pas grand-chose pour le latin.

A tout prendre, Descartes n'a pas renoncé à l'employer parce qu'il jugeait que c'était un outil inadéquat (il aurait mis longtemps à s'en aviser). Le choix du français pour le *Discours de la Méthode* apparaît plutôt comme la concession d'un auteur cherchant à capter un public car — L. Febvre cite précisément ce passage (p. 399) — « Ceux qui ne se servent que de leur raison naturelle toute pure jugeront mieux de mes opinions que ceux qui ne croient qu'aux livres anciens ».

En ce qui concerne plus précisément les rapports de la pensée et de son expression, l'historien semble avoir eu une certaine jouissance à s'enfermer dans le diallèle de la poule et de l'œuf : il s'efforce d'abord de traduire en latin « la plupart de ces notions que le français du XVIe siècle n'avait pas de mots pour exprimer » (p. 394), et paraît peu satisfait des résultats qu'il obtient.

Or, poursuit-il, « pour traduire ainsi une idée, il faut déjà la posséder » et « le signe de la possession en pareille matière, c'est le mot ».

---

145. *Le problème de l'incroyance au XVIe s. La religion de Rabelais*, Paris, 1942, p. 396.

L'exemple qu'il choisit — celui de *déterminisme* — est d'ailleurs particulièrement peu probant. Même si l'énoncé du mot français *déterminisme* ne se présentait pas à un penseur du XVIᵉ siècle, la notion qu'il exprime ne lui était pas plus étrangère qu'elle ne l'était à Lucrèce, à Cicéron, surtout, qui l'a clairement définie[146].

Dorat lui-même n'a pas trop la tête philosophique : pourtant,. quand il veut défendre les notions de providence divine et de miracle, il déclare s'opposer à ceux pour qui la Nature, le Hasard, la « Nécessité », le Destin remplacent Dieu — *aduersus eos, qui ponunt Naturam, Casum, Necessitatem, Fatum pro Deo* : c'est le sous-titre de la *Monodia tragica* qu'il publia en 1576. En pensant aux travaux d'un Vicomercato, par exemple, on serait bien tenté de traduire ici *Necessitas* par « déterminisme ».

LES NOMS PROPRES Pour terminer, il faut admettre que le cas des noms propres est particulièrement délicat : ainsi, nous ne savons plus quel fut le véritable patronyme de celui que nous nommons « Turnèbe », ni si l'auteur qui signe *Caluimontanus* s'appelait de Chaumont ou de Calvimont[147]. Quant à *Auratus*, la « traduction » la plus fréquente est « Dorat », mais Montaigne dit « Aurat[148] ». Sans doute il y a des noms qui, une fois latinisés, ont une forme étrange, mais, à tout prendre, le lecteur qui passe de l'histoire de Tite-Live à celle de Tacite doit s'habituer à bon nombre de patronymes exotiques, tout en pensant que tous les *Cornelii* ne sont pas forcément issus de la vieille aristocratie romaine, et César avait bien trouvé le moyen de nommer en latin les chefs gaulois, et même de donner une flexion aux noms ainsi traduits. L'exemple vient de loin, et les lecteurs athéniens de Polybe avaient dû, eux aussi, s'étonner en rencontrant un nommé Γάϊος Τερέντιος qui fuyait vers Ὀυενουσία.

Si l'usage linguistique consistait à rechercher la perfection, l'adéquation à un modèle idéal, l'objection de la *Deffence* serait tout à fait pertinente, mais jamais un langage, quel qu'il soit, ne pourra prétendre atteindre l'Idée, et, pour garder le vocabulaire de J. Du Bellay, l'Art intervient souvent — pour aider ou pour contrarier la Nature — quand une époque doit créer des mots correspondant à des réalités nouvelles; en tout cas la convention, qui impose tel mot plutôt que tel autre, n'est pas de l'ordre du jaillissement naturel.

En ce qui concerne le latin, le siècle d'or, déjà, redoutait de voir son langage perdre sa pureté par l'apport continuel d'éléments exotiques

---

146. *Quidquid oritur, qualecumque est, causam habeat a natura necesse est..., si nullam reperies, illud tamen exploratum habeto nihil fieri potuisse sine causa* (*De Diu.* 2, 28, 60); *nihil posse euenire nisi causa antecedente* (*De Fato*, 15, 34).

147. Nolhac, (*R. et l'H.*, p. 157) a opté pour la première solution, le catalogue des Imprimés de la B. N. pour la seconde.

148. 2, 17.

divers. En face de cela, déjà, Horace revendiquait pour les Modernes la possibilité de faire, avec mesure, cela s'entend, ce qu'avaient fait les vénérables anciens, Caton et Ennius, et il rappelait que les mots naissent et meurent :

> ... Si forte necesse est
> indiciis monstrare recentibus abdita rerum, et
> fingere cinctutis non exaudita Cethegis,
> continget dabiturque licentia sumpta pudenter (*Ad Pis.* 48-51).

Sa conclusion est valable, en droit, pour le latin de tous les siècles, et du reste, pour d'autres langues que le latin :

> ... Licuit *semperque licebit*
> signatum praesente nota producere nomen (*op. cit.*, 58-59).

Aussi semblerait-il bien légitime d'appliquer au latin renaissant la formule dont M. de l'Hospital (méditant Horace, on peut en être certain) usait à propos de la langue nationale :

> *Nostra (lingua) modo exoriens similis nascentibus illis*[149].

Socrate disait que, pour fabriquer des mots, il fallait être un spécialiste (*Cratyle*, 389 a). L'homme politique humaniste note que, de fait, ce sont les inspirés qui, de tout temps, sont les véritables onomaturges :

> Nec... cessauere noui noua condere uates
> Nomina uerborum[150].

Son époque n'en a pas manqué.

LES HÉRÉSIES « LATINOLÂTRES »   En effet le latin qu'utilisent nos poètes est une réalité pratique, changeante, et non pas une vieillerie archéologique, qui ne devrait sa survie qu'à une inconditionnelle déférence pour une civilisation disparue. A ce latin sclérosé qui n'est pas le leur, on pourrait appliquer la formule à laquelle Chamard donnait une portée générale pour s'en prendre à toute création néo-latine : « A l'étude intelligente et judicieuse des anciens l'admiration, une admiration enthousiaste, démesurée, frénétique, a fait succéder le désir non plus seulement de les imiter, mais encore de les reproduire... l'humanisme est devenu le calque servile des formes antiques[151]. »

Ce fanatisme a existé, mais il ne semble pas que les humanistes français aient été fort touchés de ce mal, quelles qu'aient pu être les appréhensions de Joachim romanisé ou, déjà, celle de Salmon Macrin qui redoutait de voir en lui-même le singe d'Horace — *Flacci Simia*[152].

---

149. Cf. ci-dessus, p. 22-23.
150. Cité par Nolhac, *R. et l'H.*, p. 182.
151. *Les origines*, p. 286.
152. Dans les années 1547-1550 (*Delit. Poët. Gall.*, t. 2, p. 554) ; malgré ses craintes, il se range, parmi les poètes « gaulois », immédiatement après Ausone.

LE CENTON Pour certains Italiens, le latin « ancien » serait chose si parfaite qu'il faudrait se garder d'y rien changer : la seule possibilité est donc de répéter servilement des lambeaux de ce qu'a dit quelqu'un de vraiment grand, et un poète pense tout de suite à Virgile.

Le centon n'est pas chose récente. Ausone l'a pratiqué avec réticence (au moins avec mauvaise conscience, car il a dû se piquer au jeu), et, à ce qu'il précise, sur l'ordre insistant de l'empereur qui était un homme cultivé[153]. Précisément, seul un érudit peut être victime de cette manie.

Mais s'il a bien fait la théorie du centon, Ausone n'y voit qu'une plaisanterie littéraire qui ne mérite pas d'éloge. Il a même l'impression d'avoir en quelque sorte déshonoré Virgile en l'utilisant à cette fin burlesque : *Piget enim uergiliani carminis dignitatem tam ioculari dehonestasse materia.* Du reste, le choix de *lacerata* dénote un sentiment de culpabilité chez ce « découpeur ».

Tel n'était pas le point de vue des auteurs de centons au XVIe siècle, bien au contraire. Par leur travail qui, à la suite de celui d'Ausone, cherche les raffinements d'un astucieux découpage, mais est fondé sur une admiration monstrueuse, « frénétique », ils pensent honorer celui qu'ils mettent en pièces. Antonio Possevino[154], par exemple, voit deux catégories dans les hommes de lettres, ceux qui ont quelque chose de nouveau à dire, et ceux qui disent ce que les autres ont dit ; cette race se divise encore en deux sous-groupes, ceux qui exposent ce qu'ils veulent dire en énoncés nouveaux, et ceux qui, pour s'exprimer, utilisent les formulations anciennes, donc les auteurs de centons : *ad sententias suas aliorum uerba transferunt, atque traducunt, quod quidem pertinet ad eos qui centones conscribunt.* Et il cite la partie technique du texte d'Ausone qui lui paraît satisfaisant[155].

Sans doute peut-on, à la suite de Possevino, reconnaître à ces « auteurs » *memoriam et acre iudicium*; ils évoquent, pour lui, le joaillier qui, à partir de pierres très diverses, façonne une œuvre hors de pair : *ex diuertissimis lapidibus opus egregium fingit.* Et effectivement, dans les deux cas, il s'agit bien d'un objet, d'une chose morte. Il cite à titre d'exemple une composition *Iulii Capilupi ex Virgilio, Ad beatissimam Mariam uirginem*[156] et, de fait, seul le titre n'est pas « virgilien ». On

---

153. Lib. XVII. *Cento nuptialis, Ausonius Paulo.*

154. *Bibliotheca selecta*, Rome, 1593, lib. XVII, ch. 16, p. 283 et sq.

155. Ausone se met en effet, dans la suite de l'épître, à disserter sur l'utilisation des « tronçons » d'hexamètres obtenus à partir des différentes césures : *Diffunduntur autem per caesuras omnes quas recipit uersus heroïcus, conuenire ut possit aut penthemimeris cum reliquo anapestico aut trochaïco cum posterio segmento...*

156. Cf. par ex. : *solido de marmore templum / Instituam festosque dies de nomine Matris / Virginis et iussos aris adolemus honores* (op. cit. en n. 154, p. 286).

peut à coup sûr appliquer à ce travail le jugement d'Ausone :*peritorum concinnatio miraculum est.*

Pourtant le jeu défini par le professeur bordelais n'a pas séduit le professeur limousin : Dorat qui s'amuse, de manière assez diabolique, à faire éclater les mots par l'anagrammatisme, ne s'est pas, à notre connaissance, laissé aller à composer des centons.

LE « CICÉRONIANISME »   Mais la recherche maniaque du purisme se manifestait sous une autre forme, moins outrancière, et plus accessible : Érasme en l'attaquant lui a laissé le nom de « cicéronianisme[157] ».

Sans aucun doute, comme le note L. Febvre[158], « des besoins nouveaux, des besoins de pureté étaient nés » (p. 396), mais l'historien ne semble pas avoir distingué les différents types de « purification » qu'on a pu mettre en œuvre. Certes, il a beau jeu de noter que « l'écolier de Tubingue devait être... surpris par *bauat super sese*, ou par *faciam te quinaudum* » (p. 396) : contre des expressions de ce type les humanistes pouvaient se mettre en guerre — c'était peut-être, du reste, des plaisanteries de type macaronique — et, s'ils les ont pourfendues, la perte n'est pas grande. Mais L. Febvre n'envisage pas de purification de ce genre. Selon lui « les philologues avaient commencé leur censure vétilleuse » *(ibid.)*. Et l'on est surpris de voir étiquetés de la sorte Valla, Érasme[159], Budé[160], comme si l'effort vers la correction du latin classique se manifestait par la seule recherche maniaque des « fautes », et ne s'accompagnait pas d'un généreux enrichissement du lexique.

M. J.-C. Margolin, en effet, reconnaît dans l'œuvre éducative d'Érasme « un caractère fondamentalement pratique, pour ne pas dire pragmatique[161] ». C'est bien par là que s'explique, d'abord[162], son attaque contre les Cicéronianistes « qui croiraient commettre un crime de lèse-humanisme en introduisant dans leur latin des termes que Cicéron n'avait pas employés[163] ». Érasme charge son héros Bulephorus de montrer l'inanité de telles prétentions : son triomphe est aisé ; du reste, sur le point précis des réalités religieuses, Possevino lui-même pense qu'il n'y aurait pas grand mal à adopter les vocables de l'église catholique[164].

---

157. *Ciceronianus*, Bâle, 1528.
158. Cf. ci-dessus, n. 145.
159. Cf. par ex., J. Chomarat, « Érasme lecteur des *Elegantiae* de Valla », in *A.C.N.A.*, p. 206-243.
160. Rabelais témoigne de la réputation de bienveillance de Budé envers les humanistes débutants maladroits (*Lettre à G. Budé*, éd. Le Seuil, p. 936).
161. *Érasme par lui-même*, Paris, 1965, p. 119.
162. Mais en même temps qu'il vise l'impossibilité d'exprimer des réalités chrétiennes par le lexique de Cicéron (le Christ, chez les ultra-cicéroniens, est nommé *Iupiter Optimus Maximus*), Érasme « s'en prend à la tendance paganisante d'une fraction importante des humanistes, dont l'amour des Anciens et de la langue latine représentée par Cicéron ont obscurci la raison » *(op. cit.*, p. 131).
163. *Ibid.*
164. Cf. ci-dessus, n. 154.

Au temps du premier humanisme, le représentant de cette tendance, en France, était Christophe de Longueil[165]. Plus tard l'éxilé J.-C. Scaliger tenta de s'illustrer en luttant contre les vues érasmiennes[166] et, ce qui est plus surprenant, Étienne Dolet composa un Dialogue *De imitatione ciceroniana, aduersus Desiderium Erasmum pro Christophoro Longolio*[167]. Voilà les ultra-puristes, mais, justement, Érasme les a attaqués, et ils ont répliqué sans pitié[168].

L. Febvre, paradoxalement, a mis sur le même plan les humanistes et les « Cicéronianistes »[169]. Le latin, du reste, semble bien le bouc-émissaire[170] : mêlant encore le plan des idées et celui du langage[171], l'historien voit dans le dessein suicidaire de ces puristes une possibilité — du point de vue philosophique — de « déblayer le terrain pour des constructions neuves », alors que, dans le même temps, ils ont, selon lui, facilité, « sans le vouloir, l'avènement des langues vivantes et pleines de sève » (p. 397).

Le latin, tel que le concevait Érasme, en tout cas, ne manquait pas de sève, et même la polémique du cicéronianisme ne l'affaiblit pas, en France du moins.

Nous n'avons pas de témoignage concernant l'attitude de Dorat à l'époque où cette querelle s'ouvrit : au moment de la publication du *Ciceronianus*, il avait vingt ans et n'avait pas encore quitté Limoges. Plus tard, vers 1550, dans le milieu de la Brigade, le cicéronianisme prit l'apparence d'un méridional ambitieux, beau parleur, qui avait connu Sadolet à Carpentras[172] et vécu en Italie : il en avait rapporté de belles formules cicéroniennes et un opuscule de cent soixante-quatre pages, qui avait été imprimé à Venise, chez Griffio, en 1548, et ne

---

165. Longueil ne publia pas d'écrits théoriques sur le sujet, mais il prêchait d'exemple. Après sa mort, en 1522, sa correspondance avec Bembo et Sadolet, les Cicéronianistes les plus en vue en Italie, fut imprimée en 1524 à Florence, et en 1542 à Lyon.

166. *Aduersus Desiderium Erasmum Rot., pro Christophoro Longolio oratio*, Paris, 1531 ; il ne désarme pas : *Aduersus Desiderii Erasmi dialogum Ciceronianum oratio secunda*, Paris, 1537. Cf. aussi Rabelais, *Lettre à Bernard Salignac* (adressée en fait à Érasme), éd. Le Seuil, p. 948.

167. Lyon, S. Gryphe, 1535. Sur l'opposition de Dolet à Érasme, cf. R. C. Christie, *Etienne Dolet, The Martyr of the Renaissance*, rep. Nieuwkoop, 1954, p. 203-204.

168. Il semble qu'un esprit comme celui d'Érasme ait véritablement souffert des polémiques « cicéroniennes » : il avait attribué le factum de Scaliger au nonce Aléandre, cicéronianiste notoire, qui n'était pour rien dans tout cela, mais devint sa bête noire ; Rabelais, cependant, l'avait détrompé en lui donnant des détails sur Scaliger (cf. *Épître à Érasme*, éd. Le Seuil, p. 948).

169. Tel est encore le jugement de Mikhail Bakhtine, *L'œuvre de F. Rabelais...*, trad. fr., 1970, p. 462.

170. A propos du sort réservé à Virgile par Pétrarque et ses successeurs, Nolhac commente : « le tort de l'épopée de la Renaissance ne fut pas d'imiter Virgile... ; ce fut plutôt de persister si longtemps à se servir du latin, dont l'usage la condamnait à cette imitation » (*Pétrarque et l'Humanisme*, Paris, 1892, p. 117, n. 3). Trente ans plus tard, dans *R. et l'H.* (1921), Nolhac est libéré de ce genre de préjugés.

171. Cf. ci-dessus, p. 40-41.

172. Cf. Nolhac, *R. et l'H.*, p. 258 ; toute une étude est consacrée au « Cicéronien de la Brigade » : p. 271-339.

contient que des œuvres en prose. Il promettait d'écrire la suite des *Elogia uirorum illustrium* de Paul Jove, et de faire passer ainsi ses contemporains à la postérité. Il n'est personne qui ne souhaite survivre : Pierre de Paschal devint historiographe du roi. Ronsard s'était entiché de ce personnage dispensateur d'immortalité, et il multipliait les dédicaces ; Du Bellay faisait de même[173]. Dès le début, selon Nolhac, Ramus et Dorat — dont la connaissance des hommes, et du latin, était plus solide — repérèrent l'imposture[174]. Nous n'avons pas retrouvé le texte précis de Dorat sur lequel Nolhac appuie son affirmation : peut-être songe-t-il simplement à un passage où Ronsard[175] dit que Dorat et Ramus ont été plus clairvoyants que lui, mais il accorde cette même lucidité à Du Bellay qui, pourtant, fut longtemps abusé lui aussi. En tout cas le nom même de Paschal ne se trouve pas dans les vers personnels de Dorat, mais une seule fois dans la traduction latine du poème de Ronsard *Exhortation au Camp du Roy...*, qui parut sous le titre *Exhortatio ad milites Gallicos* :

> Paschalis labor hic, cui Rex mandata perenni
> Acta suae gentis tradidit historiae[176].

Dorat traduit la formule de Ronsard s'adressant aux soldats :

> « ... vostre beau renom à jamais sera leu
> Par l'œuvre d'un Paschal, auquel ce noble Prince
> A commis les honneurs de toute sa province[177] ».

C'est du reste une constatation plus qu'une louange[178]. Néammoins le nom disparaît dès 1560 du texte de Ronsard ; dans l'édition des *Poëm. lib.* V de 1586, la traduction latine des soixante-douze derniers vers français ne figure pas, mais l'extrême négligence de l'éditeur ne permet de tirer de cette amputation aucune conclusion précise.

Quoi qu'il en soit, il est probable que Dorat récusa de fait le cicéronianisme parce qu'il était agacé par tout dogmatisme et qu'il n'avait pas d'exclusive dans ses admirations[179]. S'il ne fulmina pas contre Paschal, c'est qu'il ne le dérangeait en rien : il est certain, en particulier, que son caractère indépendant ne le prédisposait pas à faire un historiographe

---

173. Pour Ronsard : *op. cit.*, p. 292-295, 316 ; pour Du Bellay : p. 321-322. Trente ans plus tard, A. du Verdier donne à ce personnage une place hors de proportion avec son importance réelle ; il s'étend sur la mystification et cite en entier la traduction que J. Du Bellay fit de la satire de Turnèbe ; il conclut que Paschal fut un « pur abuseur de monde qui repaissait les gens de fumée au lieu de rost » (*Bibliothèque*, Lyon, 1585, p. 1033).

174. Cf. Nolhac, *R. et l'H.*, p. 259.

175. S. T. F. M., t. 18, p. 508.

176. Dernier f° (sans sign.), Paris, Wechel, 1558 (une partie seulement de cette traduction est reprise dans les *P.*, p. 146-150).

177. S. T. F. M., t. 9, p. 10 et n. 1.

178. *R. et l'H.*, p. 304, n. 2.

179. En témoignent le caractère très éclectique de son vocabulaire, et le fait que ses « imitations » ne se rattachent jamais à un seul auteur.

du roi, comme Ronsard l'eût trouvé bon[180] . Quand les disciples furent dégrisés, ils n'osèrent pas demander à Dorat, qui avait l'épigramme facile, son aide contre le « Gascon » : ce fut le « Cicéronien » Turnèbe qui se chargea de l'exécution, et vengea en même temps Cicéron et les poètes[181] , qui prirent aussi leur revanche.

Dorat admirait assurément Cicéron, mais sans être fanatique. Il semble s'être intéressé surtout à la rhétorique. Dans son jeune âge, il fut en rapport avec Junius Rabirius[182] qui a publié un commentaire d'Érasme sur les parties du discours. Quelques années plus tard, aux alentours de 1550, il juge que, si Silius Italicus pouvait frapper les juges au cœur, c'est qu'il maniait des foudres cicéroniens :

> Cum Tullianis... tonitribus
> Centum ferisset pectora iudicum (*Ode* II, 13-14).

En 1567 une des causes de sa colère contre Ramus[183] est l'attitude dédaigneuse de celui-ci à l'égard des auteurs anciens, notamment de Cicéron, que les *Brutinae Quaestiones* n'avaient pas ménagé.

Sans faire de l'orateur le sujet privilégié de ses travaux, il connaissait suffisamment son œuvre et son époque pour repérer le faux dans la *Consolation* que trois magistrats humanistes, dans leur enthousiasme, avaient publiée comme étant de lui[184]. S'il s'efforce, à la fin du poème, d'atténuer leur déception en mettant en lumière l'utilité morale de ce texte, il précise, dès le premier vers, qu'il s'agit d'un pseudo-Cicéron, et d'une composition plus tardive :

> Sit, quem quisque uolet, *magni Ciceronis* imago,
> Nec Cicero, uiuo nec Cicerone fuit (*Epgr.*, p. 29).

Cependant, par goût personnel et à la demande des poètes, ses auditeurs de prédilection, il expliquait les œuvres des poètes plutôt que celles des prosateurs, tant en grec qu'en latin[185] .

---

180. Cf. Nolhac, *R. et l'H.*, p. 267.
181. Cf. *op. cit.*, p. 325.
182. Cf. ci-dessus, n. 17, 18.
183. Cf. G.D., « Contestation au Collège royal », in *Vita Latina*, 65 (mars 1977), p. 21 et n. 25.
184. Ces faux étaient fréquents : cf. par ex. Rabelais, *Lettre à Amaury Bouchard*, éd. Le Seuil, p. 946 et n. 1.
185. Joachim Blanchon, jeune Limousin qui fut, à Paris, disciple de Dorat, nous donne un aperçu du programme des études chez son savant compatriote (*Les premières œuvres poetiques*, Paris, Perrier, 1583, p. 279) : « Divin Dorat qui des cendres d'Homère, / De Théocrith, Callimach, Licofron, / Pindare, Arat, Alcée, Anacreon, / As le premier esclarcy la lumiere... »
Nous sommes moins bien renseignés sur le latin ; J.-A. de Baïf nous donne cependant quelque idée des livres que Dorat et lui emportaient à la campagne : « Et pour mieux les heures seduire / Nous avons coutume de lire / Ou les vers qu'Ovide a sonnez, / Ou ceux qu'Horace a façonnez, / Ou les raillardes chansonnettes / Que le Syracusain a faittes, / Ou du Berger Latin les chants / Qui monstrent le labour des champs » (cf. ci-dessus, n. 93). Un autre disciple, Clovis Hesteau, ne se souvient, lui aussi, que des poètes : « aucuns poëtes tant grecs que latins ouïs sous Monsieur d'Aurat, mon précepteur (*Les œuvres poétiques* de Cl. Hesteau, sieur de Nuysement, Paris, 1578, f° 2 v°). Quant à Ronsard il dit : « Dorat ... / M'apprist la Poësie » (S.T.F.M., t. 4, p. 313).

Nous avons pourtant un témoignage tardif — et d'autant plus révélateur — de l'intérêt que Dorat a pu porter au « cicéronianisme ».
S'adressant en 1576[186] au président Guy du Faur de Pibrac, glorieux
enfant de Toulouse, il lui rappelle le temps de ses études en sa patrie,
les ambitions qu'il cultivait, et la démarche intellectuelle qui devait
permettre de les réaliser :

> Cui iuueni teneris *Cicero consumptus* in annis,
> Vt uir apud Gallos *pro Cicerone* fores (*P.*, p. 127).

Tout le texte est une louange de Pibrac, et elle est décernée sincèrement,
sans ironie : Pibrac est devenu une gloire nationale, et la Pologne elle-
même a pu admirer sa parole, mais, quelques vers après ceux que nous
venons de citer, le poète apporte une nuance à son propos : aujourd'hui,
l'éloquence du président est à l'image des foudres de Périclès — *Periclei
fulminis instar (ibid.)*. Le lecteur est fondé à croire qu'il y a une gradation
dans la louange, et que le jugement esthétique implicite place Périclès
(tout au moins celui que nous a fait connaître Thucydide) au-dessus
de Cicéron.

D'autre part le choix du mot *consumptus* révèle une intention
légèrement moqueuse de la part de Dorat : le garçon, dans ses jeunes
années, a été, pour ainsi dire, gavé de Cicéron... pour devenir lui-même
un Cicéron. Or Pibrac, né à Toulouse en 1529, dut y faire ses études
en même temps que Paschal qui était un peu plus âgé, mais qui, avant
de s'y rendre, avait étudié d'abord à Carpentras[187].

Curieusement, dans l'esprit de Dorat, il se fait très tôt une association d'idées entre la Gascogne et le nom de Cicéron : il vient de
nommer M. de Mesmes *nobile Vasconum / sidus* (*Ode* II, 54-55), et
deux vers plus loin on trouve *Cicero*... : or la comparaison (portant sur
la joie qu'on ressent à voir un sien ami adopté dans une riche famille)
n'imposait pas qu'il mentionnât Cicéron et Atticus. Peu après, Dorat
place dans la bouche de M. de Mesmes un éloge de Toulouse qui vaut
bien Limoges, car la nymphe de la Garonne est aussi bien coiffée que
celle de la Vienne (85-88). La motivation du jugement est poétique,
certes, mais un peu mince[188], surtout si l'on compare cet éloge avec
celui de Paris qui suit (102-108).

Or ce texte qui célèbre la bonté de M. de Mesmes père envers le
précepteur de ses enfants, qui a terminé sa tâche, doit avoir été composé
autour de 1550-1551[189] : à cette date, Paschal était déjà à Paris[190],

---

186. Dorat demande au président Pibrac de remettre à Henri III un opuscule contenant
notamment *Ad Regem Exhortatio*, Paris, Bienné, 1576.
187. Il était né en 1522 ; cf. ci-dessus, n. 172.
188. Peut-être aussi Dorat s'est-il amusé à parodier son ami Léger du Chesne, auteur
d'un éloge humaniste de Toulouse, qui fut publié en 1549 (cf. Nolhac, *R. et l'H.*, p. 275 et n. 3).
189. Henri de Mesmes était né en 1532 et se maria en 1552 (cf. *Mémoires*, éd. Frémy,
Paris, 1886, p. 147).
190. Cf. Nolhac, *R. et l'H.*, p. 292.

et l'on pouvait y apprécier le produit de Toulouse, amélioré par un séjour en Italie[191].

Près de trente ans plus tard, Dorat a oublié Paschal, mort en 1565[192], mais il sourit encore en évoquant le souvenir de Toulouse et de la jeunesse de Pibrac, qui avait dû rester, malgré tout, un peu gascon.

Ainsi, aux yeux de Dorat, le « cicéronianisme » semble avoir été un mal géographiquement localisé, et qui devait susciter plutôt la plaisanterie que l'anxiété[193] ou la colère. Aussi, plutôt que des déclarations théoriques, est-ce son œuvre qui témoigne de la largeur de ses vues linguistiques.

Il ne semble pas qu'en France, du moins, ce furent les excès du purisme des latinisants qui permirent le développement de la langue dite vulgaire : le schéma d'un Cicéronianiste tel que Bembo[194], se repentant sur ses vieux jours et restaurant sa langue maternelle « en tant que langue littéraire »[195], n'est pas recevable de ce côté-ci des Alpes.

*
* *

Il reste que l'admiration fit bien naître chez nous aussi une poésie de langue latine. Dorat, à l'aise dans la république humaniste, n'est cependant pas de ceux qui méprisent les langues nationales. Ayant vocation à traduire, ce professeur, spécialiste de la version du grec en latin, connaissait les ressources de ce dernier. Au siècle des découvertes, ce latin, une fois encore, pouvait paraître pauvre, et la leçon de Sénèque, une fois encore, était de saison : ce n'est pas le moment de faire le difficile — *quis... ferat in egestate fastidium ?* (*Ad Luc.* 58, 1).

Le maître de la « Pléiade », pour sa part, a lucidement assumé la responsabilité de son choix et, à notre connaissance, n'a jamais prononcé de palinodie.

191. Toulouse était, c'est vrai, une grande ville intellectuelle : Henri de Mesmes y suivait les cours de droit de Forcadel, mais la présence de son précepteur Maledent, ami de Dorat, dut le préserver du cicéronianisme. Toulouse, de fait, était la capitale de l'éloquence cicéronienne : Turnèbe y enseigna jusqu'en 1547, mais ses éditions de Cicéron sont plus tardives.

192. Cf. Nolhac, *R. et l'H.*, p. 338.

193. Cf. ci-dessus n. 168.

194. Cet homme d'église aurait été « cicéronien » au point de ne pas lire la traduction des *Épîtres* de saint Paul, de peur de « gâter sa belle latinité » : cette anecdote est rapportée par Chamard, *Les origines*, p. 292.

195. *Op. cit.*, p. 293.

Chapitre II
ESTHÉTIQUE

Le problème est exactement de savoir
quel rapport de complémentarité ou
de compensation s'établit entre arts
du verbe ou du son, d'une part, et arts
de l'image et des formes, d'autre part.

André Chastel

En face d'une société qui méprise l'esprit — *Mens contempta iacet*
(*P.*, p. 123) — où l'on s'impose par le fer ou par l'or — *plus ualet ferrum
foro* [...] *Nocet sed aurum* (*Exh.*, 236-239) — le monde des travaux
intellectuels, qu'il s'agisse de spéculations abstraites ou de créations
artistiques, présente une remarquable unité, cimentée par l'amour :

> Scilicet est studiis quaedam concordia iunctis,
> Omnes quidem artes conciliauit amor (*P.*, p. 137).

UNION DES ARTS   La déclaration est d'autant plus frappante que Dorat veut ici rapprocher la
théologie et les « arts » humains, notamment la médecine :

> Ars diuina quidem est, qua sacra Deusque docentur,
> Nec minus humanis annumeranda tamen (*op. cit.*, p. 138).

C'est en raison de cette parenté profonde que le théologien Hugon
protège le jeune médecin Antoine Valet. Dans la *Version de la précédente élégie*, Dorat proclame :

> Tous estudes sont joints d'une forte amitié (*op. cit.*, p. 141).

Concordia mettait l'accent sur l'union dans la diversité : si, en traduisant
par « forte amitié », Dorat a renoncé à l'aspect épistémologique, il
accentue, par contre, le côté moral de cette union. Apollon, du reste,
est aussi bien le protecteur des médecins que celui des poètes, comme
il est rappelé au professeur royal de médecine, Louis Duret :

> Quique tuus praeses, meus est praesul[2] Apollo,
> Eiusdem dei cultor uterque sumus (*P.*, p. 198).

Dans le même esprit, il rapproche les deux hommes de Cos, Hippocrate
et Apelle, car, par leurs arts respectifs, ils sont tous deux capables de

---

1. Nous étudierons d'abord les vues théoriques de Dorat, puis la manière dont il a assumé
les rapports de son art avec les techniques rivales.
2. *Praesul* implique une direction chorégraphique (cf. par ex., Cicéron, *Diu.* 1, 26, 55).

donner la vie, l'un en ranimant un malade, l'autre en animant une création plastique :

> Cous et Hippocrates et Cous ciuis Apelles,
>   Hic pictor, medicus callidus ille hominum.
> Ambo dispariles par effecere per artes :
>   Semianimis uitam hic, ille dat exanimis
>   (Mss. Lat. 10327, f°33 r°).

Mais, plus précisément, Dorat s'est intéressé aux rapports privilégiés,
selon lui, de la poésie, art du verbe et du son, avec les arts plastiques,
et, en premier lieu, avec la peinture.

POÉSIE ET PEINTURE   Il y était invité par les réflexions qui
                          ouvrent la *Poétique* d'Aristote : « de
même que certains... reproduisent de nombreux objets par les couleurs
et les formes, d'autres le font par la voix : c'est le cas des arts cités
précédemment » (*Poétique*, 1447 a). Ces arts sont les différentes
formes de poésie. Pour Dorat, en effet, un accord lie les peintres et
les poètes :

> ... pictoribus apta cum poetis
> Est concordia (*Epgr.*, p. 31).

L'adjectif *aptus*, pris dans son sens étymologique, souligne cette union
des artistes. Dieu, pourtant, n'a pas tout donné au même homme : rappelant le jugement de saint Paul[3], Dorat souhaite que chacun, pour le
bénéfice de tous, soit fidèle à sa vocation propre :

> Et quia non uni tribuit Deus omnia posse,
>   Qua fas cuique homines iuuare, iuuet (*P.*, p. 138).

Érigeant le « tombeau » poétique de l'épouse de Salmon Macrin, Gélonis,
Dorat regrette toutefois, un instant, que la nature ne l'ait pas doué
pour les arts plastiques :

> Mihi si manus docilis sit
> Ebur aut similes
> Expolire ceras,
> Liquidisue tabellas animare
> Coloribus, aut metalla
> Coelo... (*Ode* VII, str. 4).

Peu après, le travail du poète est présenté grâce au vocabulaire de la
gravure :

> His te certatim uiua uatum
> Cuspis excauat in
> Perennibus metallis (*op. cit.*, antistr. 4).

La métaphore est longuement filée[4] : à Salmon Macrin, l'or ; à tel autre,
l'airain, l'acier ou l'oricalque ; à Dorat, l'argent (antistr. 4 - ép. 4, *init.*) ;

---

3. *Ad Rom.* 12, 6 ; comme l'apôtre, le poète insiste sur l'idée de service.
4. Même métaphore dans l'ode pindarique de 1558 : *(fabros) / Qui perennes arte sua
statuas / Elaborarent, Eposque / Perpetuum...* (*Ode* XVIII, str. 5).

la souplesse de la phrase, dans le dessin sinueux de la forme triadique, est évoquée par la ductilité de l'argent fondu :

> Sinus ego tortiles[5]
> Sequace uibro
> Argento tenuis (*op. cit., ibid.*).

Mais il ne s'agit pas d'un simple emploi métaphorique : ces arts sont véritablement unis parce qu'ils se portent mutuellement secours[6] :

> ... cum pictura sic est coniuncta Poesis,
>   Altera ut alterius se tueatur ope (*Epgr.*, p. 63).

Les auteurs des liminaires pour les *Sibyllarum duodecim oracula* se font l'écho de la pensée du maître. Dorat qui a composé le texte latin, Binet qui en a donné une transposition en français, Rabel qui l'a illustré, participent à une communauté, celle de l'œuvre. Jean de Calvimont (ou de Chaumont) le montre en s'adressant au peintre : *Consortes operis tui poetae* (*Sibyll. ... oracula*, Aiiij v⁹). Jean Clouet, qui, de son côté, voit dans l'association des trois hommes un « pieux traité » − *foedus... pium* − porte un jugement presque métaphysique : Rabel, par sa peinture donne à ces êtres un corps, Dorat, par ses vers, leur donne une âme :

> ... Auratus uersu, ... Rabellus
> Pictura, dans hic corpus, at ille animam
>   (*op. cit.*, sans sign.)[7].

L'humaniste, plus modeste − mais qui n'en pense pas moins[8] − se contente de mettre en parallèle les deux types d'« ornement » :

> Versibus haec ornata, nouis ornata figuris
>   Depictis (*op. cit.*, Aij v⁰).

Cette déclaration, faite dans la dédicace à la reine Louise, est autre chose qu'un simple cliché de préface : Dorat paraît avoir longuement réfléchi sur l'unité profonde des arts et la similitude du sort des artistes.

Dans un texte qu'il a intitulé *In laudem picturae*, il exprime l'idée dans un chiasme : ... *his uersus, pigmenta... illis* (*P.*, p. 197). Pour mieux mettre cette notion d'unité en évidence, il joue par un zeugma, sur le double sens du terme *tabellae (ibid.)* : les petits tableaux du peintre[9], les tablettes à écrire du poète[10] sont ainsi assimilés : *pictorumque poetarumque tabellae (ibid.)*. Dans le même esprit, il annonce au

---

5. Allusion à la composition pindarique « en torsade » ; cf. *Ném.* 7, antistr. 4.
6. Pour le secours que se portent les artistes, cf. ci-dessous p. 75 ; pour la poésie au secours des arts plastiques, cf. ci-dessous, p. 95 et suiv.
7. Néanmoins les deux poètes et le peintre méritent, selon Clouet, la même couronne : *par sit eis digna corona tribus.* Nous n'avons pu établir un rapport entre ce personnage (originaire d'Anjou) et la famille des portraitistes royaux. Le peintre Jean Clouet était mort en 1541.
8. Cf. ci-dessous, p. 92 et suiv.
9. Cf. Horace, *Epist.* 2, 2, 180.
10. Cf. Quintilien 1, 1, 27.

président de La Guesle que, s'il protège Rabel, ce dernier peindra ses traits, et, lui, Dorat, « peindra » son esprit :

> Si facis hoc, uiuo tua pinget is ora colore,
> Mentem ego... (*Epgr.*, p. 63).

Il se plaît encore à rapprocher le nom *poëmata* et le participe de *pingo* : *pictisque poëmata uerbis* (*P.*, p. 197)[11].

Mais si un sentiment de bonne intelligence rapproche ainsi les bons poètes et les bons peintres —

> Gratia si qua bonis pictoribus atque poetis
> Intercedit (*P.*, p. 197) —

entre les poètes et les musiciens existe, si l'on peut dire, une union fonctionnelle.

POÉSIE ET MUSIQUE   En effet, selon Dorat, si l'on marmonne les vers comme on le faisait « avant », si l'on ne chante pas, c'est comme si la Muse était muette :

> Musa prius fuerat, quae nullo carmina cantu
> Mussaret tacite, sic quasi muta foret (*Epgr.*, p. 92).

Le poète, sans doute, tient à rendre hommage ici à l'effort accompli par Ronsard en vue de faire de l'ode un chant véritable[12] ; sans doute aussi faut-il tenir compte du fait que cette déclaration, peu amène envers les prédécesseurs, prend à témoin, précisément, celui qui a mis en musique tant de poèmes de Ronsard, Roland de Lassus[13]. Pourtant le maître de la Brigade exprime bien ici son goût personnel profond pour le chant. Il ne peut imaginer une poésie sans musique : même aux origines de l'humanité, selon lui, les poètes s'accompagnaient sur des chalumeaux : *Ad calamos modulari* (*Ode* XVIII, str. 1). Aussi, dans un hymne à sainte Cécile, patronne des musiciens — *Ad diuam Coeciliam musicorum patronam*[14] — affirme-t-il que tout poète digne de ce nom doit lui offrir des vers, sans plus attendre :

11. Le jeu est ici purement verbal, car *pictis* est pris comme adjectif, et la métaphore est usée : il s'agit de la « couleur » du style (cf. *Brutus*, 293), tandis qu'au vers précédent *pictae*, qui qualifie *effigies*, a bien son sens propre. Toutefois le jeu est révélateur.

12. Ronsard notait en effet : « Il est *certain* que telle Ode est imparfaite, pour n'estre mesurée, ne propre à la lire, ainsi que l'Ode le *requiert* » (S.T.F.M., t. 1, p. 44). Son maître, dans l'ode pindarique qu'il lui a dédiée, fait allusion à deux reprises à cette union consubstantielle de la poésie et de la musique : *fidibus inserere* (str. 1, *init.*), *Neruis maritans lyrae / Virum decora praesignium* (str. 2) : même s'il ne s'agit que d'une union métaphorique, le choix de la métaphore a son prix. Ronsard a exprimé à nouveau cette idée en 1565 dans l'*Abbregé de l'Art poëtique françois* : « la poësie sans les instrumens, ou sans la grace d'une seule ou plusieurs voix, n'est nullement aggreable, non plus que les instrumens sans estre animez de la melodie d'une plaisante voix » (S.T.F.M., t. 14, p. 9). Il a, du reste, retiré certains poèmes des recueils d'*Odes*, pour les ranger dans le *Bocage*, parce qu'ils n'étaient pas « mesurés ».

13. Cf. in *Musique et poésie au XVIe siècle*, Paris, 1954, R. Lebègue, « Ronsard et la musique », p. 105, et D.P. Walker, « Le chant orphique de Marsile Ficin » (jugement sur Ronsard, p. 27).

14. Paris, F. Morel, 1575 (B.N., Yc 1208).

Carmina Coeciliae quis non ferat obuius ultro,
Qui modo dignus amet Musas, et carminis artem ? *(init.)*

Lui-même chantait agréablement : deux de ses amis en portent témoignage. François Le Duchat eut le privilège de l'entendre : c'était au bord de la Seine, chez Brimon :

O te *canentem* dum licuit, Lyrae,
Aurate, Graiae et Romuleae decus,
Audire[15].

Toujours à Médan, Dorat — comédien-né — déclamait également des tirades tragiques, mais il savait adapter aussi les vers lyriques[16] en une sorte de récitatif soutenu par l'accompagnement de la lyre. F. Le Duchat sépare bien distinctement les deux performances que le professeur accomplissait joyeusement et, semble-t-il, avec une même facilité :

... seu Lyricis modos
Aptare neruis, seu cadenteis
Marte duces tragicis cruento
Iuuit cothurnis flere[17].

Aussi quand F. Le Duchat déclare ailleurs que Dorat pince la cithare, ou fait résonner le tonnerre de la tragédie — *Seu pulsat cytharam, seu tragico ore tonat*[18] — pensons-nous que, par *pulsat cytharam*, l'auteur désigne ce type d'accompagnement, plutôt que l'exécution d'un morceau purement instrumental.

Ces deux textes, en tout cas, nous invitent à prendre au sens propre les déclarations de Ronsard dans les *Bacchanales* : il y parle « d'un chant si doux »[19], de « ses chants », et juge que la voix de son ami est

« Vrayment digne
D'estre *Serene* du ciel » (S.T.F.M., t. 3, p. 215).

Une telle allusion[20] implique bien une réalisation musicale. En outre, Ronsard apporte une précision qui va dans le même sens que les témoignages de F. Le Duchat :

« L'entusiasme Limousin
Ne luy permet rien de *dire*

---

15. *Praeludiorum lib. III*, Paris, Caveillier, 1554, f° 31 r°-v° (B.N., Yc 8218).

16. M. P. Grimal pense que les odes d'Horace devaient être des « pièces à chanter ou à dire avec un accompagnement de lyre » (*Horace*, rééd. 1962, p. 119) : un cadre strophique très ferme est alors nécessaire. Sur le rôle joué en particulier par les odes d'Horace, cf. E. Weber, « L'apport de la pédagogie musicale humaniste à la diffusion de la littérature latine et néo-latine » in *A.C.N.T.*, Paris, 1980, p. 403-416.

17. *Op. cit.* en n. 15, f°31 r°-v°. Dorat avait particulièrement travaillé sur Eschyle ; Mme M. Mund-Dopchie a retrouvé le texte de *Prométhée enchaîné* qu'il avait établi et fait imprimer pour ses étudiants chez Wechel, en 1548 : « Le premier travail français sur Eschyle : le *Prométhée enchaîné* de Jean Dorat », in *Les lettres romanes*, XXX (1976), p. 261-274.

18. *Op. cit.*, f° 7 v°.

19. Le vocabulaire du jugement sur l'acoustique est pauvre : Scipion nomme le chant sidéral *dulcis sonus* (*Rsp.* 6, 18).

20. Cf. Platon, *Rsp.* 617 b.

                         Sur sa *lyre*
                    Qui ne soit divin divin »   (*op. cit.*, p. 214).

Il ne s'agit donc pas d'une lyre métaphorique, mais bien d'un instrument réel, dont les accords soutiennent une parole rythmée plutôt
qu'un véritable chant, bien que Dorat déclare, pour finir, en s'adressant
à la fontaine d'Arcueil, qu'il « chante » :

                    Has laudes canimus tibi (*Ode* III, 72).

L'UNIVERS SONORE   Du reste l'univers de ce professeur est
DE DORAT   plein de chants. Si l'on chantait dans
                         l'atmosphère bacchique créée par les
écoliers en vacances à Arcueil, et chez l' « épicurien » Brinon, l'on dînait
aussi en musique chez Michel de l'Hospital, souvent, du temps où il
n'était encore que chancelier de Madame Marguerite :

                    (Musas)
                    Quas olim memini domi frequenter
                    Exceptas tibi musicas ad illas
                    Cenas et lepidas et eruditas (Mss. Dupuy, 810, f°103 r°).

« Le Seizième siècle, a dit M.A. Chastel, vit dans le bruit[21] » : en
tout cas les instruments de musique les plus divers peuplent l'œuvre
de Dorat. Mis à part tous les emplois métaphoriques usés de *lyra, fides,
cithara, testudo, chelys*, l'instrument véritable vibre dans bien des pages,
et le poète a conçu une sorte d'histoire imaginaire de la lyre. Sans remonter jusqu'à la carapace de tortue utilisée par Mercure, il évoque le
temps qui a précédé l'âge d'or du lyrisme : le pauvre, alors, tirait sa
musique d'un grossier assemblage en bois d'érable :

                    ... testudinem nec
                    Tum decorabat eburnam
                    Aurea lamina, sed uili tabella
                    Pauper e ligno, dabat cantus acerno (*Ode* XVIII, antistr.1).

Puis l'imagination du poète s'affole, car vient le temps merveilleux des
caisses de résonance en ivoire sculpté, ou en or qui retentit doucement :

                    ... cauerna sculptilis aut eboris
                    Aut tenue clangentis auri (*op. cit.*, antistr. 5).

Même en dehors des églogues résonne le son aigrelet des pipeaux et des
flûtes de Pan, dont le poète lyrique détaille — avec un rien de nostalgie,
quoi qu'il en dise — la fabrication désuète :

                    Ligna paludigena
                    Cera pariter, serie sed dispari,
                    Rite ligata (*op. cit.*, ép. 5).

Au milieu des tirs d'artillerie et du sifflement des balles, au siège de

---

21. *La crise de la Renaissance*, Genève, 1968, p. 34.

Metz, on entend les appels sauvages de la trompette — *horrida signa tubae* (*op. cit.*, str. 9)[22]. Alors que le vieil homme rêvait aux sonneries des grandes chasses en feuilletant *Le plaisir des champs* de Claude Gauchet, ce sont, hélas, les trompes de la milice bourgeoise qui ont retenti dans le Paris de la Ligue :

> ... uenantum non cornua, classica sed...
> Bellantum, quibus (heu!) nunc strepit omnis ager (*P.*, p. 226).

L'univers imaginaire de Dorat est riche de sons, lui aussi. Liant, comme Pindare, le jaillissement de l'eau vive et l'inspiration poétique[23], il entend l'aimable chant des Nymphes auprès de toutes les fontaines de l'Ile-de-France :

> (fontium)
> Quotquot Naïadum Sequanidum sacra
> Semper uoce sonant, semper amabili
> Nympharum strepitant choro (*Ode* III, 46-48).

Le poète imagine un chant avec accompagnement, car *strepitus* est volontiers employé par Horace pour noter le son de la lyre[24].

Les instruments de musique fournissent à Dorat des comparaisons parfois inattendues. Ainsi les jeunes juristes de Bourges, après la mort de F. Le Duaren, sont comme un troupeau qui ne rentre pas au bercail parce que la flûte, qui l'appelait le soir, s'est définitivement tue :

> ... tacente
> Fistula certo... dante flatu
> Signa receptus (*Ode* XXI, 87-88).

Le silence des cultes païens devant l'Agneau de Dieu apparaît comme le cas inverse de celui où les tambours en peau de loup font taire les tambours en peau de mouton :

> Vt cum ·lupina de cute tympanum
> Factis ouilla de cute tympanis
> Intersilendi causa pulsum
> Efficitur sonitu potenti
> Dispar nisi quod comparis est modus
> Portenti (*Ode* XXXVII, 81-86).

Ces tambours suffisent à l'humaniste pour caractériser les fêtes de Cybèle[25], de même que la flûte symbolise les rituels bacchiques : *proflata sacris tibia Bacchicis* (*Ode* XX, 95). Pour exemple d'une réussite parfaite, qui ne doit rien à l'apprentissage, mais tout aux dons

---

22. La flûte (métaphorique) du poète s'efforce de les couvrir : *Talia flare sua solitus tunc pastor auena / Quae tamen aequaret strepitus animosque tubarum* (*Ecl.* p. 31). La production bucolique que Dorat mentionne ici ne nous est pas parvenue.
23. Cf. J. Duchemin, *Pindare, poète et prophète*, Paris, 1955, p. 252-254.
24. Cf. *Epist.* 1, 2, 31 ; *Carm.* 4, 3, 18.
25. Cf. Oppien, *Cyneg.* 3, 282.

naturels, le poète pindarique choisit les oiseaux vêtus de plumes, qui chantent par les campagnes :

> ... nec opera
> Docentis canunt
> Per agros amictae
> Pennis aues (*Ode* IV, str. 4).

Dans l'autre monde, les oiseaux sont partout, et leur chant printanier devient triomphant : de leur tendre gosier il s'élève dans les airs ; les forêts en font résonner le plaisant écho qui va frapper les astres :

> Interim canor undique auium
> Tenero uernante gutture,
> Exultat in auras,
> Propinquaque sydera
> Iocosa pulsat
> Sylvas inter ouans imago (*Ode* VII, antistr.- ép. 6).

Si Dorat a médité sur la description du bienheureux séjour au chant 6 de l'*Énéide*, le sacre du printemps par les oiseaux est bien de lui[26]. Le banquet de l'éternité se déroule au milieu des Muses. Leur chant célèbre Jupiter :

> Sed omnis in epulis
> Mora conteritur, inque Musis
> Canentibus Iouem (*Ode* VII, ép. 6).

Cette notation musicale, qui termine l'ode, est donc plus importante pour la réalisation du *locus amoenus*[27] que la douceur de l'air, plus importante même que la clarté du soleil. Inversement le monde du Tartare est condamné à la torpeur, et le poète oppose à ce lourd silence la parole et le chant des justes :

> ... fandi expertia torpent
> Agmina. Nam damnauit ea mala poena...
> Iuppiter, indulsitque piis pia iura loquendi
> Cantandique (*Ecl.*, p. 33-34).

Dorat, converti, a conservé les mêmes goûts : le luth royal, antitype de celui de David, résonnera dans les saintes demeures, tandis que le Christ, chorège de l'immortalité, se promène au milieu des assemblées bienheureuses :

> ... personabit Regia barbitus
> Sacras per aedes, perque sacros choros
> Quos Christus inter, ...
> Ambulat assiduus choragus (*Ode* XXXVII, 89-92).

Chanter la gloire de Dieu, comme l'a fait David, est un acte vraiment

---

26. Chez Virgile, les halliers sont bruissants — *uirgulta sonantia siluae* (*En.* 6, 704), mais les âmes qui voltigent là sont comparées à des abeilles bourdonnantes (*op. cit.*, 706-709).

27. Quand le Pan de Dorat présente sa grotte à la nymphe qu'il désire, il mentionne les oiseaux (*P.*, p. 181).

royal : Dorat le déclare à Henri III :

> Regia res Psalmi, quos Rex Dauid ille solebat
> Regali cithara rite sonare Deo (*P.*, p. 3).

Aussi le poète prie-t-il son maître de récompenser le musicien Guillaume Boni[28] qui, précisément, vient de composer de nouveaux airs pour les *Psaumes* (à six voix) :

> (sacra Dei)
> Dat modulanda nouis ad sacra templa modis (*ibid.*).

Dorat se réjouit de ce que les *Psaumes* soient désormais chantés dans les assemblées des fidèles, même les plus simples :

> ... rusticae mentis popello
> Dauidicas recitante uoces,
> Devota quas plebs aedibus in sacris
> Cantare pergat pectore simplici (*Ode* XXXVII, 115-118).

Si *recitare* n'implique que l'énoncé d'un texte su par cœur[29], *cantare* ne présente pas la moindre ambiguïté, et la fin de cette ode est plus claire encore, s'il est possible : Dorat y distingue des autres textes bibliques qu'on doit lire, les *Psaumes* de David, véritable mémorial du peuple de Dieu, qu'il faut chanter :

> Voluantur illa, sed canantur
> Quae memores canit hic per hymnos (*op. cit.*, fin).

C'est un des points où la Contre-Réforme a repris les initiatives réformées, mais tous les Catholiques n'étaient pas d'accord avec cette vulgarisation du chant des *Psaumes*[30].

Pour Dorat, personnellement, il s'agit bien d'occuper la grande place laissée vide dans sa vie par le rejet de la lyrique antique, et l'humaniste, si l'on peut dire, chante alors sa palinodie :

> Haec iam rudis discat iuuentus
> *Pro* citharae numeris profanae (*Ode* XXXVII,127-128).

Comment ce Chrétien récemment converti n'aurait-il pas souhaité que les plus humbles des fidèles aient part à cette liturgie active, puisque, selon lui, c'est Dieu lui-même qui a chanté sur la lyre de David ?

> Dauidica cecinit... Deus ipse lyra (*P.*, p. 74).

Quelle que soit la spiritualité du poète, on voit que la musique imprègne sa vie. Aussi, même lorsqu'il cesse de composer des odes[31], ne

---

28. Sur la solidarité de Dorat avec les peintres, cf. ci-dessous p. 76. Sur Guillaume Boni, cf. Eugénie Droz, « Guillaume Boni, de Saint-Flour en Auvergne, musicien de Ronsard » in *Mélanges Lefranc*, Paris, 193 , p. 270-281.

29. Cf. ci-dessous, p. 69.

30. Cf. par ex., Montaigne, 1, 56 : « Cette voix est trop divine pour n'avoir d'autre usage que d'exercer les poulmons et plaire à nos oreilles... Ce n'est pas raison qu'on permette qu'un garçon de boutique, parmy ses vains et frivoles pensemens, s'en entretienne et s'en jouë. »

31. La dernière que nous ayons recensée fut composée en 1575.

peut-on dire qu'il ait cessé pour autant de « chanter », car qui crée des vers, crée des rythmes. Le poète et le musicien sont inséparables, car leur « matière » est la même. C'est cette matière précisément qui sépare leur art de celui des peintres[32], avec qui, cependant, ils forment une communauté fondée sur la similitude des méthodes, tandis qu'ils travaillent dans le même esprit, avec des intentions semblables.

SIMILITUDE DES MÉTHODES
S'il est permis de comparer l'art du poète et celui du peintre[33], s'il est vrai que la poésie est une peinture et que les poètes aiment les images[34] —

Est pictura Poesis, amant figmenta poetae (*Epgr.*, p. 62) —

poésie et peinture pourront réussir par les mêmes méthodes : leur art consiste à reproduire, à rendre présent : *Arte repraesentant*[35] (*P.*, p.197).

MIMESIS
Aristote considérait comme une évidence[36] que le poète, le peintre et tout fabriquant d'images recherchent la ressemblance (*Poétique*, 1460 b). Ainsi quand Dorat, dans ses vers de la *M. S. D.*[37] décrit, comme l'annonce le titre, les fêtes que la cour de France offrit en 1573 aux ambassadeurs Polonais, c'est sans doute pour que ceux qui n'y ont pas assisté puissent les connaître, mais il affirme aussi que tous ceux qui étaient présents pourront les *re*connaître :

Omnia cognoscet qui ludis abfuit illis,
Multa *re*cognoscet quisquis et adfuerit (*op. cit.*, Aij v°).

A n'en pas douter, l'ancien professeur royal de grec avait à l'esprit les déclarations d'Aristote sur le plaisir de la connaissance : « on se plaît à la vue des images parce qu'on apprend en les regardant, et l'on déduit[38] ce que représente chaque chose, par exemple que cette figure, c'est un tel »(*Poétique*, 1448 b).

Certes celui qui n'assistait pas à la fête ne saura pas juger de l'exactitude de l'imitation, mais il aura un plaisir d'un autre genre, fondé sur

32. Ce qui les sépare est essentiellement le « support » qu'ils emploient : τὸ ἐν ἑτέροις μιμεῖσθαι (*Poétique*, 1447 a).

33. Cf. par ex., *Ad Pis.*, init., et la fameuse formule *Vt pictura poesis*, *op. cit.*, 361.

34. Dans *Ode* VII, antistr. 4, *figmenta* désigne les « images » des morts, c'est-à-dire, dans ce cas, le souvenir qu'on a d'eux. Le terme peut, en latin, signifier la création des mots — *figmenta uerborum* (Aulu-Gelle, 20, 9, 1) : il recouvre donc les deux types d'activités, plastiques et poétiques.

35. Ce verbe signifie « reproduire par l'art » (Pline, 34, 88 — où il s'agit de sculpture), ou par la parole, mais avec le sens de « répéter textuellement » (7, 89). Chez Quintilien, 6, 2, 29, on trouve bien l'idée de mettre devant les yeux.

36. Reprise de 1447 a.

37. Paris, F. Morel, 1573 (B.N., Rés. mYc 748).

38. Dorat offre un bon exemple de cette activité « déductive » dans son petit poème consacré à *Venus nauiculatrix*, cf. ci-dessous, p. 99-100.

un sentiment esthétique plus simple. En outre Dorat, incapable de se plier longtemps à une discipline quelconque, ajoute, de son propre chef, que le lecteur aura un plaisir bien plus pur, car il lui sera loisible de faire cesser le spectacle à son gré[39] ; de plus, il ne sera pas bousculé par la foule, ni... par le service d'ordre :

> Nunc spectator erit cui tunc spectare negatum est,
> Nil turbam metuens, nilue satellitium (*op. cit.*, Aij v°).

Pourtant, l'humaniste n'en est pas moins sérieux quand il note, à la suite d'Aristote, que le principe même de tous les arts, c'est, d'une manière générale, l'imitation (*Poétique*, 1447 a).

Aussi la première étape de toute création artistique est-elle une connaissance, aussi exacte que possible, de l'objet qui doit être imité[40]. Par exemple, puisque la musique est une transposition de l'ordre cosmique[41], sainte Cécile, la musicienne, doit apprendre à connaître *à fond* l'harmonie des astres, ses oreilles doivent « boire » *sans fin* le chant des muses célestes :

> ... ueros cantus *ediscat* ab astris
> Illa et coelestes musas et carmen earum
> Auribus *usque* bibens (*D. C.*, Aiij r°).

Dans ces conditions, elle saura « rendre » en rythmes humains des chants qui sont tout semblables à la musique astrale :

> (ueros cantus)
> ... illisque *simillima* reddens[42]
> Cantica *(ibid.)*.

Dorat, plus modestement, quand sa critique s'attache à des artistes moins exemplaires, avance comme premier critère du succès la ressemblance entre l'objet créé et le modèle naturel. Ainsi du four de Théodore Ferrier[43] naissaient toute sorte de fleurs, d'incroyables miracles, car

---

39. Pétrarque notait que ses livres étaient des amis parfaits, qu'on pouvait laisser sans qu'ils en prissent ombrage : *(comites nec difficiles)/ ... qui nulla recusent / Imperia, adsidueque adsint, et tedia nunquam / Vlla ferant, abeant iussi, redeantque uocati* (*Epyst. metr.* 1, 6, 185-187).

40. Le critique aussi, d'après Platon — qu'il traite de « représentations » picturales ou musicales — doit d'abord connaître la nature de l'objet, afin de pouvoir juger dans quelle mesure l'imitation est correcte (*Leg.* 669 a).

41. Cf. ci-dessous, p. 69.

42. Le verbe *reddere* est riche de sens : il implique une traduction (par ex., *Latine reddere*, *De or.* 1, 24, 155) mais aussi une répétition qui se veut fidèle, comme celle de l'enfant qui commence à parler (*Ad Pis.* 158) ; l'idée d'imitation est fondamentale : par ex., *paternam elegentiam in loquendo* (Quintilien, 1, 1, 6).

43. Nous n'avons pu trouver sur ce personnage d'autres renseignements que ceux qu'a fournis Dorat dans le *Tumulus* : Ferrier avait eu des responsabilités importantes dans l'artillerie royale. La paix venue, il était devenu un artiste. La mention du four — *caminus* — nous avait d'abord fait croire qu'il était émailleur, mais ses fonctions premières le disposaient plutôt à s'occuper de feux d'artifice. La fabrication d'« estoilles » (sinon de fleurs) exigeait un mélange de « poudre 4 onces, salpestre 2 onces ... Notez qu'il les faut mettre sécher dans un *four* de

l'artificier, par ses techniques, s'efforçait de reproduire la Nature :

> Conflaret florum qui genus omne faber
> Et qui uix credenda suo miracula camino
> Naturam simulans artibus efficeret (*F.*, p. 153).

Dorat caractérise à peu près dans les mêmes termes l'art qui a permis de façonner les rochers et les bois pour le décor des grandes fêtes de 1581, en l'honneur de Joyeuse :

> ... saxa quibus et ligna fabrilia curae
> Sculpere, naturamque suam simulare per artem (*P.*, p. 253).

L'adjectif *fabrilis*[44] entend bien souligner que ce sont là de faux rochers. Même si l'on ne s'y trompe pas vraiment, l'art doit donner l'illusion du naturel. Ainsi, aux noces de Joyeuse, le décor « se montre manifestement comme une *image*, en modèle réduit, du ciel », mais, proportion mise à part, il « rivalise » avec ce dernier :

> (theatrum)
> *Aemula...* Coeli parua apparet *imago* (*P.*, p. 260).

La réussite totale impliquerait que le premier venu puisse se tromper[45], et croire que cet amphithéâtre *est* le Ciel :

> ... ut quilibet Amphitheatrum
> Esse putet Coelum *(ibid.).*

Mais le poète ne peut s'empêcher de jouer avec l'image de l'image[46] et de rappeler, ici encore, qu'on est dans le domaine de l'artifice. Aussi ajoute-t-il aussitôt une nuance : c'est là, plutôt, un *théâtre* céleste :

> (Esse putet Coelum)
> ... uel hoc Coeleste theatrum *(ibid.).*

Il y a mieux encore : l'art permet à la réalité qu'il crée de rivaliser non seulement avec le cours ordinaire de la nature, mais avec le monde du Mythe. Ainsi dans les fêtes de 1578, le Mont des Nymphes bouge, grâce à une ingénieuse machinerie :

> Sed quid ego aspicio ? portentum mobile montis
> Ambulat, et ... arte mouet (*M.S.D.*, Aiiij rº).

---

paticier ou boulenger après que le pain est tiré hors du four », dit Jean Appier (*La Pyrotechnie*, Pont-à-Mousson, 1630, p. 256).

44. A la fontaine d'Arcueil, Dorat rappelait plaisamment que les collines qui lui permettaient de rapprocher ce site des deux sommets du Parnasse, étaient les croupes en maçonnerie de l'aqueduc : *Sic te celsus et hinc claudit et hinc duplex / Vmbo structilis aggeris, / Instar montis...* (*Ode* III, 51-53).

45. Dans le *Philèbe*, 38 c-d, on se demande, de loin, si l'on a affaire à un homme ou à une statue faite par un berger ; cf. aussi *Rsp.* 598 c ; si le portrait était trop parfait, il ne serait plus une image mais un double de l'être (*Crat.* 432 b-c). Pontus de Tyard prend la précaution de rappeler que ces « images contrefaits ressemblent les vrais corps, jusques à tromper le jugement des yeux » (*Le Premier Curieux*, cité par Grahame Castor, *Pléiade Poetics*, p. 57) : il ne s'agit alors que d'une connaissance sensorielle et limitée, de seconde catégorie, si l'on peut dire.

46. Pour la complexité des images dans les fêtes, cf. ci-dessous, p. 107.

L'illusion est telle que le spectateur croit voir un vrai mont qui, de fait, bouge : aussi le créateur de ce décor laisse-t-il loin derrière lui Orphée[47] : l'histoire de ce dernier est ravalée, irrévérencieusement, au rang de « fable forgée », qui n'a rien de commun avec la « réalité » du décor, et lui cède le pas :

> Nunc procul hinc Thracis cantoris ficta facessat
> Fabula : nam *uerus* mons mouet ecce gradus *(ibid.)*.

Si l'énoncé d'un tel jugement n'est pas exempt d'humour, l'admiration pour le progrès technique est bien réelle[48] , car la mécanique *obéit* sans défaillance au signal déclenché par l'homme qui la conduit :

> Dux facit ad nutum parentia saxa moueri *(ibid.)*.

L'art moderne a imité, puis dépassé la Nature.

CAS PARTICULIER
DU PORTRAIT

La reproduction des traits de l'homme pose des problèmes plus complexes. Quand on considère un portrait, il doit donner l'illusion de la vie[49] . Dorat promet à La Guesle que, s'il vient en aide au peintre Rabel, ce dernier peindra ses traits en leur donnant la couleur de la vie :

> Si facis hoc, *uiuo*[50] tua pinget is ora colore *(Epgr.*, p. 63).

Si lui-même était peintre, il donnerait le souffle de la vie au portrait de Gélonis : *tabellas animare (Ode* VII, str. 4) ; il façonnerait l'ivoire ou modèlerait la cire pour obtenir une ressemblance :

> Ebur aut *similes*
> Expolire ceras *(ibid.)*.

Regardant le portrait de Jean des Caurres, Dorat dit à son ami qu'il croirait le voir face à face, prêt à parler : *ut praesens tu uideare loqui (Epgr.*, p. 95). Le poète insiste beaucoup sur cette illusion de la présence.

---

47. Tandis que Dorat, vieux et maigre, s'amuse à se présenter de façon burlesque en Amphion lors des fêtes de 1581 (*P.*, p. 253).

48. Cf. *Ode* XXXIX (dédiée au moine voyageur André Thevet).

49. Dorat pense sans doute à la formule par laquelle Virgile note la vocation des Grecs à la sculpture — *uiuos ducent de marmore uultus (En.* 6, 848). M. Grahame Castor a mis l'accent sur la dégradation de l'idée d'imitation, qu'avait exprimée Aristote, en une simple recherche de la ressemblance, et il en rend Horace responsable au premier chef : « Certainly vivid representation was the highest sense which Horace gave to imitation... and Aristotle's literary theories were known to the Middle Ages mainly in the pale reflections of them in Horace's *Ars poetica* » (*Pléiade Poetics*, p. 55). En fait, c'est surtout l'adjectif *uiuus* (et le français « vif » avec lui) qui a, parfois, perdu toute énergie, et n'exprime que l'idée d'une image de bonne qualité : ainsi la statue qui symbolise, en 1581, la royauté de Pologne est présentée *uiuis... coloribus* (*P.*, p. 257), et les Sibylles sont « pourtraictes au vif » par Rabel (indication donnée dans le titre français de l'opuscule *Sibyllarum XII oracula*).

50. Par contre l'adjectif ici, comme chez Virgile (*En* 6, 848) a son plein sens, et l'on peut même lui accorder, en outre, le sens actif de « qui fait vivre ».

Parce que Jean Decourt[51] a réussi à la créer, Dorat félicite Henri III et son épouse d'avoir réservé d'abord à cet artiste le droit de reproduire leurs traits — comme Alexandre l'avait fait pour Apelle :

> Tam bene qui uultus et sensus exprimit arte
> Vt *praesens coram* uideatur uterque uideri (*Epgr.*, p. 5).

La répétition de *uideri* n'est pas une maladresse : elle souligne le succès de l'artiste qui fait que la représentation graphique est toute proche de la réalité, mais, selon la vieille formule, on ne voit pas, on croit voir.

Comment donc est-il possible qu'on se croie en présence du modèle, comme s'il était là, en personne ? Le poète réclame du peintre autre chose que ce qui serait, pour nous, une photographie : le peintre « exprime », en effet, au sens propre, grâce aux supports techniques dont il dispose[52], non seulement la matérialité des traits du visage, mais ce qui fait, à proprement parler, sa vie : la pensée profonde traduite par le regard : *uultus et sensus*. M. André Chastel a noté le développement du portrait, on pourrait même dire sa « démocratisation » dans le courant du XVIe siècle[53], mais il est remarquable que le spectateur a l'illusion de mieux connaître l'homme qui, de son portrait, le regarde de face (ou plus souvent de trois-quart), mais dont les yeux sont fixés sur les siens.

C'est bien encore le souvenir de Platon qui a conduit Dorat à préciser l'intuition qu'il avait eue en présence du portrait de son ami : ce sont les yeux, en effet, qui font rayonner dans toute sa pureté le feu qui est au dedans de nous (*Timée*, 45 b). Mais Dorat sent bien que, même si le portraitiste a saisi l'étincelle, sa traduction, si réussie soit-elle, est insuffisante, d'abord parce qu'elle est partielle, et en outre parce qu'elle est, si l'on peut dire, une transposition au second degré : elle ne peut exprimer que ce qui se révèle sur un visage silencieux qui, de ce fait, n'est qu'un truchement imparfait :

---

51. Ce peintre, qui succéda en 1572 à François Clouet comme portraitiste officiel de la Cour n'est sûrement pas le maître émailleur limousin I. D. C. (Jean de Court) avec lequel on l'a parfois identifié. Dorat, en effet, toujours fier de sa petite patrie, n'aurait pas manqué, en louant le portraitiste, de rappeler son origine. Decourt avait peint un portrait du futur Henri III, qui, selon Papire Masson, aurait été présenté à Charles IX mourant (cf. *Les Clouet et la cour des rois de France*, catalogue de l'exposition B. N., 1970, Paris, Musées nationaux, 1970, p. 51). L. Dimier avait attribué à Jean Decourt le portrait de Louise de Lorraine (B. N., Estampes, D 739 — Na 22 rés.) ce dont s'étonne l'auteur du catalogue (*ibid.*). Pourtant, comme nous ne possédons pas d'autre portrait de Louise par Decourt, le témoignage de Dorat confirme l'attribution à ce peintre. Par contre, il vaudrait mieux ne pas retenir la date de 1574 proposée par L. Dimier, puisque le poète dit expressément que Louise est reine.

52. Ils doivent être « fluides », transparents — *liquidis... coloribus* (*Ode* VII, str. 4), cf. Horace, *Carm.* 4, 8, 7. Cette idée du matériau qui se fluidifie est reprise par Pontus (cf. n. 45) : « La peinture attrempe, et destrempe si discrètement une proportionnée confusion de couleurs... ». A la limite la consistance même du matériau s'abolit, comme dans la peinture idéale du voile de sainte Véronique, cf. ci-dessous, p. 88.

53. *La crise de la Renaissance*, p. 26. Sur le regard, cf. du même auteur, *Le mythe de la Renaissance*, Genève, 1969, p. 147-149.

Sed non expressit tractus et pectoris omnes,
Et tacito nisi quod pectus et ore patet (*Epgr.*, p. 95).

Le poète paraît bien avoir transposé ici les déclarations de Socrate
sur les beaux-arts qui n'auraient pas, selon ce dernier, plus de dignité
dans l'échelle de l'être que les images qui se reflètent dans un miroir
(*Rsp.*, 596 e). Ce qui tient lieu, ici, du monde platonicien des Idées,
c'est l'âme de l'homme; les traits du visage appartiennent, bien sûr,
au monde matériel des sens, monde de l'apparence et de l'instabilité.
Ce qui paraît sur le visage n'est, en effet, qu'un « reflet »[54] des qualités
de l'âme : *grauitas... relucet in ore* (*Epgr.*, p. 95). Or, même si son
imitation est complète, ce n'est que cela qu'imite le peintre :

Artificis manus os, tractus expressit et omnes
Oris *(ibid.).*

Il n'imite pas l'Idée d'homme, mais une réalisation matérielle, soumise,
par exemple, aux illusions de la perspective, comme le lit qu'imite le
peintre, et qui est le lit fabriqué par l'artisan, non l'Idée de lit (*Rsp.*
598 a). En outre, il y a, si l'on peut dire, une inévitable déperdition
d'énergie, car l'artiste ne peut prétendre que sa création manuelle
— imparfaite — puisse coïncider exactement avec une nature elle-même
mouvante : aussi le meilleur artiste ne peut-il que présenter un essai,
une esquisse — *adumbrare* (*Epgr.*, p. 5).

QUÊTE PERPÉTUELLE DE L'ART

L'art est ainsi condamné à une quête
perpétuelle, car la Nature est une habile
magicienne, qui s'ingénie à métamor-
phoser sans arrêt la création entière :

Quid Natura, parens rerum, nisi callida Circe
Per uarias mutans cuncta creata uices[55] ? (*P.*, p. 156).

L'idée que la Nature est infiniment variée est un lieu commun, mais
le maître et son disciple en ont tiré des conclusions différentes. Pour
Ronsard, en effet, cette Nature « ne fut estimée belle des anciens, que
pour estre inconstante, et variable en ses perfections[56] » : il en tire une
esthétique du divers. Pour Dorat, qui n'en a pas moins senti le « charme »,
l'artiste, inéluctablement, marche à l'échec, si l'on peut dire, métaphysique, puisqu'il s'efforce de saisir un objet changeant par essence et,
sur le plan esthétique même, sa réussite ne peut être que ponctuelle
quand il a réussi à « accrocher », par hasard, un élément qui ait une
vraie signification, mais qui, déjà, n'est plus le même[57].

54. Plus qu'à l'idée du feu transmis par les yeux (exprimée dans *Timée*), on pense ici au
monde des ombres projetées de la Caverne (*Rsp.* 515 a-d).
55. Dorat a donné à cette affirmation une portée plus générale : elle se trouve dans le
texte où il déclare que le « larcin » est le procédé créatif par excellence.
56. *Au Lecteur* (S. T. F. M., t. 1, p. 47).
57. M.A. Chastel discerne dans la saisie de « l'instantané » une aptitude méridionale :

Donc, si l'Homme peut vaincre la Nature, c'est en détournant à son profit ses pratiques à elle et, essentiellement, la métamorphose : c'est le cas de l'architecte-paysagiste qui a réussi parce qu'il est allé plus vite que la Nature :

Ars quae natiuum tam cito uertit opus? (P., p. 33).

L'artiste peut aussi tenter d'apprivoiser la Nature, en tenant compte de l'art de la magicienne, mais il ne réussira à dépasser les limites qu'elle paraissait avoir fixées que s'il est vraiment grand. Dorat sait ce qu'est la victoire de l'artiste non seulement sur la matière, mais sur le Feu que l'Homme sait maintenant faire jaillir de la poudre : par son art et ses pratiques, Ferrier, l'artificier royal converti en pyrotechnicien, avait su vaincre l'art et les pratiques de la Nature : *naturales*[58]... *uicerat artibus artes* (*F.*, p. 153). Pourtant la Nature a eu le dernier mot : l'homme est mort.

ESPOIR
DE CONNAISSANCE

Mais lorsqu'on est en présence d'un tableau, vérité d'un instant, à tout jamais figée dans le silence, même alors, un espoir de connaissance subsiste, car ce « reflet » témoigne tout de même de ce qui se passe réellement à l'intérieur de l'âme :

Nam dulci grauitas ut mixta relucet in ore,
Sic dulci mixtum tu graue pectus habes (Epgr., p. 95).

La structure comparative, la reprise de *dulci/grauitas* par *dulci/graue* sont encourageantes, mais le poète n'en oppose pas moins la certitude de la possession exprimée par *habere* et le caractère chétif du reflet noté par *relucet*. Bien évidemment, on ne saurait oublier qu'on est dans le monde des apparences. Pourtant le bon peintre rendra sensible, de son mieux, ce parallélisme, mais, selon son tempérament, un artiste imite en plus beau, en plus laid, ou sans déformation visible (*Poétique*, 1448 a).

Contemplant les portraits d'Henri III et de son épouse, Dorat nous fait savoir dans quelle catégorie il faut, selon lui, ranger Jean Decourt[59] ;

<hr>

« Contrairement à ce qui est souvent affirmé des aptitudes nationales, c'est le méridional qui voit dans l'instant et paraît plus vrai, et le nordique qui fixe le type durable » (*La crise de la Renaissance*, p. 27). « Les dessins de Jean Clouet sont le constat fidèle d'une physionomie... Le modèle y est étudié sérieusement et presque humblement, avec respect », note de son côté Mme S. Béguin (*Le XVIe siècle français*, Paris, 1976, p. 5).

58. L'adjectif *naturalis* traduit mieux l'appartenance fondamentale que ne ferait un génitif, complément de nom, *Naturae*.

59. Cf. ci-dessus, n. 51. La mode était à l'image « idéale » : Michel de l'Hospital fut représenté en Aristote sur une médaille d'argent (frappée en 1564) qui inspira ses amis humanistes (cf. B. N., Mss. Lat. 8139, f° 90 et suiv.), et Dorat commentait : *Vultus Aristotelis, uultus Michaelis et idem / Alterutrum quisquis spectat utrumque uidet* (f° 96 v°). Antoine Valet, jeune médecin, ami du poète, fut représenté en Galien, à moins que ce ne soit en Hippocrate, note Dorat plaisamment (*Epgr.* p. 76).

le poète a perçu l'idéalisation de ces images, et termine en notant que le roi est semblable aux dieux, la reine aux déesses :

> Rex diuum similis, similis Regina dearum *(Epgr.*, p. 5).

Decourt est bien parti de la connaissance des visages humains qu'il avait en face de lui, mais, en définitive, il a exprimé davantage : dépassant les apparences, non seulement il a pu montrer un peu de l'âme qui se cache dans ces corps, mais il a réussi à rendre sensible l'essence même de la royauté, qui s'est incarnée dans ces êtres. Grâce à ces portraits, on doit avoir une intuition de l'Idée de royauté : la nature des rois est véritablement divine[60].

Ainsi, parfois, la raison du plaisir qu'on éprouve ne vient pas seulement de la perception de la similitude d'un objet d'art et de son modèle naturel, mais de l'intuition d'un rapport entre un objet d'art et un modèle idéal. En effet, tout être humain porte en lui une marque de l'esprit divin, puisque Dieu a créé l'homme à Son image : c'est la structure numérique, génératrice d'ordre[61], qui caractérise Sa propre essence, que Dieu a mise dans nos esprits :

> Diuinius nil mentibus intulit
> Nostris, suae quam mentis et ordinem *(Ode* XXXVII, 57-58).

La première conséquence est, chez cet intellectuel optimiste, que l'Homme, à l'image de Dieu, se complaît au Nombre :

> Et gaudet ipsis ut numeris Deus,
> Humana sic mens *(op. cit.*, 61-62).

On peut, trouver du plaisir à reconnaître[62] cette Idée, à contempler sa matérialisation, dans l'agencement d'un jardin, par exemple, quand le paysagiste a façonné la nature brute en imitant une structure géométrique aux proportions idéales. Ainsi Dorat s'écrie, ravi, à la vue des jardins qui entourent la demeure offerte par le roi à Hiérault :

> Quis loca mutauit labor haec, faciemque locorum? *(P.*, p.33)[63].

Le paysage antérieur avec ses rochers, ses cailloux, son sol aride, n'était peut-être pas sans charme, mais l'homme qui a pu y faire naître par son art[64] des vignes, des jardins, des plans d'eau, était porteur d'une inspiration divine :

60. Cf. ci-dessous, p. 313. Il ne s'agit pas d'une manifestation de flagornerie, mais d'une prise de conscience politique.

61. Cf. ci-dessous, p. 68-69.

62. Pascal note qu'« il y a un certain modèle d'agrément et de beauté qui consiste en un certain *rapport* entre notre nature, faible ou forte, telle qu'elle est, et la chose qui nous plaît » *(Pensées*, Brunschvicg, 32).

63. L'énoncé met en évidence l'effort de l'Homme — *labor*, et le fait que la modification appartient au domaine de l'apparence — *facies* ; le terme est présenté comme une épanorthose: la Nature est toujours en mesure de reprendre le dessus.

64. Le verbe *immittere* exprime le succès d'une technique élaborée par l'Homme pour vaincre la Nature, dans les domaines les plus divers : à l'armée (César, *B. G.*, 4, 17, 6 : la construction d'un pont sur le Rhin) ; aux champs (Virgile, *Georg.* 2, 80).

Quis uites saxis inmisit, rupibus hortos,
Stagna locis siccis, Regia tecta iugis?
Fallor? an humani non sunt opera ista laboris? *(ibid.)*[65]

Considérant le décor des fêtes de 1573 en l'honneur des Polonais[66], le poète sent qu'une « puissance divine », impossible à nommer, sans doute, est *essentiellement* mêlée à tout cela : *Numen inest aliquod, quod struit ista* (*M.S.D.*, Aiij r°). Mais si la parenté d'une création des arts des formes avec un modèle idéal apparaît de façon sporadique, quand il s'agit de la poésie et de la musique ce type de *mimesis* existe par essence.

MUSIQUE
ET *NUMERUS*

Du point de vue théorique, en effet, Dorat a mis l'accent sur le fait que la Musique est un art du Nombre, une étape du *quadriuium*. Aussi ne classe-t-il pas d'un côté les arts du verbe (prose et poésie) et de l'autre l'art du son (musique). Il oppose l'énoncé libre (la prose), et les arts nombrés (poésie et musique — d'ailleurs, la prose d'art appartient à cette catégorie)[67]. La prose lui apparaît comme une matière anarchique, apparentée au chaos : elle est diffuse, sans structure, sans « art », et, de ce fait, elle est vouée à une existence fragile, voire à la mort par l'oubli. Or, quand le message à transmettre est important, Dieu, dans Sa prévoyance, l'a « lié »[68], en lui imposant une structure numérique :

(ne perirent monimenta)
Obliuiosae tradita inertiae,
Hoc praecauentis prouida mens Dei
Et multa paucis, et soluta
Lege suis numeris ligauit (*Ode* XXXVII, 45-48).

Le Nombre est, en effet, la marque de l'esprit divin : Timée, dans le dialogue qui porte son nom, expose que le dieu, au commencement, avait donné à l'âme du monde une structure harmonique (34b-35b),

65. Le poète y voit une autre marque de la présence divine, la richesse, l'abondance : c'est la victoire du travail, de la Civilisation, du blé sur le gland ; Dorat ne regrette pas l'âge hirsute des enfances de l'Homme (cf. *Ode* XVIII, antistr. 7), mais ce fils d'une terre déshéritée ne peut, parfois, se retenir de chanter la victoire de la Nature sauvage : *Nec mora longa fuit : subito*, satione sine ulla, / *Coeperat effossis emergere syluula sulcis*, / Sponte sua (*P.*, p. 53).
66. Dans le cas des jardins de Hiéraut, Dorat a su reconnaître une autre Idée, qui est assurément le lien entre la divinité inspiratrice et la réalisation concrète : cette création avait été faite pour le roi, et le cadeau offert porte définitivement en lui la majesté royale : *Nam maiestatem res data dantis habet* (*P.*, p. 33).
67. Cf. *De or.* 3, 48, 185.
68. Attaché à la mémoire comme un prisonnier par des chaînes ; mais le poète note aussi la cohésion intérieure. Ramus avait montré l'intérêt de l'élaboration logique d'un texte en vue de sa mémorisation ; Dorat met en évidence la structure numérique et phonique, mais l'un et l'autre sont favorables à la mémoire « naturelle », par opposition aux « arts de mémoire ». Ces derniers, pour la plupart, s'appuyaient sur le sens de la vue ; cf. F. Yates, *L'art de Mémoire*, trad. D. Arasse, Paris, p. 201 ; Miss Yates signale l'intérêt d'Henri III pour l'« art » de Giordano Bruno (*op. cit.*, p. 216).

et que l'univers a été façonné au moyen des formes et des nombres (53b). Dorat se souvient de cette analyse. En outre pour lui, Dieu, qui est d'essence simple, est caractérisé par des nombres simples[69] : aussi, ce qui est d'ordre numérique se rapproche-t-il de Dieu autant qu'il est possible :

> ... Deo nec par numero magis
> Quicquam uidetur, qui ipse simplex,
> Simplicibus numeris notatur (*Ode* XXXVII, 55-56).

Si l'homme peut reconnaître ce rapport simple, ce principe d'ordre, et y trouver du plaisir, la seconde conséquence est d'ordre pédagogique : l'esprit de l'homme, selon le plan divin, ne garde rien plus fidèlement que ce que l'harmonie lui a confié par l'intermédiaire d'une suite de rythmes appropriés[70] :

> (mens)
> ... nilque fidelius
> Custodit *aptos* quam quod ipsi
> Per numeros dedit ars canora (*op. cit.*, 62-64).

La locution *ars canora* désigne bien un message sonore, quel qu'il soit : « nombreux » il est, de ce fait, harmonieux. Le sens d'*aptos* est complexe : il vise ici, d'une part, un énoncé long où les rythmes s'enchaînent, mais aussi le fait que les rythmes sont adaptés au message qu'ils expriment[71], et adaptés entre eux. En fait, Dorat a toujours en vue à la fois le message verbal transformé en énoncé nombré, et la musique qui l'accompagne, inséparable de la poésie.

En outre, quand il parle de rapports numériques, il a aussi dans l'esprit un autre type d'application de ces rapports, l'organisation du cosmos, et ses conséquences acoustiques : *uia per numeros numerosa paratur ad astra* (*Epgr.*, p. 90)[72]. Dès 1550, il notait qu'Apollon fait aussi bien chanter les sphères que les cordes de sa lyre, qui soutiennent un texte nombré[73] :

> Deumque nectareos
> Solent sonare inter haustus
> Patris Apollinis grata
> *Modulamina* (*Ode* IV, str. antistr. 2).

Le choix de *modulamina* est suggestif. Le terme peut désigner la cadence, l'harmonie du style[74], aussi bien que l'harmonie des astres : c'est

---

69. Cf. Plutarque, *De Iside et Osiride*, 381 f ; *E apud Delphos*, 393 c : le garant de cette union de la mathématique et de la musique est Apollon le simple : ἁ-πολύς. Sur Apollon, garant des deux sortes de « révolutions » (rotation axiale et harmonie), cf. *Cratyle*, 405 c-d.
70. Cf. E. Weber, *op. cit.* ci-dessus en n. 16, fin.
71. Sur l'adaptation des mètres au sujet, cf. G. D., *Les Odes Latines*, par ex., p. 5, 319, 353.
72. Sur ces rapports, cf. *Timée*, 36 b-d.
73. Dorat définit deux sortes de thèmes, en donnant pour exemples la victoire des dieux sur les Géants, et la passion de Zeus pour Ganymède.
74. Cf. par ex., Aulu-Gelle, 13, 21, 16 ; Martianus Capella, 9, 920 (il s'agit ici de la voix d'Harmonie).

en ce sens que Macrobe l'emploie[75]. Les prédications de La Boderie sont tombées, on le voit, en un terrain préparé depuis longtemps.

Dorat a médité sur le passage de la *République* où Platon évoque les Sirènes musiciennes du cosmos (617 b). Converti, il conserve cette vision, mais note qu'il s'agit d'un nom mythique, forgé, et que ces êtres musiciens sont des anges[76] :

> ... Sirenas ficto quas nomine dicunt
> Angelicas totidem mentes super orbe sedentes (*D.C.*, Aiij r º).

Pourtant, si les Sirènes révèlent bien l'influence platonicienne, Dorat, semble-t-il, doit l'avantage à Cicéron[77]. Scipion, le second Africain, dans le fameux songe, reçoit en effet la possibilité d'entendre un doux son, qui remplit ses oreilles : c'est l'harmonie sidérale, accord fondé sur des sons séparés par des intervalles inégaux, mais rationnels, regroupant des aigus et des graves : *(sonus) hic est... ille, qui interuallis disiunctis imparibus, sed tamen pro rata parte ratione distinctis, impulsu et motu ipsorum orbium efficitur et acuta cum grauibus temperans uarios aequabiliter concentus efficit* (*Rsp.* 6, 18). Or il faut remarquer que cette harmonie, pour agréable qu'elle soit, n'est pas une fin, mais une conséquence *inévitable* du mouvement cosmique : *nec enim silentio tanti motus incitari possunt (ibid.)*. L'accent, du reste, est bien mis sur la réalisation — *efficitur, efficit* — plus que sur l'aspect esthétique.

Dorat, dans sa définition de la Musique (il a consacré quatre vers à chacun des arts libéraux) a retenu les deux mots-clés — *concentus* et *temperare* —, repris en chiasme par *discordia* et *concors* :

> Concentus, uariosque sonos, numerosque modosque
> Tempero, et ostendo quae sit discordia concors (*P.*, p. 172).

Mais Cicéron a mis en relief essentiellement la différence de hauteur — *distinctos interuallis sonos*[78]. Dorat a résumé cette idée par les seuls mots *uarios sonos*, mais son énoncé introduit deux notions, d'ailleurs complexes — *numeros* et *modos*. *Numerus*, à part l'idée de « nombre », implique un rythme, une cadence, la succession de temps forts et faibles, de longues et de brèves (et l'on retrouve le sens de combinaison métrique, *numerus* désignant la poésie). Dans la caractérisation du son,

---

75. *Somnium Scipionis*, 2, 12. Saint Augustin définit la *modulatio* comme le fait de régler des mouvements gratuits, recherchés pour eux-mêmes (*De Musica*, 1, 2, 3). Pour Martianus Capella, *modulatio est soni multiplicis expressio* (9, 965).

76. Selon une tradition scolastique bien établie, ce sont des anges qui font mouvoir les sphères célestes; cf. Jean le Tourneur, *Quaestiones... super Metaphisicam Artistotelis cum textu eiusdem*, Paris, 1498, lib. XII, quaest. 11, f' CVI, col. b-c. Par ailleurs, l'assimilation sirènes/anges tient à ce que des anges soutiennent de leurs chants l'harmonie céleste; cf. par ex., F. Piper, *Mythologie und Symbolik der Christliechen Kunst von der ältesten Zeit bis ins XVI. Jahrhundert*, Weimar, 1851, t. 2, p. 207-211; 270.

77. La déploration de Mellin de Saint-Gelais, mort en 1558 (*Ecl.* p. 41) révèle aussi un souvenir de *De republica*, 6, 18.

78. Le rapport numérique ainsi établi est, pratiquement, le « nœud » de toutes choses : *qui numerus rerum omnium fere nodus est* (*Rsp.* 6, 18).

le poète fait donc intervenir (outre la hauteur) la durée et sa conséquence, l'intensité. *Modus*, qui peut signifier aussi la cadence, la mesure
battue, exprime en outre le « mode », notion plus difficile à préciser,
car elle a un aspect psychologique[79].

Cette synthèse, plus complexe que celle qu'avait notée Cicéron[80],
est, en outre, un exemple présenté — *ostendo* — et non plus une conséquence inéluctable de la marche cosmique[81]. L'harmonie céleste,
manifestation du caractère parfait de Dieu, est le prototype de tout
chant, le seul véritable, dont tous les autres ne seront que des copies,
et cette « retransmission », si l'on peut dire, doit être la tâche de
sainte Cécile :

> Hic... iam ueros cantus ediscat ab astris
> ·[...]
> ... illisque simillima reddens
> Cantica (*D.C.* Aiij r ۹).

Les anges de Dieu veillent à ce que le mouvement du monde s'accom-
plisse d'après des rapports numériques déterminés, où entrent en
compte, comme dans la définition de la Musique, la hauteur, le mode,
le rythme, bref des rapports qu'il soit possible de traduire par le chant,
qui puissent lui servir de modèles :

> (Angelicae mentes orbem)
> ... per certa mouentes
> Interualla, modos, numeros et cantibus aptos *(ibid.)*.

On dirait que l'intérêt est inversé : ce qui compte d'abord, ici, c'est la
structure musicale harmonique fondamentale, dont l'harmonie sidérale
est une application, entre autres, car toutes choses sont créées d'après

---

79. Platon fait soigneusement préciser par Glaucon le caractère moral des différents
modes, lydien, ionien, dorien, phrygien (*Rsp.* 398 e - 399 c). Martianus Capella en énumère
quinze, dont cinq importants, et les nomme *tropos* (9, 935), mais il ne les caractérise pas.
George Sand a tenté de traduire en images visuelles et en tonalités morales les caractères
respectifs des modes majeur et mineur (*Les Maîtres sonneurs*, Paris, 1947, p. 175 (18e veillée):
« La musique a deux modes... que j'appelle, moi, mode clair et mode trouble ; ou, si tu veux,
mode de ciel bleu et mode de ciel gris ; ou encore, mode de la force ou de la joie, et mode de
la tristesse ou de la songerie. »
80. Dans son analyse sur les possibilités de perception de l'oreille humaine, Cicéron note
clairement les distinctions de timbres et de hauteurs : *et in uocis et in tibiarum neruorumque
cantibus uarietas sonorum, interuella* (*Nat.* 2, 58, 146) ; mentionnant l'existence d'autres
distinctions, il se contente de donner des exemples d'opposition : *canorum fuscum, leue
asperum, graue acutum, flexibile durum*, mais *canorum fuscum* et *graue acutum* caractérisent,
de nouveau, la hauteur ; *leue asperum* et *flexibile durum* à la fois le timbre et l'expression ;
on attendrait plutôt le couple *leue graue*, et l'oreille latine était entraînée à reconnaître l'opposition *longum breue*.
81. Cette notion de modèle n'est, toutefois, pas totalement absente du texte de Cicéron
qui précise, mais ensuite seulement, que des hommes de science ont pu imiter ce type de
synthèse, de manière naturelle, par le chant, ou en s'appuyant sur une réalisation techno-
logique, les cordes : cette initiative leur a valu de revenir au bienheureux séjour, et c'est bien
cette constatation qui intéresse Cicéron : *Quod docti homines neruis imitati atque cantibus
aperuerunt sibi reditum in hunc locum* (*Rsp.* 6, 18).

cette structure —

> ... nec res
> Vlla creata Deo numero[82] nisi *(ibid.)* —

ou, comme Dorat le dit encore, il n'est rien que le Nombre ne régisse :
nihil quod non ars numerosa regat (Epgr., p. 64).

Mais pour la définition de la Musique, le poète présente une seconde
possibilité (aussi exemplaire) :

> (ostendo)
> Aut quae sit discors concordia[83] , singula rerum
> Quae sua contineat per uincula, foedere certo *(P.*, p. 172).

Cette fois, l'accent est mis sur la tension qui existe inévitablement dans
toute synthèse, ou plutôt dans tout effort de synthèse, car c'est en ce
point que la *concordia* recherchée peut être qualifiée de *discors*[84]. Le
poète rappelle, cependant, que le musicien travaille d'après un modèle
préétabli et fixe, la marque de l'alliance divine — *foedus certum* — le
numerus omniprésent dans le monde créé. Certes la synthèse se réalise
puisque les éléments, si l'on peut dire centrifuges, sont retenus ensemble
— *singula rerum... continere* — mais la tension subsiste malgré tout, et
la facile unité obtenue dans le cas précédent par *temperatio* (dont le
symbole est l'accord parfait) est dépassée par une synthèse difficile, dont
l'existence instable est assurée par des chaînes — *sua per uincula*[85]. La
métaphore de la chaîne est, selon toute vraisemblance, un souvenir du
monde auquel eut accès Er le Pamphilien, car le ciel y « tient » par une
chaîne.*(Rsp.* 616 c)[86].

Il est difficile, toutefois, de savoir si le poète a traduit ainsi une intuition vague de ce qu'étaient des accords dissonants, ou s'il possédait
de solides connaissances en harmonie.

Comme le notait Ficin, la Musique donne une existence concrète,
le son, à ce qui était un rapport numérique abstrait : *Musica numeris
addit uoces*[87]. Toute *mimesis*, dans ce cas, implique une certaine perfection puisqu'elle inclut le *numerus*, lui-même parfait ; le caractère
imparfait tient à ce qu'elle « ajoute », c'est-à-dire le son lui-même.
Platon avait exprimé son dégoût pour les expériences acoustiques et

---

82. Deux applications concrètes du *numerus* sont *pondus* et *mensura* ; l'idée d'harmonie
est, encore ici, notée par *aptus.*

83. L'association de ces mots en oxymoron est chez Lucain ; elle y a une application
politique (1, 98).

84. Pour unir harmoniquement l'Autre et le Même le démiurge usa de contrainte (*Timée,* 34 à).

85. Cf. Jacques Chailley, « Où Pythagore perd pied devant l'accord parfait », in *Expliquer l'harmonie*, Lausanne, 1967, p. 22-34. Outre le problème technique des accords, Dorat
envisage peut-être, simplement, les distorsions que subit un texte poétique orchestré en
polyphonie. Très probablement, il pense au traité de Gioseffo Zarlino, *Istitutioni armoniche,*
publié en 1558.

86. Dans l'« allégorie » de l'*Ode* XVI, Dorat imagine que le monde tient par des liens
d'acier éternels : *stare a perpetuis nexa adamantibus* (11).

87. *Argumentum in dialogum VII De Iusto*, p. 616.

l'application concrète des rapports numériques (*Rsp*. 531 a-b). Dorat ne le suivrait pas sur ce terrain. A la différence de Turnèbe, qui ne voyait dans la musique qu'une spéculation intellectuelle, et travaillait jusqu'au surmenage afin de maîtriser ce sujet ardu[88], pour le poète[89], la musique est vivante, et elle doit exprimer quelque chose d'humain.

Platon disait qu'il est bien difficile de reconnaître ce que veulent dire un rythme et une harmonie que n'accompagne pas un texte (*Leg*. 669 e). Il était pourtant en présence d'un usage où la « couleur » — χρῶμα — et la « mélodie » — μέλος — qui conviennent, par exemple, aux hommes libres, aux femmes, aux esclaves, étaient stéréotypées (*Rsp*. 668 c). Dorat va plus loin dans ce sens : une musique purement instrumentale est un art grossier, qui n'a pas d'âme (de même qu'une poésie parlée n'est qu'un marmottage) : *rudis ars solos dat sine mente sonos* (*Epgr*., p. 92). On doit donc obtenir que la voix humaine, qui est un être vivant (alors que les sons obtenus par des instruments ne sont que des objets) fasse connaître dans le chant la sensibilité, les sentiments : *ut sensus animi*[90] *uiua uox notaret (ibid.)*. La gloire de Roland de Lassus qui, pour son collaborateur[91], est un musicien moderne et savant, est d'exprimer totalement les mouvements de l'âme, le caractère propre de chaque homme :

> At nunc Orlandus doctis ... cantibus omnes[92]
> Humani affectus exprimit ingenii (*op. cit.*, p. 93).

Ici, encore, la création de l'art est jugée réussie quand elle est capable de faire oublier sa nature propre, et de donner l'illusion de la vie :

> (sic exprimit)
> Eius ut in modulis non res per carmina[93] tantum
> Quaeque cani, praesens sed uideatur agi *(ibid.)*.

88. Cf. *Oraison funèbre* par Léger du Chesne, in *Polémiques*, p. 177. Turnèbe avait travaillé sur l'opuscule de Plutarque *De procreatione animi in Timaeo*.

89. Turnèbe, au contraire, avoue qu'il a du mal à composer en vers, et que sa nature ne l'y porte pas : *En conor certis nectere uerba modis (De prouentu poëtarum Calisio capto)*; ce texte a été relevé dans *Variorum poëmatum Silua, s. n.* Buchanan, Bâle, 1568. Ramus n'avait pas non plus le sens du rythme poétique : cf. Nancel, *Petri Rami uita*, in *Hum. Lov.*, XXIV, 1975, p. 206-208 : *Ipse cum epigramma conaretur de suo adiicere, ne tum quidem potuit, cum pedes modo plures, modo pauciores carmini appingeret, neque satis constans illi foret quantitatis syllabariae ratio*. Le biographe précise aussi que Ramus aimait la musique, mais n'y entendait rien, et chantait très rarement : *Ramus enim licet musicam non calleret, et parcissime cantaret, tamen musices erat amantissimus*.

90. Dorat se souvient, sans doute, de l'énoncé d'une autre « traduction » des sentiments : *uultus qui sensus animi plerumque indicant* (*De or*. 2, 35, 148).

91. Par ex., Dorat présente dans les fêtes de 1573 un *Dialogus ad numeros musicos Orlandi* (in *M.S.D.*, Aij v·). Lassus avait été présenté en 1571 à Charles IX par l'éditeur musicien Adrian Le Roy, mais il ne demeura pas attaché à la Cour de France.

92. C'est précisément ce que le peintre est incapable de faire : *Sed non expressit tractus et pectoris* omnes (*Epgr*., p. 95).

93. Dorat exprime encore une fois l'union de la poésie et de la musique à laquelle il tient par dessus tout. Il pouvait être séduit par les clairs symboles musicaux de Lassus, qui note volontiers, par ex., les ascensions, en faisant chanter, plus haut, la joie par un mouvement

Cette musique « agie », que Dorat mentionne ici comme caractéristique du succès, ne sera bientôt plus une illusion : la musique qui parle va s'épanouir dans l'opéra.

Les réflexions de Dorat sur la musique, science du Nombre, sont nourries de Platon, de Cicéron et de Plutarque. Ami de La Boderie, de Vigenère[94], de Gosselin[95], il trouva sans doute un certain plaisir à toutes ces spéculations qui tendent vers *la* formule qui rendra compte aussi bien du fonctionnement du cosmos que de celui de l'oreille humaine[96] : Kepler était né lorsque Dorat s'efforçait de christianiser les Sirènes de Platon. L'intérêt du poète royal ne se dément pas, et il préface volontiers les « *Arithmétiques* »[97], mais c'est un intérêt limité : il ne se met pas au nombre de ceux qui ont le bonheur d'être doués d'un esprit céleste, et ne désirent que le ciel et les astres du ciel :

> Coelestis quibus est mentis natura beatae
> Nil coelum, coeli praeter et astra uolunt (*Epgr.*, p. 90).

Définissant les arts du *quadriuium*, il les ramène toujours à une technique, à une réalisation humaine et pratique. Quand l'Arithmétique veut se définir — *quid numerus ualeat doceo* (*P.*, p. 171), elle le fait aussitôt par son application technique — *quem praebeat usum (ibid.)*[98].

rapide, le deuil par une marche lente en jouant sur les demi-tons, le péché par les anomalies de cadence, etc. Il n'a pu connaître les tentatives de Monteverdi, né en 1568.

94. Il préfaça l'*Encyclie* (1571), cf. ci-dessous, p. 136, et la *Galliade* (1578), ainsi que le *Traicté des cometes* de Vigenère (1578).

95. Gosselin publia en 1571, à Paris, *La main harmonique, ou les principes de musique antique et moderne, et les proprietez que la moderne reçoit des sept planetes*. Dorat composa un liminaire pour un *De arte numerorum* (*Epgr.*, p. 90).

96. Cf. communication de Mr. D.P. Walker à l'Institut collégial européen, Loches, 1976, *Les théories musicales de Kepler et l'analogie*. A la différence du système de Francesco Giorgio, *De harmonia mundi* (1525), fondé sur l'analogie numérique, celui de Kepler dans le *Mysterium cosmographicum* (1596) fait appel à la géométrie : sphère cosmique // Trinité (centre de la sphère : soleil // Père ; surface de la sphère : étoiles fixes // Fils ; intervalle : planètes // Saint-Esprit). Pour lui la musique instrumentale et la polyphonie humaine ont le même archétype que les sphères célestes. Nous sommes en présence d'une hantise de l'esprit humain : ainsi, par ex., les *Cahiers* de Paul Valéry montrent la recherche anxieuse d'un « modèle » mathématique.

97. Cf. ci-dessus, n. 95 ; cf. aussi *Epgr.*, p. 63-64. Dans l'ouvrage visé par ce dernier texte (*Arithmetice*), Dorat distingue deux orientations de recherches — *Qui duplicem numeri tractat ab arte uiam* (*op. cit.*, p. 64) — car il ne s'agit pas des deux premières étapes du *quadriuium*, l'arithmétique et la géométrie : il reconnaît dans le même livre une tendance mystique pythagoricienne, et une tendance, nous dirions plus scientifique, dégagée de ce genre de spéculations, patronnée par Archimède : *Seu quis auet Samio speculari mystica ritu, / Siue Syracusio sit quota gutta maris (ibid.)*. L'arithmétique est la condition nécessaire pour accéder à « l'ordre » qui préside à la synthèse qu'est le monde : *Omnia qui rerum quo constent ordine quaerit / Discere, qua numeret discat ab arte prius (ibid.)*.

98. Mais cette application n'est pas mesquine, et l'arithmétique n'est pas l'art du boulier : elle compte les étoiles du ciel et, sur terre, les grains de sable : ... *ad maxima rerum / Peruenio, coeli stellas, telluris arenas* (*P.*, p. 172). Louant le mathématicien Élie Vinet, après sa mort, en 1587, Dorat note qu'il s'intéressait aussi aux applications pratiques, et voit en lui un autre Vitruve : *Inque Mathematicis fuit Euclides nouus alter, /.../ Alter Vitriuuius, perfectas doctus in aedes* (*Epitaphium*, in Vinet, *Ausone*, Bordeaux, S. Millanges, 1590, Eee 2 r°; B.N. Yc 855).

La Musique ne fait aucune allusion à ses rapports avec l'astronomie[99] et quand l'Astrologie *(sic)* prend la parole à son tour, elle s'empresse de noter distinctement, non sans dédain, la séparation entre elle-même et ses trois sœurs (sans parler des arts du *triuium*) :

> Per terras aliae per et inferiora uagentur
> Mundi membra artes, per sidera me iuuat unam
> Ire procul terris, terrarum et faece relicta *(P.,* p. 172).

Quant à sa déclaration finale, il est difficile de savoir si c'est une promesse heuristique, ou une annonce de salut, les deux peut-être :

> Mortales mecum rapientem ad sydera mentes *(ibid.).*

Aussi bien, le véritable intérêt de Dorat pour la musique ne tient-il pas à une réflexion gnostique. Pour lui la musique est un art, pas seulement l'un des arts libéraux, et ses créations sont le fruit de deux types de *mimesis* : si, d'une part, elle doit chercher la ressemblance avec un modèle idéal, réalisé de façon grandiose dans la macrocosme, elle doit aussi exprimer fidèlement le « sentiment » — combien plus important aux yeux de l'humaniste — qui se trouve enfermé au plus profond du microcosme.

Lecteur de Platon *et* d'Aristote, fondant tout effort artistique sur l'« imitation », Dorat se montre imprégné de la conception ficinienne des beaux-arts : l'œuvre si éloignée soit-elle du monde des Idées, puisqu'elle trouve son origine et prend corps dans le monde fuyant des apparences, n'en est pas moins un effort, parfois heureux, pour accéder, et faire accéder, à la connaissance des réalités idéales. Pour Ficin, en effet, selon la formule de M. A. Chastel, l'art vit de la tension « entre la perception attentive des réalités sensibles et l'exigence d'intelligibilité[100] ». Le poète des derniers Valois pouvait être séduit par le système du philosophe de la Florence médicéenne.

COMMUNAUTÉ MORALE

Dorat quittait volontiers l'ombre épaisse des collèges, « chère aux Muses », et s'il était en relation avec les érudits et les poètes, il a vécu, il a travaillé très fraternellement aux côtés des artistes. Cette familiarité, du reste, nous vaut d'avoir conservé plusieurs représentations de ses traits[101].

Il supplie instamment le président de La Guesle d'intervenir en faveur du peintre Rabel, avec lequel il se dit lié de longue date :

> Supplicat Auratus...
> Pro pictore, sibi longum per tempus amico *(Epgr.,* p. 62).

---

99. Dorat n'a exploité nulle part.non plus l'analogie platonicienne : aux yeux le monde des astres, aux oreilles celui des sŏns *(Rsp.* 530 d).
100. *Marsile Ficin et l'Art,* Genève, Lille, 1954, p. 173.
101. Cf. Nolhac, *R. et l'H.,* p. 57, n. 1.

Il est suffisamment lié avec « le vieillard Charon[102] » dont il apprécie la technique — *solers ille Charon senexque pictor* (*Epgr.*, p. 31) — pour demander à Séguier de financer le repas de noces de la fille du peintre[103], et il affirme au mécène qu'il accordera, ce faisant, une joie égale à l'artiste et au poète :

> ... hunc fauorem
> Pictori dabis, aut dabis poetae
> Coniunctim *(ibid.)*.

Ce dernier adverbe est révélateur : Dorat a senti que les créateurs, les hommes de la *fictio*, partagent le même destin.

SIMPLICITAS
DES ARTISTES

Avant de s'interroger sur l'utilité des poètes dans la cité, Horace se plaisait à noter la pureté de leur cœur : le poète n'est pas porté à l'avarice, il ne médite pas de faire du tort à son associé ou à son jeune pupille[104] :

> ... uatis auarus
> non temere est animus...
>   [...]
> non fraudem socio pueroue cogitat ullam
> pupillo (*Epist.* 2, 1, 119-123).

Les traits du doux poète, vivant dans le calme et la solitude des bois, sont aussi dessinés par Maternus dans le *Dialogue des Orateurs* (12), et opposés à la tension ambitieuse de l'orateur et de l'avocat d'assises. Horace précisait encore que le poète peut se contenter, pour vivre, de pois « mange-tout » et de pain de deuxième qualité : *uiuit siliquis et pane secundo* (*Epist.* 2, 1, 123).

Dorat, certes, ne regrette pas le temps où les Piérides conduisaient les poètes dans leurs antres, les chevaux « simplement »[105] couronnés de laurier :

> (poetae)
> Quos coronatos comam
> Simplici lauro...
> Duxerant antra in sua Pierides (*Ode* XVIII, str. 1).

Il arrive pourtant à ce trop bon vivant (qui paie ses excès alimentaires d'une goutte chronique) de convier le palais délicat et blasé de son

---

102. Dorat n'a jamais su résister à un jeu de mots. En fait Caron, né en 1521, avait treize ans de moins que lui.

103. Sur la vie et l'œuvre du peintre, cf. J. Ehrmann, *Antoine Caron, peintre de la cour des Valois*, Genève, 1955. Les deux filles du peintre épousèrent des graveurs.

104. Dorat ne se borna pas à cette attitude négative ; sur ses interventions en faveur des déshérités, cf. ci-dessous, p. 336-337.

105. L'adjectif implique qu'il s'agit de la plante, et non d'une reproduction artificielle ; il s'y ajoute, bien entendu, un sens moral (ingénuité, naïveté).

ami Brinon à un festin dont le menu (légumes et eau claire) est aussi modeste que celui qui est mentionné par Horace :

> Ponetur ... nil tibi, praeter olus
> [...]
> ... sola illic nam putealis aqua est[106] .

Mais s'il est ami du luxe, au moins à ses heures, il n'en est pas moins, par doctrine, ennemi de l'intrigue et de l'ambition qui pourraient le lui procurer : il le déclare au médecin royal Duret, en lui présentant une requête pour un tiers : *ambitio res aliena poetae* (*P.*, p. 203)[107]. Dans son liminaire à l'*Adieu de France* de Claude Binet, il montre allégoriquement au roi le cygne blanc[108], le poète au cœur pur :

> Alba uolucris olor, candenti pectore uates (*P.*, p.186).

Et, surtout, quand il s'adresse au parfait poète Ronsard[109], son maître ne manque pas de rappeler la franchise éclatante de son cœur qui, dans son amour pour ses amis, rejetant tout égoïsme, leur attribue le mérite qui est le sien :

> Amor at in tuos
> Candorque amicos, suum
> Decus sibi adimens, ar-
> rogat caeteris (*Ode* IV, antistr. 4).

Quant au peintre Rabel, il n'a pas de malice : son ami le qualifie de *simplex*, et ajoute que, pour cette raison, il ne sait pas voir la malice des autres, et ne se fait pas de souci :

> (mens)
> Nec lites nouit, nec timet ipsa sibi (*P.*, p. 204).

Jouant sur le verbe *pingere*, le poète déclare que Rabel sait peindre les visages des autres hommes, tandis que son adversaire ne fait que « peintre » (farder) le sien :

> ... pictor uterque :
> Hic alios uultus pingit, at ille suum *(ibid.)*.

---

106. In *Farrago Poëmatum* de Léger du Chesne, f° 371 v°.
107. S'adressant à un autre destinataire : *quamuis sit inambitiosa pudensque/Musa* (*P.*, p. 203). Le lieu où fleurit l'intrigue, c'est la Cour; cf. ci-dessous, p. 344-345.
108. Pour Dorat, comme pour Horace (*Carm.* 4, 2, 25), le Cygne, c'est Pindare; il arrive que Dorat, par cette métaphore, désigne les poèmes – *canos olores* (*Ode* XVIII, antistr. 6), mais toujours en rapport avec Pindare.
109. On sait comment Ronsard proclame la même exigence de pureté dans l'ode *A M. de l'Hospital* en particulier, et la typographie révèle qu'il rapporte ici un adage : « Jamais les dieux saincts et bons / Ne repandent leurs saincts dons / Dans une âme vicieuse » (S.T.F.M., t. 3, p. 143).
Quinze ans plus tard, dans son *Abbregé de l'Art poëtique françois*, Ronsard fait de la pureté de cœur une des conditions nécessaires de la création poétique : « Or, pour ce que les Muses ne veulent loger en une âme, si elle n'est bonne, saincte, et vertueuse, tu seras de bonne nature, non meschant » (S. T. F. M., t. 14, p. 5).

Lui-même, dans un poème intitulé *Lis*, se dit « ami de la paix »[110]
— *Pacis amans uates* (Mss. Lat. 8139, f° 27 v°), mais il semble avoir
été moins démuni que ses amis en présence de l'appareil judiciaire et de
l'administration. En tout cas, il met toujours sa plume au service de ses
différentes relations, car cette naïveté paraît bien être le lot commun de
tous les créateurs. Jouant sur le nom de Guillaume Boni, de Saint-
Flour[111] , avec plus de sérieux qu'on ne serait porté à le croire tout
d'abord, Dorat termine la requête qu'il adresse à Henri III en rappelant
que le musicien est « homme de bien » — *bonus* (*P.*, p. 3). Tel était
aussi le cas de Turnèbe, qui a laissé une œuvre exemplaire. Aussi Dorat
ne doute-t-il pas que les poètes divins, Orphée, Musée, et Hésiode, et
Homère, ne l'aient accueilli après sa mort dans le séjour bienheureux :

> Tornebus sanctis nunc quoque mixtus inest,
> Orphei, Musaeo comes, Hesiodoque et Homero,
> Atque aliis doctis, qui loca laeta tenent
> (in *Polémiques*, p. 103).

ASCÈSE DES ARTISTES   Sans doute Dorat, à la différence de
Turnèbe, ne mourut pas à la peine, mais,
quel que fût son goût pour les plaisirs de l'existence, il était, à n'en pas
douter, un travailleur sérieux, et ce n'est pas un dilettante qui proclame
la nécessité de l'ascèse pour les créateurs. Ainsi Ronsard est un génie,
son maître le sait, mais il peut témoigner, mieux que personne, que le
brillant jeune page a su se vouer à l'ombre austère des Muses, et s'adonnait au travail en chambre, qui engourdit le corps :

> ... dicatum grauibus umbris
> Musarum
>   [...]
> Inertis oci labor... (*Ode* IV, ép. 1 - str. 2).

Mais à l'arrière-plan flotte l'idée que, si le corps est asservi, l'âme
peut se libérer plus aisément : Ficin, en effet, dans son argument à *Ion*
après avoir rappelé que c'est l'âme douce qui se laisse le plus aisément
solliciter et façonner par les Muses, note que ces dernières ne peuvent
véritablement prendre possession d'une âme que si elle a été, auparavant,
préparée : *(a Musis) nisi enim non praeparata sit, non occupatur* (p. 167).
L'ascèse intellectuelle apparaît comme une propédeutique indispensable
à la création artistique[112] .

110. Le poète entend aussi bien la paix des armes (il vient d'être rappelé à l'armée)
que l'absence de litiges (il a des difficultés avec son propriétaire).
111. Pour Dorat, les gens de la montagne sont ennemis de la brigue (il le dit à Jean de
Vesvres, originaire du Morvan) : *decoris tanta rebus / Laus et honos apud hosce montes* (*Ode* IX,
55-56). L'emploi du démonstratif *hic* montre qu'il se range dans la même catégorie.
112. A propos de la création proprement dite, Dorat, sans doute, n'a cessé de proclamer
la toute-puissance de l'inspiration : *Amanda uirtus, magistri / Negat et abnuit curam* (*Ode* IV,
str. 4), mais dans l'antistrophe il rappelle le rude effort de Ronsard à son école, et l'épode
énonce avec une brièveté énergique la nécessité des soins assidus, de la peine continuelle.

ÉMULATION Dorat nous a laissé l'image d'artistes qui se consacrent fiévreusement à leur œuvre. Pour le convaincre de participer aux fêtes en l'honneur de Joyeuse, le messager nocturne qui le visite lui montre ses amis les poètes, et aussi Germain Pilon et Antoine Caron, travaillant avec zèle :

Sedulus atque instans operi noctesque diesque (*P.*, p. 252).

De fait Dorat qui, dans le texte français se reconnaît « paresseux » (*op. cit.*, p. 264)[113], se décide, enfin, à partir travailler à ce chantier à seule fin d'imiter ses amis, et la psychomachie se termine par une habile excuse[114]. Dans ce texte la traduction du terme *grex* par « brigade » (*op. cit.*, p. 264) est révélatrice : c'est un écho des belles années 1550, du temps où il suscitait la plus vive émulation parmi ses disciples. C'est là, en effet, une attitude caractéristique de l'humanisme : Érasme comptait sur elle pour exciter les élèves nonchalants[115]. Le maître, d'ailleurs, n'est pas en dehors de la compétition. En 1550, Dorat déclare à Ronsard qu'il ne veut pas laisser sans réplique les vers français que ce dernier lui a offerts :

... numeros-
que Gallicos...
... haud inultos (*Ode* IV, str. -antistr. 1).

Cette même année, il se plaît à voir traduire par Ronsard, Du Bellay et Baïf l'ode latine (VI), qu'il a composée lui-même après la mort de Marguerite de Navarre, et les disciples ont si peu pris ce travail pour un exercice scolaire qu'ils l'ont toujours publié dans leurs œuvres complètes[116].

Dorat stimulait aussi ses jeunes amis en présentant sans cesse à leurs yeux le modèle des grands Anciens. C'est un état d'esprit très « parisien » : dans l'éloge de Paris que Dorat fait prononcer par M. de Mesmes le père, il nous montre les « poètes au gosier disert, dont les chœurs sont capables de rivaliser en langue paternelle et en langues étrangères — et aussi bien en vers — avec les puissants génies des Anciens », qu'ils fussent Grecs ou Romains :

... disertis faucibus et choris
Vatum, paterna uoce uel exteris

---

113. Opposé au *negotium* de ses amis, son *otium* (il s'est abstenu de participer à ces travaux « politiques ») est consacré au travail intellectuel dont il jouit : *Cum fruerer studiis* (*P.*, p. 251).

114. Le poète feint de se demander pourquoi il n'a pas offert plus tôt sa participation : *Cur non uel primus grege iam numeraris in illo* (*op. cit.*, p. 252).

115. *De Pueris*, 511 f.

116. Pour Ronsard, cf. S. T. F. M., t. 3, p. 50-53 ; Du Bellay, S. T. F. M., t. 4, p. 40-43 ; Baïf, éd. Marty-Laveaux, t. 2, p. 365-366. Cf. R. Lebègue, *Les concurrences poétiques au XVIe siècle, Ronsard, Du Bellay, Baïf* (Lecture faite dans la séance publique annuelle du 21 novembre 1958 à l'Institut de France, Académie des inscriptions et belles-lettres).

> *Certare* linguis uersibusque
> Cum ueterum ingeniis potentum　(*Ode* II, 105-108).

Chez les artistes, si l'on en croit Dorat, la lutte s'est déjà terminée par une victoire : Scopas céderait sans hésiter devant Germain Pilon, et Apelle est vaincu par Antoine Caron :

> Ille Pilon, cui sponte Scopas concedat in arte
> Sculptili, et ille Charon Coum qui uincat　(*P.*, p. 252).

Il est plaisant de noter, toutefois, que la version française est légèrement moins triomphaliste[117] :

> « Pilon, qui ne craindroit un Scopas en sculpture,
> Et Charon (sic) qui deffie un Apelle en peinture »
> $$(op.\ cit.,\ p.\ 263).$$

La première génération d'humanistes français proclamait son souci d'égaler, voire de dépasser ses contemporains italiens[118], mais les textes de Dorat qui nous sont parvenus — ils sont à une exception près[119] postérieurs à 1548 — tiennent pour assuré que la *translatio studii* est un fait accompli, et ses jeunes amis proclament le même message orgueilleux[120].

Par contre, on ne peut s'empêcher de penser que, « lorsque le vivant burin des poètes sculpte à l'envi » le tombeau de l'épouse de Salmon Macrin —

> ... te *certatim* uiua uatum
> Cuspis excauat in
> Perennibus metallis　(*Ode* VII, antistr. 4) —

Dorat et Joachim Du Bellay, pour ne parler que d'eux, rivalisent avec les poètes, « latineurs » ou non, de la génération précédente, qui ont la part du lion dans le recueil[121]. De même quand le vieil homme en 1581 — il a soixante-treize ans — après avoir mentionné la présence de Desportes à côté de ses disciples, note que les poètes viennent de tous les horizons

---

117. Dorat ne tient pas à flatter ses amis, mais à affirmer à l'étranger la supériorité de la France.

118. C'est l'attitude de Salmon Macrin, par exemple. Il énumère les poètes néo-latins français (Bourbon, Visagier, Dolet) et commente : *Queis et Gallia nostra gloriatur / ... / Gentes Ausonias lacessit audax* (in *Delit. Poet. Gall.*, t. 3, p. 478).

119. Mais cette épître adressée à Robert Estienne et datée de Limoges, mai 1538, montre que, pour le jeune Limousin, Paris est bien la capitale du monde intellectuel.

120. Il n'est question pour Du Bellay que de rivaliser avec les Anciens : *Saluete ô cineres, sancti saluete Poëtae / Quos numerat uates inclyta Roma suos : / Sit mihi fas Gallo uestros recludere fontes.* Un peu plus tard quand il renonce lui-même à ce bel effort, il confie à Ronsard de représenter le génie national : *Scribe, aude, atque aliquid tandem Gallia iactet / Graecia cui cedat, cedat et Ausonia. Poésies françaises et latines* de J. Du Bellay, Paris, 1919, t. 1, p. 436 ; 445 : le non d'*Ausonia* pourrait, à la rigueur, désigner l'Italie contemporaine, comme dans le texte de Macrin cité ci-dessus, mais le rapprochement avec *Graecia* ne permet aucun doute.

121. *S. n.* Macrin : *Naeniarum lib. III*, Paris, Vascosan, 1550.

— *accurrunt omni de parte Poetae* (*P.*, p. 252) — il a sûrement en esprit l'émulation, mais non la rivalité, entre les deux esthétiques et les deux conceptions des devoirs de poète royal[122]. En effet ses rapports avec Desportes ont toujours été cordiaux[123], et, dans ce texte précisément, il nomme Ronsard « le frère aisné des deux » (c'est-à-dire de Baïf et de Desportes) : *frater natu qui maximus ille duorum* (*P.*, p. 252).

L'intention est évidente, car Dorat a bien précisé le style respectif des deux poètes : voici « Desportes le doux » — *dulcis Portaeus (ibid.),* et Ronsard à la grande voix — *grandisonus Ronsardus (ibid.)*[124].

Le maître n'a pas manqué de faire allusion aussi à l'entreprise hardie de Baïf, « le nombreux », toujours enclin à chercher une voie nouvelle.

Enfin ces fêtes royales étaient le lieu où l'émulation entre les arts du verbe et ceux de l'image étaient le plus aiguë. Les textes de Dorat laissent entrevoir une bonne entente entre les poètes et les artistes, mais tout ne fut pas toujours idyllique, et les rapports entre Ronsard et Lescot, par exemple, dépassèrent parfois l'acidité : bien évidemment, dans ce cas précis, quand Ronsard s'en prend à la « vile truelle à trois crosses timbrée[125] », comme l'a énergiquement résumé M. A. Chastel, « ce n'est plus le défenseur de la poésie qui s'oppose au maître architecte, mais deux amateurs de bénéfices[126] ». La nature avait, sans doute, doué le professeur d'un tempérament plus amène, et moins orgueilleux, car il ne semble pas en être jamais venu à tel point. En tout cas, s'il est porté à rivaliser avec les artistes, ce n'est pas sur le terrain des bénéfices : son caractère « bohême » se contente de pensions irrégulièrement servies, et s'il fait mention des peintres et des sculpteurs dans une supplique au cardinal de Joyeuse, c'est qu'apparemment leurs longs efforts n'ont pas été mieux récompensés que les siens :

> Carmina dum thalamis Ioeusi prospera fratris
>   Concinerem, retuli muneris inde nihil.
> Nam labor assiduus...
>   [...]
> Inter pictores sculptores inter et omnes
>   Fecit[127] ne possent praemia digna peti
>   (*V. R.*, sans p., ni sign.).

---

122. La Muse de Desportes était, généralement, plus tendre. Le dernier des Valois le tenait pour « son bien aymé et favory poëte » (*Journal d'Henri III*, t. 1, p. 169).

123. Dorat offre, par ex., des « étrennes » à Desportes (B. N., Mss. Dupuy 810, f 99 r v) ; il le prie de l'excuser si la maladie a interrompu quelque temps leurs relations (*Epgr.*, p. 21) ; quand son jeune collègue revint de Pologne, Dorat le salua de l'anagramme *PHILIPPVS PORTAEVS / PVPPI TALIS ORPHEVS*.

124. Mais la version française apporte une nuance précieuse, car l'« esprit », s'adressant à Dorat, traduit bien les rapports privilégiés de ce dernier avec Ronsard : «*ton* grave Ronsard » (*op. cit.*, p. 262).

125. S. T. F. M., t. 10, p. 32.

126. *La crise de la Renaissance*, p. 36.

127. Il faut entendre, croyons-nous : *non fecit ut.*

Il a bien cherché à concurrencer par sa plume le burin ou le pinceau de ses amis, mais c'est dans un jeu intellectuel où il s'affirme d'ailleurs gagnant[128]. L'image qu'il laisse de la demeure de Nicolas de Neufville ne retentit pas du bruit des écus : or là confluait[129] à l'envi, joyeusement, tout ce qui faisait le charme et l'illustration de la France dans le domaine de la pensée, de l'art et du langage :

> (Conflua uilla)
> Conflua dicta, quod omnis eo decor et decus artis,
> Ingenii, eloquii *certatim* confluat ultro (*P.*, p. 227).

Il recherche d'autant plus volontiers l'émulation que le génie, il en est convaincu, est du côté de la parole.

COMMUNAUTÉ
DE BUTS

L'idée qu'il n'y a de vraiment beau que ce qui ne sert à rien èst totalement étrangère à la mentalité humaniste : il faut que l'artiste « aide » — *iuuet* (*P.*, p. 138). Tout effort artistique est indissolublement lié à la connaissance, non seulement celle que le créateur a de son objet, mais celle que l'« usager » tire de l'objet créé.

LA CONNAISSANCE

Peintres et écrivains ont des devoirs envers la société. Ils doivent d'abord servir de relais et porter à la connaissance de tous ce qu'ils ont eu la rare joie de découvrir. Ainsi, peu d'hommes ont autant voyagé qu'André Thevet, mais ils doivent rendre compte de leur expérience dans des livres[130], destinés à la multitude, c'est la finalité de leur destin :

> Paucis sed istud curriculum datur
> Cursare, *ut* illi certa *re*nuntient
> Multis (*Ode* XXXIX, 101-103).

Ce devoir est d'autant plus contraignant quand il s'agit de la Bonne Nouvelle. Ainsi, par exemple, peu de gens avaient assisté à la guérison de l'aveugle de Jéricho par le Christ : saint Luc, dans son *Évangile*[131], a fait le récit du miracle. Lisant ce texte, Lucas de Leyde a pu imaginer si vivement la scène qu'il est en mesure, à son tour, de faire savoir que « les aveugles voient »: c'est là son but, comme c'était celui de l'évangéliste :

> *In tabulam caeci illuminati a Luca Batauo depictam.*
> Luminibus dederat lucem Lux lucis egenis,

128. Cf. ci-dessous, p. 22 et suiv.
129. Même image pour le « flot » des artistes, en vue des fêtes royales : Confluit *artificum uis perfectissima quaeque* (*P.*, p. 252). Sur l'influence intellectuelle et artistique de Nicolas de Neufville et de son épouse, cf. Clark Keating, *Studies of the literary salon in France, 1550-1615*, Cambridge, Mass., 1941, p. 81-125.
130. Sa *Cosmographie du Levant*, qui parut à Lyon en 1554, est illustrée par des bois de Bernard Salomon ; Dorat composa un liminaire (*Ode* XXXIX) pour la *Cosmographie universelle*, Paris, L'huillier, Chaudière, 1575.
131. *Luc*, 18, 35-43.

Sed rem spectarant lumina pauca nouam.
Pluribus *ut* posset data lux a Luce uideri
Luminibus, Lucas fecit uterque manu
(Mss. Lat. 8139, f° 121 v°).

Les deux hommes dont le nom rappelle celui de la lumière (*Lucas/Lux*) avaient, bien sûr, vocation particulière à faire connaître la guérison de l'aveugle[132], mais au-delà d'un jeu verbal qu'on pourrait qualifier de « baroque », l'intérêt de ce texte est de mettre en évidence la finalité commune de l'écrivain et celle du peintre. Sans doute l'Esprit a-t-il choisi, pour commencer, de faire diffuser la nouvelle par la parole, mais le peintre a été en mesure de prendre la relève, et, à tout prendre, c'est lui qui « fait voir ». Pourtant il serait vain d'opposer la parole et la peinture, d'abord parce qu'il y a ici complémentarité plutôt qu'opposition, ensuite, et surtout, parce que, devant l'Histoire, Luc n'a pas parlé, il a écrit : ainsi dans les deux cas, c'est la main de l'homme qui a agi, et le verbe employé est flou, à dessein — *Lucas uterque fecit*[133] *utraque manu.*

Plus que sur la stérile opposition de deux moyens d'expression, le poète a voulu placer l'accent sur la diversité de ces vocations mises, semblablement, au service de l'Esprit. Remarquons, au passage, que c'est là une attitude catholique : la Réforme n'admet que le témoignage de la parole, et les destructions d'œuvres d'art — « idoles » dans les deux sens du mot — sont innombrables[134].

L'ACTION SUR LES PASSIONS Dans la recherche de l'harmonie des cités, l'artiste doit jouer un rôle, car il est capable d'agir sur les passions des hommes. Ainsi le doux poète, inapte à porter les armes — *natus ineptus ad arma* — peut néanmoins être utile à la patrie en composant des chants guerriers, capables de donner du cœur à tous, même aux lâches :

Est et cornicinum suus inter et arma tubarum
Vsus, quo fungar miles inermis ego.
Possum ego militibus uel segnibus addere uires (*P.*, p. 225).

Le choix du terme *usus* révèle la même intention que celle qui était notée par les propositions finales dans les deux exemples précédents. Platon lui-même admet ce genre de poésie et de musique, celles du mode dorien (*Rsp.* 399 a-b), mais Dorat se souvient sûrement, ici encore, de Ficin : *Poetico ergo furore in primis opus est, qui per Musicos tonos quae torpent suscitet* (*Argumentum ... in* Ionem, p. 167)[135].

---

132. Sur ces jeux « étymologiques », cf. ci-dessous, p. 202-203.
133. Il s'agit bien de l'écriture de saint Luc, et non de sa peinture, car la légende fait de lui le peintre de la Vierge ; cf. ci-dessous, p. 116-117.
134. Cf. A. Chastel, *La crise de la Renaissance*, p. 49-50.
135. Dorat précise, du reste, qu'il a jadis tenu ce rôle, et qu'il a suivi l'armée royale en campagne, à l'exemple de Tyrtée, qui accompagnait, d'ordinaire, les soldats spartiates : *Saepius ut feci carminis arte mei / ... / Qualis quem perhibet Tyrtaeum castra Laconum /*

On sait le rôle que Dorat et ses disciples réservent au poète à la Cour : il est à l'image de celui d'Apollon au festin des dieux :

> ... et dapes
> Super, Principumque
> Mensas, sacras ut epulas,
> Deumque nectareos ·
> Solent sonare inter haustus
> Patris Apollinis grata
> Modulamina (*Ode* IV, str. - antistr. 2).

On sent le souvenir du voyage de Pindare en Sicile[136], et cette tâche n'a rien de commun avec celle des rimeurs courtisans qui tenaient la poésie pour une amusette distrayante, un peu supérieure aux facéties du bouffon, sans plus. Chez Dorat, le chant d'Apollon résonne dans le palais des dieux, aussi sérieux et grandiose que celui d'Iopas à la fin du chant 1 de l'*Énéide*, mais sa dignité n'enlève rien à son caractère festif :

> ... superum
> Intus remugit domus
> Beata, geminatque
> Sonos (*op. cit.*, antistr. 2).

Sans doute ce chant peut-il être aussi un divertissement : l'ode légère sait effacer les rides du front des dieux :

> Quod excutiat e frontibus
> Rugas deorum (*op. cit.*, ép. 2).

Dorat ne suit donc pas Platon qui bannit les harmonies molles propres aux banquets (*Rsp.* 398 e). C'est que, pour le poète français, même l'influence de ces modes « relâchés » peut être véritablement politique : si les nations impies ont exaspéré Jupiter, Apollon sait le ramener, par eux, à la sérénité[137] :

> ... serenetque Iouis ora,
> Siquando nimis impiae
> Asperarunt in arma saeua gentes (*ibid.*).

Dorat, qui a évoqué le sommeil de l'aigle, en le mettant au compte de la puissance inhérente aux rythmes d'Apollon joueur de lyre —

> ... ea uis
> Tuis modis, fidicen,
> Inest, Apollo (*op. cit.*, str. - antistr. 3) —

se souvient de l'éloge de la musique qui ouvre la *Pythique* 1.

Vsque sequi solitum peruetus historia / (Qui) cithara armatis robur in arma daret (P., p. 225). Sur la musique entraînant divers peuples au combat, cf. Martianus Capella, 9, 925.

136. Cf. notamment *Olympique* 1, str.-antistr. 1. Cf. introduction générale, Paris, 1949 (3e éd. rev.), p. VIII.

137. C'est un des thèmes de l'ode *A M. de l'Hospital*. Ficin avait écrit : *(Poetico... furore in primis opus est) qui... per harmoniacam suauitatem quae turbantur, mulceat (Argumentum in Ionem, p. 167).*

Plus tard, bien que le garant ait changé, l'idée de l'action lénifiante de la musique est toujours présente, et Dorat note que l'esprit possédé de Saül fut soulagé par le chant de David :

> ... Saülis mens leuata
> Dauidico furibunda cantu (*Ode* XXXVII, 111-112)[138].

En ce qui concerne son époque, le poète juge que le chant des *Psaumes* de David peut être utilisé comme exorcisme, et il cite une assemblée « pire que le démon » que le menu peuple des fidèles a mise en fuite :

> Coetus fugatus daemone nequior
> A rusticae mentis popello
> Dauidicas recitante uoces (*op. cit.*, 114-116).

C'est la victoire de l'Harmonie sur les puissances mauvaises : en faisant vibrer sa lyre, le Christ avait imposé silence aux oracles de Pythô et d'Ammon :

> (lyram)
> Pulsante Christo... tacere
> Pythius atque coactus Ammon (*op. cit.*, 79-80).

Si important que soit cet aspect purificateur, il est seulement négatif, mais la Musique définie par Dorat comme *discordia concors*, est considée par ses amis, Baïf en particulier, comme le modèle d'une société « accordée »[139]. Les éléments d'un peuple, si divers soient-ils, doivent pouvoir s'unir dans un « accord » orchestré par le roi.

Dorat prit part aux travaux de l'Académie. Sa poésie latine ne porte pas directement témoignage à ce sujet, et le seul texte, à notre connaissance, où il parle de l'Académie de Baïf, est dédié à Pibrac (*P.*, p. 129) : on peut le dater de 1576, puisque Dorat y demande à son ancien étudiant de présenter au prince la *Monodia* et l'*Exhortatio*, mais l'accord du poète royal avec l'esprit de l'Académie s'était manifesté avec éclat dès 1571. Dorat était responsable, en effet, des « pourtraicts, compositions, desseings et ordonnances » d'après lesquels Nicolo dell'Abate avait réalisé, avec son fils, les tableaux qui ornaient le salon de l'évêché, où fut organisé le banquet du 30 mars, jour de l'« entrée » de la reine[140]. Au centre du plafond, un vaisseau porte Cadmos et Harmonie : l'allégorie de l'union de la princesse, fille de Mars et d'Aphrodite, avec le héros dont les rythmes ont su réduire à

---

138. Cf. 1 *Sam.*, 16, 14-23.
139. Selon l'usage du latin qui dit *temperare rempublicam*. Sur l'Académie, cf. Clark Keating, *Studies of the literary salon in France, 1550-1615*, (cité n. 129), p. 70-81, et F. Yates, *The French Academies in the XVIᵗʰ century*, Londres, 1947.
140. Cf. F. Yates, « Poètes et artistes dans les entrées de Charles IX et de sa reine à Paris en 1571 », in *Les fêtes de la Renaissance* (textes rassemblés par J. Jacquot), Paris, 1956, p. 51-84. Miss Yates montre que Dorat est non seulement l'auteur des « carmes grecz et latins » (p. 62, n. 4), mais qu'il est l'« inventeur » de ce grand programme héroïque et que ce « programme extraordinaire... fut imposé » par lui à Nicolo dell'Abate (p. 68).

l'impuissance Typhon, le géant révolté, est transparente. En outre, de cette nef centrale partent des chaînes qui semblent ramener doucement à elle les quatre nefs peintes aux quatre coins du plafond, et qui symbolisent les quatre États du royaume. Ainsi les chaînes de l'éloquence de l'Hercule Gaulois ont fait place à celles que crée l'harmonie dont la Musique est le symbole.

On peut remarquer, en outre, que dans le séjour bienheureux, le Christ se voit réserver à la fois le titre de roi et celui de chorège :

> ... Christus..., Rex ut olim,
> Ambulat assiduus choragus (*Ode* XXXVII, 91-92).

Aussi Dorat rappelle-t-il avec insistance à Henri III l'exemple de David, le roi qui agissait par ses chants (*P.*, p. 3).

La Musique peut être aussi regardée comme le symbole de l'âme pacifiée. Platon appelait « parfait musicien » l'homme qui met ses actes à l'unisson de ses paroles, qui vit en accord avec lui-même (*Lachès*, 188 d)[141]. Cet équilibre fragile, la douleur physique ou morale peut le compromettre, mais, dans ce cas encore, la Musique peut avoir une action apaisante. Pindare, au début de la *Néméenne* 4[142] rappelle que les chansons, sages filles des Muses, assouplissent[143] du charme de leurs mains douces les corps fatigués. Horace note aussi que la lyre sait calmer doucement les peines — *laborum / dulce lenimen* (*Carm.* 1, 32, 14).

Ainsi Dorat, lisant *Le plaisir des champs* de Claude Gauchet, alors qu'il souffrait d'une violente attaque de goutte, en a conçu aussitôt un tel désir de retrouver la vie bucolique qu'il a pu, un instant[144], oublier sa maladie :

> Certe ego qui iam sum factus grauitate senili
> Tardior, alternos uix moueoque pedes,
> Carmina cum primum tua pastoralia legi
> [...]
> Tanto correptus sum ruris amore iocosi
> Vt nouus irruerit sub mea membra uigor (*P.*, p. 226).

Sur un ton plus grave il note, à la fin de ce texte, que la poésie est désormais la seule consolation qui lui reste au milieu des troubles civils qui viennent de reprendre[145] :

141. Il s'agit d'une harmonie de mode dorien. Plus encore que Dorat et ses disciples, Pontus de Tyard a exploité ce thème : l'âme est incapable de toute action juste, « si par quelque moien cest horrible discord n'est transmué en douce simphonie, et ce desordre impertinent reduit en egalité mesurée, bien ordonnée et compartie » (cité par Grahame Castor, *Pléiade Poetics*, p. 31-32).

142. Cette ode, qui est moins grandiose que la *Pythique* 1 (Pindare dit à la str. 6 qu'elle est de mode lydien), n'est pas de forme triadique : Pindare y évoque l'action de la musique sur un homme, en particulier.

143. Pindare exprime l'idée d'une influence qui s'insinue doucement ; la même impression se dégage de l'ouverture de la *Pythique* 1, où elle se précise grâce au même verbe θέλγει (antistr. 1).

144. Comme le note le parfait à valeur aoristique *irruerit*.

145. Cf. ci-dessous, p. 299.

> Nos tamen interea *solemur* carmine curas,
> Tu, Gauchete, meis cantibus, ipse tuis *(ibid.)*.

Il ne manque pas de rapprocher le réconfort — si faible soit-il — que l'homme privé d'un être cher peut trouver dans les arts plastiques et celui que donne la poésie : offrant ses vers à Salmon Macrin après la mort de Gélonis, il regrette de ne pouvoir lui présenter un portrait qu'aurait façonné son art :

> ... tua nunc prima, Geloni,
> Doctam conformarem per artem
> Ora, parua quidem,
> Amanda sed marito
> *Solatia* ingentis aegro mali *(Ode* VII, str. 4).

Certainement il se souvient alors d'Horace : *(uates) inopem solatur et aegrum (Epist.* 2, 1, 131). L'époux solitaire recevrait ainsi, à nouveau, les traits de celle qu'il aime, et son affection mérite le secours d'un Polyclète ou d'un Scopas :

> ... et pietas et amor
> Facis extinctae meretur ut
> Vultum Polycletus
> Tuum, manus aut Scopae
> Redonet orbo *(Ode* VII, str. 4).

POÉSIE ET SURVIE   La poésie sait conserver aussi, et plus fidèlement, les images de ceux qui sont privés de la lumière, c'est une sûre loi :

> Meliore fide carmina seruant
> Sibi data, lege certa,
> Figmenta uirum luce carentum *(op. cit.,* antistr. 4).

Cette présence, sans doute, est un baume momentané sur les plaies des âmes affligées, mais, s'il est vrai que la dignité de l'Homme consiste à faire durer le souvenir qu'on a de lui[146], les arts plastiques et la poésie sont bien l'essentiel de l'activité proprement humaine, car ils ont la même charge, qui est d'assurer la survie :

> Munus *idem* praestant, dent ut post funera uitam (P., p. 197).

L'humaniste n'a cessé de proclamer avec insistance que l'art robuste, seul, a l'éternité — *facit ars uiuax uiuos in secla perennes (ibid.),* — et il associe pleinement les arts plastiques dans cette œuvre d'éternité : qui saurait aujourd'hui ce qu'ont été Alexandre, César et Auguste, s'il ne restait des bas-reliefs, des statues, mais aussi des créations littéraires d'un style coloré :

> Nam quis Alexander, quis Caesar Iulius, ecquis
> Sciret et Augustus, nisi sculpta emblemata, pictae
> Extent effigies, pictisque poemata uerbis? (P., p. 197).

---

146. Cf. Salluste, *Cat.* 1, 3 : *Memoriam nostri quam maxume longam efficere.*

S'il passe sous silence avec désinvolture le nom des autres braves stratèges[147], il veut bien admettre que notre connaissance des intellectuels qui ont laissé une œuvre, Varron et Cicéron, par exemple, ne serait pas la même, si l'art n'avait pas fait survivre leur image :

> Vtque alios taceam uirtute armisque potentes,
> Nec Varro nobis, nec notus Tullius esset,
> Arte nisi picta nunc esset uterque superstes *(ibid.)*.

Un témoignage aussi généreux à l'égard des arts plastiques est unique, à notre connaissance, dans l'œuvre de Dorat. Du reste ce texte — *In laudem picturae* — aboutit, en fin de compte à la glorification de la *seule* peinture véritablement parfaite, l'image de la sainte face sur le voile de sainte Véronique, peinture la plus « diligente » qui ait jamais existé :

> Qua non in terris pictura operosior ulla *(ibid.)*.

En effet, elle se passe des substrats humains qui sont cause des imperfections de cet art : la transcription d'un modèle par le dessin et la couleur[148]. Dans le portrait divin, le modèle et le dessin sont confondus, la sueur a remplacé l'usage des couleurs :

> Non hominis manu, uel picta colore, sed ipso
> Ore Dei referente manum, sudore colores *(ibid.)*.

Dorat s'inscrit ici en faux contre la conception platonicienne de l'Art : Dieu a permis qu'il existât *un* portrait idéal, supérieur même à l'Idée de portrait, puisque, par Sa volonté salvatrice, cette Idée s'est, si l'on peut dire, incarnée dans l'Histoire.

En dehors de ce cas-limite, quand il s'agit de survie, Dorat fait la part du lion à la poésie :

> ... sed enim saepe silentio
> Turpi pulchra latent, nisi
> Accedat labor et cura perennium
> Vatum *(Ode* VIII, 10-13)[149].

Il n'a pas peur d'énoncer à nouveau cette vérité intangible quelques vers plus loin, y associant le thème des jours qui passent à tire-d'aile :

---

147. Dorat reprend à son compte le jugement d'Horace sur Agamemnon et Homère — *Vixere fortes ante Agamemnona / multi, sed omnes inlacrimabiles / urgentur ignotique longa / nocte, carent quia uate sacro* (*Carm.* 4, 9, 25-28), car il juge que, dans la France de son temps, trop d'honneurs vont aux Hectors aussi bien qu'aux Achilles : *Fama sed Hectoribus uel cessit Achillibus una* (P., p. 123). L'humaniste prend ainsi une position rigoureusement opposée à celle de Platon (*Rsp.* 599 b), car, pour lui, l'homme qui crée ces « images » est plus important que celui qui en a fourni le modèle par ses actes. Du reste, il ne manque pas de noter l'infériorité physique du poète, mettant ainsi en lumière le caractère spirituel de son influence : tel est le cas d'Amphion, *multo... uiribus inferior* (P., p. 253), traduit assez joliment par « Amphion foiblet » (*op. cit.*, p. 264).

148. καὶ χρώμασι καὶ σχήμασι πολλὰ μιμοῦνταί τινες ἀπεικάζοντες (*Poétique,* 1447 a).

149. Cf. *Carm.* 4, 8, *passim*.

... sunt nisi carmina,
    Paucos post uolucres dies
    Quae uirtus fuerit uestra tacebitur (*op. cit.*, 24-26).

La création poétique est seule à pouvoir assurer une renommée immortelle à son auteur, et à ceux qu'il chante :

> Vis animi ... immortalem dat carmine famam
> Atque sibi atque aliis (Mss. Lat. 10327, f° 70 v°).

Dorat est fidèle à la pensée d'Horace qui insiste sur le fait que son œuvre est capable de donner la survie aux choses les plus insignifiantes[150] . Ainsi la lyre de Ronsard contribue à l'honneur des gués du Loir et du pays de Vendôme :

> (chelys)
> ... uada Ledi quae
> Et ornat solum
> Vindocinum (*Ode* IV, antistr. 3).

L'épouse de Salmon Macrin avait mené à Loudun une bien morne existence : Dorat, qui ne l'avait pas personnellement connue, a composé pour elle un hymne à la poésie qui fait durer le souvenir :

> ... te certatim uiua uatum
> Cuspis excauat in
> *Perennibus* metallis (*Ode* VII, antistr. 4).

Le professeur, en lui, s'est plu à souligner le paradoxe de la survie que s'assurent réciproquement l'auteur et l'éditeur d'un texte. Ainsi l'ouvrage de Censorinus, *De die natali*, était enseveli dans l'oubli ; Carion, au nom prédestiné[151] , lui a redonné l'être :

> ... tunc ecce tibi senio iam pene sepulto
> Esse dedit Carion (*Epgr.*, p. 72-73).

Annulant les dégâts que le temps avait fait subir à ce texte, et à bien d'autres, Carion se prépare une suite infinie d'anniversaires. Dorat en prend à témoin Censorinus lui-même :

> (caries)
> Quam tibi, Censorine, libris aliisque uetustis
> Abstergens, sibi natales parat ipse perennes (*op. cit.*, p. 73)[152] .

L'humaniste vit en un temps qui voit de si nombreuses et si spectaculaires résurrections d'auteurs qu'il semble ne pas douter que la perte de textes ne soit, en fin de compte, minime. A la différence d'un Pétrarque qui, à l'aube de la Renaissance, gémissait sur les œuvres qu'il sentait irrémédiablement perdues[153] , pour lui du moins, Dorat voit l'autre

---

150. Cf. *Carm.* 3, 13, 13-14 : à propos de la source de Bandusie.
151. Puisqu'il lutte contre les « caries ».
152. Même service mutuel entre Scaliger et les élégiaques latins : Vérone peut se réjouir d'avoir des fils tels que Catulle et son éditeur (*Epgr.*, p. 113).
153. A propos de Tite-Live : *Et o si totus mihi contingeres!* (*Familiares*, 24, 8).

aspect de la même vérité : il arrive, dans le pire cas, que les œuvres de l'esprit disparaissent un temps, mais elles revivent, et, même si elles meurent encore, elles renaîtront, comme le phénix :

> Quod si mortali non ulli a morte uacare
> Parca dedit, saltem quoties tu mortuus esses,
> Dignus eras toties iubar ad uitale redire,
> Phoenici similis (*op. cit.*, p. 72).

En outre, il est certain que sa propre intuition, qui le rend éminemment capable de soigner les « caries » des textes, le fait, peut-être, minimiser les conséquences de l'action délétère du temps.

Dans ces conditions, le soldat, l'homme d'État, soucieux de gloire[154], n'ont plus qu'à s'en remettre totalement aux poètes (à condition qu'ils soient bons), car seuls ces derniers sont capables d'assurer une gloire sans fin :

> ... uatibus, ô uiri,
> Quos aeterna iuuat gloria nominis,
> Inseruite bonis (*Ode* VIII, 13-15).

Le verbe *inseruire* est énergique : Dorat, très clairement, renverse les rapports humains traditionnels du poète client d'un puissant patron, et soumis aux volontés de ce dernier. Sans doute doit-il, parfois, réclamer son dû, mais le ton de la supplique qu'il adresse, par exemple, au roi Henri III, est désinvolte et, après avoir paraphrasé « Demandez et vous recevrez », le poète se permet de terminer par une boutade sa déclaration de bons et loyaux services :

> Praestitit Auratus Regibus obsequium :
> Nunc petit obsequii sibi debita praemia longi.
> Cur petat haec quaeris ? Cur, nisi ut accipiat ? (*P.*, p. 18)

Donc le « grand homme », s'il a quelque lucidité, est, au contraire, demandeur, et pourra se réjouir d'avoir trouvé un poète qui prendra soin de son souvenir : Dorat le note en s'adressant à Ronsard, dans une formule qui n'est pas tendre pour leurs prédécesseurs :

> Felix ter ô qui *iam* modo fortiter,
> Te uate, sese pro patria geret,
> Quod non suos obliuioso
> Dente teret senium labores (*Ode* V, 21-24).

Aussi le poète met-il sur le même plan les efforts guerriers ou civiques des princes lorrains, qui fourniront le sujet de ses hymnes, et leur largesse qui, seule, leur permettra de recevoir la glorieuse récompense :

> ... haud minor
> Semper cura... fuit

---

154. C'est la motivation des deux catégories de serviteurs de l'État : *Idem mentibus omnium / Ardor laudis inest* (*Ode* VIII, 5-6).

> Largis muneribus carmina prosequi
> Vatum quam dare uatibus
> Clari materiem carminis uberem (*Ode* VIII, 30-34).

L'emploi de la litote *haud minor* a son prix. Ainsi Charles de Lorraine, en dépit de ses charges, n'a pas besoin d'être sollicité ; il sait toujours, opportunément, secourir les savants et c'est justice :

> Cui, licet immensum uertice portet onus,
> Respicit afflictae tamen ultro saepe Camoenae,
> Et prompta doctos subleuat aequus ope (*P.*, p. 136).

Le cardinal, bien évidemment, est le modèle du parfait mécène, et l'on chercherait probablement en vain son égal à la cour :

> Huic aliquem similem, similem si quem capit Aula,
> Quaesisses, sed uix inueniendus erat *(ibid.)*.

Or, dans le pacte du mécénat, le héros munificent et lucide se sait gagnant car, comme le parieur de Pascal, il risque seulement la perte de biens chétifs, instables et transitoires, alors qu'il recevra, en revanche, une gloire durable :

> Quod tenuis sumptus, lausque perennis erit (*P.*, p. 26).

Dorat laisse volontiers entendre que, si les hommes d'État peuvent à leur gré favoriser tous les arts, la situation des poètes qui « fabriquent » de la gloire est véritablement particulière :

> ... fauet artibus
> Aptis quisque sibi fama quibus sua
> Ac laus dulcis, et illius
> Vates egregios artifices amant (*Ode* VIII, 39-42).

On a pu reprocher à Dorat son âpreté au gain[155]. En fait, le poète se sentait d'autant plus habilité à solliciter les largesses des grands qu'il suivait, ce faisant, l'exemple de Pindare et d'Horace, et que le XVIe siècle n'avait pas nos préjugés à l'égard de la poésie stipendiée[156]. Le maître de la « Pléiade », qui s'inscrit dans une solide tradition[157], a exposé sans vergogne les conditions du pacte : la générosité est l'aliment du génie :

> « Dos alit ingenium
> Augetque bonas honor artes » (*Ode* XVIII, ép. 7).

155. Marty-Laveaux, *Œuvres* de J. D., p. XXJ.
156. L'opinion de Ronsard sur ce point est sans ambiguïté, ni fausse honte : « Pourquoy tant d'Artizans / Offrent-ils leurs labeurs aux Princes Courtizans, / Si non pour avoir d'eux quelque largesse honneste ? » (S. T. F. M., t. 8, p. 184). Cf. R. Lebègue, « Ronsard poète officiel » in *Studi in onore di V. Lugli et D. Valeri*, 1961, p. 573-587, et I. Silver, « P. de Ronsard : Panegyrist, Pensioner, and Satirist of the French Court », in *Romanic Review*, 45 (1954), p. 89-108.
157. Cf. Cicéron, *Tusc.* 1, 2, 4 ; Érasme en a fait un adage : *Honos alit artes* (1, 8, 92). Chez Dorat, la typographie de Robert Estienne souligne qu'il en est de même. L'énoncé de Martial était plus truculent : *Sint Maecenates, non deerunt, Flacce, Marones, / Vergiliumque tibi uel tua rura dabunt* (8, 55, 5-6).

Aussi Dorat n'a-t-il pas hésité à énoncer, bien en vue, à la fin d'un
poème (où il a évoqué, avec une admiration émue, la beauté et le
courage de Mme de Montgoméry), le rapport entre la munificence du
mari de la jeune morte et sa propre création poétique :

> (sepulchrum)
> ... durabilius aere,
> Versibus Aurati, munere Mongomeri (*P.*, p. 134).

C'est que le poète accomplit alors une tâche qui fait de lui l'émule
des dieux. Ainsi, Jupiter aurait en vain arraché Astyanax au trépas lors
de la prise de Troie, et l'enfant serait véritablement mort aujourd'hui,
si Ronsard ne l'avait sauvé du néant de l'oubli sous le nom de Francus :

> A Ioue seruatae periisset tempore rursus
> Astianacteae gloria tota domus,
> Ni Iouis exemplum tu nunc, Ronsarde, sequutus
> Fictis[158] seruasses Astianacta modis (*Epgr.*, p. 73).

Dans ce texte composé en 1572, l'année où parut la *Franciade*, l'orthodoxie de Dorat ne saurait être mise en doute. Pourtant le Poète se
trouve, parfois, doué d'une telle force vitale qu'on ne parvient pas à
savoir s'il fait bien allusion à la survie dans la mémoire des hommes,
ou s'il ne parle pas plutôt de l'immortalité de l'âme[159].

Ainsi le maître et ses disciples n'ont cessé de proclamer, au bénéfice de leurs princes et de la postérité, qu'ils étaient des artisans d'immortalité. Ils l'ont fait avec une énergie extrême, et, comme le disait
en souriant Giraudoux, « chaque tête de Français qui meurt de guerre
ou vit d'amour ... devient buste » : la « Pléiade » aurait jugé que cette
métaphore ne lui faisait pas la part assez belle.

HIÉRARCHIE DES ARTS   Si l'un des auteurs de liminaires des
                         Sibyllarum XII oracula n'hésitait pas à
voir dans le peintre le créateur des corps, dans le poète, celui de l'âme,
Dorat, sans aller jusqu'à porter un jugement aussi catégorique, n'est
pas moins convaincu que la poésie est supérieure aux arts plastiques[160].

Il révèle bien ce qu'est réellement, dans sa vie, la hiérarchie des
arts, par la manière dont est composé le poème qu'il consacre aux
splendeurs de la demeure de Villeroy (*P.*, p. 227-229). Il s'adresse
d'abord aux Muses, en particulier à celles qui dénomment les différents livres de l'œuvre d'Hérodote[161]. A peine a-t-il ensuite mentionné

---

158. Le verbe *fingere* met l'accent sur l'originalité de la création artistique, et n'implique
ici nulle idée de fausseté.

159. Cf. ci-dessous, p. 132-133.

160. Le jugement sévère d'Horace : *migrauit ab aure uoluptas/omnis ad* incertos *oculos
et gaudia* uana (*Epist.* 2, 1, 187-188) ne s'applique pas aux arts plastiques, mais aux défilés des
triomphes exotiques.

161. *Hanc dignam in sedem Musis atque hospite Phoebo / Ecce tibi Herodoti properant
nunc ire Camoenae* (*P.*, p. 228).

la séduction des statues antiques, des tableaux, des jardins, qu'il avoue l'attrait irrésistible qu'a pour lui la bibliothèque :

> ... me, singula quamuis
> Spectantum rapiant oculos, tamen *omnia supra*
> Bibliotheca rapit magni splendore decoris,
> Admiranda quidem, sed praecipue arte librorum[162]
> Multiplici ueterum (*P.*, p. 228).

Dorat s'est-il mis, un instant, au nombre des visiteurs au regard ravi? Encore qu'il reconnaisse que les chefs-d'œuvre plastiques méritent l'admiration, il ne fait pas de doute que la seule présence du texte d'Hérodote a rendu toute autre séduction inopérante. Il ne s'agit pas d'un goût personnel tenant à un ineffable je-ne-sais-quoi : pour Dorat l'infériorité des arts plastiques est fondée en raison.

FRAGILITÉ
DES CRÉATIONS PLASTIQUES

Le défaut le plus évident de ce type d'œuvres vient de leur matière[163] éminemment fragile, et le poète français s'inscrit dans une tradition. Pindare, qui s'exclamait orgueilleusement au début de la *Néméenne* 5 qu'il n'était pas statuaire, a bien souligné ailleurs que, sur le trésor des hymnes, les pluies d'hiver, les armées de nuages grondeurs, les vents, n'ont pas de prise (*Pyth.* 6, str. 2). Il oppose à ces disgrâces le visage pur et lumineux des hymnes (*ibid.*). A son tour, Horace a parlé des averses dévorantes — *imber edax* (*Carm.* 3, 30, 3).

Le poète français ne mentionne pas les éléments qui conjuguent leurs forces pour détruire l'œuvre d'art, mais il note avec insistance l'inéluctable déchéance provoquée par le temps rongeur :

> Sed honos caducus imago est,
> Fragilis teri
> Dente putris aeui (*Ode* VII, antistr. 4).

Trois ans plus tard, il reprend ce thème :

> ... perbreue marmora
> Restant tempus, et aes putris imaginum
> Aerugo tenuat; sacros
> Diffindit tumulos uis hederacea (*Ode* VIII, 19-22).

Comme l'avait fait Pindare dans la *Pythique* 6, plus énergiquement même, par une asyndète, Dorat oppose à ces ruines l'unique et perpétuel éclat de la poésie :

> Solis perpetuus nitor
> Extat carminibus (*op. cit.*, 23-24).

Un peu plus tard, en 1558, il ose mettre en parallèle la fragilité des

---

162. Sur la reliure de l'*Hérodote*, cf. ci-dessous, p. 115-116.
163. τὸ ἐν ἑτέροις μιμεῖσθαι (*Poétique*, 1447 a).

couronnes de feuillage et celle des statues d'or et d'argent :

> Gloria sed fragilis
> In frondibus arboreis est, et nocet
> Dente suo caries longaeua signis
> Aureis argenteisque (*Ode* XVIII, ép. 4).

Dans le liminaire pour l'édition de Lucrèce par Lambin, en 1563, il déclare que la renommée transmise par les poèmes est plus vivace que celle que donne la peinture ou les bronzes, fussent-ils de Corinthe :

> ... per carmina...
> Gloria uiua uiget mage quam per...
> Aut tabulas pictas, atque aera erepta Corintho
>   (Mss. Lat. 10327, f˙ 70 v°).

La mémoire est une force qui résiste au temps, plus que le marbre, plus que l'airain, plus que toute chose[164] :

> ... uiuacius esse
> Mente nihil, scriptis dare quae sit idonea uitam
>   (*op. cit.*, f˙ 71 r˙).

Mais si les êtres survivent, virtuellement, dans la mémoire des hommes, ils retrouvent la vraie mobilité de la vie quand ils volètent sur les lèvres de savants qui transmettront leur nom à d'autres savants. C'est ce que, déjà, les vers toscans de Pétrarque avaient fait pour Laure[165] :

> ... uirum nuper uolitabat docta per ora
> Laura tibi Tuscis dicta, Petrarca, sonis (*Epgr.*, p. 98).

Ce vol léger s'oppose implicitement, chez Dorat, à l'enracinement des statues, immobiles sur leur base, car il a certainement à l'esprit le début de la *Néméenne* 5, où Pindare oppose cette fixité à la mobilité de son poème qui peut profiter du premier navire en partance pour voler au-delà des mers, poème qu'il compare ailleurs à une marchandise phénicienne (*Pyth.* 2, ép. 3). L'humaniste, toutefois, n'a pas exploité à fond ce thème de l'immobilité des statues, peut-être, tout simplement, parce qu'il était témoin de l'arrivée à Paris d'un grand nombre de pièces arrachées au sol de Rome[166] .

---

164. Chez Dorat, l'adjectif devient une sorte d'épithète de nature : *mens fidelis* (*Ode* XXXVII, 42-43), *cerebrum memor* (*op. cit.*, 60). Le cinéaste François Truffaut, dans *Fahrenheit 451*, a explicité ce qui, chez le romancier Ray Bradbury, n'était qu'une indication rapide : la pérennité de la mémoire humaine est seule capable de faire échec à la barbarie.

165. Et comme désormais Olive sera connue grâce à Du Bellay.

166. Rabelais nous a fait connaître les chantiers de fouilles du cardinal Du Bellay à Rome (*Lettre à Jean Du Bellay*, Le Seuil, p. 956), Dorat évoque la somptueuse galerie de Villeroy, pleine de statues antiques et de tableaux : *Porticum spatia ampla suis instructa tabellis / Et statuis ueterum artificum* (*P.*, p. 298). Rendant compte du voyage qu'il fit à Paris en 1585-1586, le Néerlandais Arnold Van Buchel mentionne des statues de Tibère et de Germanicus dans les jardins de Villeroy (in *Mémoires de la Société de l'histoire de Paris et de l'Ile de France*, XXVI (1899), p. 116). Il parle aussi de représentations des travaux d'Hercule et des guerres d'Alexandre.

IMAGE FRAGMENTAIRE   Par contre, c'est probablement ce ca-
                            ractère figé des statues, mentionné par
Pindare, qui a conduit Dorat, par une sorte de transposition métaphysique, à mettre en relief le caractère mortellement définitif, ponctuel,
si l'on peut dire, et fragmentaire[167], de la connaissance donnée par
l'image. Ce type d'art est, à ses yeux, forcément défavorisé par rapport
à ceux qui intègrent la durée et peuvent, de ce fait, pourchasser à loisir
la réalité nuancée, comme c'est le cas pour la musique ou la poésie : il
faut, en effet, du temps pour maîtriser les créatures circéennes.

Ainsi, par exemple, le corps de ballet dirigé par Beaujoyeux, a
évolué de façon merveilleusement diverse, lors des fêtes de 1573.
« Baptiste » a immortalisé la première de ses visions en une gravure,
mais il n'a pu les présenter toutes : ce sera donc à la poésie de faire
connaître l'ensemble des mouvements dans leur succession temporelle :

> Sed quis tam uarias saltandi expresserit artes
> Quas Belloioïus mille choragus habet ?
> Quod solum potuit, pictis Baptista tabellis
> Expressit primam, caetera carmen habet[168]   (*Epgr.*, p. 123).

Cette image fragmentaire due au graveur, Dorat l'a insérée dans son
opuscule qui parut chez Morel en 1573[169], mais la remarque que nous
venons de citer est une flèche de Parthe : elle termine le poème intitulé *Scenae descriptio*.

Au reste, Dorat ne s'est pas dérobé à la tâche qu'il fixe ici à la
poésie. Son évocation du corps de ballet — *Chorea Nympharum*
(*Epgr.*, p. 115) — est précise et gracieuse. La troupe évolue avec des
gestes stylisés, au rythme d'un accompagnement musical :

> Nympharum ad certos grex agitare modos,
> Et sua testatur numeroso gaudia gestu   *(ibid.).*

Le poète distingue deux mouvements dans la danse : un adagio, exprimé par un pentamètre qui commence par deux spondées, un presto,
évoqué par un pentamètre qui ne comporte que des dactyles; dans
chaque cas, une comparaison, notée dans l'hexamètre, vient compléter
« l'image » :

> Nunc ueluti Reginas ire putares
> Quot Nymphas, sic lenta grauitate decet,

167. *Sed non expressit tractus et pectoris* omnes (*Epgr.*, p. 95). Cf. ci-dessus, p. 64-65.
168. Ce verbe, employé quand il s'agit de la musique chorégraphique et de la poésie,
traduit la possession totale du sujet traité ; les arts de la « variété » — *uarias... artes* — donc plus
proches de la Nature, sont opposés à l'expression limitée du graveur.
169. *M. S. D.*, Fij r°. Selon Robert Brun (*Le livre illustré en France au XVIe siècle*, Paris,
1930, p. 187), les seize médaillons attribués à Jean Cousin sont peut-être de Codoré ; pour les
deux grandes figures (la salle de bal et le Mont des Nymphes), qu'il juge moins soignées,
l'auteur n'avance pas d'hypothèse. *Baptista* peut être le prénom de l'artiste, probablement
italien. Le portrait de Dorat, gravé pour l'édition de 1586, est « signé » Z. B. (mais est, en fait,
l'œuvre de Rabel).

> Nunc ueluti totidem Delphinas in aequore
> Ludere, tam facili mobilitate micant nantes[170] *(ibid.)*.

Il « peint » à merveille les jeunes filles qui s'avancent, puis reviennent à leur place, tantôt lentes, tantôt « fuyardes » :

> Mille breues cursus iterant, et mille recursus,
> Mille fugas miscent, mille pedumque moras *(ibid.)*.

L'anaphore de *mille* rythme les mouvements, et leur tempo propre est suggéré par le décalage de la coupe et du sens dans l'hexamètre.

Pour d'autres figures, le poète a recours encore à la comparaison : les ballerines, en se tenant par la main, se rassemblent comme un essaim, ou se forment en triangle, comme des oiseaux migrateurs (moins le cri, note plaisamment le poète) :

> Nunc haerent, ut apes, manibus per mutua nexis,
> Nunc in acumen eunt ut — sine uoce — grues *(ibid.)*.

Elles se rassemblent encore — pour le salut final — en formant, cette fois, comme une haie de framboisiers :

> Nunc aliis aliae transuersis nexibus haerent,
> Implicitis sepes qualis ab arte rubis *(ibid.)*.

Si le verbe est le même, l'outil de la comparaison est différent, et l'expression est inattendue : elle rappelle les couleurs des robes portées par les danseuses[171].

Le poète, fidèle au chorégraphe italien qui a conçu la *volta*, la *rivolta*, la *stanza*, n'a, cependant, pas eu le courage d'avoir recours, une dernière fois, à la triade pindarique, mais on peut, selon nous, considérer que, malgré cela, il a tenu son engagement de substituer son art à une technique rivale.

Ainsi, quand Dorat déclarait que la poésie et la peinture se portaient mutuellement secours —

> Altera ut alterius se tueatur ope *(Epgr.*, p. 63) —

il avait en vue autre chose que l'assistance prêtée par sa plume aux difficultés judiciaires de Rabel, qui sont à l'origine de ce texte.

Sans doute le peintre peut-il, aussi, venir en aide à l'écrivain. Dorat, constamment préoccupé d'efficacité pédagogique, a noté que le livre d'Ambroise Paré[172] est illustré de plus de cinq cents figures représentant des actes chirurgicaux, des instruments, des monstres :

> (cuncta)
> ... suisque ornata figuris
> Plusquam quingentis, quibus ars expressa secandi,

---

170. Le verbe *micare* exprime peut-être l'éclat, mais aussi, au sens propre, un mouvement vif et régulier (celui des artères, par ex. ; cf. Cicéron, *Nat.* 2, 9, 24).
171. *Epgr.*, p. 123, et ci-dessous, p. 110.
172. *Œuvres*, Paris, Brun, 1575.

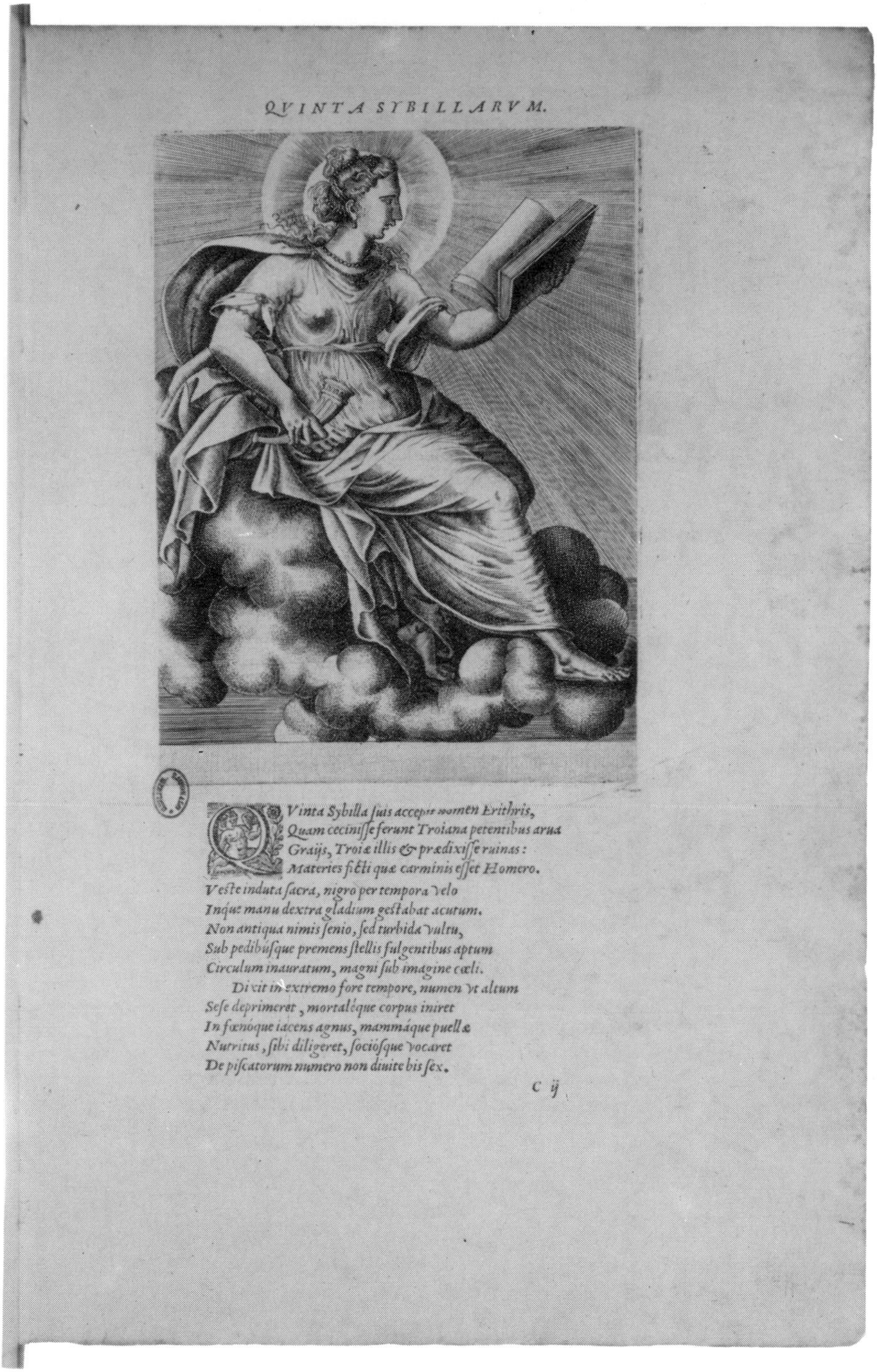

QVINTA SYBILLARVM.

QVinta Sybilla ſuis accepit nomen Erithris,
Quam ceciniſſe ferunt Troiana petentibus arua
Graijs, Troiæ illis & prædixiſſe ruinas:
Materies ficti quæ carminis eſſet Homero.
Veſte induta ſacra, nigro per tempora velo
Inque manu dextra gladium geſtabat acutum.
Non antiqua nimis ſenio, ſed turbida vultu,
Sub pedibúſque premens ſtellis fulgentibus aptum
Circulum inauratum, magni ſub imagine cœli.
Dixit in extremo fore tempore, numen vt altum
Seſe deprimeret, mortaléque corpus iniret
In fœnóque iacens agnus, mammáque puellæ
Nutritus, ſibi diligeret, ſocióſque vocaret
De piſcatorum numero non diuite bis ſex.

C ij

Pl. II. — La cinquième Sibylle. Gravure de Jean Rabel pour les *Sibyllarum XII oracula* (cf. p. 105). Paris, Bibliothèque nationale, Rés. Yb 60 (Phot. Bibl. nat. Paris).

Il est piquant de remarquer que la version latine du texte ne mentionne pas les « lieux divers », expression condescendante du savant auteur des *argumenta* (*op. cit.*, p. 260)[176].

Bien certainement, le discours que prononce Mars (*op. cit.*, p. 259, v. 215-223) afin d'éclairer Ilie et le spectateur, figure sur un « livret » imprimé. Parfois même, la poésie ne se contente pas d'agir, si l'on peut dire, parallèlement aux images, il lui arrive d'envahir celles-ci : ainsi, Protée fait connaître, vraisemblablement par une sorte de pancarte[177], l'oracle dont il est porteur.

Sans doute, Dorat s'est trouvé heureux dans la foule sympathique des artistes − *pictores, sculptores et genus omne / Artificum* (*P.*, p. 260) − mais le résumé rapide − *genus omne artificum* − s'oppose au plus ample énoncé concernant les poètes « savants » et leur plectre « sonore » : *doctosque ad plectra canora poetas (ibid.)*. Les deux épithètes, ici, sont vraiment « de nature »...

Le commentaire sur le secours apporté aux arts « muets » par la poésie « qui parle » va plus loin encore (il se trouve, fidèlement, dans les deux versions du texte de 1581) :

> Quis *usus* enim statuis mutisque tabellis
> Si non reddat eas scriptura diserta loquaces? (*op. cit.*, p. 260).

> « Car de quoi peut servir la muette peinture
> Sans la faire parler par diserte escriture? » (*op. cit.*, p. 272).

Donc quelle que soit sa sympathie pour les créations de Germain Pilon ou d'Antoine Caron, Dorat n'hésite pas à mettre en doute la finalité même de leur art si ce dernier était privé de l'adjuvante poésie : ce vétéran du règne de François Ier avait peut-être l'intuition que les créations muettes du Rosso ou de Nicolo dell' Abate à Fontainebleau avaient, déjà, perdu une partie de leur sens.

En tout cas, sa démarche de critique d'art, lorsqu'il nous présente un tableautin anonyme − *In tabulam mulieris nauiculariam facientis* (Mss. Lat. 8139, f° 120 v°) − est, véritablement, « panofskienne »[178], avant la lettre. Sa description « pré-iconographique » est donnée sous forme d'énigme. Cette femme, qui manœuvre un bateau, qui est-elle? Elle est belle; un homme passe son bras autour de sa taille. L'énigme

---

176. Ce mépris ne vise pas le peuple qui, à la différence de ce qui se passa en 1571 (*P.*, p. 320), n'est pas mentionné en 1581 : l'humaniste songe aux courtisans (cf. *P.*, p. 240-242). Il faut, en effet, selon la formule de M.A. Chastel « restituer l'appareil de symboles qui à travers la mythologie commande l'iconographie nouvelle » (*L'École de Fontainebleau*, Paris, Musées Nationaux, 1972, p. XXIII).

177. *P.*, p. 255 : le texte du message est d'une typographie différente. Sur la reproduction graphique de la Sibylle Agrippine (cf. ci-dessous) le message était aussi transcrit : *(Monstrat) non magna tot uerba inscripta tabella.*

178. Cf. Erwin Panofsky : *Essais d'iconologie. Thèmes humanistes dans l'art de la Renaissance*, trad. Claude Herbette et Bernard Teyssèdre, Paris, 1967.

continue quand le poète nous donne, cette fois, une description
« iconographique » : pourquoi ce nouvel équipage de Vénus (car c'est
elle) ? Dans un troisième temps, il offre la « synthèse iconographique »,
intuition morale, ou métaphysique qu'on peut avoir à partir du dessin :
surprise sur terre, la déesse de l'amour s'est embarquée pour tenter
de dissimuler son « butin » :

> Quem fuerat terra uectans deprensa, per undas
> Si possit uectans tuta latere uidet *(ibid.).*

Retenu par la beauté du dessin, surpris par son caractère non
classique, Dorat, esprit méthodique, a cherché une explication et ne
s'est pas arrêté au stade du nom. La poésie vole au secours de la
peinture, et cherche une justification : il ne s'agit pas d'une de ces
créations de fantaisie, où l'on peut voir de petits Amours foulons ou
marchands de vin ; l'artiste avait une « idée » en tête, mais il n'a créé
qu'une — plaisante — énigme. Dorat, professeur avant tout, en a eu
l'intuition : l'historien des arts plastiques a, toujours, besoin du
secours d'un Verbe. Son goût pour cette *Venus nauiculatrix* a empêché le poète de le proclamer ici.

VT PICTVRA,
POESIS

Son tempérament le porte à jouir,
un instant, du poli d'un marbre ou de
l'éclat de l'or. Les couleurs les plus
vives, celles qu'il voyait dans son enfance, aux ateliers des émailleurs,
à Limoges[179] , celles qu'il a connues à Paris, sur la palette violente d'un
Antoine Caron[180] , il les a conservées. Mais toutes ces merveilles, il n'a
pas besoin de les « voir » ; il est capable de se les offrir, sans le « secours » de ses amis : en vérité, il peint.

GOÛT
POUR LA COULEUR

Sans doute, quand il évoque les déesses
de l'Hélicon et les violettes de leurs
cheveux sacrés — *uiolas crinium sacro-*
rum (*Ode* VII, str. 1), ce ne sont pas les reflets bleus d'une chevelure
de Gitane qui hantent son imagination. L'adjectif *sacer* écarte a priori
tout rapprochement humain, mais le souvenir des Muses « aux boucles
de violettes » — (*Pyth.* 1, init.) — s'est imposé au commentateur de
Pindare. On ne peut affirmer, cependant, que tout pittoresque soit
absent, car si le Thébain n'offre pas d'autres notations chromatiques,
le poète humaniste s'est plu à opposer cette teinte sombre[181] à l'ivoire

---

179. Parmi les émailleurs, il put connaître, entre autres, Léonard Limosin, qui devait
être à peu près de son âge ; ce dernier aimait les couleurs « vigoureuses », dit M. Bertrand Jestaz,
in *L'École de Fontainebleau* (cf. n. 176), p. 448.

180. *La Résurrection,* tableau conservé au musée départemental de l'Oise, à Beauvais,
peut donner une idée des couleurs d'Antoine Caron : les légionnaires sont vêtus de tuniques
rose, jaune, rouge, verte, et la grotte s'ouvre sur un ciel nuageux, bleu-vert.

181. Cf. Théocrite, 10, 28 : « la violette noire ».

éclatant des poitrines lisses — *Candens ebur leuium pectorum* (*Ode* VII, str. 1), et aux joues de rose des déesses — *roseas ... genas (ibid.)*[182].

Ces couleurs sont mises en relief par le vêtement somptueux que le poète donne aux Muses, et son goût est seul en cause, car les auteurs anciens n'offrent pas de précisions sur la teinte du vêtement de ces déesses[183], mais Dorat aime les couleurs éclatantes et pures des pierreries. L'émeraude ruisselle sur le manteau des filles de l'Hélicon — *smaragdifluos amictus* (*Ode* VII, str. 1). Le somptueux adjectif, composé à l'imitation d'*aurifluus*[184], semble bien une création du poète français, et outre l'intensité du vert, le mot accroche au passage dans ces flots l'éclat de la lumière[185].

La manière dont Dorat a évoqué les chars des grands jeux est plus révélatrice encore de son imagination chromatique. Pindare, en effet, dit seulement que Hiéron est possesseur de « bons chars » (*Pyth.* 2, str. 1) ; les chevaux sont « bardés de fer » et ils ont des « rênes historiées » *(ibid.)* ; en outre la caisse des chars est « travaillée au ciseau ». Chez Dorat, les métaux précieux prennent un éclat barbare, car les tiares des Perses ont été brisées pour faire des phalères et des roues de chars argiens :

> In phaleras rotasque
> Persides Argolicas frangi tiarae (*Ode* XVIII, antistr. 3).

Le public se presse aux bornes pour voir les chars avec leurs roues[186] ornées de fulgurants pyropes, de vertes émeraudes et de topazes :

> Cerneret ut decorata
> Curricula atque rotas fuluis Pyropis
> Et uirentibus Smaragdis, et Topazis (*op. cit.*, str. 4).

Fuluus chez Dorat[187] — qui suit Virgile et Ovide[188] — s'applique volontiers à l'or, dont il indique à la fois la couleur et l'éclat. Il semble qu'ici cet adjectif exprime particulièrement l'éclat (à bon droit, du reste, puisque son étymologie le rattache à *fulgere*), car le pyrope, connu sous le nom de grenat de Bohême, donne l'idée d'un rouge feu intense. Quant à la topaze, son nom suffit à évoquer pour nous à la fois un riche jaune mordoré et la transparence[189].

182. Cette mention de l'ivoire, celle d'un rose délicat, font, du reste, songer au visage de Lavinie ; cf. *En.* 12, 65-69 ; 606.
183. Pindare dit, par ex., qu'elles ont des drapés aux plis profonds (*Pyth.* 1, antistr. 1).
184. Cf. Prudence, *Sym.* 2, 605.
185. Ces émeraudes humanistes, du reste, ne sont pas déplacées sur le manteau des sœurs de Phébus, car, chez Ovide, leur frère siège sur un trône brillant d'émeraudes étincelantes : *sedebat / In solio Phoebus claris lucente smaragdis* (*Mét.* 2, 23-24).
186. Ces roues font songer à une pièce ronde qui orne la cuirasse d'un ange du *Jugement dernier* de Hans Memling (musée de Dantzig) : sur ce qui serait le moyeu et sur les rayons sont serties des pierres précieuses, notamment des émeraudes et des rubis.
187. *Fului... nitor auri* (*Ode* XVIII, antistr. 1) ; *fuluum... aurum* (*D. C.*, Aij v·) est un cliché : il s'agit de l'âge d'or ; cf. aussi *Ecl.*, p. 37 ; dans *Ode* IV, str. 3, le sceptre de Jupiter est qualifié de *fuluus*.
188. Cf. *En.* 7, 279 ; 10, 134 ; 11, 776, et par ex., *Mét.* 11, 103, 124 etc.
189. Pourtant Pline caractérise la topaze par sa nuance verte — *uirenti genere* ; après

Mais le poète se plaît aussi à la nuance. Il met en rapport celle du cuir de Cordoue — *pellis Ibera* (*P.*, p. 228) — avec celle de la robe du chevreuil : *Concolor ... caprae syluestris amictus (ibid.)*. Le manteau à l'éclat minéral et froid des Muses laisse voir les drapés de leur tunique d'un vert plus doux, couleur d'herbe — *sinus herbicolores* (*Ode* VII, str. 1). La nature offre d'autres verts : limpide comme celui d'un lac d'eau vive — *uiror lacus perennis (ibid.)*, plus tendre comme celui d'un étang à la surface duquel se forme une mousse fraîche : *stagna recente uirentia musco*[190] (*P.*, p. 228).

Il faut remarquer que Dorat, dans ces deux exemples, ne décrit ni un lac, ni un étang, mais cherche à préciser la couleur d'un objet tout différent. Ce sont, en effet, des reliures de cuir qui « imitent » le vert de l'étang : ainsi les Muses — celles qui ont donné leur nom aux livres d'Hérodote — sont, ici encore, « vêtues de vert » :

                    ... in uiridi... ueste Sorores
                                [...]
                    Sunt imitatae stagna... *(ibid.)*.

Un beau vert, donc, car l'adjectif *recens* neutralise ce que la mention de l'étang pourrait avoir de trouble et d'inquiétant. Quant au vert de l'onde du lac, il n'est pas vraiment noté pour sa propre beauté : Dorat veut préciser que la nuance malsaine de la peau qui a reçu des coups est un vert, non ce vert naturel, mais un verdâtre livide, couleur indécise où entre du bleu-gris : *Planctu... liuentes*[191] *lacerti* (*Ode* VII, str. 1). On ne peut s'empêcher de penser, toutefois, que le poète a trouvé un plaisir gratuit dans la notation du vert pur.

L'*ODE* VI ET
LES *HEURES* D'HENRI II

Les trois premières strophes de cette ode composée en l'honneur de Marguerite de Navarre après sa mort, offrent une étude de couleurs élaborée. Le poète y montre l'ascension d'Élie, enlevé au ciel sur son char en présence d'Élisée, dans une débauche de rouges[192] , émule de la vignette des *Heures* d'Henri II qui traite le même sujet[193] .

Dorat présente d'abord le quadrige « de feu » du prophète, tiré par des chevaux « aux pieds de feu » :

                    ... quadrigis ... igneis
                                [...]
                    Ignipedum[194] ... equorum (*Ode* VI, 1-4).

avoir mentionné une variété dorée — *chrysopteron* — il note que la couleur des topazes tire généralement sur celle du jus de poireau — *tota enim similitudo ad pori succum derigitur* (37, 109).

190. Il entend peut-être par là des lentilles d'eau.

191. Plus que l'adjectif *liuidus*, le participe note la transformation d'un état ; *liuores* désigne les « bleus ».

192. Couleur liturgique du Saint-Esprit ; cf. ci-dessous, n. 208.

193. B. N., Mss. Lat. 1429, f 54 r .

194. Le composé *ignipes* a pu être emprunté à Ovide (*Mét.* 2, 392). Cette leçon alterne avec *ignifer* et *alipes*.

Ces indications, du reste, sont fournies par la traduction latine de l'épisode biblique dont s'est inspiré le poète : *Cumque pergerent et incedentes sermocinarentur, ecce currus igneus et equi ignei diuiserunt utrunque* (2 *Reg.* 2, 11). « La couleur du feu est un rouge vif, différent du rouge orangé *flammeus* », note M. J. André[195]. Or, dans l'ode, le prophète lui-même (ou plus exactement sa main qui tient les rênes) a la couleur de la flamme — *manu flammante* (3). La flamme et le feu présentent bien, en effet, deux nuances différentes : *flammeus* est un rouge orange, car la flamme, note M. J. André, « s'élève teintée de jaune[196] ».

Le manteau du prophète, qui va porter à Élisée le symbole de la succession d'Élie, tombe du sein du vieillard « au milieu des éclairs » :

> ... fulguranti lapsa Senis sinu
> Vestis supinas decidit in manus
> Vatis minoris (*Ode* VI, 5-7).

En traduisant ainsi, nous avions mis l'accent sur la puissance transmise par Dieu, car l'éclair dans la Bible, accompagne fréquemment la théophanie[197]. Toutefois, il n'est pas impossible que *fulgurans* note ici non seulement la puissance d'un éclat, mais aussi une nuance de rouge qui peut être exprimée par le latin *fulgor*, un rouge de feu[198]. Or les Pères grecs, auprès de qui le poète avait pu se documenter, saint Jean Chrysostome, notamment[199], établissaient un rapprochement entre le nom d'Élie et celui d'Hélios, qui conduisent tous deux un lumineux quadrige.

En raison de la manière dont Ronsard et Du Bellay ont traduit *fulguranti... sinu*[200], nous avons fait de cette expression un ablatif d'origine, mais elle peut aussi marquer la manière : l'image plastique des draperies qui ondulent à travers l'éther limpide dans une lumière rouge n'est pas sans séduction[201]. Par une technique apparentée à celle d'Ovide, le poète noterait ainsi le dernier état du manteau qui semble, aux vers suivants, se transformer en météore pour faire rougeoyer derrière lui des traînées de flammes[202] :

195. *Étude sur les termes de couleur dans la langue latine*, Paris, 1949, p. 114. Il précise que Pline l'oppose d'une part « au vermillon d'une pierre précieuse » (37,161), de l'autre « au rouge terne et jaunâtre de *rufus* » (12,110).
196. *Op. cit.*, en n. 195, p. 115.
197. La traduction latine de cet épisode note qu'Élie s'élève au ciel dans un tourbillon : *et ascendit Elias per turbinem in coelum* (2 *Reg.* 2, 11). Sur l'éclair signe de la présence de Dieu, cf. par ex. *Psaumes*, 18/17, 15 ; 29/28 ; 97/96, 4. *Isaïe*, 29, 6 ; 30, 30.
198. Dans l'éruption du Vésuve, Pline le Jeune note ainsi la couleur, et, parallèlement, l'éclat — *claritas* (*Epist.* 6, 16, 13). En latin, en effet, *fulgor* est employé pour l'éclat de l'or rouge, et pour les feux du soleil. Cf. J. André, *op. cit.*, en n. 195, p. 136.
199. *Hom.* 3, 27 : *De Elia*.
200. Ronsard : « la robbe/Qui du sein flambant se derobe » (S. T. F. M., t. 3, p. 51), et Du Bellay : « du vieil seing foudroyant » (S. T. F. M., t. 4, p. 41).
201. Du Bellay n'a pas résisté à la tentation, et il a « surtraduit » : « La robe en l'air ondoyant/Tomba d'une longue traite » (S. T. F. M., t. 4, p. 41).
202. Cf. Lucrèce : *longos flammarum ducere tractus* (2, 207).

... flammeosque
Visa candens rutilare[203] tractus
A tergo (*Ode* VI, 7-9).

Ainsi, ces rouges « météorologiques » viennent composer, insensiblement, l'image d'une Marguerite métamorphosée en étoile, qui hante l'esprit du poète humaniste[204], et qui, malgré tout, transparaît sous la vision « pieuse » des dernières strophes ; du reste, le vocabulaire de la poésie astronomique latine est présent dans tout le poème[205].

L'auteur anonyme[206] de la vignette des *Heures* d'Henri II a subi l'influence du Rosso et du Primatice, remarquait déjà E. Quentin-Bauchart, et son œuvre ne manque pas de qualités[207], mais on ne peut toujours pas la dater avec précision. Le roi a pu la commander au début de son règne, à une époque où, sous l'influence de Marguerite de Navarre et de la propre sœur du roi, le culte de l'Esprit et de « saint Élie » marquait particulièrement la dévotion de la cour de France[208]. Quant à l'ode, elle fut composée au début de 1550.

Si le poète a eu l'occasion de contempler l'œuvre peinte, ce ne peut être que dans l'atelier de son créateur, mais le fait qu'on n'ait pas identifié ce dernier rend l'hypothèse invérifiable. En tout cas, il ne s'agit pas d'une *ekphrasis*, car les différences sont nombreuses. Fondamentalement, d'ailleurs, l'usage des deux œuvres est différent : alors que la miniature a sa fin en elle-même, l'enlèvement d'Élie, chez Dorat, ne représente que le premier terme d'une comparaison (« Ainsi que le ravi prophète... », a traduit Ronsard), et c'est la chute du manteau qui l'intéresse, tandis qu'Élisée — *uatis minoris* (7) — est seulement mentionné.

Chez le peintre, les deux hommes sont présents, mais Élie — qui a toujours son manteau — « conduit » un char étrange, sans chevaux[209]. Le peintre, lui aussi, a travaillé dans les rouges, mais d'une manière moins subtile que le poète : Élie, sur son char, et Élisée sont d'un rouge orange ; les flammes qui entourent le char sont orange et jaunes. Les deux personnages se détachent sur un fond rouge pourpre : les nuages du ciel d'une part et, de l'autre, le paysage très élaboré, au premier plan duquel est présenté Élisée.

Dorat, s'il a vu l'œuvre, a pu retenir l'idée d'opposer les rouges, mais, finalement, il aurait raffiné. Il se peut aussi que le peintre ait lu

203. Le verbe *rutilare*, employé transitivement, apporte en effet à son objet — *flammeos ... tractus* — l'éclat d'un rouge ardent, teinte « saturée », que le latin emploie volontiers pour la coloration du soleil à son coucher, ou les flots du soleil levant. Cf. J. André, *op. cit.*, en n. 195, p. 86-87 ; pour le rouge du soleil, le soir, cf. Stace, *Theb.* 3, 408 ; Silius, 12, 648 ; pour le soleil levant, Silius, 16, 232.
204. Cf. Ovide, *Mét.* 9, 271-272 ; 14, 824-825.
205. *Sulcus*, cf. *En.* 2, 697. *Per inane*, cf. *per inania*, Manilius, *Astronomica*, 1, 153, 176 etc.
206. Cf. note de Dominique Bozo, in *L'école de Fontainebleau* (cf. n. 176), p. 242.
207. *Le livre d'Heures de Henri II*, Paris, 1890, p. 17.
208. Cf. Guy Demerson, « Un mythe des Libertins spirituels : le prophète Élie » in *Aspects du libertinisme au XVIe siècle*, Paris, 1974, p. 105-120.
209. Cf. *op. cit.* en n. précédente, p. 115.

cette ode, qui connut un très grand succès : elle fut imprimée trois fois, l'année de sa composition en 1550 et les deux années suivantes, et traduite quatre fois en français, une fois en italien[210] . Il en aurait tiré cette même idée, qu'il aurait ensuite exploitée de façon systématique et hardie : en effet, la vignette qui représente les jeunes gens dans la fournaise[211] offre les mêmes tonalités.

Il est, certes, possible aussi que les deux œuvres soient entièrement indépendantes ; il reste que le poète a cherché, de façon apparemment gratuite, à exprimer non seulement la couleur, mais la nuance.

SYBYLLARUM XII ORACULA   Le rapport des Sibylles évoquées par Dorat dans les *Sibyllarum XII oracula*[212] avec « les figures des dites Sibylles pourtraictes au vif et tirées des vieux exemplaires par Jean Rabel » est difficile à imaginer.

L'un des préfaciers, en effet, s'adressant à ce dernier, avait annoncé que les poètes allaient donner aux prêtresses la parole que le peintre n'avait pu leur donner :

> Pinxisti ut nihil his nisi loquendi
> Desit copia : quam duo dederunt
> ... poëtae (*op. cit.*, Aiiij v·).

Pourtant, s'il est vrai que Dorat a bien transcrit le message de chacune d'elles[213] , il n'a pu se retenir de présenter tout d'abord, pour presque toutes[214] , quelques traits qui caractérisent brièvement, il est vrai, le vêtement, l'attitude, le visage de chaque Sibylle, et même, parfois, un élément du décor.

Or ces évocations ne correspondent absolument pas aux « pourtraicts » dessinés par Rabel. Les techniques de reproduction obligeaient celui-ci à renoncer à la peinture : il a, selon son expression, « gravé les pourtraicts ». Son travail est soigné, et les figures qu'il a créées sont extrêmement diverses : jeunes ou vieilles, vêtues sobrement ou chargées de lourdes draperies, la tête nue ou étrangement parée (couronne, turban, hennin), elles portent des objets très variés (des livres, ouverts ou fermés, une lanterne, une épée, un étendard), tous attributs que Rabel, qui dit avoir travaillé d'après de « vieux exemplaires », ne leur a pas donnés au hasard[215] .

---

210. Cf. ci-dessus, n. 116. La quatrième traduction en français est de M.-Cl. Buttet, la traduction en italien de J.-P. de Mesmes.
211. B. N., Mss. Lat. 1429, f˚ 49 v·.
212. Paris, Rabel, 1586 (B. N., Rés. Yb 60).
213. Le message est dûment introduit : *Primaque de Domino sic est ueniente locuta* (Aij r·).
214. Sauf pour la Cimmérienne, dont Binet dit qu'elle « habitoit les cavernes et lieux / Solitaires et cois et les rochers plus creux » (Bij v·). Quant à la Tiburtine, son portrait avait disparu dans l'Anio.
215. Il dit encore ensuite dans sa dédicace à la reine Louise qu'il s'est « advisé de graver... au plus pres de la naifve representation que l'antiquité *lui* ait donnee ». Il ajoute que sa source

Mais la différence ne tient pas à la précision plus ou moins grande des détails : on se croirait en présence d'une mauvaise plaisanterie. Ainsi, dans le texte latin, la main droite de la Sibylle de Cumes brandit un livre ouvert : *alta uolumen / Gestat apertum dextra* (*op. cit.*, Dr°) ; la prêtresse représentée au-dessus tient un livre fermé, dans sa main gauche. D'après le texte latin, la Sibylle Érythrée porte un manteau sacerdotal et un voile noir : *Veste induta sacra, nigro per tempora uelo* (*op. cit.*, Cij r°) ; la dame créée par Rabel n'a pas de voile, mais ses cheveux sont coiffés de façon fort « maniérée », frisottés, tortillés. On pourrait multiplier les exemples. Il est même impossible de rendre compte des discordances des images et des textes en supposant un décalage accidentel lors de la composition du volume.

En outre le texte latin fait volontiers mention des couleurs, jugées importantes. La Sibylle Persique « se reconnaît » à son voile blanc et à son manteau doré — *Insignis uelo fuit albo, ueste sed aurea* (Aij r°). Celle de Libye porte une couronne verdoyante, entrelacée de fleurs — *Cincta caput serto uiridi, et florente corona* (B r°). La Phrygienne est en manteau rouge — *in ueste rubente* (E r°) ; plus précisément, la Sibylle de Delphes est enveloppée d'un manteau noir — *Veste tegebatur nigra* (Bij r°). L'Agrippine porte une chlamyde teinte en rose pourpre — *roseo chlamys illita fuco* (G r°) : la nuance n'est pas banale. Sans doute le poète a pu donner libre cours à son imagination. Il paraît plus probable, cependant, qu'il avait sous les yeux une œuvre peinte[216] , car si le noir, le blanc mat, ou l'éclat de l'or peuvent être rendus par la gravure, s'il est aisé de prêter la couleur verte à une couronne de feuillage, le rouge et le rose sont de véritables couleurs. De toute évidence, la documentation de Rabel était différente.

Il est fort surprenant que les auteurs ne se soient pas concertés, d'autant plus que Rabel était lui-même l'éditeur[217] . Mais pendant le temps qu'il a consacré à la gravure de ses illustrations, en 1586, Dorat (qui a soixante-dix-huit ans) aurait été gravement malade[218] . Il n'a donc pas été en mesure de se rendre à l'atelier de son ami, et lui a fait tenir, tardivement sans doute, ses vers latins. Le texte français de Binet,

comportait aussi un sommaire des prédictions de chacune d'elles (Aij v·). Il s'agit peut-être de l'*Opusculum de uaticiniis Sibillarum*, Oppenheim, J. Koebel, 1514 (?).

216. Antoine Caron est l'auteur d'un tableau conservé au Louvre, *L'empereur Auguste et la Sibylle de Tibur* (qui représente cinq Sibylles), mais cela n'a rien de comparable avec la suite évoquée par Dorat. Le voyageur A. van Buchel note que derrière le maître-autel de l'église Saint-Martin on voyait des verrières où l'on pouvait lire les oracles des douze Sibylles sur le Christ (*op. cit.* en n. 166 fin, p. 102) : les textes latins qu'il cite sont différents de ceux de Dorat. Sur les multiples représentations des Sibylles, cf. A. Chastel, *Art et humanisme à Florence au temps de Laurent le Magnifique*, Paris, 1959, p. 236-240. Cf. aussi L. Freund, *Studien zur Bildgeschichte der Sibyllen in der neueren Kunst*, Hambourg, 1936.

217. « demeurant à la rue S. Jean de Latran, à la Rose rouge ».

218. C'est ce que dit l'imprimeur G. Linocier pour rendre compte du fait que Dorat n'ait pu prendre soin de l'édition de 1586 : *decubuit ex graui morbo* (en tête des *Poëmatia*, sans sign.).

qui figure à chaque fois seul sur la page de gauche (en face de l'illustration et du texte de Dorat qui sont toujours au recto), n'est pas une
traduction littérale, mais fait état des mêmes informations que le latin
de Dorat.

Sans doute le manque de cohérence entre les illustrations et le
texte n'est pas rare au XVIᵉ siècle[219] : ce qui est frappant ici, c'est que,
en dépit de l'intention exprimée, la coupure s'est faite entre le peintre
d'un côté, et de l'autre les poètes, car Binet a travaillé avec Dorat, pas
avec Rabel, et ce dernier, qui pourtant « avoit bel esprit », n'a pas
cherché à s'informer. Celui qui, seul apparemment, avait le goût d'assurer la liaison, n'a pas été en mesure de le faire, et l'œuvre manque
de cohérence.

Il reste que le vieux poète, par la précision de la couleur et du
dessin, a bien tenté de rivaliser avec *un* peintre. Telle quelle, l'œuvre
est étonnante. Ce qui est plus surprenant encore, c'est que les Sibylles
que Dorat nous présente, quel que soit leur âge, ont moins vieilli que
les dames au chignon bellifontain ou au couvre-chef exotique, dont les
accessoires compliqués demeurent parfois[220] pour nous sibyllins.

EKPHRASEIS   Très souvent, lorsque Dorat s'adonne
DE FÊTES   à *l'ekphrasis*, il trouve plaisir à rappeler
                        que, ce faisant, il entre en concurrence
avec le peintre[221], mais il lui arrive aussi de considérer son travail
comme l'émule de la réalité vécue : le cas des *ekphraseis* de fêtes est,
en effet, complexe. Ce qui a servi de « modèle » au poète, ce qui est
son objet, ce n'est pas la présentation picturale de la fête — qu'il intègre
cependant dans son ouvrage, en en soulignant les limites — mais la
Fête elle-même.

Nous n'étudions pas ici le rôle de Dorat créateur de fêtes. Miss Yates
a montré la place tenue par lui dans la préparation du « scénario » des
fêtes de 1571[222], et lui-même, dans les textes de 1581, se montre

219. Par ex., dans la *Diffinition et perfection d'Amour*, œuvre attribuée à Corrozet qui
en est, en tout cas, l'éditeur, il est dit que l'Amour a un bandeau sur les yeux (f˙ 5 v˙). Or il
n'en est pas de même sur l'image et, s'il tient un arc, c'est dans l'autre main ; de même dans les
Épigrammes de l'image d'Amour, « Amour est painct ainsi qu'ung jeune enfant /.../ Les
yeulx bandez comme dame Fortune », mais sur l'image le visage d'Amour est découvert
(reproduction du texte et de l'image dans Dominique Fèvre, *L'Amour dans la gravure des
XVIᵉ et XVIIᵉ siècles*, Paris, 1968, p. 2).
220. Ainsi à droite de la Sibylle de Delphes se trouve un objet difficile à identifier :
crâne, caillou, coquillage monstrueux (Bij r˙) ? Sur la bizarrerie de ces attributs qui veulent
rassembler trop de sens en une même représentation, cf. J. Seznec, *La survivance des dieux
antiques*, Londres, 1940, notamment p. 155 et suiv.
221. Cf. ci-dessus, p. 95, pour l'expression du mouvement.
222. « Voici donc le vieux Dorat qui apparaît comme un personnage ayant une influence
sur l'art... il adapta (sa source) à l'occasion avec une originalité fantastique » (*op. cit.* en
n. 140, p. 68). Miss Yates montre, en outre, que Dorat a suscité pour Nonnos, l'auteur dont
il s'est inspiré, un intérêt durable « en tant que source d'œuvres d'art » (*op. cit.*, p. 75) : des
gravures de Caron, éditées par Vigenère, un autre ami du poète, en témoignent.

comme l'ordonnateur du décor, un nouvel Amphion — comme il le
dit plaisamment avec un rejet expressif — aux ordres duquel obéissent
les artistes :

> ... uisus mihi sum nouus alter
> Amphion
>   [...]
> ... sic uisa sequentum
> Turba mihi artificum, quae mecum insigne Theatrum,
> Et geminos pariter sublimes extruat Arcus (*P.*, p. 253).

Nous nous intéressons ici à ses comptes rendus de fêtes[223]. Il serait
tentant d'étudier séparément la chronique mondaine, et les *ekphraseis*
des œuvres d'art, mais les interférences sont nombreuses, car les
œuvres d'art ne fournissent pas seulement le décor, elles sont la fête,
comme les princes qui y assistent sont à la fois les acteurs et les spectateurs de la fête, comme le poète qui l'évoque après coup en a été
aussi l'organisateur. Ainsi la poésie a fourni des sujets à la peinture et
à la sculpture, qui deviennent elles-mêmes sujets d'une nouvelle poésie,
que la gravure illustrera à son tour.

Dorat, qui compte peu sur l'illustration de sa plaquette de 1573[224]
pour obtenir la résurrection intégrale de l'événement, sollicite, alors,
la complicité de son lecteur : à une « fiction », à une œuvre créée,
qu'il apporte sa propre capacité créative, et il se trouvera, à coup sûr,
récompensé (c'est sur une telle recommandation que se termine
l'opuscule *Magnificentiss. spectaculi... descriptio*) :

> *Ad Lectorem.*
> *Finge* gradi Montem, Nymphas ad plectra moueri,
> Et iam spectator, non modo lector eris (Fij rᵒ).

Dorat n'a consacré qu'un texte assez bref (*P.*, p. 320) aux entrées
de Charles IX et d'Élisabeth en 1571[225]. La maladie qui le frappa en
cet automne[226] rend compte, selon toute vraisemblance, du fait que
le poète royal ne composa pas, à l'usage de l'empereur Maximilien
et de sa cour, un opuscule analogue à celui qui, en 1573, devait aller
éclairer la noblesse polonaise.

Dans le texte de 1571, l'aspect de « reportage » est inextrica-
blement mêlé à l'*ekphrasis*, et le poète a voulu qu'il en fût ainsi. Il
nous présente les participants de la « pompe du triomphe » : à peine
a-t-il mentionné Charles IX qui s'avance pour regarder les présents

---

223. « Rarissimes sont les livres et documents relatifs aux spectacles donnés à l'occasion
des entrées », note W. Mc Allister Johnson ; « autant celles-ci sont longuement décrites, autant
ceux-là restent mal connus : aussi le livre de Dorat (il s'agit de *M. S. D.*) prend une exception-
nelle importance. Il est rédigé en latin » (in *L'École de Fontainebleau* cf. n. 176, p. 465).
      224. Cf. ci-dessus, p. 95 et n. 169.
      225. Malgré son titre, le texte en question ne concerne que l'entrée du roi. Dorat offrit
en outre, ainsi que Ronsard, un liminaire au *Bref... recueil...* de Simon Bouquet ; cf. n. 175.
      226. Cf. *Ode* XXX : *Ad Deum pro sanitate sibi restituta.*

qu'il va offrir que, dans un jeu tout baroque du « double », il note que le roi se reconnaît parmi eux (puisqu'il offre, précisément sa statue) :

> ... seseque agnoscit in illis,
> Aura signum ingens solido memorabile donum (*P.*, p. 320).

Voici maintenant Cybèle sur son char : on pourrait croire que la formule désigne allégoriquement la reine-mère, mais le fait qu'elle conduise un attelage de lions rend la chose improbable :

> Stat curru Cybele, iunctos agitatque Leones *(ibid.)*.

Nous sommes bien dans le domaine de la *fictio*. Cette image de Catherine regarde son fils (le poète ne dit pas l'image de son fils), qui a les traits de Jupiter : *Inspiciens natum summi Iouis ore (ibid.)*. La figure la plus pittoresque est celle d'Henri-Neptune, qui porte le trident voulu par son rôle — *Henricus, trifidam cuius fert dextra tridentem (ibid.)* — tandis que Marguerite-Pallas est assise, modestement, aux pieds de ses trois frères : *Margaris ante pedes... uelut innuba Pallas (ibid.)*. Le texte se termine sur la notation symbolique, importante, des deux colonnes, qui illustrent la devise de Charles IX, *Iustitia* et *Pietate*.

En 1573, l'aspect mondain est réduit : le poète précise que les Nymphes du Mont sont les filles d'honneur de la reine-mère —

> ... Nymphae
> Quae totidem comites sunt, Catharina (*M. S. D.*, Aiiij r⁰) —

spectacle impressionnant pour les ambassadeurs polonais qui entourent la reine[227], et se mêlent (utile fraternisation) à la haute aristocratie française, tandis que la foule des nobles (figurants qui bénéficient de la représentation) forme cercle autour d'eux :

> (Elizabetha)
> Proxima Principibus Gallis, mixtisque Polonis
> ... circum nobile uulgus erat (*Epgr.*, p. 122).

Nous ne savons pas quelle fut la diffusion des deux longs textes que Dorat consacra en 1581 aux fêtes du mariage de Joyeuse, et qui ne nous sont connus que par l'édition de 1586 (*P.*, p. 251-262 ; 263-274)[228].

Il a trouvé plaisir à nous mettre dans l'ambiance bouillonnante des préparatifs : il faut reconnaître que les artistes retenus à cette occasion formaient sous la direction du régisseur Barat une équipe brillante : Ronsard, Baïf, Desportes et Dorat lui-même représentaient la poésie, les poésies ; Pilon et Caron (qui a remplacé Nicolo dell'Abate)

---

227. Le poète a un mot aimable pour sa souveraine, qui brille de santé avec ses joues roses : *Fulgebat roseis Elizabetha genis (ibid.)*. L'expression n'est pourtant pas un cliché : mis à part qu'Élisabeth avait un fort joli teint (la B. N. conserve son portrait par F. Clouet), il n'est pas mauvais que l'empereur sache que sa fille est heureuse et que, maintenant, tout va bien en France.

228. Malgré les titres différents, le second est la traduction du premier ; cf. ci-dessus, p. 34.

dirigeaient les équipes de peintres et de sculpteurs. Il y a là de quoi impressionner un public averti, comme l'est celui de Nancy (où règne la sœur du roi, la duchesse Claude) : dans une France qui paraît apaisée[229], affluent pour se rencontrer tous les artistes les plus parfaits :

Confluit artificum uis perfectissima quaeque (P., p. 252).

Quand Dorat s'attache à nous présenter cet art éphémère, il rappelle qu'il a vocation à être précis et exact : ainsi le terme de *descriptio*, utilisé dans le titre de l'opuscule de 1573, est répété en tête de différentes pièces — *Montis Nympharum descriptio* (Aiiij r°), *Scenae descriptio* (*Epgr.*, p. 122), et le premier vers de ce texte réclame l'autorisation de décrire encore :

Nunc quoque sit mihi fas scenae describere uultum[230].

<table>
<tr><td>PAUVRETÉ
DES COULEURS</td><td>Il est, toutefois, surprenant que le poète, que nous avons vu noter dili-</td></tr>
</table>

gemment des nuances délicates ou des couleurs violentes et franches, ait composé des *ekphraseis* de fêtes fort peu colorées. Si on l'en croit, pourtant, le sujet pouvait s'y prêter : les coquillages, les serpents du Mont des Nymphes avaient reçu de l'art des « mouchetures » — ou peut-être des couleurs variées :

Mille super conchae, reptantum mille figurae
Quas uarius mira pinxit ab arte color (M. S. D., Aiiij r°).

Mais on en reste là. La *Scenae descriptio* est un peu plus riche : la cour dans laquelle évolue le Mont est verte — *uiridis ... aula* (*Epgr.*, p. 122)[231]. Le corps de ballet est vêtu pour moitié de rose pâle, pour moitié de rose orange[232].

On est d'autant plus surpris de ne pas rencontrer de notations chromatiques dans les diverses *ekphraseis* des fêtes de 1581 qu'Antoine Caron, qui fut responsable des peintures, avait un goût très vif pour la couleur[233], et les sept tableaux, décrits tout au long par Dorat (*P.*, p. 257-260), et qui retraçaient la carrière du Mars français, devaient être d'autant plus violemment colorés qu'ils étaient présentés en plein air. Or les deux seules notations précises[234] ne font pas, à proprement

---

229. Cf. ci-dessous, p. 295-296.

230. Mais le choix de *uultus* rappelle qu'on est, malgré tout, dans le domaine de l'apparence ; cf. *En.* 5, 848.

231. L'insistance du poète montre qu'il s'agit d'un décor, et non d'une cour plantée d'arbres, car il précise au vers suivant : *Aula uirens trabibus, foliis, spectabat ad ortum (ibid.).*

232. Chaque danseuse ne peut évoluer qu'avec une partenaire portant une robe d'une nuance différente de la sienne : *Et chorus est bicolor, roseo croceoque remixtus / Parque color nunquam iungitur ipse pari (op. cit.,* p. 123). Pour le sens de *croceus,* cf. J. André, *Étude sur les termes de couleur dans la langue latine,* p. 153-155.

233. Cf. ci-dessus, n. 180.

234. A part ces deux notations, l'adjectif *rutilus (op. cit.,* p. 258) est nié, et le Tibre « blond » — *flauis... undis (ibid.)* est un cliché.

parler, partie de *l'ekphrasis*. L'une figure dans une comparaison :

> *Qualis et Henricus...*
> [...]
> *(unda)*
> *Vt Moncunthorii tyrio mutata colore* (*op. cit.*, p. 258) ;

la seconde dans le discours de Mars (qui devait être présenté sur un livret) : *uiridans sed crescet laurus ab urna* (*op. cit.*, p. 259). En outre, ces deux couleurs n'ont pas véritablement de valeur picturale. La « pourpre », qui teint la rivière de Moncontour, ne conviendrait pas pour noter la couleur du sang, mais symbolise la victoire de l'armée royale. Le vert du laurier (laurier qui, du reste, représente l'enfant princier) exprime la pérennité de l'arbuste plutôt que la couleur de ses feuilles.

Visiblement le poète, si fidèle qu'il prétende être, ne tient pas ici à rendre compte du pittoresque facile de la couleur[235].

RICHESSE DES ÉCLATS

Par contre les éclats sont généreusement mentionnés : les métaux précieux, les pierreries resplendissent partout. Pour le défilé de 1571, tout est en or : le char, ses roues, leurs axes, le baldaquin et les statues :

> *Aurea testudo currus, axisque, rotaeque,*
> *Aurea signa super* (*P.*, p. 320).

L'anaphore de l'adjectif est significative. D'entrée de jeu, le poète avait noté que la statue de Charles IX était en or massif : *auro signum ingens solido memorabile donum (ibid.).* En 1573, c'est une façon de « répliquer » aux invités : les ambassadeurs polonais, en effet, avaient suscité un grand étonnement avec leurs longues robes de tissu d'or et leurs chevaux harnachés de manière éblouissante[236]. Les absents sauront que même les « pieds » sur lesquels est placé le Mont sont d'argent :

> *Mons... quatuor in tabulata argentae surgens* (*M.S.D.*, Aiiij r⸱).

La dame qui symbolise la France, et qui est assise, royalement, au sommet, est étincelante d'or et de gemmes :

> *Gallia, ceu princeps, sed alta cacumine summo*
> *Tota auro, et gemmis splendida tota suis (ibid.).*

---

235. Par contre, il n'a pas fait grâce à son lecteur des précisions techniques . Dorat a été impressionné par cette machine et par l'habileté du « Dédale » qui l'a conçue et la pilote. C'est pourquoi il juge opportun de faire connaître à l'étranger — et, dans ce cas, à la Pologne encore un peu barbare — les prouesses de la technique française.

236. Cf. F. Yates, *The Valois tapestries*, Londres, 1959, p. 67 : « dressed in long robes of cloth of gold... the briddles of their horses trimmed with silver and brilliant with precious stones ». Au reste, les ambassadeurs avaient été bon public : A. d'Aubigné dit qu'ils s'exclamèrent que « le bal de France estoit chose impossible à contrefaire à tous les rois de la terre » (cité *ibid.*).

Plus tard, quand Dorat évoque la marche du Mont, il ne peut s'empêcher de noter, à nouveau, qu'il est recouvert d'argent – *argenteus... / Mons* (*Epgr.*, p. 122).

Visiblement, les fêtes de 1581 montrent une capacité d'invention intacte, mais l'or y resplendit moins. Le poète en est réduit à évoquer le plaquage par des comparaisons qui suscitent l'intérêt en elles-mêmes. L'arc de Joyeuse rappelle « l'éclat de la pleine lune dans un ciel serein » :

> (arcus)
> Qualis conspicitur coelo cum plena sereno
> Luna nitet (*P.*, p. 256).

L'arc du roi est à l'image de « la colère de Jupiter lorsqu'elle étincelle, de loin, aux yeux des dieux » :

> Qualis et ira Iouis oculis spectanda Deorum
> Eminus... *(ibid.).*

Néanmoins l'image qui symbolise le temps où Henri n'était que duc d'Anjou porte encore une couronne étincelante de gemmes – *gemmis fulgente corona* (*op. cit.*, p. 257), mais, signe des temps, la figure royale se contente de porter un sceptre « doré » : *auratum tenuit manus altera sceptrum (ibid.).* Dorat était, si l'on peut dire, orfèvre pour apporter ce genre de nuances. Ainsi, même si les caisses sont vides, même si sa pension est irrégulièrement servie[237], le poète royal a toujours fait de son mieux pour mettre en lumière la richesse et la puissance de ses maîtres.

EKPHRASIS
ET PROPHÉTIE

Mais si les temps ne sont pas toujours assez resplendissants, il est bon de susciter l'espérance d'un avenir meilleur, et Dorat est un maître « ès signes » : l'*ekphrasis* la plus charmante n'a pas sa fin en elle-même.

On aurait tort de croire que les gracieuses Nymphes du ballet de 1573 évoluent de façon totalement gratuite pour le seul plaisir des spectateurs. Nous apprenons qu'elles portent des sortes de minuscules boucliers sur lesquels sont sculptées, comme au chant 8 de l'*Énéide*, des figures prophétiques (elles sont porteuses, ici, de bons présages pour les deux rois) :

> Et sua cuique super scuto caelata figura
> Nescio quod laetum Regibus omen habet (*Epgr.*, p. 116).

Nescio quod ne traduit que la modestie de l'auteur. En effet, après une brève *ekphrasis* de chaque dessin[238], Dorat explicite le sens que peut lui donner la poésie qui parle : *signat* (*op. cit.*, p. 116), *docet* (*op. cit.*, p. 117), *per signa monens* (*op. cit.*, p. 119), etc.[239]

---

237. Cf. ci-dessus, p. 81.
238. Les médaillons figurent dans l'opuscule de 1573 de Cij r·à E v·; cf. ci-dessus, n. 169.
239. Ainsi la première des Nymphes porte un emblème où sont représentés un myrte et

Les deux textes consacrés aux fêtes en l'honneur de Joyeuse en 1581 sont d'une composition savante[240], et l'une des plus illustres *ekphraseis* de la littérature latine, l'épithalame de Thétis et de Pélée (Catulle, 64), a servi d'amorce au développement. Les éléments à rapprocher ne manquent pas : il s'agit de noces et, ici aussi, l'épousée (la sœur de la reine) est de race plus illustre que l'homme que les « dieux » lui destinent. Mais alors que, chez Catulle, les noces de Thétis et de Pélée forment le récit de base (l'*ekphrasis* traitant de l'aventure d'Ariane et de Thésée en divers épisodes qui ne sont pas développés dans l'ordre chronologique), chez le poète français, ce sont les noces de Thétis et de Pélée — et plus particulièrement le cortège des dieux — qui sont le thème de la première description[241].

Si, chez Catulle, l'avenir est dévoilé à Pélée par le chant des Parques, qui lui annonce la gloire d'Achille, l'« interprète » royal a présenté ce même thème de la progéniture glorieuse de façon différente. D'une part, on reste, si l'on peut dire, à l'intérieur de la fiction : ce n'est pas au duc que l'avenir est notifié, c'est à Pélée qui le représente allégoriquement :

> Sed uentura magis possent ut fata notari,
> *Fictus* erat Pelei iuuenis generatus Achilles   (*P.*; p. 255).

On va donc se trouver en présence des épisodes traités par Catulle dans le chant des Parques : la visite à Chiron, les combats devant Troie. Dorat, grand lecteur de Stace, y a ajouté l'épisode de Scyros — qu'il avait jadis utilisé dans une ode (XX).

Nous sommes renseignés sur la finalité de ce qui apparaît comme un récit, mais cette « fiction » se déroule entièrement sans que nous sachions au juste quelle est sa véritable nature. Quand le poète a évoqué la mort d'Hector et la chute de Troie, il précise, enfin, qu'il vient de faire connaître le schéma des aventures qui sont peintes « au vif », sur le premier des arcs dressés pour la fête à des fins prophétiques, il le rappelle[242] :

> Talibus historiis uiuas pictura tabellas
> Duxerat in sponsi praesagia certa futuri,
> Talis ibi ex geminis fulgens erat arcubus unus   (*op. cit.*, p. 256).

L'*ekphrasis* du second arc, dédié au roi, n'est pas gratuite non plus, et le lecteur est averti aussitôt qu'il y trouvera une peinture — exhaustive —

---

un grenadier ; entre eux, un cédrat élève un tronc qui les dépasse ; les feuillages des trois arbres se mêlent et ne font qu'un : ils symbolisent la concorde des princes : *Arbor inest duplex, myrtusque et punica malus; / Altior inter et has citria uirga uiret : / Inter se geminae nexus per mutua frondis / Concordem Regum signat amicitiam* (*op. cit.*, p. 116).

240. Le commencement des travaux nous est présenté dans un songe du poète qui a reçu la visite d'un messager nocturne.

241. Dorat vient de parler des artisans qui s'affairent : sans transition, sans indiquer son intention, il passe aux noces de Thétis et de Pélée : *Tempore quo uirtus...* (*P.*, p. 253).

242. Cf. Catulle, 64, 382-383 : *Talia praefantes quondam felicia Pelei / Carmina diuino cecinere e pectore Parcae.*

de la vie passée du prince, et une anticipation de ce que le destin lui réserve :

> Hic[243] teneris fuerat depictum Regis ab annis
> Quicquid ei acciderat, uel sors uentura trahebat (*op. cit.*, p. 257).

Quatre statues de femmes d'âges différents sont porteuses d'attributs symboliques, que le poète décrit avec le plus grand soin, et dont il explicite ensuite le sens — *indicium*, *argumentum*, *augurium (ibid.)*[244]. Mais l'*ekphrasis* augurale ne s'arrête pas là : il appartient aux sept tableaux, œuvre d'Antoine Caron, abrités dans une sorte de loggia, de « représenter plus clairement » la vie entière du monarque, non pas directement, mais sous l'allégorie transparente de Mars français :

> ... ut claris pateat res tota figuris
> Testudo tabulas capiebat Regia septem (*P.*, p. 257).

Le quatrième, par exemple, qui veut faire espérer que la reine donnera bientôt le jour à un enfant, montre les amours de Mars et d'Ilie dans un décor pastoral, sous les saules, au bord du Tibre « blond » : si rebattu que soit l'épisode, le poète — qui s'était pourtant juré de ne pas développer pour lui-même un sujet mythologique[245] — oublie, un instant, le symbolisme politique de son évocation, et retrouve la fraîcheur du récit des amours de Pan et de Villanis à Médan[246]. Mais, comme pris de remords, il fait alors développer par Mars, dans un discours en forme[247], le sens dynastique de ce tableau.

Au reste, il reprend, avant de terminer la description, les thèmes triomphalistes : gloire du prince, gloire des artistes qui la font connaître par les statues et les tableaux :

> ... Tales pictura triumphos
> Regis adumbrarat post tempora certa futuros
> Quos statuis tabulisque Arcus natalis habebat
> Mirae artis[248] (*P.*, p. 260).

Ces deux thèmes reviennent encore à la fin du poème : aucune génération ne verra un ouvrage aussi beau que le théâtre des dieux, et seule

---

243. Le choix de ce démonstratif rend effective la présence du commentateur, alors que la forme verbale périphrastique note un résultat acquis dans le passé ; ce « super plus-que-parfait », si l'on peut dire, peut donc s'expliquer par l'emploi des temps dans le style épistolaire plutôt que par la distance temporelle qui sépare le narrateur de son récit.

244. Ainsi la quatrième, qui a de nobles traits royaux, tient d'une main la couronne impériale, de l'autre, un globe : *Vltima Regali fuit aetas foeminea uultu*, / *Imperii cuius manus una insigne, Coronam*, / *Altera fertque globum (ibid.)*. Cet accessoire impérial est souvent représenté dans la main de Charles Quint, comme c'est naturel, mais aussi dans celle de la reine Élisabeth d'Angleterre (cf. F. Yates, *Astraea, The imperial theme in the XVIth century*, planches 3b et 6b).

245. Cf. *Ode* IV, str. 1.

246. Cf. G. D., « Dorat imitateur d'Ovide », in *Hum. Lov.* XXII (1973), p. 177-208.

247. Présenté sans doute sur un livret.

248. Le génitif attribue plus sûrement la qualité que ne ferait l'ablatif.

l'emprise du prince sur une poignée d'artistes dévoués a pu faire naître
aussi rapidement cette merveille :

> Denique non uidit prior aut uentura uidebit
> Aetas huic possit quod opus conferre Theatro,
> Nec quisquam est, possit qui credere per breue tempus
> Tantam operis mollem, tantae *rationis* et *artis*
> Paucorum artificum subito creuisse labore
> [...]
> ... egit
> Tantum opus ipsa, sed ipsa iubente potentia Rege
>
> (*op. cit.*, p. 260).

Le poète note, ici, sans insister, mais note tout de même, que ces travaux
ne sont pas dus à l'élan de la sympathie[249], mais à la seule obéissance
que les sujets doivent à leur roi : en rendant hommage à ses amis
artistes, Dorat se dispense d'écrire un véritable épithalame en l'honneur
de Joyeuse, et ses *ekphraseis* sont des compensations. Enfin il montre
bien, une dernière fois, que ce chef-d'œuvre de l'« art » a sa « raison ».

EKPHRASEIS DIVERSES   Évoquant les richesses de la bibliothèque de Villeroy, Dorat semble avoir,
d'abord, voluptueusement cédé à la « tyrannie du visuel ». En lui,
l'amateur d'art et l'amateur de livres font cause commune pour l'a-
mener à décrire, avec amour, la reliure de l'édition d'Hérodote, qui
appartient à Nicolas de Neufville. Il ne passe sous silence aucun des
détails que l'artisan a réalisés, et ce nous est encore un témoignage de
son goût pour les objets luxueux et brillants : sur le cuir vert mousse[250],
se détachent quatre filets dorés :

> Quattuor ille uiror uirgis uariatur ab aurejs (*P.*, p. 228).

Le poète détaille scrupuleusement le motif central du plat, qui apparaît chargé : une figure ailée porte deux ciboires fermés ; à ses pieds,
une épée au fourreau, sur laquelle est posée une abeille :

> Alis effigies humeros succincta gemellis
> Clausa manu portans utraque Cyboria ; at infra,
> Ante pedes, ensis uagina conditus extat,
> Quem super, incumbit... apicula *(ibid.)*.

L'attention se concentre sur l'abeille[251] : on dirait qu'elle va imprégner
l'épée du nectar céleste qu'elle distille :

> ... coelestis... mellis
> Inuolitans opifex, gladium quasi nectare tingens *(ibid.)*.

L'adverbe *quasi* révèle déjà la présence d'une interprétation. Si le
graveur a suivi scrupuleusement les indications concernant l'emblème

---

249. Dorat reconnaît qu'il a d'abord refusé d'y prendre part (*P.*, p. 251) pour se consacrer à ses travaux personnels.

250. Cf. ci-dessus, p. 102.

251. Riche de symboles pindariques et horatiens, cf. *Ode* IV, *passim.*

souhaité par son client[252], Dorat est trop heureux de « traduire », et il faut avouer que le recours à la poésie n'est point ici superflu : les Muses (il ne faut pas oublier qu'il s'agit d'une édition d'Hérodote) font ainsi entendre par présage certain à M. de Neufville qu'il a mis au service du roi ses capacités intellectuelles et son scrupuleux dévouement, sa discrétion, et les ressources de sa parole, ferme et plaisante :

> ... tui dotes animi
> [...]
> Cum cura atque fide
> .. [...]
> ... gladius sermonis acumen
> [...]
> ... Hyblaeo uerba liquore (*P.*, p. 229).

Ainsi l'*ekphrasis* soignée — à laquelle le poète a trouvé un vrai plaisir — aboutit à une vaticination sans risque, dont le destinataire ne peut que se réjouir :

> Ergo munus ama, tua ceu praesagia certa (*ibid.*).

Rares sont les œuvres où le poète décrit, pour la seule joie de décrire, une œuvre qui l'a frappé par sa seule beauté. Ainsi, il paraît avoir été touché par une statuette de la Vierge qui appartenait au chancelier Birague[253]. Scrupuleux, il commence par situer l'œuvre dans une tradition iconographique qui doit plus à la légende qu'à l'histoire, il en est bien conscient. Cette Vierge, en effet, ressemble à celle qu'a peinte, dit-on, saint Luc, et l'on en vénère une de ce type à Venise[254] :

> Qualem *fama* refert Lucam pinxisse Mariam
> Qualis et in Veneta *dicitur* urbe coli (*Epgr.*, p. 8).

Si auguste que soit le saint artiste dont on invoque l'autorité, Dorat préfère ajouter le témoignage du Livre :

> Qualis Iudaeis, et qualis uisa Prophetis (*ibid.*).

Il s'agit d'une Vierge « noire » — *Nigra quidem, forma sed nigriore decens (ibid.)* — comme la femme qui dit au début du *Cantique des cantiques* : *Nigra sum, sed formosa* (4). Le poète précise alors le sujet :

---

252. Sur la devise habituelle de Nicolas de Neufville — *Per aspera surgit* — cf. Jacques de Bié, *Les familles de France illustrées par les monumens des medailles anciennes et modernes*, Paris, P. Rocollet, 1634, p. 193, n° 1.

253. Le texte fut composé entre 1573 (élévation à la chancellerie) et 1583 (mort de Birague).

254. Sur la légende de saint Luc, peintre de la Vierge, cf. Mrs. Jameson, *Sacred and legendery art*, Boston, s.d., t. 1 : « This pretty legend... is of Greek origin » (p. 155). Mrs. Jameson signale des vierges analogues aux figures que peignait saint Luc à Rome, à Munich, en Espagne, à Londres même (p. 157), mais pas à Venise. Les Vierges dans cette tradition sont noires : « such ancient pictures are generally of Greek workmanship and of black complexion » (p. 156).

la Vierge porte son enfant, le maître du monde, un enfant qui, dans cette tradition[255], ne sourit pas à sa mère :

> Amplectens puerum, toti qui praesidet orbi
> [...]
> Non matri arridens *(ibid.).*

Ce n'est pas la richesse du matériau dont il parle ensuite, qui a pu attirer le poète : l'œuvre est un bronze — *in aere datur (ibid.)*, mais son austérité est éclairée par des cabochons de verre de diverses couleurs :

> ... picta coloribus istis
> [...]
> Vilis enim uitri uario... colore *(op. cit.*, p. 8-9).

Sans doute le fait qu'il s'agisse d'une statue de la Vierge est suggestif[256], mais Dorat est demeuré frappé par le fait que c'est la forme qui a donné du prix à une matière banale : le travail de l'artiste fait oublier ici, complètement, cette matière qu'il a employée :

> Materiae pretium... sua forma dedit
> [...]
> Materies operis uincitur arte sui *(op. cit.*, p. 9).

C'est, à notre connaissance, le seul texte où le destinataire de l'*Hymne de l'or* n'ait pas donné la primauté à l'éclat du métal précieux.

*
* *

Sans doute la *mimesis* est-elle un pari impossible à gagner pour le peintre et le sculpteur, condamnés à la seule réussite ponctuelle, alors que le poète et le musicien ont pour allié le Temps, et que l'intuition du Nombre leur donne un accès plus aisé à l'ordre qu'a voulu le Créateur. Cependant, même si Dorat ne considère pas que les arts plastiques soient la meilleure voie pour connaître les êtres et pour immortaliser leur souvenir, il ne souscrit nullement au mépris platonicien à leur endroit. Tempérament sensuel, il peut sentir la séduction d'une œuvre, mais cet intellectuel regrette qu'elle soit, pour ainsi dire, fermée sur elle-même, incapable de répondre seule aux spéculations qu'elle suscite, et il faut admettre que l'historien de l'art doit souvent avoir recours aux sources littéraires comme outil d'interprétation. Ce secours, que Dorat jugeait indispensable, il ne l'a jamais refusé à ses amis, car s'il aimait ces hommes, il aimait aussi leur art, dont il a souvent été l'inspirateur. Il a lui-même une imagination de peintre, qui se donne libre cours quand le manteau des Muses ruisselle d'émeraude, ou que celui d'Élie flotte dans un ciel d'apocalypse.

---

255. Le poète justifie le sérieux de l'enfant : il doit pleurer sur Jérusalem.
256. Sur la dévotion de Dorat à la Vierge, cf. ci-dessous, p. 164.

A l'*ekphrasis* de la tradition antique[257], Dorat a pu emprunter la précision minutieuse de Théocrite ou la composition raffinée de Catulle, mais l'esprit vient de Virgile, chez qui la description s'intègre dans un dessein politique. Le caractère pratique du vieil homme ne conçoit guère de divertissement gratuit : ses *ekphraseis* savantes, surtout lorsqu'il s'agit de fêtes, prétendent informer ceux qui n'ont pas assisté au spectacle, et c'est une information orientée, qui a pour but la glorification de ses maîtres. Jamais il ne perd de vue qu'un poète a une mission à accomplir, et ses ennemis ne s'y sont pas trompés[258].

257. Pour une récapitulation des *ekphraseis* antiques, cf. D. Delacourcelle, *Le sentiment de l'art dans la* Bergerie *de R. Belleau*, Oxford, 1945.

258. Cf. *Mémoires de l'Estat de France sous Charles neufième*, Heidebourg *(sic)*, 1578, t. 3, p. 2 : « Et à ce propos (la visite des ambassadeurs polonais) furent escrits des vers Latins et François contre les flatteries de Jean Dorat, lesquels nous avons obmis pour ne renouveler pas davantage l'opprobre de France. »

Chapitre III
L'ÉVOLUTION SPIRITUELLE :
HUMANISME ET FOI CHRÉTIENNE

Πάτερ, ἥμαρτον εἰς τὸν οὐράνον καὶ ἐνώπιόν σου.

Saint Luc

Toute recherche sur l'attitude religieuse de Dorat est inévitablement marquée par la « féroce apologie » qu'il fit des « déplorables succès de son parti[2] » : c'est à ce propos que Marty-Laveaux note qu'il était « bon catholique », tout en le jugeant « épicurien à sa manière ». Robiquet, quant à lui, dit qu'il était d'une stricte observance religieuse — *religionis diligentissimus cultor* — et, assez curieusement, ajoute qu'il le fit bien voir en approuvant les crimes de Charles IX — *quod Caroli noni facinora approbando satis manifestum fecit*[3] : ces mots ouvrent le chapitre consacré à la poésie religieuse — *De sacris poëmatibus* — dans lequel le critique a eu le bon goût de ne pas ranger les vers consacrés à la Saint-Barthélemy.

Nous étudierons plus tard les diverses réactions de Dorat tout au long des troubles religieux, et ses réflexions *politiques* à ce sujet, mais il nous a semblé nécessaire d'essayer dès maintenant de suivre son itinéraire *spirituel,* car cette évolution eut des conséquences intellectuelles.

Dorat est né en 1508. En passant, il nous parle de l'illustration de sa famille paternelle et de l'honnêteté des marchands qui furent ses ancêtres maternels (*P.,* p. 96) : selon toute vraisemblance, l'enfant fut élevé selon les principes d'un christianisme traditionnel. Le nom (sous le sobriquet de Disnemandi) figure, aux côtés de celui des Dubois et des Maledent, parmi ceux des notables de Limoges dans les archives de la confrérie de Notre-Dame-la-Joyeuse, ou des Pastoureaux[4]. Il est difficile de savoir si on lui avait fait acquérir solidement dès l'enfance la

1. Nous avons publié une première version de ce chapitre dans *Hum. Lov.* XXIII (1974), p. 145-187, sous le titre « L'Attitude religieuse de Dorat ». Nous avons pu préciser certaines analyses, mais l'orientation générale de ce travail et les conclusions auxquelles nous étions parvenue ne sont pas modifiées.

2. *Œuvres* de J. D., éd. Marty-Laveaux, p. XXX.

3. *De I. A. uita,* p. 107.

4. Cf. F. Delage, « La Confrérie de Notre-Dame-la-Joyeuse... », in *Bull. Société archéologique et historique du Limousin,* LV (1905), p. 556. Cette confrérie « n'avait pas pour but

connaissance des textes sacrés que révèlent certaines œuvres tardives,
ou s'il s'est senti le devoir d'approfondir, sur le tard, une culture
biblique longtemps négligée. Nous ne savons rien des influences spiri-
tuelles qui purent s'exercer sur lui dans sa jeunesse[5].

ATTITUDES DOUTEUSES :　　　En mai 1538 il est toujours à Limoges[6].
A cette époque, il est en correspondance
UN DOUTEUX AMI　　　　　avec un « mal-pensant », Robert Breton d'Arras, professeur au collège de
Guyenne : il lui soumet ses vers lyriques, mais seule la réponse encou-
rageante de Breton a été conservée[7]. Or on peut se demander pourquoi Dorat avait choisi un tel conseiller : un petit traité de rhétorique
et des « moralités » du collège n'habilitaient guère Breton à guider
des essais poétiques[8]. Si le jeune Limousin s'en remettait au jugement
de Breton, ce ne pouvait donc guère être pour des motifs d'ordre
littéraire. Si, de son côté, Breton a été séduit, c'est que le dernier
poème envoyé lui a été « utile du point de vue intellectuel » : *Delec-
tauit me tuum carmen, ne dici quidem potest quanta utilitate animi
et ingenii (ibid.)* : ce n'était sans doute pas un texte léger et insi-
gnifiant. Quand il envoie à Dorat une épître en distiques, qu'il publie
précisément dans ce *Carminum lib. I* (f° 17 v°), le ton est celui de
la bonne amitié. Trois distiques de Dorat vantant les qualités littéraires de Breton figurent à la fin de ce recueil, qui est dédié à Ar-
noul du Ferron, un disciple des Padouans[9]. Robert Breton était lié

particulier l'exercice de la charité », mais bien plutôt, semble-t-il, une animation liturgique des
fêtes de Noël et de l'Épiphanie (*op. cit.*, p. 558), avec chant et musique. La confrérie, créée en
1490, fut prospère pendant tout le XVIᵉ siècle.
　5. Les échos de la prédication de Luther ne durent pas retentir en Limousin avant qu'il
eût atteint l'âge d'homme ; cf. A. Leroux, *Introduction de la Réforme dans la Marche et le Limousin*, Limoges, 1888, p. 3 : sur la ville de Limoges, nous n'avons que des témoignages plus
tardifs ; à Bordeaux (Limoges était du ressort du Parlement de cette ville), Guillaume Farel
vint prêcher en 1523. A Limoges même, on compte, en 1533, sur l'ostension du chef de saint
Martial pour obtenir la défaite des « Luthériens ».
　6. La lettre qu'il écrit à cette date à Robert Estienne est celle d'un homme pour qui Paris
est encore un mirage lointain, cf. n. 16, p. 17.
　7. *Epistolarum lib. II*, Paris, Bossozel 1540, f° 60. 1540 est la date de l'édition ; la lettre
peut avoir été écrite beaucoup plus tôt (elle donne l'impression d'être adressée à un débutant
bien doué). Breton a pu avoir l'idée de la publier parce que Dorat, en 1540, commençait peut-
être à se faire un nom. Sur Breton, cf. L. Febvre, *Le Problème de l'incroyance au XVIᵉ siècle*,
éd. rev., p. 31.
　8. Dans cette lettre, on dirait même qu'il veut apprendre à son correspondant que, lui
aussi, il a des Muses à lui, mais les « ruisselets » qu'elles font naître, il est vrai, ne servent qu'à
éteindre les flammes de la jeunesse : *Nam nos quoque nostras musas habemus, et adolescentiae
calores earum riuulis aspersimus (ibid.).* De fait, ce n'est qu'en 1541 qu'il se risque à publier
un *Carminum lib. I*. Le recueil publié en 1536 chez Nicolas Vieillard, à Toulouse, contient
(outre *Orationes IV* et *Epistolarum lib. III* et divers opuscules) un *Eiusdem carminum lib. I* :
ces poèmes sont des vers d'écolier sur la lutte d'Hector et d'Achille (f° 10 r° - 12 v°), sur l'éloquence de Nestor (f° 12 v° - 13 v°) ; la seule pièce sapphique (f° 19 r°) est, selon nous, sans
grand intérêt.
　9. Sur A. du Ferron et ses amis, cf. H. Busson, *Les sources et le développement du*

aussi avec Antoine de Gouvéa et Briand Vallée[10], ceux qu'H. Busson nomme les « déistes de Bordeaux » ; ils s'étaient mutuellement accusés d'athéisme dans une petite guerre d'épigrammes qui aurait pu finir devant l'Inquisition[11]. Breton, qui était aussi en correspondance avec Dolet, Mathurin Cordier, J.-C. Scaliger, échappa à une condamnation dans les années 1542-1543 : selon H. Busson, le délit d'opinion ne fait pas de doute, mais on ne peut savoir s'il avait été accusé d'être protestant ou libertin[12].

On peut, sans doute, correspondre avec quelqu'un sans partager ses idées. Quoi qu'il en soit, les renseignements que nous fournit l'œuvre de Dorat concernent une période plus tardive, car — le fait est troublant — absolument aucun des poèmes appréciés par Breton n'a été conservé[13] : le caractère peu orthodoxe de leur contenu (ou des dédicaces à des amis compromettants) en est peut-être la cause.

Du reste, dans une correspondance intime, demeurée manuscrite, Dorat, qui séjourne alors à Rouen[14], confie à son ami Maledent que la seule mention des « techniques »[15] qu'il met en œuvre prudemment est, de toute évidence, matière à accusation :

> ... has ipsas, per quas incedimus artes,
> Nomine uel solo crimen habere liquet
>
> (Mss. lat. 10327, f° 24 v°).

Il mentionne des embûches redoutables, même pour un sage et un brave à la conscience pure :

> Insidiis, quas et sapiens fortisque timeret,
> Nil uitii quamuis conscius ipse sibi (*op. cit.*, 24 r°).

Aussi l'humaniste se soumet-il à une auto-censure rigoureuse :

> Hoc est cur etiam nobis, Maludane, cauendum
> Sit magis ut temere ne quid ab ore fluat (*op. cit.*, 24 v°).

LES RAPPORTS AVEC POSTEL

La curiosité intellectuelle de Dorat devait l'amener à entrer en rapport avec Guillaume Postel, qui fut lecteur royal en mathématiques et en « langues pérégrines » de 1538 à 1541. En

---

Rationalisme dans la littérature française de la Renaissance, Paris, 1922, p. 109-112 (nous le citerons désormais s. v. *Rationalisme*).

10. Dorat fut bien en rapport, par personne interposée au moins, avec Briand Vallée, mais non, à notre connaissance, avec Geoffroy Vallée, un gnostique ignorant et fort peu philosophe, comme Bayle nous invite à le croire (cf. Busson, *op. cit.*, p. 533-534) : peut-être Bayle a-t-il confondu les deux hommes.

11. Sur ce cercle « suspect », cf. *op. cit.*, p. 114-119. Rabelais intervint pour ramener les choses au plan de la plaisanterie, en particulier par son *Allusio* (éd. Le Seuil, p. 969-970).

12. Cf. *Rationalisme*, p. 117 ; sur son orthodoxie possible, cf. *op. cit.*, p. 119, n. 1.

13. Les trois distiques anodins mentionnés ci-dessus n'ont rien à voir avec une production « lyrique » qui devait être assez abondante, puisque, selon Breton, Dorat ne doit le céder qu'à Macrin, cf. ci-dessus, p. 17, et ci-dessous, n. 23, fin.

14. Après le départ de Limoges et avant le séjour chez Lazare de Baïf.

15. Le rapprochement avec une remarque de Dorat dans son cours sur le chant 10 de

effet, en offrant son *De magistratibus Atheniensium* (imprimé à Venise
en 1541) au chancelier Poyet, Postel note que Budé, puis Lazare de Baïf
l'avaient incité à publier son travail. Or ce même conseil lui a été
donné, une troisième fois[16], par son cher *Chrysoraeus*, un homme que
le chancelier protège aussi, en raison de ses dons littéraires, et, cette
fois, Postel a été persuadé : *Id suasit* Chrysoraeus *noster, cuius in litteris
magnas animi dotes praemio digno ornandas censuisti, curastique*[17].
Or F. Secret, en raison du goût très vif de Postel pour les noms rares et
dérivés du grec, n'a pas hésité à reconnaître *Auratus* sous le pseudo-
nyme de *Chrysoraeus*[18]. Ainsi, les rapports de Dorat avec les Cabbalistes[19] seraient la conséquence d'une familiarité ancienne avec leur
illustre maître, mais ce dernier devait quitter la France en 1543.

LA SENTENCE
DE L'OFFICIAL

Désirant s'établir et fonder une famille,
Dorat, dans une lettre à son ami Maledent, revendique ce que nous nom-
merions le droit à l'union libre. Il s'agit bien d'un engagement sérieux
et définitif :

> Sustinet Auratus cum coniuge uiuere coniux
> (Mss. Lat. 10327, f° 14 v°.)

Cet amour n'est pas coupable, il n'y a pas de honte à l'avouer, mais,
s'il y a bien un « accord » entre sa compagne et lui, l'humaniste ne se
soucie pas du sacrement de mariage, et précise bien que cette union
a « ses lois propres » :

> Nil in amore meo sceleris, nil turpe fateri
> Quod sit : habent leges foedera nostra suas (*op. cit.*, 15 v°)[20].

Au moment de cette déclaration, Marguerite était enceinte : « ma
moisson est en herbe » — *mea messis in herba est* (*op. cit.*, 15 r°) —
déclare le poète, tout heureux[21]. Dans ces conditions, il est peu vraisemblable que la jeune femme ait intenté un procès à son « séducteur »,
mais c'est peut-être sa famille qui, par sentence de l'official de Josas,

---

l'*Odyssée* ne permet que de risquer une hypothèse : l'humaniste se serait livré à des spéculations peu orthodoxes sur les lois naturelles : *naturae contemplator, is qui rerum causas
cognoscere affectat, sub pedibus ponere, conculcare atque opprimere omnem metum debet*
(Mss. Amb. A 184, f° 4 v°).

16. Ce conseil a seul été déterminant, puisque Budé est mort l'année précédente et que
Baïf n'était pas à Paris ; sur les dates de son voyage, cf. M. Augé-Chiquet, *La vie, les idées et
l'œuvre de J. A. de Baïf*, p. 19 et n. 3.

17. Cité par F. Secret, « G. Postel et Jean Dorat », in *B.H.R.* XXVIII (1966), p. 700.

18. Le rapprochement de ce nom avec celui de Baïf a influencé aussi F. Secret (cf. *ibid.*).

19. Cf. ci-dessous, p. 224.

20. L'énoncé en asyndète de cette dernière proposition oppose énergiquement cette
déclaration à la légalité respectable ; le chiasme et le rapprochement des deux adjectifs possessifs soulignent l'originalité d'une telle attitude.

21. Sur l'affection du poète pour sa compagne, et son angoisse à la naissance de son
enfant (à laquelle il assista), cf. *Ode* I.

obligea Dorat à légitimer son union après la naissance de sa fille[22].

Parvenu à la quarantaine, appuyé par de solides amitiés littéraires et politiques, Dorat nous apparaît, au début des années cinquante, comme un intellectuel, essentiellement préoccupé de recherches humanistes, par ailleurs bon vivant.

LE CERCLE
DE BRINON

Il fréquente assidûment le cercle de Brinon, nous en avons de multiples témoignages[23]. M.E. Balmas voit dans le châtelain de Médan un épicurien sans aucun doute[24] : l'ambiance des réceptions qu'il offre est très libre[25]. Mais M.E. Balmas entend aussi le terme d'épicurien dans un autre sens : analysant l'épitaphe qu'Étienne Pasquier composa pour Brinon, il conclut en attribuant à ce dernier un sentiment purement païen de la vie[26]. Après avoir rappelé l'anagramme *IANVS BRINO / RVINA BONIS*, M.E. Balmas cite un passage où Pasquier fait apparaître le scepticisme fondamental du conseiller :

« Mais toute fois que m'importe,
Si oncq' chose ne se vit
Dont on n'ait fait son profit
En l'une et en l'autre sorte[27] ? »

Bien que Pasquier soit chrétien, poursuit l'érudit italien, il note sans acrimonie l'attitude de Brinon, qui n'a pas cherché à donner un but à son existence, se contentant de vivre heureux, indifférent à l'opinion :

« Content je passay ma vie
Sans à autre faire tort
Qu'à moy-mesme, puis suis mort
Quand plus j'en avois d'envie[28]. »

La pensée de M.E. Balmas se résume vigoureusement dans la for-

22. Cf. Marty-Laveaux, *Œuvres* de J. D., p. XVII.
23. Le sien, bien entendu : cf. *Villanis* (in *P.*, p. 173, 184) et, par ex., celui de Pierre Belon (*Histoire de la nature des oyseaux*, Paris, Corrozet, 1555, p. 222). Cf. aussi Nolhac, *R. et l'H.*, p. 61, n. 2. Précisément P. Belon mentionne (*ibid.*) une édition d'*Œuvres* de Dorat, qui ne nous est pas parvenue.
24. *Un poeta del Rinascimento francese, Etienne Jodelle*, p. 166 : « un epicureo senza dubbio ». Dorat, invitant Brinon à venir manger dans son jardin, se met, nommément, sous le patronage d'Épicure, et sous celui du végétarien Pythagore : *Poneturque ... nil tibi praeter olus / Qualia uel pulmenta suis Epicurus in hortis / Discipulis, solitus uel dare Pythagoras* (in *Farrago Poëmatum*, f˙ 371 v˙).
25. Trop libre pour Joachim Du Bellay (cf. Nolhac, *R. et l'H.*, p. 251), de cette liberté « qui est toujours le privilège de la richesse ». M. Balmas se demande même si Dorat et Brinon n'auraient pas eu en commun une passion pour la « beauté impitoyable » de Sidère : sans doute les *Epigr. lib. III* (in *Poëmatia*, 1586, p. 47) nous ont-ils transmis sous le nom de Dorat un poème *Ad Sideridem*, mais Dorat a pu prêter sa plume à son ami. Sidère peut aussi être le surnom d'une autre dame légère.
26. « Pasquier attribuisce a Brinon un sentimento puramente pagano della vita » (*Jodelle*, p. 167).
27. *Op. cit.*, p. 166.
28. *Op. cit.*, p. 167.

mule : « *Brinon, perfetta incarnazione del raffinato umanista rinasci-mentale e* spirito forte[29] ».

De fait Brinon et ses amis ressemblent bien aux « Libertins » décrits quelques années plus tôt par Antoine Fumée, conseiller au parlement de Paris, pour le bénéfice de son ami Calvin : « Ce sont gens distingués, élégants, repus, délicats, imprégnés de quantité de connaissances diverses » — *sunt homines lauti, nitidi, obesi,* μαλθακοί[30] *... multis... ac uariis disciplinis imbuti*[31]. Ce sont bien tous les φιλόζωοι que Calvin, en 1550, attaque dans son *Traité des Scandàles*, en même temps que les humanistes au trop pur langage, qui commencent par dire que le style de Platon est plus beau que celui de saint Paul, et qui continuent, parfois, sur une voie plus aventureuse.

Dorat resta fidèle au conseiller prodigue qui mourut dans la ruine, et défendit sa mémoire[32] : c'est à son instigation que furent rassemblées les diverses pièces du *Tombeau* auquel il contribua pour sa part, alors que beaucoup d'anciens amis négligèrent de rendre cet hommage posthume à leur mécène[33]. Mais, soit indifférence doctrinale, soit prudence, Dorat ne met pas l'accent sur l'aspect « *spirito forte* » de la personnalité de Brinon. Il insiste sur sa culture : il fut un Mécène Français, le père des Muses — *Moecenas Gallicus, Musarum pater*[34]. La demeure de Brinon reste pour l'éternité le lieu de rencontre d'une intelligentsia sans préjugés :

> ... hic epuḷus inter doctissima mille
> Colloquia a claris sunt agitata uiris[35].

Dorat ne disait pas autre chose quand le conseiller était en vie, par exemple lorsqu'il lui présentait comme étrennes son poème en hendé-casyllabes intitulé *Villanis*, pour qu'on le lût en docte compagnie, parmi les pots et les jonchées :

> Inter uina poeticasque mensas
> Non tristi... in corona   (*P.*, p. 173).

C'est un habitué de la maison et l'on peut le croire lorsqu'il affirme que, si les murs pouvaient parler, il n'y aurait pas au monde de murs plus savants que ceux de Médan :

> Non foret in terris doctior hoc paries[36].

29. *Op. cit.*, p. 866.
30. Cf. Busson, *Rationalisme*, p. 379, n. 1.
31. *Op. cit.*, p. 378, n. 4. Cependant, certains traits ne peuvent leur convenir : on n'imagine pas l'élégant conseiller abusant les gens simples par une propagande chuchotée à l'oreille — *incautis insusurrens* (*op. cit.*, p. 380, n. 1) —, ou trompant son monde par une attitude de caméléon — *uersipellis* (p. 380) : il y a au contraire du cynisme, au moins de l'ostentation dans son attitude.
32. In *Farrago Poëmatum* de Léger du Chesne, f° 369 r° - 371 r°.
33. Cf. Nolhac, *R. et l'H.*, p. 249-251, et Balmas, *Jodelle*, p. 169.
34. *Farrago*, f° 369 r° - v°.
35. *Op. cit.*, f° 370 r°.
36. *Ibid.*

Malheureusement le poète ne précise pas sur quels sujets portaient les très doctes entretiens dont la demeure, naguère somptueuse, fut le témoin[37].

La mort prématurée de Brinon, survenue à la suite d'une brève maladie[38], n'inspira à Dorat aucune réflexion « pieuse ». Il insiste sur la réalité matérielle du tombeau :

> Omnes qui *tumuli* cernitis hunc *fossilis aggerem*
> Quo Bryno...
> Nuper conditus est[39].

Il rappelle que l'homme est en proie à une condition misérable, lourde à porter — *conditionis miserae et grauis*[40]. Cela étant, on se demande ce que les dieux, à qui le passant doit adresser ses prières, peuvent bien faire pour le mort, sinon que la terre lui soit légère. Le texte se termine sur un adage[41] exprimant un vœu, non une réalité :

MVLTIS QVI BENEFECIT, FACIANT HVIC BENE MVLTA DII.

Aucun spiritualisme, en effet, ne transparaît ici : la seule survie promise est celle que donnent les créations artistiques :

> Extant... tabulae, monumenta librorum,
> Quae Moecenati quisque dedere suo[42].

En proclamant cette idée chère à Pindare et à Horace, Dorat était fidèle à lui-même aussi bien qu'à l'ami disparu.

Un peu plus tard, en 1556, la mort inopinée de Stracel[43] — auquel il devait succéder dans la chaire de grec du Collège Royal — inspire à Dorat une méditation sur l'incertitude du sort des hommes ; au thème de la *mutatio fortunae* viennent s'ajouter deux nuances, l'espoir et la crainte :

> Quam uaria incertae quam fallax alea uitae
> Humanum uersat speque metuque genus[44].

On peut les christianiser, sans doute, mais là où un Chrétien verrait le

---

37. Nous savons, toutefois, que les réalités antiques étaient familières au conseiller et à ses invités, car, le jour où Dorat eut l'intuition qui l'amena à composer *Villanis*, ils avaient « consacré les fontaines avec de grandes cérémonies »(Cf. P. Belon, *op. cit.* en n. 23, p. 222), peut-être en une parodie des *Fontanalia* (fête célébrée à Rome le 13 octobre ; cf. Varron, *Lingua Latina*, 6, 22). On trouve également l'indication d'une « cérémonie » à la fin de l'ode *Ad fontem Arculii* : *Nos circum uada, circum latices tuos / Has laudes canimus tibi* (Ode III, 71-72).
38. *Farrago*, f° 369 v°- 370 r°.
39. *Op. cit.*, f° 370 r°.
40. *Ibid.*
41. Comme le montre une typographie différente (*ibid.*).
42. *Op. cit.*, f° 369 r°.
43. Stracel mourut le lendemain des Rois, après avoir festoyé avec ses amis (Dorat était parmi eux) : *Lusus heri fuerat conuiuia ducere regum / Regalique epulas exhilarare ioco. / Lux subiens conuiuia sed funebria praebet, / O Straceli, sociis, te moriente, tuis* (*op. cit.*, f° 371 r°).
44. *Ibid.*

plan de Dieu, l'humaniste ne mentionne qu'un hasard trompeur. On ne s'attend pas à trouver sous sa plume la lettre même de la *Vulgate*, mais aucune expression ne peut faire entendre que l'*Évangile* soit présent à sa mémoire. Si ce jour vient comme un voleur, il ne songe pas à s'y préparer, n'aspire à aucune « conversion » : il a quarante-huit ans[45].

LES « LIBERTINS SPIRITUELS »   D'autre part, dans les années 1549-1550, Dorat paraît avoir eu connaissance des doctrines des « Libertins spirituels »[46] : l'ode alcaïque (VI) qu'il composa à l'occasion de la mort de la reine de Navarre, bien avant la semonce lancée par Charles de Sainte-Marthe en juin 1550[47], en est un témoignage[48]. Dorat consacre trois strophes de ce poème à peindre avec de rutilantes couleurs l'assomption d'Élie, enlevé sur son char, tandis que son manteau traverse le ciel comme une comète, pour venir tomber aux mains d'Élisée. Les trois dernières strophes, introduites par *Sic* (qui répond à *qualis*), traitent du ravissement de Marguerite qui accède, elle aussi, au séjour bienheureux, après s'être débarrassée du grossier vêtement qu'était son corps.

D'ordinaire la chute du manteau d'Élie signifie la transmission de ses pouvoirs à Élisée ; l'interprétation allégorique inhabituelle qu'en présente Dorat, dans la seconde partie de son ode, se trouve aussi dans l'*Oraison funebre de l'incomparable Marguerite, Royne de Navarre, duchesse d'Alençon*[49].

Nous ne connaissons pas directement la prédication de Pocque, mais Calvin, quand il s'en prend à lui, en cite de larges extraits. Le réformateur a vivement attaqué, entre autres, le commentaire que Pocque donnait de la Transfiguration[50] : sans doute Moïse y était-il reconnu comme « la Loy ancienne » et Jésus-Christ « la Loy douce », ce qui est parfaitement orthodoxe, mais le « spirituel » ajoutait : « Hélie estoit le dernier, signifiant la fin du monde, comme il monstra en son partement en son chariot ardent, plein de feu, appelé double esprit, et par lequel

---

45. Cf. P. Champion, *Ronsard et son temps*, p. 41 : Dorat « va susciter des poètes, et, comme eux, il vivra sans souci du lendemain ».

46. Sur les doctrines des « Libertins spirituels », cf. « Aspects du libertinisme au XVIe siècle » *(Actes du Colloque de Sommières)*, Paris, 1974.

47. L'ode fut publiée pour la première fois par les soins de N. Denisot en juin 1550 dans le recueil de l'*Hecatodistichon* des sœurs Seymour (sign. Cij r·).

48. Marguerite, en effet, avait accueilli Pocque à Nérac, et avait été sensible à sa prédication. L'attaque violente portée en 1545 par Calvin contre cette secte « phantastique et furieuse » avait irrité la reine. La lettre que le réformateur lui écrivit pour l'apaiser le 28 avril 1545 (*Lettres*, éd. Bouvet, Paris, 1854, t. 1, p. 111) ne réussit sans doute pas à changer son opinion. En tout cas, les *Dernières poésies* reflètent l'influence de ces Libertins ; cf. H. Busson, *Rationalisme*, p. 333 et n. 3.

49. Paris, Regnault Chauldière..., 1550, p. 122, B.N., X 1227(2) ; version latine de ce texte, Rés. X 1227(1) : « Notre corps (comme le Tyrien dit) n'est qu'un gros, vil et usé manteau, que Marguerite a despouillé », dit Charles de Sainte-Marthe.

50. *Contre la secte phantastique...*, Paris, rééd. 1547, p. 156.

nous sommes consommez hors de ce monde terrestre[51] ». Marguerite, « la Ravie », avait fait sien ce culte de l'Esprit dont Élie symbolise l'action salvatrice[52] : l'esprit de Dieu est « vivifiant/Voire et deifiant » ; son action détruira la chair qui est le mal :

> « Vois que le corps n'est rien qu'une charogne,
> Et prends ton vol à la vie éternelle[53] ».

Les termes de l'ode de Dorat offrent une grande ressemblance avec ceux du sermon de Pocque, que rapporte Calvin, aussi bien qu'avec les formules de Marguerite, que nous venons de citer. Le « partement d'Élie en son chariot ardent, plein de feu » est transposé en *quadrigis raptus ab igneis* (*Ode* VI, 1). Le rouge éclatant colore toute la première partie du poème — *igneis, flammante, ignipedum, fulguranti, flammeos, rutilare*, (*op. cit.*, 1, 3, 4, 5, 7, 8) : le rouge est en effet la couleur liturgique du Saint-Esprit[54]. Dans cette ode, Marguerite se trouve, elle aussi, « consommée hors de ce monde terrestre » : *sublimis orbes attigit igneos* (*op. cit.*, 17). Sous l'action de l'esprit de Dieu « vivifiant voire et deifiant », comme elle le disait naguère elle-même, sa chair, qui est le mal, est détruite, et Dorat consacre une strophe à évoquer cette purification :

> Sic nunc amictus Margaris horridos
> Grauata, fecis participes suae
> Natalis exuto ueterno et
> Corporeae grauitate molis. (*Ode* VI, 13-16).

Le mot de *Diua* (*op. cit.*, 21) employé dans la dernière strophe est révélateur aussi. Si c'est bien le terme dont on use couramment pour traduire « sainte », la transposition qu'en donne Ronsard est « faitte *Deesse*[55] » : le maître ne l'eût pas laissé présenter au public une version grossièrement fautive.

On peut, certes, s'étonner de ce que Dorat ait choisi de composer une ode « spirituelle », et non d'évoquer l'intelligence de la reine défunte, sa culture, ses dons poétiques, son mécénat : cela eût été plus conforme à ce qu'on attendrait de lui. Peut-être ne faut-il voir dans ce texte qu'une poésie de commande : l'auteur se serait plié aux désirs pieux de Madame Marguerite, sœur d'Henri II, sur laquelle la reine de Navarre avait exercé une grande influence. Il reste que Dorat s'était assimilé le langage des « Libertins spirituels », et qu'il n'a pas hésité à

---

51. C'est là le troisième âge du Salut : l'âme, directement influencée par l'esprit de Dieu, n'a plus besoin de se soumettre à une loi. Le Chrétien lui-même, en effet, passe par les trois étapes, et sa personnalité, absorbée, se confond finalement avec celle de Dieu.
52. *Oraison funèbre*, p. 40-41.
53. *Les dernières poésies* de Marguerite de Navarre, éd. Lefranc, Paris, 1896, p. 338 ; 397.
54. Cf. ci-dessus, p. 102. La miniature des *Heures* d'Henri II (B.N., Mss. Lat. 1429, f° 54 r°) représentant l'assomption d'Élie est traitée en rouges.
55. S.T.F.M., t. 3, p. 53.

publier une œuvre qui révèle une telle familiarité, alors que les églises établies étaient plus que méfiantes envers la secte[56] .

En tout cas ce qui pouvait le séduire était moins l'aspect mystique de cette doctrine (il ne faut pas oublier qu'il fréquente le cercle de Brinon au temps où il compose l'ode *Qualis quadrigis*) que la méthode intellectuelle allégorique dont Marguerite avait été un parfait représentant.

L'HELLÉNISME
TRIOMPHANT

Dans les années libertines (au sens le plus général du mot), Dorat a bien pratiqué « l'auteur le plus mordant, le plus impudent, sans religion, sans Dieu, et porté à ridiculiser toutes choses, religieuses comme profanes[57] », à savoir Lucien. L'*Ode* II, adressée à M. de Mesmes, témoigne, comme par un clin d'œil, de la lecture du *De Astrologia*[58] , et c'est au *Bacchus-Hercules* qu'il faut faire remonter les remarques sur l'Hercule gaulois de l'*Ode* III (25-28), mais il paraît bien que, vers 1550, les censeurs ne reconnaissaient plus à l'homme de Samosate une telle nocivité[59] .

En fait, ce poème témoigne d'une autre manière du « paganisme » de son auteur. A propos de l'aqueduc romain d'Arcueil, Dorat mentionne celui qui passait pour l'avoir édifié, l'empereur Julien. Il le nomme *Apostata* (*Ode* III, 9), et lui décerne en même temps sa louange, en le montrant comme un grand prince — *magnus rex (ibid.)*, qui réussit à s'imposer dans les Gaules bien qu'il fût étranger. Une telle remarque n'attirerait peut-être pas l'attention, car on découvre au XVIᵉ siècle[60] , grâce à sa correspondance, « un tout autre personnage que le persécuteur honni par les hagiographes », comme l'a dit J. Bidez[61] . C'est le rapprochement avec un jugement plus tardif sur l'œuvre de Julien qui permet de mesurer le chemin parcouru par Dorat : il met désormais en évidence l'aspect militant de la politique religieuse de l'Apostat :

> Ecclesiam nam Iulianus perdidit
> Apostatarum signifer (*Epgr.*, p. 16).

Mais, en 1549, Dorat communiait avec lui dans sa « vive admiration de la littérature antique » et dans « son amour pour la Grèce... devenu

---

56. L'inertie de ses disciples — Ronsard, Du Bellay, Baïf — qui se contentèrent d'abord de traduire l'ode latine en question et se mirent à l'œuvre comme à regret, met en lumière par contraste la promptitude de sa réaction. L'ode fut aussi traduite en italien par J.-P. de Mesmes, et un peu plus tard, en français encore, par M.-Cl. Buttet, protégé de Madame Marguerite, qui la suivit quand elle quitta la Cour pour Chambéry.

57. Propos de Neufville à Thomas More, rapportés par H. Busson (*Rationalisme*, p. 11).

58. Pour les Arcadiens plus anciens que la lune — *Praelunium... Arcadium* (99), cf. *op. cit.*, 26.

59. Cf. Ch. Lauvergnat-Gagnière, *Lucien de Samosate et le lucianisme au XVIᵉ siècle.*

60. Ramus s'intéressa plus tard aux écrits du prince , et son disciple Martini publia le *Misopogon* en 1566. Sur la redécouverte de Julien, cf. G. Nakam, « Sur deux héros des *Essais*, Alcibiade, Julien l'Apostat », in *Actes du IXᵉ Congrès Guillaume Budé*, Paris, 1975, p. 657-664.

61. *La vie de l'empereur Julien*, Paris, 1930, p. 340.

fanatique et exclusif[62] ». Évoquant cet enthousiasme, P. Champion notait fort justement que Dorat « but à la coupe d'or de l'hellénisme et du paganisme[63] ».

En effet, à cette époque, le mythe grec jouit chez lui d'une sorte de précellence, et même de surréalité, parce qu'il s'insère dans un temps vénérable, antérieur à celui de l'Histoire. Ainsi dans l'*Ode* III, c'est une étymologie historique du nom d'Arcueil — *Arculium / arcus* (5) — qui est présentée d'abord, mais le poète donne aussitôt après une explication mythique — *causa uetustior* (13) — qu'on choisira de préférence — *libentius* (14).

L'EXEMPLE ANTIQUE   Il cherche et trouve dans le passé un garant qui peut fournir des *exempla* : quand on les a reconnus, il ne reste plus qu'à les imiter.

Du point de vue moral, les œuvres du « dívin Homère » sont la véritable Bible de l'humaniste. En Ulysse, en particulier, nous a été donné le modèle absolument parfait de la vertu : on observe déjà en lui la patience, mais aussi la sagesse, l'amour, la justice, la modération[64] :

> ... Quanta fuit duri patientia nautae,
> Quantum consilii, pietatis, iuris et aequi,
> Et quantum moderati animi speculamur in illo,
> Quem sibi uirtutis perfectum exemplar ad unguem
> Proposuit describendum diuinus Homerus (*Epgr.*, p. 15-16).

Le message est complet : même les vertus qui passent pour éminemment chrétiennes sont déjà réalisées dans ce héros humain[65]. Fait symptomatique : chez les Anciens, la vierge Sagesse n'avait « pas encore » connu la corruption :

> ... apud Veteres *nondum* corrupta sophia
> Virginis instar-erat (*op. cit.*, p. 16).

Il ne fait pas de doute que le schéma historiographique de l'humaniste ne soit alors apparenté au mythe des âges[66]. Selon lui, l'âge

---

62. *Op. cit.*, p. 57.

63. *Ronsard et son temps*, p. 39-40.

64. Ce texte fut composé entre le moment où Dorat a quitté la Cour et sa nomination comme *professor regius*. Plus tard, Ulysse lui apparaît comme le chef égoïste, qui rentre seul, après avoir perdu tous les siens ; cf. G. D., « Le poète et le prince », in *Hum. Lov.*, XXVI (1977), p. 167.

65. Écrivant à M. de Foix, Dorat note que les textes homériques ont un sens mystique — *orgia* — et que ce sens caché mérite plus de vénération que les religions à mystères : *Et melius cistis quae ueneranda latent* (*P.*, p. 101). Le texte n'est pas clair, à dessein peut-être, et l'on peut se demander quel culte est désigné métonymiquement par *cistis*. Sur la parenté du dieu des Juifs avec Dionysos, cf. Plutarque, *Quaest. conu.* 4, 6.

66. Dans un texte que nous pensons pouvoir dater de 1553 (le siège de Metz y est tenu pour récent), Dorat tourne en dérision la prétention de son époque à voir revenir un siècle d'or : c'est un siècle de fer, mais on pourrait croire que c'est le siècle de l'or, car seul l'or y est en honneur : *(saecula) / ... quae cum bellis sint ferrea, iure uocari / Aurea posse putes, ita nil in honore nisi aurum* (*Ecl.*, p. 19).

« suivant », pour son malheur, n'a pas compris le sens caché et, dans le mythe antique, n'a vu que de vaines fables[67] :

> At nimis infoelix, rerumque ignara latentum,
> Aetas posterior quae prisca poemata uanas...[68]

Le souvenir du monde antique envahit même la vie de tous les jours. Dans l'ode où il annonce à Henri de Mesmes la naissance de sa fille, en 1548, Dorat note que sa femme invoque les saints, et demande, en particulier, le secours de sainte Marguerite (sa patronne), qui protège les femmes en couches :

> ... uocans paritura Diuos,
> Sed praeter omnis nomine comparem
> Te, Margaris, te congeminat... (*Ode* I, 8-10).

Mais l'humaniste ne peut s'empêcher d'ajouter un commentaire explicatif :

> (te congeminat) suam
> Clamatque *Lucinam*, graueis quae
> Leniter excuteres labores (*op. cit.*, 10-12).

Il est peu probable, en effet, que Marguerite ait appelé Lucine à son secours, mais pour son compagnon, c'est à Lucine seule que ce rôle est dévolu.

Sous des allures de plaisanterie, comme si le maître s'était amusé à parodier son propre système, l'ode *Ad fontem Arculii* est très caractéristique de cet état d'esprit. Ainsi, par exemple, le haut lieu de l'inspiration poétique de la Grèce, le Parnasse, a deux sommets, l'un consacré à Apollon, l'autre à Bacchus. Notre poète se sent dévot d'Apollon et de Bacchus : il va donc, si l'on peut dire, se fabriquer un Parnasse. Pour figurer les deux sommets, il lui faudrait une chaîne de collines ; il n'y en a pas à Arcueil ; qu'à cela ne tienne : les deux croupes en maçonnerie de l'aqueduc ruiné feront l'affaire :

> Sic te celsus et hinc claudit et hinc duplex
> Vmbo structilis aggeris,
> *Instar montis*, aquas qui gemini tegit
> Vmbra uerticis et Pegasidum nemus (*Ode* III, 51-54)[69].

Sans trop forcer le trait, on pourrait dire que, dans cette optique, Hercule, le héros qui se dévoue pour les hommes et accède finalement

---

67. Sur le sens allégorique des poèmes homériques, cf. ci-dessous, p. 181. Cf. aussi « Qui sont donc les Lestrygons? » in *Vita Latina*, 70 (juin 1978), p. 36-42 et « Dorat commentateur d'Homère », in *Études seiziémistes*, Genève, 1980, p. 223-234.

68. *Cetera desunt* : il manque vraisemblablement un vers, mais le sens est clair : selon Dorat, on a trop longtemps lu l'*Odyssée* comme un simple roman d'aventures. Il veut ignorer la capacité du Moyen Age à la lecture allégorique, et une œuvre comme le *De continentia Vergilii* de Fulgence.

69. De la même manière, la fontaine d'Arcueil « conserve l'image » de celle qui était jadis, à Gadès, consacrée à Hercule : *Huius tu ueteris fontis* imaginem / Seruas (*op. cit.*, 37-38).

à l'immortalité, a donné l'exemple aux bienfaiteurs de l'humanité, qui l'ont suivi, et en particulier au Christ[70].

Il existe, en effet, un mythe qui évoque un héros sortant épuisé des eaux de l'Atlantique, porteur des pommes d'or arrachées au jardin des Hespérides, et Dorat nous le présente :

> ... tunc Hesperidum cum decus auferens
> Syluis ac pretium, ditibus aurei
> Mali ponderibus tardus, Atlanticis
> Vix undis caput extulit (*Ode* III, 21-24).

Un Chrétien amateur d'allégorie verra là une typologie du Christ revenant des enfers. C'est là une démarche analogue à celle de Fulgence qui tire à des fins chrétiennes l'allégorie des récits mythiques[71] : le mythe est comme l'ébauche, il est confus; il faut expliciter ce que l'auteur n'a pas lui-même vraiment compris. Ce n'est qu'avec l'alliance de Dieu et de Son peuple, mieux encore avec la rédemption du peuple par son Dieu, qu'on accède à la Réalité[72]. Pour un esprit paganisant, comme celui de Julien, la lecture est inverse : c'est le mythe ancien qui est fondamental; tout ce qui vient ensuite — ou ailleurs — n'en sera que l'imitation[73]; Jonas sortant de sa baleine et le Christ de son tombeau ne sont que des copies déformées d'Hercule s'arrachant aux eaux de l'Océan, porteur des fruits d'or de l'immortalité. C'est en cela que consiste, si l'on peut dire, l'apostasie intellectuelle : ce qui était considéré comme l'ébauche devient la réalisation parfaite, et ce qui était réalisation parfaite est ravalé au rang de copie et d'image. Jusqu'à quel point Dorat, né chrétien et Français, a-t-il succombé à la tentation que représentait pour lui l'Apostat[74] ?

Rapidement, en fait, chez Dorat, la pression d'une société officiellement christianisée (où aussi bien les Réformés que les Catholiques blâment les excès du néo-paganisme), l'orgueil national aussi, ont aidé l'optimisme naturel à choisir le schéma historiographique du progrès, donc le schéma chrétien, et non plus celui de la dégénérescence, de

---

70. A coup sûr, en effet, la méthode allégorisante que préconisait Dorat — et qui avait été celle de Marguerite de Navarre — a suscité l'*Hercule chrétien* de Ronsard. Pour un poète chrétien, les travaux du héros mythique offrent une typologie des épreuves du Christ-homme — «...la plus-part des choses qu'on escrit / D'Hercule, est *due* à un seul, Jésus-Christ » (S.T.F.M., t. 8, p. 215) — et la seule « écriture » authentique est, donc, celle qui concerne Jésus-Christ. La représentation des travaux d'Hercule, utilisée à des fins chrétiennes, était familière à Dorat : Jean de Langeac, évêque de Limoges, les avait fait sculpter sur le nouveau jubé de sa cathédrale dans les années 1530-1535.

71. Cf. aussi Théodulphe qui, avec précaution, rapproche les peintures de la fable et les enseignements de l'Écriture; cf. H. de Lubac, *Exégèse médiévale*, t. 4, p. 185.

72. Cf. ci-dessous, p. 147.

73. La formulation de Budé — *Ipse enim Christus uerus fuit Hercules, qui per uitam aerumnosam omnia monstra superauit et edomuit* (*De Asse*, rééd. Lyon, 1550, p. 779) — est ambiguë.

74. Précisons bien qu'il ne s'agit que d'une tentation intellectuelle. L'aspect mystique du caractère de Julien pouvait intéresser Dorat, non le séduire, car son intelligence a plus de parenté avec celle de Libanios qu'avec celle de son impérial élève.

l'âge d'or à notre siècle de fer. Dès 1558, en effet, Dorat écrivait à Ch. de Lorraine :

> Se, qui uolet, esse creatum
> Optet illo seculo
> Falcifer quo Rex egenos
> Temperabat atque rudes populos ;
> Me iuuat nunc esse natum *(Ode* XVIII, antistr. 7).

Ce qui peut nous induire en erreur, c'est que, toute sa vie, Dorat a conservé le *langage* qui lui avait servi à traduire ce rapport entre l'archétype — que l'éloignement idéalise — et sa réalisation moderne, imparfaite[75]. Plus généralement Dorat, jusqu'à la fin de sa vie, a *imité* les Anciens, tout en s'efforçant de rejeter la sujétion littéraire qui avait été la sienne. Tentative vaine : l'empreinte des Dieux est indélébile[76].

LE TEMPS
DES DOUTES

Pendant la période qui vit s'intensifier les troubles civils, l'attitude religieuse de Dorat est difficile à définir.

SURVIE GLORIEUSE
OU IMMORTALITÉ?

Dans un court poème en hexamètres qu'il compose en 1563 après l'assassinat de François de Guise — *In mortem Ducis Guisii (Epgr.,* p. 17-18), il rappelle que le duc est tombé en combattant pour la croix — *pro cruce pugnans* — et, de ce fait, aura le salut que donne la foi — *fidei... salutem.* Pourtant le *Tumulus Ducis Guisiae* (Mss. Lat. 8139, f° 86) ne contient aucune allusion au fait que Guise soit mort pour sa foi et puisse, pour cette raison, espérer la vie éternelle ; il survivra, certes, mais par la gloire, et la gloire seule :

> Fraude perit uirtus, si tamen illa perit,
> Sed non illa perit, cuius laus usque superstes.

La même année, dans un liminaire pour le *Lucrèce* de Lambin[77],

---

75. Apparemment Thevet et Argô sont dans le même rapport qu'Arcueil et le Parnasse : voici que revient une autre Argô, capable d'emporter des héros glorieux : *iam redit* altera / *Heroas Argo quae uehat inclytos (Ode* XXXIX, 5-6). Pourtant l'ensemble du poème ne laisse aucun doute : Argô n'était rien qu'une chétive ébauche des blanches caravelles qui voguent désormais à travers l'océan.

76. En effet, la référence au monde antique comme modèle *artistique* est devenue un automatisme : en 1581, Germain Pilon est comparé à Scopas et Antoine Caron à Apelle *(P.,* p. 252) — *non sine uincendi spe,* toutefois. L'exemple antique demeure aussi dans le domaine moral : si en 1576, Ulysse est cité quand il s'agit d'évoquer un mauvais chef, Achille et Hector, qui sont morts pour les leurs, sont présentés comme exemples d'abnégation *(Exh.,* 138-146). Dans ce même texte, Dorat, parlant de l'ange gardien, ne peut s'empêcher de rapprocher ce personnage (familier pourtant à tout Catholique) d'Athéna/Mentor : *(Angelus custos a Deo datus / Vt Pallas olim Achillis, atque Vlyssei / Comes fidelis (op. cit.,* 116-117). Cette glose ne semble pas très différente de celle qui faisait expliquer, en 1548, l'action de sainte Marguerite par celle de Lucine.

77. B.N., Mss. Lat. 10327, f° 70 v° - 71 r° (ce texte est autographe).

Dorat fait une déclaration ambiguë. Certes il se désolidarise du matérialisme de Lucrèce, et conçoit la survie d'une vague entité immatérielle.
Selon lui, la preuve de cette survie se fonde sur le fait qu'un esprit, qui
crée des œuvres immortelles, ne peut pas être lui-même mortel[78] :

> Immortalia si mortalibus ex elementis
> Non est ut possint ulla ratione creari
> [...]
> Miror te mortalem animi studuisse probare
> Mentem, talia quae scripta immortalia condat.

Mais la survie de ce principe paraît indissolublement liée à celle que
l'œuvre littéraire donne à son auteur et à ceux qu'elle célèbre :

> Denique qui possit non immortalis haberi
> Vis animi, quae immortalem dat *carmine* famam
> Atque sibi, atque aliis?

Il affirme encore, en terminant, les deux idées à la fois, tout en
s'inscrivant encore en faux contre Lucrèce, un peu comme s'il voulait
bien se convaincre :

> Aeternum... monumentum...
> Atque animi simul aeterni, senioque carentis
> Argumentum ingens contra facunda poëtae
> Dicta.

L'exemple d'une telle ambiguïté se trouve peut-être dans *Carm.* 4,
8 — un texte que Dorat a intensément médité[79], mais il paraît difficile
de ne voir dans ses réflexions qu'un souvenir horatien, à un moment
où il semble faire effort pour affirmer l'existence d'un principe spirituel, se démarquant ainsi de la position qui aurait été celle d'Étienne
Dolet sur la survie[80].

POLÉMIQUES AUTOUR DE LA MORT DE TURNÈBE

En ce qui concerne les polémiques
suscitées par la mort de cet humaniste,
survenue en juin 1565, nous nous per-
mettons de renvoyer à l'ouvrage portant
ce titre que nous avons publié antérieurement[81]. Rappelons seulement
ici que Dorat est si peu, à cette date, étiqueté comme « catholique »,
que les Réformés les plus acharnés à revendiquer la conversion de
Turnèbe *in extremis* ont demandé à Dorat de participer au recueil
qu'ils projetaient de rassembler en l'honneur du défunt. Si Dorat
refusa de fait l'invitation, il est à l'origine du recueil « humaniste »[82].

---

78. Cf. Salluste, *Iug.* 2, 2.
79. Ainsi que *Carm.* 3, 30 : cf. *Odes* VII, VIII, XVIII et *Od. lib. II*, p. 186 (= 188).
80. L'opinion commune semble avoir vu en lui « un matérialiste » ; son biographe,
R.-C. Christie, porte un jugement plein de nuances, mais finit par déclarer que Dolet croyait
en « l'immortalité métaphorique », celle que donne la gloire (*Étienne Dolet*, p. 480-486).
81. Clermont-Ferrand, Fac. des Lettres, 1975.
82. Participèrent à ce recueil : Dorat, Lambin, Ronsard, Vaillant, Passerat, Delbene,

Il y prend nettement position contre les fanatiques des deux bords et demande aux sectateurs d'Orphée d'effacer de tels forfaits par leur célébration :

> At uos, ô Mystae, quorum nouus occidit Orpheus,
>   Nunc ite, et tantum rite piate nefas (in *Polémiques*, p. 101).

Après l'annonce que son ami se trouve sûrement parmi les saints — *Sanctis nunc quoque mixtus inest* (*op. cit.*, p. 103) — la liste qu'il donne de ces « savants » est celle des poètes divins :

> Orphei, Musaeo comes, Hesiodoque et Homero
>   Atque aliis doctis, qui loca laeta tenent *(ibid.).*

Si, à cette date, Dorat a choisi, politiquement, le parti des Catholiques[83], sa spiritualité est toujours celle d'un païen[84], à cette nuance près que sa croyance en l'immortalité de l'âme est, alors, vigoureusement affirmée.

VERS LE DÉISME   Dans un texte qu'il composa alors que Michel de l'Hospital était chancelier — donc entre 1560 et 1568 — Dorat ne considère pas la Fortune comme la force aveugle et brutale mentionnée par l'opinion commune, mais comme une déesse, douée d'intelligence, providentielle :

> Fortuna... probare... uult
> Quod non caeca (quod audit) atque bruta
> Sed sit Diua uidensque prouidensque (Mss. Lat. 8139, f° 9 r°).

Certes il y a là une négation du hasard, mais, visiblement, le poète ne songe pas à rapporter à la « Providence » le salut du chancelier qui a failli être écrasé par la chute d'une pierre.

Dans l'*Elegia prognostica* (*P.*, p. 191-193), Dorat, qui s'emploie diligemment, à la fin de 1567, à expliquer les signes funestes qui se sont déjà manifestés, suppose donc un esprit providentiel qui, par bonté, offrirait aux hommes un système de signes[85] avertisseurs que l'interprète aurait mission de traduire pour éclairer ses semblables[86].

Nicolas Vergèce. On y trouve, en outre, deux textes de Joachim Du Bellay (*op. cit.*, p. 97, 99), tirés des *Allusiones*.

83. Ainsi un pasquin protestant de 1563 lie Ronsard et Dorat : *O clara Lutetia / Quam multa negotia / Habuisses, misera, / Si Dominus Ronsardus,/ Si poeta Auratus / Non fecissent opera* (cité par P. Champion, *Ronsard et son temps*, p. 176).

84. Florent Chrétien ne s'y trompe pas et, à travers Ronsard, il attaque le goût païen de son maître : « D'Aurat t'a expliqué quelques livres d'Homère, / Quelques hymnes d'Orphée ou bien de Callimach » (cité par P. Champion, *op. cit.*, p. 182).

85. Dans le liminaire pour le *Tractatus de Monstris* d'Arnauld Sorbin (1570), Dorat, avant de noter l'infinie variété des signes, a donné l'explication : *Monstra deique minas* (sans sign.).

86. Mais ce *numen* bienveillant est tantôt rapporté aux dieux — *Superum mens dedit ipsa notas* (*P.*, p. 191, v. 4) — tantôt à un Dieu unique : *procellae / Multa dedit Gallis sat manifesta* Deus (*ibid.*, v. 10). Même hésitation chez Sénèque (*Ad Luc.* 95, 47-48) : l'expression de l'opinion personnelle passe, aussi, par le vocabulaire reçu.

Ce Dieu est le garant d'un ordre, et tout désordre est signifiant, mais ce Dieu pourrait être aussi bien le dieu des Stoïciens[87] que celui des Chrétiens : on a d'ailleurs bien l'impression que l'humaniste se soucie peu de la différence, du moment que cette divinité est le garant de l'ordre qui permet la mantique : ... quisquis, *Deus, omnia curas* (*P.*, p. 73). Pourtant, dans les deux cas, il y a là une négation du déterminisme aveugle, ou du fatalisme. A tout le moins, le poète est devenu déiste[88].

Dorat s'en prend à ceux qui refusent de voir des *signes* dans les êtres monstrueux qui, cette année-là, sont nés en nombre extraordinaire : que ce soit paresse ou attitude d'esprit fort, ces gens-là devraient s'incliner devant les témoignages constants de l'histoire :

> Sunt quos scire piget, pars nihil esse putat :
> Hos tamen assidue manifesta exempla refutant[89].

C'est là une attitude tout à fait analogue à celle de Quintus Cicéron dans le *De diuinatione* : peu importe de savoir *pourquoi* les choses vont ainsi ; il suffit de constater une évidence : un certain nombre de fois l'événement a confirmé le sens qu'on avait donné antérieurement à tel phénomène (*Diu.* 1, 6, 12).

Comme Quintus encore[90], Dorat se défend de donner dans la superstition, mais considère que c'est là un moindre mal. L'incrédule, en effet, en prétendant s'en garder, tombe dans une misère plus grande, et la superstition — pour excessive qu'elle soit — vaut mieux que l'impiété (c'est-à-dire le refus d'admettre les signes) :

> Credulus utque nimis, sic his incredulus...
> Dum leuiora cauens in grauiora cadit...
> Namque superstitio, si quam maior facit aequo
> Haec pietas, minus est impietate nocens[91].

Et Dorat peut conclure, sans s'engager personnellement, son liminaire pour Sorbin (un des garants de l'orthodoxie à la Cour de Charles IX) :

> Qui Regem et proceres, qua fas tibi, uera monendo,
> Vt memores ueri sint facis usque Dei.

Mutatis mutandis, son attitude est parente de celle du Stoïcien du *De natura deorum*, (2, 28, 71), soucieux du pacte social, et capable de parler le langage de la cité, mais en gardant sa liberté intellectuelle.

---

87. Dans l'argumentation de Balbus (*Nat. Deorum*, 2, 65, 162), la sollicitude des dieux est rendue manifeste par la possibilité de la divination ; les dieux s'intéressent même aux destinées individuelles (163). Mais sur ce dernier point, Balbus est moins ferme (cf. *op. cit.*, 2, 66, 167). Pour Quintus Cicéron, la providence se soucie de chaque homme (*Diu.* 1, 51, 117).
88. Cf. liminaire du *Tractatus* (cf. n. 85) : *Et quocumque modo potius metuenda minantum / Numina sunt superum, quam metuenda nihil* (sans sign.).
89. *Ibid.*
90. *Diu.* 1, 52, 118.
91. *Op. cit.* en n. 85 (sans sign.).

INDIFFÉRENCE
AUX DOGMES

Cette liberté paraît bien être le fait
d'une totale indifférence dogmatique.
Ainsi, pour l'« entrée » d'Élisabeth d'Au-
triche à Paris, le 30 mars 1571, Dorat — dont l'imagination a été sti-
mulée par la lecture des *Dionysiaques* de Nonnos (1569) — fait exécuter
par Nicolo dell'Abate une peinture qui représente Sémélé et Bacchus
dans un navire, et qui a pour mission de symboliser « la Religion »,
c'est-à-dire le Clergé[92]. Il explique :

(nauis)
Haec Semelem uehit et Bacchum Iouisque creatum,
Religiosa cohors sacra cui sunt orgia curae[93].

Le terme d'*orgia*, en lui-même, peut paraître choquant[94], mais la
mention de Bacchus et de sa mère ne peut que solliciter à l'entendre
ici dans son sens propre, et Miss Yates était bien fondée à dire à propos
de l'ensemble du projet de Dorat : « c'était assez osé, même pour un
syncrétiste de la Renaissance »[95].

AMBIGUÏTÉ DE LA PRÉFACE
DE L'*ENCYCLIE*

L'interprétation des vers pour l'*Encyclie des secrets de l'éternité*, publiée à
Anvers, chez Plantin en 1571, est parti-
culièrement délicate : apparemment Dorat se trouve pris entre ses
schémas intellectuels propres et la nécessité de composer des vers pour
La Boderie qui proclame, en tout état de cause, son appartenance à
« l'Eglise Romaine »[96], et qui, en disciple de Postel, voit le monde
hébraïque à l'origine de toutes choses.

Dorat déclare, d'abord, qu'une « poésie divine a coulé des divines
sources hébraïques » :

Diuinis fluxit diuina Poesis Hebraeis
Fontibus (in *Encyclie*, p. 156).

Jusqu'alors, en tout cas, ce genre de poésie ne lui est pas familier, c'est
le moins qu'on puisse dire[97], mais il paraît, ici, reconnaître dans la
Bible un livre inspiré par Dieu. Or, pour garantir cette affirmation, le

92. Sur l'ensemble du système allégorique, cf. ci-dessous, p. 198-200.
93. Cité par Miss Yates, « L'entrée de Charles IX et de sa reine... », in *Les fêtes de la
Renaissance* (éd. J. Jacquot), Paris, 1954, p. 73. Pour la description de l'ensemble de ces fêtes,
cf. Simon Bouquet, *Bref et sommaire recueil.*
94. Dorat, converti, l'emploiera néanmoins, dûment qualifié par *diuina*, pour parler de la
célébration du culte catholique : *Diuina... / Psallunt amandis uocibus orgia* (*Ode* XXXVII,
129-130).
95. Cf. n. 93, init.
96. « ... estant deüement assuré que hors icelle il n'y a point de salut » (*op. cit.*, p. 7).
Selon F. Secret, La Boderie n'aurait pas été aussi candide qu'il le paraissait, et il aurait habilement manœuvré en présence des Jésuites de Louvain pour faire donner l'*imprimatur* à son
Encyclie (*L'ésotérisme de Guy Le Fèvre de La Boderie*, p. 23).
97. Il chantera sa palinodie en 1575 ; cf. *Ode* XXXVII, 121-128.

poète ne met en avant que deux autorités, Orphée et la Sibylle : *Orpheus quod, quodque Sibylla probat (ibid.)*.

S'il est vrai que les Sibylles ont été « récupérées » par les Chrétiens[98], les auteurs des livres de la Bible sont ici totalement évincés au profit des « inspirés » de la seule tradition gréco-latine. Dorat rappelle alors, opportunément, qu'une des Sibylles était d'origine hébraïque : cela fait partie de la tradition reçue[99]. Était-ce aussi le cas d'Orphée ? Là, le poète ne se compromet pas, et se réfugie dans le « peut-être » :

> *Fors* et ab Hebraeis Orpheus ortus erat *(ibid.)*[100].

Dès lors, tout le développement se trouve sous le signe du doute : Daphnis serait-il dérivé de David, Musée de Moïse, Hésiode d'Isaïe ? Certaines déclarations paraissent lénifiantes[101] : David a chanté le vrai Dieu, le Seigneur :

> Et Dauid cecinit uerum Dominumque Deumque
>
> *(op. cit.*, p. 157).

Mais le parallélisme entre l'action de Dieu et celle de la Nature — seu *Natura aliquod*, seu *Deus egit opus* — n'est pas très orthodoxe ; l'est moins encore l'affirmation — jugée évidente — que la Nature est Dieu, ou, si l'on veut, une sorte de puissance de Dieu :

> Nam Natura Deus*ue*, Dei*ue* potentia quaedam est
>
> *(op. cit.*, p. 157)[102].

Enfin l'humaniste, entrant dans les vues de son ami de la Cabbale, paraît admettre l'antériorité des révélations hébraïques, et la dégénérescence qui conduit de l'Histoire au Mythe :

> Verba sed o utinam sententia nec foret ipsa
> Laesa, nec historiae fabula mixta foret *(op. cit.*, p. 156).

En fait, cette vue pessimiste ne laisse pas de place à un monde nouveau qui commencerait avec le Christ, venu racheter les Hommes, et, apparemment, la dégradation continue, irréversible :

> Omnia sic retro fluere in peiusque referri
> *Semper* ab ignaua posteritate solent *(ibid.)*.

Le schéma n'est différent de celui qui fait passer de l'âge d'or à l'âge de fer que sur un point (héritage de la Cabbale) : ce sont les Hébreux qu'on trouve ici à l'origine de l'histoire du monde. Mais, au-delà de l'enthousiasme amical qui porte Dorat à célébrer la synthèse effectuée

---

98. Cf. ci-dessous, p. 145-146.

99. Sur la Sibylle hébraïque, cf. V. Nikiprawetsky, *La troisième sibylle*, La Haye, 1970. Dorat, ici, semble lui accorder un rôle privilégié : *Vna Dei ueri nuntia uera fuit / Cuius ab Hebraeis, non Graecis fertur origo* (in *Encyclie*, p. 156).

100. Cette attitude dubitative s'oppose à la certitude de la *Monodia tragica* (1576), cf. ci-dessous, p. 154.

101. Cf. aussi : *Fabula... uerum sua per mendacia uelat* (in *Encyclie*, p. 156).

102. La formulation fait penser à celle de Sénèque : *quid enim aliud est natura quam deus et diuina ratio toti mundo partibusque eius inserta* (*Benef.* 4, 7, 1).

par La Boderie[103] , l'indifférence doctrinale profonde du poète royal l'amène à conclure désinvoltement :

> Orpheus ut iam sit Dauid, sit Dauid et Orpheus :
> Dauidis atque Orphei sit lyra Fabricia (*op. cit.*, p. 157).

LA « CONVERSION » DE 1571   Une épreuve personnelle allait amener Dorat à une « conversion » totale. Probablement dans le courant de l'automne 1571, il fut très gravement malade, et même condamné par les amis médecins qui l'entouraient. Quand il fut rétabli, il entreprit la composition d'une ode latine pour remercier Dieu qui lui avait rendu la santé — *Ad Deum pro sanitate sibi restituta* (XXX), accompagnée d'une ode grecque, ΕΙΣ ΘΕΟΝ ΙΩ ΑΥΡΑΤΟΥ ἐκ βαρυτάτης νόσου σεσωσμένου[104] . La comparaison de l'ode avec un poème en distiques *De restituta ualetudine* (*P.*, p. 310-312)[105] montre le chemin parcouru par l'humaniste.

De restituta ualetudine, qui pourrait avoir été composé en 1553-54[106] , n'a rigoureusement rien de chrétien : la Santé y est présentée comme une déesse puissante, la mère de l'Amour : *mater Amoris* (*P.*, p. 310), *diua potens* (*op. cit.*, p. 311) ; certains vers rappellent les épigrammes votives de l'*Anthologie* :

> Tum pia thura dabo, fundam quoque roscida mella
> \
> (*op. cit.*, p. 311).

Dorat traite alors de *Valetudo* qui n'est que la santé physique[107] .

L'ode *Ad Deum* est d'une inspiration bien différente : elle a pour sujet *Sanitas*, qui désigne aussi bien la santé du corps que celle de l'esprit, voire la Raison. Les tout premiers vers incitent les anges à chanter la gloire du Dieu unique :

> Cantate, sacri carminis alites,
> Cantate laudes unigenae Dei.

103. Chez La Boderie, tout effort pour rapprocher, dans la ligne de Philon, platonisme et tradition hébraïque, est toujours fortement influencé par la lecture de Postel (*op. cit.*, *passim*): Dorat était depuis longtemps au fait de ces problèmes. Mis à part ses relations anciennes avec Postel (cf. ci-dessus, p. 121), il avait été intimement lié avec Jean de Vesvres (cf. *Ode* IX), un humaniste hébraïsant, qui travaillait sur Philon, et avait notamment publié le *De diuinis X oraculis* en 1554.

104. Les deux odes sont précédées d'une épître à Amyot.

105. Il est difficile de dater ce dernier texte avec précision, mais il est certain qu'il fut composé avant l'ode *Ad Deum* : même si, par la suite, l'exaltation religieuse de Dorat n'est pas demeurée aussi vive que pendant sa convalescence, il n'est jamais revenu en arrière. Le poème *Ad Valeranum...*, qui traite aussi de la maladie (*P.*, p. 59-64) ne nous semble pas devoir être attribué à Dorat, pour des motifs d'ordre social et littéraire : lorsqu'il demande une faveur ou qu'il remercie, il se garde bien de composer un long poème que son protecteur n'aurait pas le loisir de lire ; en outre, dans ce genre de texte, il est exceptionnel qu'il ne se nomme pas.

106. Après que le poète et sa femme eurent souffert, dans le courant de l'année 1553 (juste après le siège de Metz), d'une fièvre tenace, à évolution lente, qui les tint alités « plus d'un siècle » (*Ecl.*, p. 31). Ce texte serait à peu près contemporain de la mort de Jean de Brinon.

107. Ronsard, de même, voulait rendre « Aus bons Dieus les justes offrandes » pour célébrer la *convalescence d'un sien ami*, qui est Joachim Du Bellay (S.T.F.M., t. 2, p. 40).

Dans la première partie de l'ode, le poète détaille les symptômes de la maladie qui a failli le terrasser, reconstitue, pour ainsi dire, son agonie: c'est là, quand il ne pouvait plus parler, qu'il s'est tourné, dans un élan irrésistible, vers Celui qui ne se lasse pas de pardonner au pécheur qui se repent totalement :

> Clemens... numen et impigrum
> Audire uoces uotaque supplicis
> Quem paenitet uere (*Ode* XXX, 45-47).

L'exultation du convalescent a éclaté dès la première strophe; il se sent véritablement ressuscité, physiquement bien sûr, puisqu'il a recouvré la santé bien qu'il soit squelettique[108], mais, surtout, il est moralement régénéré, il a dépouillé le vieil homme[109] :

> Reuixit[110] Auratus, reuixit,
> Deposita, uiridis, senecta (*op. cit.*, 3-4).

On peut évidemment se demander quels péchés peuvent, d'après lui, avoir mérité une pareille sanction. Lorsqu'il dit que Dieu accorde son pardon à celui qui a honte de ses crimes antérieurs — *scelerum priorum* (48), il paraît bien que le poète songe à son cas particulier. Cette impression est beaucoup plus nette encore lorsqu'il évoque, au début de l'ode, des péchés que Dieu châtie[111], d'après lui, en envoyant précisément les troubles qu'il a ressentis :

> Lasciuientes cum petulantius
> Rebus secundis cernit amans pater,
> Aut deuios obliqua ferri
> Per spatia immemores pericli (*op. cit.*, 9-12).

Il n'est pas surprenant de le voir s'accuser de s'être livré, aux temps de prospérité, à des ébats trop effrontés, mais la deuxième erreur confessée ici est bien plus difficile à définir. Le poète, semble-t-il, s'est laissé entraîner par défaut de vigilance, alors qu'il avait d'abord reconnu le danger. Il a quitté la route pour vagabonder par des sentiers obliques. Or nous l'avons vu fréquenter des cercles peu orthodoxes. Il reconnaît ici qu'il a vécu, un temps, à l'aventure et, ce qu'il y a de grave, sans plus avoir conscience de son péché. Cette confession vient confirmer les trop peu nombreux témoignages concernant la fréquentation des douteux amis, dont le poète n'a pas réussi à purger son œuvre.

Dorat a voulu que son repentir eût un caractère public : il est exceptionnel, en effet, qu'il prenne le soin de confier ses œuvres à un

---

108. Comme il le dit à Amyot (sign. Aij r °).

109. Cf. saint Paul, *Ad Col.* 3, 9.

110. La place du verbe, en tête, sa répétition notent la vivacité de sa réaction. De plus ce verbe est celui qu'emploie l'évangéliste pour évoquer le retour de l'enfant prodigue (*Luc* 15, 32) ; Dorat développe du reste cette parabole dans les vers 50-70.

111. Sur l'usage pédagogique que Dieu fait de la douleur, cf. par ex. saint Augustin (*Conf.* 2, 2, 4).

éditeur. Ce faisant, il donnait à sa « conversion » plus de solennité : il ne l'aurait pas fait s'il n'avait eu à s'accuser que de peccadilles. Au reste, il parle de péché mortel — *nefas* (*op. cit.*, 109). Pourtant, il n'y a aucune ostentation dans son attitude : l'ode se termine par un appel à Dieu qui, seul, peut donner à l'homme la possibilité de persévérer[112] :

> ... fac, precor, ut diu
> Intaminatus perseuerem
> Quod tua uis dare sola possit (*Ode* XXX, 114-116).

D'autre part, l'ode *Ad Deum* montre un renouvellement complet de la manière de Dorat[113] : le texte ne contient pas une seule allusion mythologique, et toute notation païenne en est absente[114]. Il oppose son inspiration nouvelle — *fonte... e sacro* — à ce qui fut naguère l'aveuglement d'une poésie profane à laquelle il renonce — *haud temere quicquam... de fonte profano* (Aij v·)[115].

Ainsi, il a fallu la maladie pour que les humanistes prennent au sérieux les critiques que leurs détracteurs formulaient contre le « paganisme » de leurs œuvres.

Cependant, quelle que soit désormais sa révérence à l'égard du texte sacré, Dorat tient à ne pas imiter la langue de saint Jérôme; si l'ode est nourrie de pensée biblique, nous n'avons relevé qu'un seul terme — *reuixit* (3) — qui soit commun à la *Vulgate* et à ce poème : le latin « vulgaire » n'eût pas été en harmonie avec la structure métrique héritée d'Horace. Ce genre d'effort pour concilier le sujet religieux et une forme pure n'est pas nouveau[116], mais la synthèse entre la foi et l'humanisme tient particulièrement au cœur de Dorat[117].

Ce changement dans la forme n'est, du reste, qu'une manifestation superficielle d'une « conversion » intellectuelle plus profonde : désormais sa méthode analogique sera une typologie.

NOUVEAU SCHÉMA HISTORIOGRAPHIQUE : SES CONSÉQUENCES — Il n'est plus question de trouver un modèle dans le premier temps de l'histoire humaine : dans le meilleur cas on y reconnaîtra tout juste un essai, une *adumbratio*. Dorat, maintenant, note que la mythologie grecque a emprunté certains de ses schémas au peuple élu et à son Livre. Ainsi

---

112. Cf. saint Augustin, *De Perseuerentia*, 1, 1.

113. Le poète se sent inspiré, malgré sa fatigue physique, comme il le dit dans l'épître offerte à Amyot : *Carmina proueniunt nullo mihi nata labore* (Aij v·).

114. Ce qui n'est pas le cas de l'ode *De sanctissima natiuitate Iesu Christi* (XL), que nous ne pouvons dater avec certitude.

115. Joachim Du Bellay, lui aussi, sous l'empire de la maladie, avait abandonné les prestiges du mythe, pour demander à la suite du psalmiste : « Gueriz, Seigneur, gueriz moy de peché » (*Hymne chrétien*, S.T.F.M., t. 4, p. 118; cf. *Psaume* 51/50, 4).

116. Juvencus a transposé l'*Évangile* en hexamètres; Prudence a utilisé la métrique éolienne. Au XVIᵉ siècle, Salmon Macrin a travaillé également dans ce sens.

117. En 1575, il accorde une ode-préface à J.-M. Toscano pour sa traduction latine des

David, le faible, a tué le monstrueux géant Goliath, « à l'image duquel »
les Grecs ont fabriqué le Cyclope :

> (Dauid)
> ... ardua torui
> Tempora qui Goliae fundae perfregerit ictu :
> *Huius ad exemplum* Graeci finxere Cyclopen
> *(Monodia,* dédicace).

En principe, c'est de la Bible que devraient être tirés les exemples, et
Dorat se souvient quelquefois de ses nouveaux principes[118]. Évoquant
la mort de Charles IX, il la compare à celle de Samson[119] :

> Sanson ut alter, opprimens hostes suos *(Exh.*, 67).

LES TROIS ÉTAPES   D'autre part le premier temps du monde
ne coïncide plus avec l'hellénisme triom-
phant. Désormais Dorat distingue, de manière très orthodoxe, le temps
d'avant la loi de Moïse, le temps de la première alliance, le temps du
Christ. L'Homme est passé de l'élan de nature à la loi dure, et de là au
joug du Christ, qui est douceur :

> ... ab impetu
> Naturae...
> A lege dura blanda Christi
> Ad Iuga sic rediere gentes *(Ode* XXXI, 33-36).

L'évolution est terminée, dit-il : et l'absence de loi, et la loi elle-même
sont des états révolus, une ère nouvelle commence avec le Christ :

> Ad summa uentum est : fluxit inanitas
> Legisque lexque, et tertius his gradus
> Accessit, instaurator aeui
> Christus *(op. cit.*, 41-44).

C'est la venue du Christ qui constitue désormais, si l'on peut dire,
une charnière entre les deux époques : Dorat le proclame au début
de l'ode offerte à Thevet :

> Christi sub aduentum...
> Cuncta retro renouanda secla *(Ode* XXXIX, 4-5).

Le verbe *renouare* signifie bien recommencer, mais avec le sens de
remettre à neuf, et même de faire plus beau que ce qu'il y avait

---

Psaumes en divers mètres latins *(Psalmi Dauidis ex hebraïca ueritate latinis uersibus expressi).*
Dorat, en vue de l'efficacité pédagogique a ajouté, en tête de chaque psaume, un distique qui
le résume ; ces textes ont été relevés dans l'édition de 1586, mais avec une pagination anarchique. Lui-même a transposé le *Psaume* 74/73 en strophes sapphiques *(Ode* XXXVIII) et le
Psaume 133/132 en distiques *(P.,* p. 74).

118. Sur les entorses à ces principes, cf. ci-dessus, p. 132 et ci-dessous, n. 123.

119. Cf. *Juges,* 16, 30 ; il rapproche une victoire d'Henri III de celle qu'Israël remporta
sur les Amalécites : *(sic) / Israël laetus uicto Amalece redit. (B.V.M.,* Aiij v). Sur l'adaptation
d'autres textes sacrés dans l'*Exhortatio,* cf. G. D., « Le poète et le prince », in *Hum. Lov.* XXVI
(1977), p. 164-165 et n. 15.

auparavant. Ainsi, par exemple, la Rome antique est sans aucun doute progressivement parvenue à dominer le monde, mais ce n'était qu'une annonce de sa précellence actuelle, qui date du jour où saint Pierre y a fixé sa résidence : *De ueteris et nouae Romae statu* (*P.*, p. 24-25). Le poète a choisi ingénieusement l'époque « charnière ». C'est la folie des Césars qui fit de la Rome antique un amas de ruines :

> Caesaribus tandem iam desipientibus ipsis,
> Mortua sub saxis est tumulata suis (*P.*, p. 24).

Or, précisément au temps où Néron faisait brûler la ville[120], Pierre, dit-on, était déjà dans ses murs, et la Rome chrétienne naissait, pure, ignorant la débauche ancienne[121] :

> Rursus et infantes sub Petro uenit ad annos
> Simplex, et ueteris nescia luxuriae (*ibid.*).

On voit que, dans le schéma historiographique du poète, la Rome païenne des Flaviens, des Antonins, et de leurs successeurs, Julien compris, n'est plus qu'une contrefaçon de la cité antique. Celle-ci est bien morte[122], et seule compte, désormais, la forme sous laquelle la Providence l'a autorisée à ressusciter :

> Prouida sed superum[123] pietas miserata sepultam,
> In uitam rursus posse redire dedit *(ibid.).*

Autrefois Julien pouvait voir sur les places de Constantinople des Cyniques en guenilles, qui prêchaient l'ascétisme en se moquant des moines mendiants dont la besace et les loques n'étaient, d'après eux, qu'une simiesque imitation de la tenue de Diogène. Inversement, quand Dorat s'excuse auprès de l'évêque de Paris de ne pouvoir assister à une cérémonie lustrale à Saint-Cloud, les *tubilustria* évoqués par Ovide dans les *Fastes* (5, 725-726) lui semblent avoir annoncé la purification des cloches, si toutefois, ajoute l'humaniste repenti, il est permis de comparer les choses sacrées aux profanes[124] :

> ... si fas sacra profanis
> Et noua cum priscis componere (*P.*, p. 188).

---

120. Incendie dont il rendit précisément les Chrétiens responsables, cf. Tacite, *Ann.* 15, 44.

121. Alors que la Rome antique était portée aux folles passions — *prona libidinibus* (*P.*, p. 24).

122. Sous ses consuls, Rome avait pu, sans doute, montrer sa puissance militaire, mais les papes Pie V et Grégoire XIII (le texte est dédié à ce dernier) lui ont donné la vraie grandeur, la piété, la sagesse, que des maîtres indignes lui avaient fait perdre un temps (*ibid.*). Et que ne doit-on pas attendre de la vigilance du dragon qui veille désormais sur la Ville Éternelle si, jadis, un troupeau d'oies a pu la sauver (*op. cit.*, p. 25). On voit que, pourvu qu'il note le progrès, le poète fait flèche de tout bois.

123. La métrique aurait permis à Dorat d'écrire *Superi* ; un tel lapsus, dans un texte doctrinal, est significatif.

124. De même, la garde des boucliers sacrés par Numa peut, avec les mêmes précautions oratoires, être comparée à la conservation des reliques de la couronne d'épines par les rois de France, à la Sainte-Chapelle (*P.*, p. 194).

Il est même bien croyable, note-t-il, que les rites chrétiens de lustration ont trouvé là leur origine, mais, dans l'antiquité, ce n'était qu'un acte grossier ; maintenant, enfin, le rite a trouvé son vrai sens :

> Ex hac credibile est nostros et origine ritus
> [...]
> ... rudius fecit rudis illa uetustas (*op. cit.*, p. 189).

Historiquement, la vue sur l'origine du rite n'est pas fausse, mais seule la foi permet à l'humaniste converti d'affirmer qu'il y a eu progrès dans la qualité du rite.

MANIFESTATION DE L'ESPRIT AUX PAÏENS

Pourtant Dorat ne méprise pas systématiquement ces époques « grossières ». Il ne lui répugne pas que, dans le premier temps de l'histoire humaine, en attendant la Révélation, l'Esprit se soit manifesté aux Païens. Dieu, en effet, a mis dans l'esprit de tout homme un reflet de la structure numérique de son propre Esprit[125] :

> Diuinius nil mentibus intulit
> Nostris, suae quam mentis et ordinem
> (*Ode* XXXVII, 57-58).

Chez la plupart des hommes, ce don divin se borne à une capacité de réception, de compréhension de l'ordre supérieur :

> Per quos et omnes res perennant
> In memori numeros cerebro (*op. cit.*, 59-60).

Mais certains êtres sont privilégiés : les anges, les démons « qui font tenir aux hommes des formules secrètes ».

Même chez les Païens[126], l'Esprit s'est manifesté de façon remarquable, et Dieu a permis que la structure de Son Esprit se réalisât dans des énoncés rythmés très divers, les messages des devins, des Sibylles, l'expression du délire bacchique ou apollinien :

> Sunt numeris modulata certis :
> Haec angelorum, haec linguaque daemonum
> Arcana terris uerba ferentium ;
> Haec uatibus uox, haec Sibyllis,
> Hinc Thyasi, Tripodesque Phoebi (*op. cit.*, 68-72).

Du reste, ce n'est pas, tant s'en faut, un privilège des Grecs. Dans un liminaire pour la *Galliade* de La Boderie (1578), Dorat affirme qu'en Gaule, les Bardes ont, eux aussi, reçu l'inspiration divine :

> Testibus Hebraeis, Graecis et testibus ipsis
> Et Latiis, Bardis quanta sophia uiris
> Qui sua cantabant numeris misteria Gallis (*P.*, p. 209-210).

125. Sur cette structure numérique et son origine (selon Proclus, Orphée serait la source de Pythagore et de Platon), cf. D.P. Walker, « Orpheus the theologian and Renaissance Platonists », in *Journal of the Warburg and Courtauld Institutes*, XVI (1953), p. 100.
126. Il ne s'agit pas d'infiltration (par l'intermédiaire de l'Égypte, par exemple), ce sont bien là des manifestations directes, mais sporadiques de l'Esprit ; cf. *op. cit.*, p. 105-106 et n. 2.

Ces manifestations de l'Esprit, sont, si l'on peut dire, structurelles : l'essentiel est la compréhension ou la création d'un rapport numérique. Dans le détail, sans doute, Phébus était un menteur — *ementientis* (*Ode* XXXVII, 73), mais il y avait tout de même quelque chose à retirer de ce qu'il inspirait : ces chants étaient un essai pour transposer, par le truchement du mythe, une intuition de la vérité :

> ... sacra ueris fabulosa
> *Assimulat* (*op. cit.*, 75-76).

La pensée de Dorat se résume bien dans la formule qui oppose les pieux poètes et leurs instruments impies — *uatum piorum / plectra per impia* (*op. cit.*, 74). Le *uates*, en effet, poète ou prophète, a le cœur pur. Il faut noter, du reste, que ces quelques vers à propos des *pii uates* ont une coloration virgilienne très nette[127]. La formule même vient de l'*Énéide* (6, 662) : les mots *fidibus canoris* (76) caractérisaient, chez le poète latin, la lyre d'Orphée (6, 120) ; un peu plus loin, le Christ fait vibrer sa lyre — *pulsante Christo* (79) — comme le faisait le Thrace (6, 647).

NOUVEAU RÔLE
DU MYTHE

Jadis, l'humaniste considérait qu'Homère, dépositaire de la Sagesse sans tache, avait donné à ceux qui savaient le déchiffrer, et trouver le sérieux sous la fable, le grand message de toute morale humaine[128] :

> Seria multa iocis inuoluens ueraque fictis (*Epgr.*, p. 16).

Bien que Fulgence fût chrétien, il a déclaré aussi que, sous le séduisant manteau de la fiction poétique, les mythographes avaient fait utilement passer une suite d'instructions morales : ... *sub blanditorio poeticae fictionis tegumento, moralium seriem institutionum utiliter inseruerunt*[129]. Dorat chrétien ne serait plus d'accord avec une telle analyse. Non seulement il ne saurait plus admettre, comme il le faisait autrefois, que le divin Homère eût donné aux hommes le message fondamental (tel n'était pas, du reste, l'avis de Fulgence), mais c'est la fonction même du mythe que l'humaniste remet en cause. Ceux qu'il nommait les « poètes divins » ont fait entendre, comme ils le pouvaient, les intuitions vagues d'une vérité que seule la Révélation pouvait offrir, enfin,

---

127. On sait la place tenue par Virgile dans la pensée médiévale (cf. H. de Lubac, *Exégèse médiévale*, t. 4, p. 233-262), et même un esprit aussi « humaniste » que Pétrarque, tout en rejetant l'idée d'un Virgile prophète, trouvait néanmoins en lui « quelque lumière » sous le nuage de la poésie (*Rerum memorabilium*, 2, 2) ; cf. Nolhac, *Pétrarque et l'humanisme*, p. 109-112.
128. Cf. ci-dessus, p. 129.
129. Cité par H. de Lubac, *op. cit.* en n. 127, p. 184.

directement. Dans cette nouvelle optique, les fables ne servent plus à cacher une vérité que seuls les initiés pourraient atteindre[130]. Elles ont la même fonction pédagogique, avec une moindre efficacité, pourtant, que les paraboles de l'*Évangile,* qui marquent le premier temps de la prédication, mais un jour vient où le Christ n'a plus besoin d'employer des paraboles pour être compris[131].

La tâche pédagogique de l'interprète consiste donc bien, toujours, à donner la clé du mystère, et Dorat ne désavouerait pas sa mission de jadis :

> Vtraque magniloqui mysteria rimor Homeri (*Epgr.*, p. 16) —

mais il l'accomplirait dans un esprit tout différent, archéologique, si l'on peut dire.

LES SIBYLLES

Les poètes divins ne sont pas les seuls témoins de ces manifestations embryonnaires de l'Esprit : Dorat continue de penser que les Sibylles ont été inspirées par l'Esprit divin[132]. Selon Rabel, qui collabora avec Dorat et Binet aux *Sibyllarum XII oracula,* le message des Sibylles était destiné « au peuple Gentil »[133]. Pour Dorat, le rôle des Sibylles n'est pas de parler seulement aux Gentils. Dans le poème *In sacrosanctam Eucharistiam,* la Sibylle hébraïque[134] vient témoigner à propos de Dieu octroyant la manne à son peuple —*Hebraea teste sibylla* (*P.*, p. 9). Le grand hymne au progrès humain qu'est l'ode offerte à Thevet s'ouvre sur une affirmation concernant la Sibylle de Cumes et le sérieux de ses prédictions :

> Non ergo nullum carminibus tuis,
> Cumaea uates, pondus inest (*Ode* XXXIX, init.).

---

130. Cf. D. P. Walker, *op. cit.* en n. 125, p. 106.

131. La parabole est pour ceux qui n'ont pas accès directement aux mystères du Royaume : cf. *Matthieu*, 13, 11. Saint Paul dit aussi que la parabole représente une étape (*Ad Hebr.* 9, 9).

132. Du reste, il s'appuie là sur une solide tradition chrétienne dont l'expression la plus illustre est bien *Teste Dauid cum Sibylla* du *Dies irae* ; cf. F. Joukovsky, *Poésie et mythologie au XVIe siècle,* Paris, 1969, p. 142 : « ces créatures n'inspirent aucune défiance aux Pères de l'Église ». La confrérie limousine à laquelle appartenait la famille du poète faisait décorer l'autel la veille de Noël (1536) de deux sibylles (*op. cit.* en n. 4, p. 577) : même la piété populaire accueillait les Sibylles. Sébastien Castellion, qui avait fait imprimer à Bâle, chez Oporin, ses *Sibyllina oracula de Graeco in Latinum conuersa* prétendait les utiliser à des fins d'apologétique chrétienne : *putoque his non solum Christianos confirmari, sed etiam externos allici posse conuinci* (sans p., ni sign.).

133. Elles étaient des « femmes infideles et agitees du maling esprit, lesquelles toutesfois furent vaincues et forcees par l'esprit de Dieu (qui quelquefois parle par la bouche des faux Prophetes et les contrainct bon gré mal gré de dire la vérité) » (Épître dédicatoire à la reine Louise, in *op. cit.*, Aij r).

134. Sur le rôle priviligié de la Sibylle hébraïque dans les vers pour l'*Encyclie,* cf. ci-dessus, p. 137.

On pourrait multiplier les exemples. Il arrive même au poète de rapprocher le témoignage de l'une d'entre elles et celui des *Evangiles* :

> Finis adest mundi quem prisca Sibylla minatur
> Quemque Euangelicis pagina sacra libris[135].

La publication, vers la fin de sa vie, des *Sibyllarum XII oracula*[136] montre la constance de son intérêt.

En outre, il n'hésite pas à mettre sur le même plan d'une part la concordance des oracles sibyllins avec les *Évangiles,* et de l'autre la cohérence interne des quatre messages évangéliques :

> Quo sacris Euangeliis tam consona constant
> Quam sacrae inter se quattuor historiae (*op. cit.*, Aiij v°).

Pourtant les oracles des Sibylles n'étaient qu'un premier temps ; la Révélation a permis de dépasser ce stade, de délaisser les expressions confuses et les « figures » et d'aller, enfin, de l'image à la Réalité : *Ad uerum ex fictis tandem... figuris*[137] (*P.*, p. 189).

DES SIRÈNES AUX ANGES   Par une méthode analogue, Dorat va, si l'on peut dire, « récupérer » ses spéculations platoniciennes sur l'ordre cosmique dont l'harmonie se transpose dans la musique humaine. Comme au livre 10 de la *République* de Platon (617 b), des êtres musiciens habitent le cosmos : les fictions du mythe les nommaient des sirènes — *Sirenas ficto quas nomine dicunt* (*D.C.*, Aiij r°) ; maintenant des êtres angéliques ont pris la relève —

> Angelicas totidem mentes super orbe sedentes
> Aethereo *(ibid.)* —

et Cécile, entourée par eux, chante comme il convient le véritable « Jupiter » :

> Caecilia Angelicis circumdata saepe choreis
> Rite[138] canens *uerum*que Iouem *(ibid.).*

---

135. *B.C.A.*, sans sign.

136. Dans sa dédicace à la reine Louise, Dorat conclut un *credo* (en distiques élégiaques) en rappelant que les douze Sibylles ont été unanimes à annoncer la venue du Christ, et que beaucoup d'auteurs anciens en témoignent dans leurs livres (*op. cit.*, Aiij v°). L'un des auteurs de liminaires — *Caluimontanus* — note que Dorat avait fait un cours sur l'interprétation des propos de la Sibylle hébraïque, en présence d'un nombreux auditoire, très savant (*op. cit.*, Aiiij v°). Van Buchel, qui en parle aussi, dit que ce cours avait lieu au collège de Cambrai. Il mentionne à ce propos un chahut de Th. de Bèze et de ses amis, et la parade, très humaniste, de Dorat citant Ovide (in *Mémoires de la société de l'histoire de Paris et de l'Ile-de-France*, XXVI (1899), p. 143).

137. Par le nom de *figura*, le latin désigne aussi bien la structure (géométrique, par ex.), les images de toute sorte (statues ou fantômes), les figures de style (en particulier les précautions dans l'énoncé, les allusions).

138. L'adverbe est riche de sens : il signifie « selon la tradition religieuse », « à juste titre » et « selon les règles » : les Anges chantent la gloire de Dieu, créateur du monde, en imitant les structures numériques qui ont présidé à cette création, cf. ci-dessus, p. 68-72.

Le nom de Jupiter[139] n'a pas été choisi en raison d'une manie cicéronianiste de l'auteur; l'accent est mis ici sur *uerum*, et Dorat entend souligner combien la situation a changé depuis le temps de « saint Platon ».

RÔLE
DES PROPHÈTES D'ISRAËL

L'Esprit a donc parlé à des Païens privilégiés, mais moins distinctement qu'aux prophètes de l'Ancien Testament, pour qui, déjà, il n'y a plus d'intermédiaire trompeur dont il faille pénétrer les arcanes : le prophète Isaïe, quand il parle, est animé par l'Esprit de Dieu même, non par celui de Pytho :

> Afflatus ille Pythio non spiritu
> Vates, sed ipsius Dei (*P.*, p. 295)[140].

Mieux : c'est Dieu lui-même qui a chanté sur la lyre de David :*Dauidica cecinit... Deus ipse lyra* (*P.*, p. 74).

Mais le peuple élu de Dieu était dans l'attente et l'angoisse : le prophète a pour mission de lui faire espérer un messie, un sauveur, de lui donner les *signes* qui le feront reconnaître. Après qu'il a paru, c'est une démarche constante de saint Matthieu[141] que de rechercher dans l'Ancien Testament ce qui devait être *interprété* comme une annonce de Sa venue. Dorat est bien doué pour profiter d'une telle leçon. Ainsi dans le poème *In sacrosanctam Eucharistiam* (*P.*, p. 9), il note que la Manne envoyée par Dieu aux Hébreux dans le désert était une typologie du banquet eucharistique : l'octroi de ce pain de vie au peuple élu est un signe, une ébauche de la venue du messie — *aduentusque sui certissima signa (ibid.)*[142].

LA RÉVÉLATION
UNIVERSELLE ET DÉFINITIVE

Il ne peut donc plus, désormais, y avoir de doute, mais la Révélation se distingue encore des manifestations antérieures de l'Esprit en ce qu'elle est universelle et définitive — *terras per omnes* (*Ode* XXXVII, 78), *perpetuo* (*op. cit.*, 88), alors qu'elles étaient sporadiques et limitées[143]. Elle a fait cesser les formulations antérieures imparfaites. Il est difficile de savoir si une formule comme *tacere/Pythius atque coactus Ammon* (*Ode* XXXVII, 79-80) signifie seulement l'absolue efficience du Christ, malgré sa douceur qui est rappelée plus loin — *mitis agnus* (87) — ou si l'ancien admirateur de Julien note, de gaîté de cœur, la contrainte qui fit jadis taire les oracles[144].

139. Sur l'étymologie moralisante du nom de Jupiter, cf. *Exh.*, 250.
140. Une fois transposé en vers latins par les soins de Jean *Carpentaeius*, Isaïe pourrait passer pour Virgile — *Posset uideri ut factus Esaïas Maro* — mais c'est son inspiration qui est divine. Dorat ne pense ici qu'à la forme, mais considère qu'elle est en progrès, puisque le message, maintenant, est appuyé par une structure numérique.
141. Cf. notamment *Matthieu* 1-4 ; 6, 17 ; 11, 10 ; 13, 35.; 26, 31; etc.
142. Le poète rappelle que le Christ a lui-même explicité ce signe lors de Sa venue sur la terre : *Mystica signa probans ueris certissima uerbis (ibid.)*. Cf. *Jean*, 6, 34 ; 48 ; 51 ; 58.
143. Sur le caractère incomplet des révélations antérieures, cf. saint Paul, *Ad Hebr.*, init.
144. Son ami Guy Le Fèvre de La Boderie composa des péans sur la rapide destruction

LES *ÉVANGILES*   Quel que soit, par ailleurs, son goût pour
ET L'ANALOGIE   l'Analogie, Dorat a suffisamment de ré-
     vérence envers les Évangiles pour ne pas
les interpréter allégoriquement, et ne pas les utiliser aux mêmes fins que
le mythe antique, voire que l'Ancien Testament[145].

Cependant l'esprit du poète, toujours à la recherche de toutes les
similitudes signifiantes, se plaît à rappeler les représentations des quatre
évangélistes par l'aigle, le bœuf, l'homme et le lion (*P.*, p. 242). Il explicite le sens de ces figures et recherche la parenté qui les lie, de ce fait, aux
quatre Pères de l'église d'Occident, Augustin, Jérôme, Ambroise et Grégoire, qui ont mis respectivement, selon lui, l'accent sur la divinité du
Christ, le sacrifice qu'il fait de lui-même, son humanité, sa royauté[146].
Mais Dorat, quand il lie l'humanité du Christ à Ambroise, et sa royauté
à Grégoire —

> ... ad humanos reuocat miracula Christi
> Actus...
> Ambrosius
> [...]
> Gregorius...
> Affirmat Christi regnum per secla futurum (*P.*, p. 242) —

n'est pas d'accord avec la tradition médiévale[147]. Par contre, il ne pouvait guère se tromper à propos d'Augustin. Quant à Jérôme et à son
bœuf — *Cuius sacrificos Hieronymus acer / Pandit (ibid.)* — ils ne signi-
fiaient pas, dans l'ancien texte, le sacrifice, mais l'être qui, robuste et
sûr, tire la charrue au sillon de l'Écriture[148].

Suivant toujours la même démarche, d'autres commentateurs ont
vu dans les quatre évangélistes les quatre sens de l'Écriture. Dorat ne
connaissait sûrement pas ce type d'interprétation : il n'eût pas manqué
d'en tenir compte. Les divergences entre la tradition et lui s'expliquent
par le fait qu'il a dû travailler vite, d'après des souvenirs un peu flous,
et que son imagination fertile a remplacé une science défaillante : nous
l'avons vu à propos du bœuf ; s'il attribue la royauté à Grégoire, c'est
sans doute parce qu'il a été pape.

---

des dieux païens par le christianisme (cf. Plutarque, *De defectu oraculorum*, 418e) : « Dans les
cueurs tenebreux des hommes par le monde / *Tout soudain* on ouyt les Dieux payens fremir ».
M. Walker croit discerner ici une légère note de regret (cf. *op. cit.* en n. 125, p. 113, et n. 1).

145. En 1570, avant sa conversion, Dorat avait établi une analogie assez inattendue
entre Henri de Guise et Charles IX d'une part, et de l'autre... saint Jean-Baptiste et le Christ
(*Ode* XXIX, 13-16).

146. Le rapprochement n'est pas nouveau : depuis le XIIe siècle, les commentateurs s'y
sont complu (cf. H. de Lubac, *Exégèse médiévale*, t. 1, p. 29-33). Bien que la liste des quatre
pères ait été sujette à des variations, celle que Dorat a choisie est la mieux attestée : c'est le
quadrige qui conduit au ciel — *ascende hanc quadrigam, quae te ducit in altum* (formule de
Hugues Métel, citée par H. de Lubac, *op. cit.*, p. 30).

147. Selon laquelle c'est Grégoire qui représente l'humanité, Ambroise la royauté (prose
de l'abbaye de Marmoutiers, citée *ibid.*).

148. Cf. n. 147, fin.

Ce poème *Quatuor Euangelistae* est tout à fait caractéristique de sa méthode analogique[149] . L'ordre dans lequel sont rangés les quatre évangélistes n'est pas habituel : il a choisi de frapper son lecteur en présentant aussitôt le divin avec Jean, l'aigle et Augustin ; plaçant au milieu les formes qu'il juge moins glorieuses, il a gardé pour la fin l'annonce de la royauté éternelle du Christ —

Affirmat Christi regnum per secla futurum (*P.*, p. 242) —

qui rappelle la formule liturgique conclusive *per omnia secula seculorum*[150] . Il s'agit probablement d'une préface accordée à une édition des *Évangiles* accompagnés de gloses qui donnaient une grande place à la tradition (chacun des quatre Pères cités a composé des commentaires des *Évangiles*). C'est là une manière catholique d'approcher l'Écriture ; les Réformés n'ont recours qu'au texte sacré et manifestent, d'autre part, la plus grande méfiance devant les excès de l'allégorie qui n'est jamais considérée que comme une méthode de remplacement.

LES « PROPHÈTES » ET L'ESPRIT

Enfin, il est certain que Dorat admettait que, si le Saint-Esprit avait pu s'exprimer maladroitement par des bouches païennes, il pouvait, à plus forte raison, parler par la bouche pure d'une femme qui est devenue sainte Brigitte et, au seizième siècle encore, par celle du « devin national », Nostradamus. Il faut donc noter encore ici le propos qu'Antoine du Verdier a prêté à Dorat : « Michel Nostre Dame les (ses Centuries) avoit escrit, un Ange les luy dictant »[151] . Il faut remarquer, du reste, que Dorat a continué de vaticiner après sa conversion, et l'a fait même plus fréquemment qu'avant[152] . Tous les Catholiques, pourtant, n'étaient pas d'accord sur le caractère licite de la divination. André Thevet, par exemple, quand il parle des sauvages de la « France antarctique », qui croient en l'oniromancie, en profite pour stigmatiser ce genre de pratique[153] . Quant à Dorat — que la nécessité de concevoir

---

149. Chaque strophe contient une formule qui nous invite à dépasser l'apparence et à chercher un sens caché : *effigies, pandit, applicat, mysteria*.

150. Il serait intéressant de savoir à quelle occasion Dorat a composé ces seize hexamètres, que le typographe a répartis à juste titre en quatre « strophes », et qui ne nous sont connus que par l'édition collective de 1586 : ce pourrait être autour de 1575, époque à laquelle il semble avoir eu un souci particulier de vulgarisation scripturaire (cf. *Ode* XXXVII, 116-118). Il souhaite aussi que la jeunesse renonce à la poésie profane (*op. cit.*, 127-128) : sur ce dernier point, on ne peut imaginer une palinodie plus complète.

151. Cité par Marty-Laveaux, *Œuvres* de J. D., p. XLIII. Il paraît même avoir admis la présence de l'Esprit dans d'autres que les « prophètes » : « (Le grand moteur de tout) / ... meut l'esprit de ceux qui predisent leurs sorts, / Soit ou Prophete, ou autre qui l'esprit saint enserre » (*P.*, p. 77). Ce texte est contemporain de la paix « de la Saint-Rémy » (1577).

152. Sur les différentes techniques divinatoires de Dorat, cf. ci-dessous, p. 242-254.

153. « Autres que nos Sauvages ont esté en ceste folle opinion d'adjouster foy aux songes... mais pour ce que cela repugne à nostre religion, aussi qu'il est defendu d'y adjouster foy, nous arrestans seulement à l'escriture Sainte, et à ce qui nous est commandé, je me deporteray d'en parler davantage » (*Les singularitez de la France antarctique, autrement nommée Amérique*, p. 65).

un esprit providentiel veillant sur le monde avait amené à un déisme
assez proche de celui du Portique[154] — comment n'aurait-il pas admis
la divination quand elle est cautionnée par un Dieu père, qui connaît
« le nombre des cheveux » de chacun de ses fils, et ne peut que les aider
à comprendre Son dessein :

> Qualis Rex, quantusque Deo uenit auspice Gallis
> Henricus, *docuit per sua signa* Deus[155] .

Le signe n'est donc plus un simple « signal d'alarme », il a une valeur
pédagogique et formatrice. Aussi Dieu offre-t-il à Ses fils des signes
parfaitement transparents[156] : ainsi, Dorat moribond a su que Dieu lui
avait pardonné parce que sa maladie a été mise en fuite :

> Noxae(que) *certum* mi remissae
> *Indicium* fuga prompta morbi (*Ode* XXX, 111-112).

Le malade a pu, si l'on peut dire, brûler l'étape de la reconnaissance du
signe, et passer directement à sa traduction.

Il est certain que, dans les périodes de crise, l'individu et le corps
social ont, plus que jamais, besoin de signes et, en conséquence, en
trouvent partout[157] . Cependant, malgré la sagacité de l'interprète, il
lui arrive de noter l'opacité du monde qui l'entoure. Son disciple et
ami J.-A. de Chavigny reproduit au début de son *Iani Gallici facies
prior* une conversation qu'il est censé avoir eue avec Dorat, peu de
temps avant la mort de ce dernier. Tenaillé par la pauvreté, affligé par
la continuation des guerres civiles, le vieil homme, s'appuyant sur l'expérience d'Horace, va jusqu'à reconnaître dans ces « très profondes
ténèbres », dans cette « obscurité qui enveloppe l'avenir », la volonté
d'un Dieu sage : *Maxima quippe caecitas est rerum futurarum, latebrae
profundissimae, recessus infiniti et, sicut indicat Poeta :*

> « Prudens futuri temporis exitum
> Caliginosa nocte premit Deus[158] » (in *op. cit.*, p. 33).

Il faut remarquer, toutefois, que la citation est interrompue, et que le
pessimisme ne pousse tout de même pas Dorat à noter, comme le faisait Horace, que la divinité se moque du mortel qui se soucie, indûment,
d'autre chose que de l'immédiat (*Carm.* 3, 29, 31-32).
Cependant, en 1588, Chavigny a prêté à son ami des propos in-
quiets : non seulement Dieu n'éclaire plus les hommes par des signes,

---

154. Cf. ci-dessus, p. 135.
155. *De Regis Henrici III. foelici auspicio* (in *In Henrici III. Regis reditum*, Aiij r·).
156. D'ordinaire, « même s'il (Dieu) a caché certaines choses, il n'a rien laissé sans signes
extérieurs et visibles, avec des marques spéciales », dit Paracelse (cité par M. Foucault, *Les
mots et les choses*, p. 41). Dorat ne vise pas la présence du signe, qu'il reconnaît toujours
parfaitement, mais sa qualité.
157. Cf. Sénèque : *nec usquam plura exempla uaticinantium inuenies quam ubi* formido
mentes religione mixta percussit (*Nat. Quaest.* 6, 29, 3).
158. *Carm.* 3, 29, 29-30.

mais il enveloppe la réalité, empêche qu'on en saisisse la signification[159].
Mais Dorat, qui sait que le plan de Dieu est, parfois, difficile à comprendre[160], rappelle, comme pour se rassurer, que son Dieu a un plan,
qu'il est sage — *prudens*[161].

THÉOLOGIE Après que Dorat a retrouvé, en 1571, le
chemin de la foi, il glorifie Dieu, mais
sans se perdre en subtilités théologiques auxquelles sa formation ne l'aurait pas préparé.

BONTÉ DE DIEU On conçoit que, pour ce « miraculé »,
l'attribut essentiel de Dieu est la bonté.
Celui qu'il a rencontré dans son agonie[162] est le Père qui pardonne,
plein d'amour — *amans pater* (*Ode* XXX, 10)[163]. Aussi y a-t-il plus de
joie dans le ciel au retour d'un seul pécheur repenti qu'à l'accueil
d'une foule de justes :

> Sic transfugae unius regressu
> Festa agitat potiora coelum
> Quam si frequentes excipiat decem
> Coelestis intra limina Regiae
> Iustos (*op. cit.*, 71-75).

Ce dieu ne châtie plus les pères sur les enfants : dans l'ode *De sanctissima natiuitate... Iesu Christi* (XL), la Clémence déclare au tribunal
divin, en plaidant pour le pardon que l'Incarnation rendra effectif :

> ... uenturis miserere seclis,
>   Frigeat ira.
> Mox quid extremi meruere longa
> Stirpe deducti? proauita in ipsum
> Quid retorquerentur male posterorum
>   Crimina fontem? (*Ode* XL, 67-72)[164].

PUISSANCE DE DIEU Mais du fond de sa misère physique,
proche de l'anéantissement, le vieillard
a connu la toute-puissance de son Dieu : il le nomme *cunctipotens*
(*Ode* XXXVII, 2)[165]. Ce Dieu, dans Sa bonté, suspend la châtiment

---

159. C'est du moins le sens que nous croyons pouvoir donner à *recessus infiniti* : on
serait même porté à comprendre que c'est Dieu lui-même qui se retire infiniment.

160. Cf. ci-dessous, p. 152-154 ; 158.

161. Son attitude peut aussi être défensive, car le prophète qui annonce des catastrophes
est mal vu. Cf. ci-dessous, p. 251-252.

162. *Tunc me uetarent tot mala cum loqui* (*Ode* XXX, 41).

163. Cf. aussi *clemens numen* (*op. cit.*, 45), *Dei miranda nostri / ... bonitas* (*op. cit.*,
75).

164. Alors que, selon l'Ancien Testament, les pères ont mangé des raisins verts et les fils
ont les dents agacées (*Jér.* 31, 29-30). Il reste que le poète fait demander par la Clémence plus
que le créateur n'accordera, puisque, même après le rachat, la source même de la naissance humaine — *fontem* (*op. cit.*, 72) — demeure souillée par le péché originel.

165. Celui qui fait descendre les puissants de leur trône et élève les humbles peut faire

pour laisser au pécheur le temps de se repentir — *ad poenitendum differens poenas* (*Monodia*, p. 24) — mais malheur à celui qui croit échapper à Sa justice parce qu'il a abusé le jugement des hommes[166] : on ne se moque pas de Dieu — *nec fraus perfida / Euadet a Deo parata retia* (*ibid.*)[167]. En effet, pour Dorat, ce Dieu est vengeur — *uindex Deus* (*Monodia*, p. 23) : plus le souvenir de son expérience privilégiée s'éloigne, plus son Dieu ressemble au Dieu courroucé d'Israël.

Dorat avait eu, jadis, après la mort de F. Le Duaren, l'intuition de ce que pouvait être le dernier jugement, quand l'homme est nu, contraint de comparaître, sans même un avocat :

> ... nudatas animas reorum,
> Pelle detracta, has cito damnat, illas
> Crimine soluit (*Ode* XXI, 114-116).

Le juge, en 1559, n'était pas le Dieu d'Israël, c'était Radamanthe, comme au chant 6 de l'*Énéide*. Mais ce sont les évangiles du jugement dernier[168] qui sont présents à l'esprit de Dorat quand il préface, en 1574, l'opuscule que Jean des Caurres a consacré à l'éminente dignité des pauvres[169] :

> (Christus)
> ... nihil a turba se circumstante reposcit
> Praeter quod per eos nudus egensque fuit...
> Temporibus duris durum se quisquis egenti
> Praebuerit, durum sentiet ipse Deum (*P.*, p. 25).

La certitude du Chrétien apparaît dans l'emploi des futurs *sentiet* et *erit* : Dieu est juste.

LE MAL   Mais, s'Il est juste, pourquoi laisse-t-Il les méchants jouir de la réussite, alors qu'Il envoie des épreuves à des hommes qui, apparemment, n'ont pas contrevenu à Ses commandements ? En présence du Mal triomphant, on est parfois tenté de douter de la Providence :

> Quotiesque rursus tanta, totque nocentium
> Miror manere inexpiata piacula :

mourir le pécheur, ou, à son gré, le ramener, blême, du seuil de la mort : ... *idem mortificans et a / Mortis reducens limine pallidos* (*Ode* XXX, 17-18).

166. Ce thème est repris plusieurs fois : (*Dei mens*) *Quae fraude nulla, nec latebra fallitur* ; (*Deus*) *Nullis latebris facta qui uis impia / Latere tuta* ; *Vt serius uel ocyus nullum scelus / Aut lateat, aut... inultum transeat* (*op. cit.*, p. 12 ; 23 ; 26).

167. Cette métaphore sinistre est fréquemment attestée dans l'Ancien Testament (Cf. par ex. *Esech.* 12, 13 ; 32, 3 ; *Osée*, 7, 12) ; elle ne l'est pas en ce sens dans le Nouveau.

168. Cf. notamment *Matthieu*, 25, 35-46.

169. Ainsi le médecin Legrand se prépare le repos éternel en dispensant ses soins aux déshérités de ce monde, et c'est là un bien plus sûr que les gratifications faites, ici bas, par les riches : *Nam qui ditior est, dat proemia grata medenti, / Sed merces inopis grandior illa manet / ... / Sed tibi grandis erit post tua fata quies* (Mss. Dupuy 810, f° 144 r°). La seule voie du Salut est la bonté : *Nempe haec una uia est, quae ducit ad aethera, quaeque / Sola dat ad mensas occubuisse deum* (*P.*, p. 314).

Sollicitor (heu! dictu nefas) nulla regi
Mundum putare mente prouidi Dei (*Monodia*, p. 25).

Mais si les événements de 1570 ont montré en Dorat un lecteur attentif
de *De clementia*, en 1576, sa réponse à une question analogue à celle
que Lucilius avait posée avec insistance à son maître, se démarque nettement de celle de Sénèque. L'humaniste en effet, avant ou après sa
conversion, n'est pas prêt à considérer que les situations fâcheuses ne
soient des malheurs qu'en apparence (*Prouid.*, 3, 1)[170], que les biens
de ce monde ne soient que des faux biens (*op. cit.*, 3, 2), et il est
difficile qu'un Chrétien dans les épreuves s'imagine son Dieu s'intéressant aux performances morales de Sa créature aux prises, comme un
gladiateur dans l'arène, avec la Fortune (*op. cit.*, 2, 8). Dorat se souvient,
sans doute, de l'expérience de Job[171] : son Dieu « permet » que les
hommes aient à lutter et soient mis à l'épreuve, mais ce ne sont plus
des gladiateurs, ce sont des soldats, même si leur énergie obstinément
tendue peut rappeler l'attitude des héros stoïciens :

Certare milites[172] sibi probandos Deus
Permittit, humanaque ui *pertendere* (*Monodia*, p. 19).

L'attitude de l'homme n'a rien d'ostentatoire, ni d'exemplaire : il
n'est que *l'instrument* du dessein de Dieu, dessein qui sans doute lui
échappe, mais qui est bon, puisque Dieu est père. Cette paternelle
bonté de Dieu est attentive à ce que les épreuves ne dépassent pas les
forces humaines ; elle intervient efficacement pour empêcher de suc-
comber des êtres qui n'ont rien d'héroïque :

(humanaque ui pertendere)
Eo usque donec, ingrauescenti malo,
Natura cedat : ipse tum praesens pium,
Tormenta ne deficiat inter, subleuat *(ibid.)*[173].

Ainsi, quand le médecin bordelais Martial Deschamps, ami du poète[174],
et son compagnon de voyage, ont été ligotés et jetés dans un étang
— que la littérature a immortalisé sous le nom de « la mare au diable »
(*Monodia*, p. 6) — pourquoi Dieu a-t-il mis au seuil de la mort ces deux
malheureux ? Ce n'est pas pour les châtier de quelque erreur qui aurait
échappé au jugement des hommes[175]. Pour bien montrer l'apparent

170. Ainsi, Dorat montre par quelles souffrances physiques, bien réelles, il est passé
pendant sa maladie (*Ode* XXX, 23-41) : il ne s'agit pas de nier les souffrances en se guindant
orgueilleusement, il faut leur donner un sens.
171. Cf. *Job*, 1, 12 ; 2, 6.
172. Cf. Érasme, *Enchiridion* militis *Christiani*.
173. Parmi ces maux, se trouve la tentation ; le Chrétien prie son Père qu'Il l'écarte de
lui — *Ne nos inducas in tentationem* ; mais si l'Homme doit être tenté, Dieu ne permet pas que
la tentation dépasse les forces humaines ; cf. saint Paul, 1 *Ad Cor.*, 10, 13.
174. Cf. *P.*, p. 153-158 ; 312-313.
175. Précisément, Deschamps est enlevé par les brigands parce qu'il s'est fait, dans une
juste cause, le défenseur de la veuve ; quant à son compagnon, il était aussi innocent que lui
(ibid.).

scandale, le poète rappelle cette innocence dans le cours du récit
— *innocentes* (*Monodia*, p. 6), avant de proclamer que, si Dieu a voulu
cette épreuve, c'est pour manifester sa gloire — *manifestior sua esset
hinc ut gloria* (*Monodia*, p. 7)[176]. Dieu, selon Dorat, veut montrer que
l'ère des miracles n'est pas close, et convaincre ainsi les récalcitrants :

> (Deus effecit)
> ... horum uox superstes sospitum
> Inusitati testis ut miraculi
> Nostros per annos esset his idoneus,
> Diuina qui impie negant miracula[177] (*Monodiae argumentum*).

LE MIRACLE Dorat a explicitement rapproché l'aventure de son ami et celle de saint Mar-
tinien, que rapporte Paulin de Nole[178]. Sans doute le malheureux
Martinien a-t-il été éprouvé lors du naufrage, mais il a fait l'expérience
du miracle :

> Nam dira passus, et tamen miracula
> Expertus in periculis (*Poema* 24, 19-20).

Paulin se plaisait à souligner qu'on devait tirer de ce drame une conclusion évidente : il n'y a pas de hasard, Dieu n'a pas abandonné les
Siens, parce qu'Il est père[179].

Dans tout le texte, le poète français affirme avec la même énergie
l'existence d'un plan de Dieu, et le but de cette histoire de brigands est
de montrer que la providence divine gouverne toutes choses. Le titre le
dit : *Monodia tragica, in qua asserit Prouidentiam Dei rerum omnium
gubernatricem.* Ce faisant, Dorat s'inscrit en faux contre ceux qui remplacent la notion de Dieu par celles de Nature, de Hasard, de Nécessité,
de Destin —*aduersus eos, qui ponunt Naturam, Casum, Necessitatem,
Fatum pro Deo.* Le lecteur est donc bien éclairé par un tel sous-titre.
Mais, on le voit, les adversaires sont nombreux et divers, encore plus
divers qu'il n'y paraît, car la Nature, par exemple, comme le fait
remarquer H. Busson, « n'est pas pour tous les penseurs le même
symbole »[180].

On est tenté de chercher les adversaires dans le monde qui envi-
ronne l'auteur, mais il est vraisemblable que l'humaniste a tenu à

176. Cette formule est toute proche de celle que, dans l'*Évangile* de saint Jean, le Christ
emploie pour répondre à ceux qui veulent savoir quels péchés expie l'aveugle-né : *ut manifes-
tentur opera Dei in illo* (9, 3).

177. Dans le liminaire au *Tractatus de Monstris*, de Sorbin (1570), Dorat emploie *miracula* au sens classique, comme équivalent de *monstra* (c'est à peu près le sens de *inusitati..
miraculi* dans le texte que nous citons) ; par contre, il faut entendre *diuina... miracula* au sens
spécifiquement chrétien de « miracle ».

178. Migne, t. 61, col. 615 et suiv.

179. *Manum paternam porrigit* (*op. cit.*, 67). *Quod ne putetur* forte *permixtim bonis /
Simul tributum uel malis, / Constat perisse Christianum neminem / Et interisse perfidos* (*op.
cit.*, 123-126). Dieu intervient même avec une sollicitude maternelle (*op. cit.*, 251-252).

180. *Rationalisme*, p. 230.

préciser aussi sa position en face de la philosophie antique dont les séductions, naguère, s'exerçaient sur lui[181]. En effet, en 1570, dans les vers pour l'*Encyclie* de Guy Le Fèvre de La Boderie, Dorat déclarait dans un troublant parallèle :

Seu Natura aliquod, seu Deus egit opus (in *op. cit.*, p. 156)[182].

Devenu chrétien, Dorat ne peut qu'être l'adversaire d'une théologie *naturelle*, qui tendrait à confondre le créateur et la création.

Or, pour Sénèque, le dieu se confondait avec le « destin », c'est-à-dire « l'enchaînement des causes »[183] : *Hunc eundem (deum) et fatum si dixeris, non mentieris; nam... fatum nihil aliud... quam series implexa causarum* (*op. cit.*, 4, 7, 2). Évidemment, ce dieu ne peut entretenir avec l'humanité les mêmes rapports que le Dieu des Chrétiens[184], mais il est des adversaires pires que les hommes du Portique. Certains — Chrysippe, par exemple — ont séparé la notion que le latin traduit par *fatum*, qu'ils admettent et celle de *necessitas*, qu'ils rejettent, parce que cette dernière ne laisse pas de place à une volonté humaine libre, c'est-à-dire non nécessitée[185].

Mais la Nature tient aussi une place importante dans la doctrine des nouveaux commentateurs d'Aristote. Vicomercato, sans doute, s'inscrit en faux contre la déclaration de Sénèque : *Sic nunc naturam uoca, fatum, fortunam : omnia eiusdem dei nomina sunt uarie utentis sua potestate* (*Benef.* 4, 8, 3). Néanmoins la Nature — l'ensemble des lois naturelles — préside à la vie de l'univers; c'est le principe du mouvement et de l'équilibre ordinaire des choses[186]. Vicomercato, avec un esprit plus critique que celui de Cardan[187], a tenté de cerner la notion de *miraculum*. Il peut exister des faits *praeter naturam*, qui

181. Cette démarche, en effet, lui est familière : en conseillant à la jeunesse la lecture de la Bible, il rappelle qu'Anacréon et Sappho agissaient dangereusement sur la sensibilité « par leurs plectres de délices » (*Ode* XXXVII, 124).

182. Cet énoncé n'était pas sans rappeler une formule de Sénèque : *quid enim aliud est natura quam deus...* (*Benef.* 4, 7, 1).

183. Par contre dans le *De prouidentia*, il semble admettre un dieu qui ne se confond pas avec l'ordre du monde, un « gardien » qui le protège (*op. cit.*, 1, 2); cette providence commande à l'univers, un dieu s'intéresse à nous (*op. cit.*, 1, 1).

184. Cf. ci-dessus, p. 153.

185. Mais pour un Étienne Dolet, par exemple, c'est précisément l'enchaînement inflexible des causes, qui caractérise le *Fatum* : ... *humani ...coacti / Ordine perpetuo rerum : quo nomine recte / Fata uoces. Fatum est rerum immutabilis ordo* (*Fata*, p. 9-10). La traduction française, édulcorée, montre bien que Dolet avait senti que sa position n'était pas orthodoxe : « Destinée... mentionne ung infaillible vouloir de Dieu ». Ces deux textes sont cités par K. Lloyd Jones, « Étienne Dolet fidèle traducteur de lui-même ? », in *B. H. R.*, XXXV (1973), p. 316.

186. *Id naturam esse merito existimauit Aristoteles et docuit quod eiusmodi esset motionum principium atque etiam status in quem desinere consueuerunt* (*De principiis rerum naturalium*, 3, 1, f° 108 r°). Le mot le plus important est *consueuerunt*. Aristote, en effet, se réfère à l'idée de « productions *usuelles* » de la nature (*De generatione animalium*, 4, 4, 770b) « à la nature dans son cours ordinaire » *(ibid.)*.

187. Cf. J. Céard, « Cardan et la notion de *miraculum* » in *A. C. N. T.*, p. 927-937.

sortent du cours habituel de la nature, mais il ne peut exister de faits *contra naturam*, et ceux qui apparemment le sont, ou bien sont faux, ou bien doivent être ramenés à la première catégorie[188]. C'est là que le physicien peut ranger les « miracles » (une fois qu'ils sont avérés). Notre expérience sait expliquer les choses ordinaires et simples ; le « miracle » fait jouer un système de causes complexe. Vicomercato, en effet, souligne la fixité des lois naturelles, qui sont les mêmes pour tous les objets d'une même espèce[189]. Ce que le professeur royal de philosophie nomme *naturae constantiam ac immutabilitatem* semble bien près du *rerum immutabilis ordo* de Dolet, mais plus prudent, il veut bien, pour la commodité, appeler « miracles » les exceptions apparentes[190].

Bien certainement, un esprit tourné vers le merveilleux, comme celui de Dorat à cette époque, ne peut admettre un déterminisme rigoureux que s'il est borné à la seule nature, tandis que Dieu a, en dehors d'elle, au-dessus d'elle, Son domaine réservé : Dieu *peut* modifier avec rudesse les lois d'un déterminisme rigoureux puisqu'Il les a créées :

> Qui frena das Necessitati adamantina
> Affixa clauis desuper trabalibus,
> Nulli refigi nata, praeter quam tibi (Deus) (*Monodia*, p. 14).

Ainsi la Nature garde les lois que Dieu a données, jusqu'à ce qu'elle ait à les changer, sur ordre de Dieu, car Dieu, artisan de tout, refaçonne son ouvrage :

> Natura seruat quas dedit Deus uices,
> Donec iubente rursus has mutet Deo,
> Qui cuncta fingit, et refingit artifex (*op. cit.*, p. 19).

Dorat a prévu qu'on pourrait taxer de légèreté un tel libre arbitre divin — *uano... pro arbitrio (ibid.)*. C'est alors qu'il imagine la bonté de Dieu modifiant les lois naturelles quand la situation l'exige, c'est-à-dire quand la créature est accablée :

> (ne deficiat)
> Manifesta dans suae suis potentiae
> Tempore locoque signa, quum res exigit *(ibid.)*.

Pourtant quelle que soit la volonté militante de l'auteur, il paraît admettre que ces faits sont des signes, donc nécessitent une interprétation de la part des créatures qui en sont bénéficiaires, mais le pronom *suis* n'exclut personne, puisque Dieu est le père de tous les êtres, et fait briller son soleil sur les méchants comme sur les bons.

---

188. Cette position est proche de celle de Cicéron lui-même (*Diu.* 2, 22, 49).

189. *Nam quae alicui generi secundum naturam conueniunt, in omnibus illius generis inesse debent, non in quibusdam inesse, in aliis non inesse... Naturae igitur constantiam ac immutabilitatem propriam censuit (Aristoteles)* (*De principiis rerum naturalium*, 3, 18, f° 145 v°).

190. Il se met toujours à l'intérieur du système officiel et parle des faits « dont notre religion se porte garante » — *quae religio nostra asserit* (*op. cit.*, f° 144 v°).

Quant aux adversaires qui mettent en avant « le hasard » — *Casus* — ce sont moins des philosophes que des mondains, qui ne se veulent pas donner la peine de chercher une explication — rationnelle ou surnaturelle[191]. Peut-être Dorat pense-t-il à quelqu'un comme Simon Nicolas, un secrétaire de Charles IX[192]. Ce personnage n'est pas sans ressembler à Jean de Brinon[193], mais le temps a passé, et Dorat, même s'il a été personnellement lié avec Nicolas, ne saurait plus partager une telle vision du monde.

Son attitude, cependant, n'est pas celle d'un intellectuel qui chercherait à réfuter dans le détail les thèses de ses adversaires, c'est celle d'un croyant, et d'un croyant modeste. Il reconnaît que, bien souvent, sa réflexion n'a pas été approfondie : il avait pressenti quelque chose, mais il a fallu du temps ; il avait su s'étonner des « merveilles »[194], et ce fut là une première étape vers la reconnaissance d'une divinité, mais il pourrait dire, comme son ami Deschamps, que c'est l'épreuve de la peur qui l'a contraint à reconnaître, à contempler humblement non plus l'ombre de Dieu, mais Dieu[195], car cette peur était l'œuvre de Dieu :

> Stupensque ad eius saepius miracula,
> Terrore tandem sum coactus entheo
> Spectare sursum non Dei umbram, sed Deum (*Monodia*, p. 3).

Ainsi, alors que, dans la théologie stoïcienne, le fait que le dieu s'occupe du cosmos *et* de l'homme apparaissait comme une extraordinaire concession[196], le Dieu de Dorat est bien celui de l'*Évangile*, dans Sa sollicitude à l'égard de chacune de Ses créatures[197]. Sans doute le poète admire le Dieu du début de la *Genèse*, le grand architecte du cosmos, le dieu de Platon[198] et celui du Portique :

> O solus admirandus artifex Deus,
> Operumque magnorum architectus maximus (*Monodia*, p. 13).

---

191. Il s'en prenait déjà, avant sa conversion, aux paresseux qui négligent les signes — *sunt quos scire piget* (liminaire au *Tractatus* de Sorbin).

192. « Un bon corrompu et vieil pescheur », selon P. de l'Estoile. Peu soucieux d'immortalité, quelque forme qu'elle dût avoir, il proposait pour son épitaphe : « J'ay vescu sans soucy, je suis mort sans regret ». Sur ce personnage, cf. P. Champion, *Contribution à l'histoire de la société polie*, p. 20 et n. 1. Cf. aussi *Ronsard et son temps*, p. 381 et n. 4. Ce Nicolas n'est pas celui à qui Dorat a offert une pièce (*Epgr.*, p. 12).

193. Cf. ci-dessus, p. 123-125.

194. *Miracula, prodigia, monstra, ostenta* : tout cela suscite un étonnement — dont se moquait Marcus Cicéron (*Diu.* 2, 22, 49). Pour saint Augustin, au contraire, la curiosité ainsi suscitée est le début du chemin vers Dieu (*Ciu. Dei*, 16, 5).

195. On songe à la dernière réponse de Job : « je ne te connaissais que par ouï-dire, mais, maintenant, mes yeux t'ont vu » (*Job*, 42, 5).

196. Cf. par ex. Sénèque, *Benef.* 6, 23, 3 ; et encore, quand les dieux s'occupent des hommes, ils prennent plus grand soin du genre humain que des êtres particuliers (*Prou.*, 3, 1).

197. Cf. par ex. *Matthieu*, 7, 7-11 ; 10, 29-31.

198. Pour Dorat, en effet, Dieu a imposé au monde la structure numérique qui est celle de son esprit (*Ode* XXXVII, 53-56 ; *D. C.*, Aiij r·) ; cf. *Timée* 34c-35b ; 53b.

Mais, dans une attitude très augustinienne[199], il a su retrouver une âme d'enfant pour s'étonner du caractère d'efficacité que peut avoir le plus chétif brin d'herbe :

> Mirabar herbae quamlibet uilissimae
> Nescio quid efficacis esse numinis[200]   (*op. cit.*, p. 4).

Ainsi Dieu, dans sa toute-puissance, s'occupe de l'ensemble, comme il ferait du détail, et du détail comme il ferait l'ensemble, selon la formule d'Augustin[201].

LE DESTIN
DE L'HUMANITÉ

Sa Providence, en effet, se manifeste aussi par l'organisation du destin de l'humanité dans son ensemble, même si, là encore, le mal rend l'adhésion immédiate difficile.

L'Homme doit toujours tenir compte du fait que Dieu est un père, non un parâtre : son plan de justice n'a pas tout donné à découvrir à ses fils premiers-nés ; si les générations suivantes se sont plaintes de venir trop tard, elles ont eu tort : le Dieu du siècle des découvertes n'a pas cette mesquinerie, et Dorat le proclame dans son ode liminaire à la *Cosmographie universelle* d'André Thevet :

> Non haec Deo mens inuida, non inops
> Haec est egestas, ut pater omnia
> Donarit illis aequus, hos ceu
> Vitricus[202] improbus abdicarit (*Ode* XXXIX, 21-24).

Seulement, l'Homme — dont la nature est temporelle — ne comprend pas toujours ; sa première réaction est encore l'étonnement, car le dessein de Dieu se dévoile progressivement[203] et apparaît d'abord comme imparfait, tronqué et, partant, dépourvu de sens :

> ... *stupentum* uisibus...
> Apparet imperfecta rerum
> ... series (*op. cit.*, 42-44).

---

199. Cf. n. 194 ; Augustin souhaite que l'Homme soit capable de retrouver Dieu en dehors des faits extraordinaires, et note que les faits dont nous rencontrons tous les jours des exemples perdent, par leur fréquence, une partie de leur intérêt, mais n'en sont pas moins *admirables* (*Ciu. Dei*, 21, 4, fin). C'est là aussi le fondement de l'apologétique de Paulin de Nole (*Poëma* 24, 211 ; 245).

200. Dorat est prudent ; il précise aussitôt qu'il n'y a pas là de panthéisme, malgré l'emploi de *numen*. Il prétend bien se démarquer de ceux qui parlent de « l'âme du monde » : son ami Guy Le Fèvre de La Boderie avait fait à ce sujet une utile mise au point ; cf. F. Secret, *L'ésotérisme de G. Le Fèvre de La Boderie*, p. 28-29.

201. *Bonus omnipotens sic curat uniuersos tanquam singulos ac singulos tanquam uniuersos* (*Conf.* 3, 11). Saint Jérôme, au contraire, est choqué par l'affirmation que Dieu s'occupe de tout ; sans parler des passereaux, toutefois, ni des lis des champs, il trouve absurde de penser que Dieu abaisse Sa majesté à compter des moustiques (*In Habacuc Prophetae Caput*, cité par Ch. Appuhn, commentaire à *De natura deorum*, Paris, Garnier, s.d., p. 397).

202. Dorat se souvient, peut-être, de la formule de Pline à propos de la Nature qui, elle, est alternativement mère et marâtre (7, *praef.*, 1).

203. Toute une suite d'images variées s'efforce de rendre sensible ce progrès : le plan de

Rien ne marche au hasard, là non plus : Dieu offre aux hommes, dans le temps, sans heurts, le spectacle de sa continuelle création pour les amener à admirer le travail de l'Artisan[204] :

> Nunc hoc, modo illud leniter exhibet
> Spectandum in admirationem
> Artificis trahat ars ut omnes (*op. cit.*, 62-64).

Il est difficile de savoir si le poète a en vue la *finalité* du plan de Dieu, ou s'il note la conséquence de fait de ce plan : dans ce dernier cas, son optimisme éclate davantage encore, puisque l'Homme réalise alors, sans délai, ce que son créateur attendait de lui, et ne se laisse pas prendre par l'ivresse de la connaissance. Le poète refuse de voir en l'Homme un fils d'Adam emporté par l'orgueil de savoir, non plus qu'un apprenti sorcier, puisque l'Homme n'est pas seul avec sa puissance. Pourtant, tout dépend de *son* attitude, car l'Homme qui a réduit la matière en esclavage est *libre* et, à son gré, la feuille de métal peut devenir une presse, ou un canon :

> ... in usus unica dispares
> Vt lenta plumbi lamina seruiat,
> Nunc pacis instrumenta formans,
> Horrida nunc trucis arma belli (*Ode* XXXIX, 29-32).

LE SALUT — Mais Dorat ne s'engage pas dans une méditation sur la liberté et la prédestination. Ce qui retient toujours son intérêt, c'est la possibilité de salut que Dieu, dans Sa providence, a, enfin, accordée aux hommes par l'intermédiaire de Son fils :

> (Christus)
> Venerat in terras humano corpore tectus
> Vt genus humanum seruaret ab hoste redemptum
> Morte sua (*P.*, p. 9).

Dans l'ode *De sanctissima natiuitate Iesu Christi* (XL), que nous ne pouvons dater avec certitude, le poète se fait l'écho des théologiens catholiques qui, pour rendre compte de la destinée des justes qui ont vécu depuis la création de l'Homme jusqu'au Christ, ont inventé le séjour des Limbes. C'est la Clémence qui parle :

> Nullus ad nostras remeauit arces
> Spiritus quamuis niueus, sed alter

Dieu est comme un tapis qu'on déroule, comme le voile du bateau de Pallas, qu'on hisse pendant la fête des Panathénées, comme les Spartes qui sortent peu à peu de la terre, comme un rideau de théâtre (*op. cit.*, 33-58).

204. Dorat exprime la même idée à propos des découvertes botaniques de Geoffroy Linocier : *Vt hinc sit magni uis manifesta Dei* (*P.*, p. 14). Cette formule rappelle celle de la *Monodia* : *manifestior sua esset hinc ut gloria* (p. 7).

Tartarus clausit meliora quaeque
Carcere Ditis (*Ode* XL, 61-64)[205] .

Maintenant la rémission des péchés passe par la croix ; le poète
recommande à son fils de le croire :

(crucem)
Firmiter ut credas per eam delicta remitti (*P.*, p. 10).

L'enfant redoute, pourtant, le jugement terrible ; l'image que son père
emploie pour le rassurer est étrange, et semble venir d'une sensibilité
de mystique : il lui recommande de se mettre à l'abri dans les plaies
du Christ-juge :

Iudicis ut lateas, abdas te in uulnera Christi (*op. cit.*, p. 11).

Ce texte nous révèle que Dorat, sans doute pour affermir sa foi aussi
bien que celle de son fils, pratiquait des lectures pieuses qui ne laissent
pas de surprendre. En effet, cette adoration des blessures du Christ
correspond tout à fait à l'entraînement spirituel proposé aux fidèles
par Lansperge, qui vivait à la Chartreuse de Cologne[206] , et dont les
œuvres, rédigées en latin, furent publiées dans cette ville en 1554-1555.
Ainsi, dans son homélie 54, *In Passionem Christi*[207] , il déclare : *Vulnus*
cordis Christi uti quibusque sit tutum, *in omni aduersitate* refugium[208] .

Cependant, chez le Chartreux, le thème du jugement dernier n'apparaît pas : il faut aimer le Christ pour lui-même, et l'Homme a moins
à redouter les temps d'apocalypse que le Monde, dont on peut être
assuré qu'il est impur et dangereux ; c'est dans la lutte contre lui qu'on
a besoin d'un refuge[209] .

Ainsi, à travers la crainte de son fils, c'est un peu la propre crainte
de Dorat, qui est sensible ici, alors que les méditations de Lansperge
portent sur l'amour du Christ pour les hommes, amour dont ses blessures sont les témoins.

Robiquet pensait qu'il n'y avait pas grand'chose à tirer des poésies
sacrées de Dorat parce qu'elles ne pouvaient charmer que les théologiens (*De I.A. uita...*, p. 107). Le théologien, au contraire, n'a pas

205. Cf. *Dictionnaire de théologie catholique* (s. v. *Infideles*), t. 7, 2ᵉ partie, col. 1894,
et (s. v. *Limbes*), t. 9, 1ʳᵉ partie, col. 770.

206. Sur la Chartreuse de Cologne au XVIᵉ siècle, cf. Josef Greven, *Die Kölner Kartause*
und die Anfänge der Katholischen Reform in Deutschland, Münster, 1935 ; sur Lansperge, en
particulier, cf. p. 27-49. La Fraternité des cinq plaies fut créée à Cologne en 1538. Cf. G. Chaix,
« La place et la fonction du cœur chez le Chartreux Jean Lansperge », in *A.C.N.T.,* p. 869-887.

207. Éd. de Montreuil-sur-Mer, t. 3, p. 115-116.

208. Les blessures du Christ sont l'objet de sa vénération. Ainsi, dans l'*Hymnus Christi-*
formis 20 — *Aspiratio ad osculum uulnerum Christi aut eius misericordissimi Cordis* — Lansperge demande l'union mystique du cœur de l'Homme avec les blessures du Christ : *In tua,*
Iesu, uulnera / Tu nostra cordis intima / Absorbe, rege, posside, / Tu nobis, dulcis, imprime
(t. 5, p. 414).

209. M. Chaix (*op. cit.* en n. 206) souligne le fait que « la spiritualité du cœur chez
Lansperge est bien celle d'un temps de crise », et que « le Chartreux ne se fait pas faute de
dénoncer la corruption croissante d'un monde déchiré dans sa foi ».

grand-chose à y apprendre, et l'inquisiteur n'y trouverait, sans doute, pas à redire, mais il est révélateur que l'humaniste se soit occupé lui-même de l'éducation religieuse de son fils, et qu'il l'ait fait dans des termes qui n'ont rien à voir avec ceux d'un catéchisme pour enfants. Le père, en tout cas, essaie de rendre sensible à son fils le geste d'accueil rassurant du crucifié :

> Christus at inuitat sua de cruce bracchia pandens   (P., p. 10)[210].

Ailleurs, paraphrasant une formule de saint Paul[211], il dit que le Christ, par sa mort sur la croix, a définitivement vaincu la Mort :

> A cruce nam uicit mortem mox uita resurgens,
> Et nunc uita refert uicta de morte trophaea,
> Primitias uitae per saecula cuncta futurae   (Epgr., p. 22).

C'est pourquoi Dorat proclame, en des termes empruntés à la liturgie de Pâques, que le Christ est la splendeur du Père — *Patris est splendor* (P., p. 10).

Dieu n'a jamais mieux montré Sa bonté envers Ses créatures qu'en supprimant la cause fondamentale de leur angoisse[212], la nature temporelle et temporaire de leur vie, à laquelle ils ont tenté de faire échec avec leurs faibles forces : *non omnis moriar*? Oui, mais quand l'âge avance, quand la mort frappe ceux qu'on aime, la survie littéraire ne suffit plus.

HOSTILITÉ AUX THÈSES DES RÉFORMÉS

S'il a défendu la notion de Providence contre les philosophes et les sceptiques en se fondant sur une expérience immédiate du sens commun, Dorat n'affirme pas avec moins de vigueur les points sur lesquels il est en désaccord avec la Réforme, car « il ne se pouvoit accoustumer à ceste doctrine »[213].

RITES ET SIGNES

Avant tout, il est partisan d'une religion fermement appuyée sur les rites : s'ils subsistent, le royaume est sauf —

> ... pios (que)
> Ritus, res per quos Gallica salua manet   (P., p. 3) —

comme il le dit dans une préface à la musique que Guillaume Boni composa pour les *Psaumes*[214]. Bien que les partitions de Boni ne

---

210. On peut comparer avec la pédagogie paternelle de Dolet, cf. K. Lloyd Jones, « Étienne Dolet fidèle traducteur de lui-même? », in *B.H.R.* XXXV (1973), p. 320.

211. Cf. 1 *Ad Cor.* 15, 54-55 ; *Ad Hebr.* 2, 14-15.

212. Cf. saint Paul, 1 *Ad Thess.* 4, 13-14 et 18.

213. Selon le témoignage d'A. du Verdier, cité par Marty-Laveaux, *Œuvres* de J. D., p. XLII. Selon son épitaphe, il était très violemment hostile aux nouveaux dogmes — *recentiorum dogmatum hostis acerrimus* (cité par Marty-Laveaux, *op. cit.*, p. LXVIII).

214. Il rappelle qu'Henri III, en se montrant partisan des cérémonies, est le successeur de David, le roi qui a rendu gloire à Dieu par sa création musicale : *Regia res Psalmi, quos Rex Dauid ille solebat / Regali cithara rite sonare Deo (ibid.).*

soient pas sans mérite, ce n'est pas par esthétisme que Dorat tient pour
le chant d'église : sans doute ne pouvait-il parvenir, comme le faisait
Érasme, à une religion spiritualisée[215] , qui, de toute façon, ne pourrait
être celle de la foule.

Si la première Académie avait surtout montré l'influence que peut
avoir la Musique sur le corps social[216] , la seconde, plus précisément,
veut la faire servir à la propagande religieuse, et, par là, faire pièce
aux Réformés[217] . Aussi, en 1575, Dorat se réjouit-il de voir se popula-
riser le chant des *Psaumes*[218] :

> Dauidicas... uoces
> Deuoto quas plebs aedibus in sacris
> Cantare pergat pectore simplici (*Ode* XXXVII, 116-118).

Il semble attaché aux pratiques de lustration, par l'eau, le feu, accompagnées de formules liturgiques[219] :

> ... ipsa sed unda
> Igneque lustrantur diuino non sine uerbo
> Templa, arae, uestes et singula uasa sacrorum (*P.*, p. 190).

Ainsi les objets se trouvent chargés de divin par la consécration dont
ils ont été l'objet, et les toucher est un acte impie, non à cause de ce
qu'ils sont, mais à cause de ce qu'ils *représentent* (on retrouve toujours la même présence urgente des *signes*). Aussi ceux qui ont brisé
les croix doivent-ils subir un châtiment inouï :

> Qui sacras fregere cruces...
> Poena sit id grauius quo nihil esse potest (*P.*, p. 293-294).

D'ailleurs la France entière expie le mépris de la Croix :

> ... postquam coepere crucem contemnere Galli,
> Mille cruces[220] Gallis crux uiolata tulit (*Epgr.*, p. 38).

Le poète rappelle dans l'ode à Thevet (XXXIX) la valeur symbolique qu'il attache à la Croix : Dieu, lors de la création, a laissé dans le
ciel un signe — *signum* — la Croix du Sud ; le Christ crucifié a donné
une vie nouvelle à ce symbole : le créateur a rénové son ouvrage en
ayant parcouru la droite, la gauche, l'altitude et la profondeur :

> Dextrum, laeuum, altum, profundum
> Mensus, opus repar*auit* auctor (*Ode* XXXIX, 99-100)[221] .

215. Cf. J.-Cl. Margolin, *Érasme par lui-même*, p. 79-81.
216. Cf. ci-dessus, p. 85 et n. 139.
217. Henri III avait, par exemple, commandé les *Hymnes ecclésiastiques* à Guy Le Fèvre
de La Boderie ; cf. F. Secret, *L'Ésotérisme*, p. 100-112.
218. Cf. ci-dessus, p. 59.
219. Les cloches doivent être purifiées avant leur installation ; elles détourneront ainsi
le diable des serviteurs de Dieu sur Ses ennemis, non par leur force propre, mais par la puissance de Dieu à qui elles ont été consacrées (*ibid.*).
220. On doit remarquer, au passage, que jamais Dorat n'a su résister à la tentation d'un
jeu de mots.
221. Cf. saint Paul, *Ad Eph.* 3, 18.

Le signe-de-croix est donc, pour lui, lourd de sens, et A. du Verdier rapporte une anecdote qui montre que Dorat argumenta à ce sujet avec les Réformés[222].

LE CULTE DES SAINTS

Ce n'est pas lui, certes, qui se mettrait à brûler un cierge à saint Michel et l'autre à son dragon, mais avec un certain humour noir, il tire une conséquence apparemment logique : puisque la religion est coupée en deux, que les Hérétiques gardent le dragon et les bons Chrétiens saint Michel[223] :

Secta ut Relligio est, ita secta insignia dentur,
Crux Michaelque piis, Daemon at Huguenotis (*Epgr.*, p. 10).

Sa foi et son patriotisme trouvent leur compte dans le fait que les reliques de la Sainte-Croix et de la couronne d'épines sont passées de Jérusalem à Constantinople, et enfin à Paris[224].

Là où les reliques étaient conservées, on voyait souvent affluer des pèlerins nombreux, venus de tous les pays, riches ou pauvres, gueux où princes. Justement, à propos du voyage du roi de France et de la reine à Lorette, le poète sait évoquer avec simplicité l'esprit de ces pèlerinages qui révèlent la naïve communion spirituelle de ces vastes foules, venues de tous les horizons, dans un grand élan de la foi qui déplace les montagnes :

Inter uirgineas sub uirgine praeside lauros
Hic ubi mille procul uenientes undique turbae
Munera uota ferunt, uoti redeuntque potentes (*Epgr.*, p. 23).

Dorat est demeuré impressionné par le cérémonial avec lequel l'évêque de Limoges, mitre en tête, étincelant d'or et de pierreries, présente tous les sept ans, d'un autel surélevé, les reliques de saint Martial[225] à la vénération d'une foule immense, accourue de partout :

... longinquis concurritur undique ab oris
[...]

222. La scène se passe à Genève, où le professeur vient de refuser une chaire : « parlant un jour avec un de leurs principaux ministres de plusieurs choses de la religion et des cérémonies, il luy fut dict que le signe de la croix, que font les catholiques sur leur personne, semble estre faict pour chasser les mouches ; il répondit fort à propos, qu'il est vray, d'autant que Beelzebuth, Prince entre quelques diables, en Ebreu veut dire Prince des mouches, et que le signe de la croix chassant le Beelzebuth et les diables peut estre dict chasser les mouches » (cité par Marty-Laveaux, *Œuvres* de J. D., p. XLII). La réplique est bien caractéristique de l'esprit du personnage. Au demeurant, le jeu de mots remonte à la Bible (2 *Reg.* 1, 2) : le dieu Baal Zebul (Baal le prince) est appelé Baal Zebub (Baal des mouches).
223. Or saint Michel est le patron du roi de France (*Exh.*, 86-94) ; à propos de la réforme de l'ordre de Saint-Michel, cf. G. D., « Le poète et le prince », in *Hum. Lov.* XXVI (1977), p. 165 et n. 16.
224. Ces reliques imputrescibles sont le signe du salut que Dieu a accordé aux hommes, et aussi celui de l'empire du monde (*P.*, p. 194-195). Le poète a jugé bon de traduire son œuvre en français afin de toucher un public plus divers ; cf. aussi Mss. Lat. 8138, f° 51 r°- v°, et *Exh.*, 453.
225. Il va même jusqu'à dire que ces reliques — le saint aurait gardé sur la tête la marque

> ... de more sacro cinctus diademate frontem
> Gemmataque micans aureus in Chlamyde
> Suggestu ex alto, magna spectante corona,
> Eruit e loculis corpora sancta suis (*P.*, p. 169-170).

   Dorat a été profondément marqué par le fait que la Réforme rejetait le culte des saints, en particulier celui de la Vierge, et même la mort de Coligny lui paraît justifiée par ses attaques contre Marie : *Gaspare... laeso laedente Mariam* (*P.*, p. 92). Pourtant l'ode sapphique *De sanctissima natiuitate... Iesu Christi* (XL) qui, au demeurant, a dû être tronquée par les éditeurs de 1586, ne révèle, dans l'état où elle nous a été transmise, aucun sentiment pieux à l'égard de l'enfant-Dieu, ni de sa mère[226]. On s'étonne de la faveur que ce « Noël », sans Vierge, ni enfant, a rencontré auprès de Robiquet (*De I. A. uita*, p. 109 et n. 5). Ce jugement est mieux justifié par l'autre texte cité (*ibid.*, n.6) : Dorat y évoque, sans emphase, la nativité du Christ rédempteur, et l'assomption de sa mère au milieu des astres, d'où elle accorde désormais sa protection à ceux qui l'aiment[227].

   Il est sans doute malaisé de porter un jugement, mais il semble que la foi de cet intellectuel soit très proche, parfois, de celle du charbonnier. Peut-être, en vieillissant, retrouve-t-il certains aspects du culte populaire dont son enfance provinciale avait pu être le témoin : à Limoges[228], en effet, la dévotion à Martial était constante[229].

   Dorat a le goût des récits hagiographiques : il compose à l'intention de l'évêque de l'Aubépine, récemment installé à Limoges, un poème à la gloire de « l'apôtre » Martial, évangélisateur du Limousin (*P.*, p. 324-329). Il ne peut se retenir d'y ajouter un développement sur sainte Valérie, martyrisée en Gaule pour avoir refusé les avances du propréteur romain : à Limoges, un autel garde des traces indélébiles du sang de la sainte, et un morceau de son vêtement taché de sang est

---

de la place où le Christ avait posé sa main — donnent plus de vigueur à la foi que le témoignage de Martial n'a pu le faire : *Magna fides testi, sed maior et illa quod extant / Vertice diuinae* signa uidenda *manus* (*op. cit.*, p. 170).

   226. Le poème présente une sorte de lutte oratoire entre la Justice et la Clémence divines, personnages allégoriques bien froidement présentés.

   227. Peut-être Dorat avait-il gardé le souvenir d'un vitrail de Saint-Pierre-du-Queyroix, à Limoges, où la confrérie (cf. ci-dessus, n. 4) à laquelle appartenait sa famille célébrait ses cérémonies : il représentait « la mort et l'apothéose de la Sainte-Vierge » (*op. cit.*, en n. 4, p. 557).

   228. Sur l'élaboration de la légende, cf. A. Leroux, *La Légende de saint Martial*, Limoges, 1911. Malgré les réticences de l'évêque, la version qui fait de Martial un « apôtre du Christ » s'imposa au premier concile de Limoges, en 1031 (*op. cit.*, p. 15).

   229. Elle dut trouver un nouvel éclat lors de la découverte, puis de la publication, en 1561, de deux épîtres doctrinales du saint (B.N., C4120-2) : elles auraient été miraculeusement conservées à Limoges dans un coffre de pierre, à l'église Saint Pierre-du-Queyroix. Or c'est précisément cette église que fréquentait la famille de Dorat : il est intéressant de voir qu'il y avait là un centre actif de propagation du culte de saint Martial.

conservé dans une châsse d'ivoire (*op. cit.*, p. 328). Il se plaît au récit merveilleux : la sainte, après sa décollation, aurait marché mille pas et plus, en présence de la foule, et aurait remis sa tête à Martial qui était présent, tandis que les Anges chantaient la gloire de Dieu :

> Amplectens(que) caput manibus, deducta canoris
>   Ab Angelorum canticis,
> Passus mille et plus, turba spectante, peregit
>   Et Martiali obtulit *(ibid.)*[230].

La métrique très élaborée de ce texte[231] contraste avec son caractère d'imagerie populaire : ce mélange est bien caractéristique de l'attitude spirituelle de Dorat.

Pourtant les saints ne fournissent pas seulement des histoires intéressantes ; ils offrent aussi des exemples[232]. Le véritable culte des saints suppose donc une imitation de leurs mérites, et l'esprit pratique de Dorat le porte à préciser qu'il s'agit d'une imitation mise au goût du jour : *Imitans ut aeuo par pari* (*P.*, p. 329).

Il est d'autres intermédiaires que les saints entre Dieu et les hommes : le poète rappelle au roi Henri III qu'il n'est pas seul au milieu des épreuves et des tentations de la vie, mais que son ange gardien observe tous ses dires, tous ses actes ; puisque la vérité, la bonne foi plaisent à ce témoin vigilant, l'homme doit se conformer à tout cela pour lui plaire :

> ... Veritas, ius et fides
> Placent et ipsi : si placere uis ei,
> Placeant et ista cuncta fac ipsi tibi (*Exh.*, 127-129).

L'ange peut bien être l'héritier de Mentor (*op. cit.*, 117) ou du démon de Socrate, il n'en est pas moins une manifestation de l'Esprit-Saint dans la conscience de l'homme puisque, Dorat le rappelle, il est un serviteur sincère, fidèle et juste, comme l'est son seigneur :

> Verax, fidelis, iustus est, sicut suus
> Dominus, minister (*op. cit.*, 126-127).

LES SACREMENTS   Si irritante que soit l'opposition d'une religion ritualiste, « charnelle » et d'une religion qui se veut pure et spirituelle, l'affrontement dogmatique est plus grave, et notre poète, qui n'a pas de formation théologique

---

230. Sur les représentations figurées de Martial et de Valérie, cf. Jameson, *Sacred and legendary art*, Boston, s. d., t.2, p. 339-340. La version que rapporte Mrs. Jameson quant à la date du martyre de Valérie diffère de celle que suit Dorat ; celle de notre poète est plus auguste, puisque, selon lui, Martial aurait été le petit garçon qui ramassa les restes des pains et des poissons lors du miracle de la multiplication ; cf. *P.*, p. 169.

231. Composé de distiques analogues à ceux qu'Horace a utilisés dans les *Épodes* 14 et 15.

232. Le succès de la pastorale de l'Aubépine est fondé sur l'honneur qu'il rend à saint Martial, mais aussi sur l'imitation de sa piété (*P.*, p. 329).

particulière, ne peut que se faire l'écho des théologiens catholiques sur le chapitre des sacrements.

Il se déclare attaché au dogme de la présence réelle — sur lequel les spécialistes du colloque de Poissy n'avaient pu aboutir à un accord[233] — en paraphrasant la formule de la consécration :

> Instituensque sui mysteria corporis almi...
> *Hoc est,* nempe *meum corpus...* dixit, et illud
> Christicolis liquit memorandi pignus amoris (*P.*, p. 10).

Mais la sensibilité du vieillard, après la grave maladie de 1571, donne une adhésion profonde au sacrement d'extrême-onction. Il est, sans doute, resté péniblement impressionné des controverses qui avaient suivi la mort de Turnèbe, aussi ne manque-t-il pas de mentionner, quand son ami le théologien Claude d'Espence meurt, précisément en 1571, qu'il était muni des sacrements de l'Église, bien que ce ne soit pas pour surprendre[234] :

> Perfunctus cunctis ritibus ante sacris
> Amplexus inter Crucis exhalauit in auras
> Felicem... animam (*F.*, sans p., ni sign.).

A la mort de Ronsard, à la fin de 1585, il note que son ami a pu se confesser et demander à Dieu le pardon de ses fautes :

> ... confessus amaris
> Est lachrymis ueniam se petere ante Deum[235].

Il invite, en Catholique, à prier pour le mort : *Nunc... usque precemur,* et l'on sent l'émotion qui le saisit lorsqu'il paraphrase, pour le disciple qu'il a tant aimé, la liturgie des défunts :

> Dicite : Ronsardo sit sine fine quies[236].

Lui-même s'éteignit, dans une accablante pauvreté, le 30 novembre 1588[237].

*
* *

Il semble bien que, pendant de nombreuses années, la religion n'ait été, au mieux, pour Dorat, qu'une attitude sociale. Sans aller jusqu'à récuser ouvertement la doctrine de l'Église, ce qui n'aurait d'ailleurs pas été sans risque au temps de sa jeunesse, il n'avait plus en

---

233. Cf. J. Lecler, *Tolérance*, t. 2, p. 52-55.

234. Mais certains Catholiques, parce qu'il avait maintenu le dialogue avec les Réformés, l'accusaient de pactiser avec eux ; cf. H.O. Evenett, « Cl. d'Espence et son Discours du colloque de Poissy », in *Revue hist.*, CLXIV (1930), p. 40-78.

235. *Tumulus*, Paris, Buon, 1586, p. 52 (à la suite de la *Vie de Ronsard* par Cl. Binet).

236. *Op. cit.*, p. 53.

237. Selon J.-A. de Thou : *Lutetiae, Nouembri exeunte decessit, ... (cum) deploranda iampridem egestate premeretur (Historia sui temporis*, Londres, 1733, t. 4, p. 549).

lui une foi chrétienne vivante. Toute son énergie intellectuelle est alors appliquée à la connaissance du monde païen qu'il a sans doute aimé jusqu'à l'idolâtrie. Peu à peu, ce qui n'était que langage poétique avait pris de la consistance et, en présence de ce Panthéon triomphant, la foi de ses pères s'est étiolée, tandis que son esprit mobile s'intéressait à bien des hétérodoxies. Si, dans la période de l'âge mûr, il s'est montré conservateur du point de vue religieux, c'est plutôt par manque d'intérêt profond. Peut-être les troubles civils ont-ils commencé à lui faire prendre conscience que la religion est chose importante, puisque ses concitoyens peuvent mourir ou tuer pour elle? En fait, les Réformés lui paraissent plus souvent des rebelles que des hétérodoxes. Cependant, l'idée qu'une providence gouverne le monde se fait jour en lui, lentement. Mais seule l'épreuve personnelle l'a mis véritablement en contact avec son Dieu. Dès lors, il s'efforcera toujours d'unir dans une difficile synthèse sa culture païenne, qu'il redoute, et sa foi retrouvée, mais toujours fragile, il le sent bien. Pour un intellectuel, le péché le plus grave est celui de l'esprit : parce que son intelligence était naturellement portée à la recherche des analogies, l'interprétation typologique devait lui apparaître comme *la* solution, les révélations faites aux païens étant comme une ébauche maladroite — émouvante — de la Révélation qui fonde la supériorité et l'orgueil de l'homme moderne. Son caractère naturellement optimiste devait lui permettre de faire totalement sien le schéma historiographique fondé sur la notion de progrès et, pour lui, la griserie de la découverte aboutit toujours à la plus grande gloire de Dieu.

Bien qu'il ait été en rapports amicaux avec des théologiens, notamment des tenants de l'humanisme iréniste, comme nous l'étudierons plus tard[238], lui-même semble s'être contenté d'une théologie simple. Il insiste toujours sur le caractère populaire des cultes qu'il mentionne, et ce qui le séduit le plus dans l'histoire de David, c'est que Dieu soit allé chercher un petit berger crasseux pour en faire Son serviteur (*Ode* XXXVII, 13 et suiv.). Dans la plupart de ses pièces religieuses, on voit revenir les mots de *populus, turba, plebs, popellus*; l'esprit de ces braves gens est simple et leur cœur est pur. C'est avec eux qu'il cherche à être en communion[239]. Il est tout à fait extraordinaire que cet homme, qui fut toute sa vie un intellectuel et un humaniste, ait été parfois, semble-t-il, totalement dépourvu d'esprit critique à l'égard des problèmes spirituels : jamais on ne le verrait se livrer à une critique « érasmienne ». Il paraît, au contraire, s'être attaché avec humilité et obstination à la lettre des rites : c'était peut-être la seule attitude rassurante pour un ouvrier de la onzième heure.

238. Cf. ci-dessous, p. 285-287.
239. Vivant à Paris pendant les années troublées, il n'a pas eu vraiment l'expérience d'un *peuple* de Chrétiens réformés : pour lui, les Huguenots sont essentiellement de grands seigneurs en révolte contre l'autorité royale.

Chapitre IV

INTERPRETATIO

> L'héritage de l'Antiquité est, comme
> la nature elle-même, un vaste espace
> à interpréter... *Diuinatio* et *Eruditio*
> sont une même herméneutique.
>
> Michel Foucault

Conjointement à son titre de *poeta Regius* Dorat porta jusqu'à la fin de sa vie celui d'*interpres Regius*[1]. Le recueil de 1586[2] s'intitule *Ioannis Aurati Lemouicis poetae et interpretis regii*[3] *Poëmatia*. Officiellement, l'humaniste était habilité comme traducteur auprès du prince. Lambin a exercé les mêmes fonctions[4]. Personne ne mettait en doute la grande familiarité des deux amis avec le grec et le latin, et Dorat lui-même était parfaitement conscient de ses capacités[5]. Mais qu'il portât ou non le titre d'*interpres*, son travail à Coqueret, au Collège Royal, ou son enseignement privé consistait bien à « interpréter » les textes anciens, c'est-à-dire d'abord à les traduire ou, plus généralement, à les rendre accessibles. C'est probablement ce premier niveau d'explication qu'il a en vue lorsqu'il écrit à M. de Foix qu'il a livré au public les « paroles » d'Homère :

> Certe qui *uoces* ... Homeri
> ... in uulgus ... dedi (*P.*, p. 101).

Mais ce même texte fait état d'une « interprétation » plus subtile : ce

---

1. La nomination de poète royal intervint en janvier 1567, avant que Dorat n'eût résilié sa charge de professeur royal. Nous n'avons pas retrouvé les attestations qui le déclarent apte à remplir les fonctions d'interprète. D'autre part Dorat n'a pas « signé » *poeta et interpres Regius* sa traduction latine des vers de Ronsard, qui illustrent le commentaire de l'*Horace* de Lambin, Paris, J. Macé, 1567, p. 360, comme le dit Marty-Laveaux (*Œuvres* de J. D., p. XXVIII, n. 2). La formule employée signifie seulement que le poète royal a traduit : *Io. Aurato, poëta Regio, interprete.*
   2. Le privilège figure entre le recueil des *Poëmata* et celui des *Epigrammata* (Aij r°).
   3. C'est ainsi qu'il a signé les deux derniers textes qui nous soient parvenus, l'*Epitaphium* d'Élie Vinet in *Ausone* d'Élie Vinet, Bordeaux, S. Millanges, 1590, Fee 2 r° (B. N., Yc 855) et le liminaire pour les *Discours philosophiques* de Pontus de Tyard, Paris, A. L'Angelier, 1587, a Aiij r° ou a iiij r°, selon les exemplaires. Je tiens à remercier ici M. John McClelland, professeur à l'université de Toronto, grâce à qui j'ai eu connaissance de ce texte qui ne se trouve pas dans l'exemplaire conservé à la B. N.
   4. Cf. Nolhac, *R. et l'H.*, p. 156.
   5. Le liminaire offert à Lambin pour son *Horace* (cf. n. 1) est signé *Poëta Regius Graecus et Latinus.*

que le professeur a donné au public, c'est aussi l'accès aux secrets que le poète méonien[6] avait dissimulés au plus profond de son message, et dont on pourra désormais profiter :

(orgia)
Haec ego qui primus uates[7] nouus antra reclusi,
Fas ubi Maeonio cominus ore frui *(ibid.)*.

Il est certain, enfin, que ce goût pour découvrir un texte sous un autre texte, pour lever ou poser le voile de l'allégorie a pu amener Dorat à l'interprétation de signes d'une toute autre nature, et à faire de lui un devin presque officiel.

Ainsi grâce à différentes conceptions d'un même devoir professionnel, Dorat semble bien s'être livré à ces trois types d'interprétation : le travail au niveau de la lettre du texte, le décryptage — et le cryptage — allégorique, la divination sous ses formes les plus diverses.

*
* *

I. LA LETTRE DES TEXTES

Sur le travail accompli par Dorat dans son enseignement officiel ou privé, sa poésie latine ne nous offre guère d'indications. Aussi bien n'est-il pas dans notre propos d'étudier ici pour eux-mêmes ses procédés pédagogiques, ni son rôle dans l'établissement des textes anciens : nous voulons seulement tenter de caractériser sa démarche intellectuelle. En raison de la discrétion du maître, il a fallu chercher ailleurs les témoignages.

DOCUMENTATION   Nolhac s'était penché avec intérêt sur
                       les remarques de Guillaume Canter et
nous y reviendrons[8]. Les notes qu'a publiées récemment M. Sharratt[9] nous introduisent à un cours sur Pindare — Dorat y revenait toujours[10] — mais l'étudiant, à part quelques rapprochements avec la poésie latine, semble avoir eu assez à noter l'équivalent latin des nombreuses tournures qui faisaient difficulté[11]. Rien ne nous éclaire sur la manière dont Dorat utilisait son texte[12].

6. Ce type d'explication est privilégié par Dorat quand il s'agit d'Homère ; cf. *Epgr.*, p. 15.
7. Dorat tient à souligner son originalité par rapport à ses collègues hellénistes.
8. Cf. ci-dessous, p. 180-186.
9. « Ronsard de Pindare : un écho de la voix de Dorat », in *B.H.R.*, XXXIX (1977), p. 97-114.
10. Cf. ci-dessous, p. 175 et n. 40.
11. Pindare est, certes, un auteur difficile, mais le fait d'avoir relevé telle traduction dénote une médiocre connaissance du grec : κληρῶσαι *sorte assignare*, γενεθλίος *natalitius*, ξένιος *hospital. (op. cit.*, p. 106).
12. Malgré les doutes émis par M. Sharratt (*op. cit.*, p. 99 n. 2), il nous semble certain

La découverte à Cambridge (Trinity College) par Mme Mund-Dopchie d'un exemplaire du *Prométhée enchaîné*[13] révèle que Dorat avait fait imprimer ce texte chez Wechel en 1548 avec un faible tirage, à des fins exclusivement pédagogiques. L'épître liminaire nous renseigne sur le niveau du travail de Dorat en présence des étudiants de Coqueret.

L'ÉTABLISSEMENT DES TEXTES

Peu importait, en effet, que l'édition fût toute pleine de fautes, on pouvait la lire et comprendre l'essentiel. Wechel, pourtant, avait demandé au professeur de corriger d'avance les plus grossières erreurs : Dorat consentit alors à supprimer — au passage — les fautes touchant la métrique et le sens, qui se révéleraient lors d'une lecture superficielle. En effet, il a besoin, au plus tôt, d'un texte pour expliquer cette tragédie à ses auditeurs[14]. Mais ce qu'il y a d'original, c'est que son travail de correction se fera avec les étudiants. En effet, ce qui permettra de lire le texte de bout en bout, sans accrocher, il a l'intention de le mener à bien, en y mettant tout son soin, pendant le cours, « en interprétant » le texte[15].

Ainsi, s'efforcer de restituer un texte fait partie intégrante de l'*interpretatio* : l'auditoire est amené de la sorte à réfléchir sur les difficultés de l'édition ; il n'a pas seulement à écouter, et à faire son profit du résultat, il doit participer aux recherches et aux tâtonnements du maître. Alors, au-delà de la copie vicieuse[16], l'étudiant aura la joie de voir son texte, un texte meilleur, sortir de l'ombre grâce au travail communautaire, tandis que le maître semble avancer, les yeux fixés sur *le* Texte, comme si, par quelque mystérieuse intuition, il pouvait en avoir véritablement connaissance. Le professeur est en quelque sorte la version moderne du rhapsode qui servait jadis d'intermédiaire entre

que Dorat se servait couramment de l'édition de Z. Calliergi (Rome, 1515), car il a utilisé (cf. *Ode* IV) la *Vita Pindari* qu'elle est seule à présenter, ainsi que les scolies métriques (cf. application à l'*Ode* VII) ; l'édition de Wechel était partielle ; enfin la traduction latine de Lonicerus (éditée à Bâle, en 1526) n'a laissé aucune trace dans ses odes pindariques latines. A partir de 1558, il pouvait disposer de l'édition française complète de Guillaume Morel ; celle d'H. Estienne est de 1560. Même si Dorat annonce de multiples corrections aux *Pythiques* (cf. ci-dessous, n. 32), il était plus aisé d'accéder au texte de Pindare qu'à celui d'Eschyle.

13. « Le Premier travail français sur Eschyle : le *Prométhée enchaîné* de J. D. », in *Les lettres romanes*, XXX (1976), p. 261-274.

14. *Op. cit.*, p. 269. Dorat semble avoir toujours travaillé vite : il obéissait sans tarder à l'intuition du moment. Il n'est pas indifférent de noter que Lambin, lorsqu'il évoque leurs fonctions communes au Collège Royal, s'exprime de façon différente (il s'adresse précisément à Dorat) : *easdem litteras* docentem et profitentem (Dédicace de *Lucrèce*, livre 6, Paris, Roville, 1563, p. 466-467). On a l'impression que Dorat est un peu moins « magistral » que son ami qui fait ses conférences *devant* un auditoire ; il s'engage aussi de façon plus personnelle dans sa lecture.

15. *Reliqua accuratius persecuturus* inter interpretandum *ita ut inoffense de reliquo perligi possit* (*op. cit.* en n. 13, p. 269).

16. Presque vicieuse à dessein, car on a l'impression que Dorat a commencé à corriger uniquement pour faire plaisir à Wechel : *Itaque feci, non tam quia optime per ocium id facere mihi liceret, quam ut hominis amici precibus obtemperarem* (cf. n. 15).

le poète et la foule. Il est difficile de dire si Dorat se sent des affinités avec Ion, mais il sait, lui aussi, ravir son auditoire et le faire participer à l'émotion poétique[17].

Une sorte de légende s'était, du reste, formée à ce sujet, et le témoignage d'un bon juge, Henri Estienne, peut nous aider à reconstituer sa genèse.

GENÈSE
DE LA LÉGENDE

L'auteur du *Thesaurus Linguae Graecae* reconnaît que, bien souvent, Dorat a montré sa sagacité en proposant des conjectures pour des textes poétiques[18]. En présence d'un *locus desperatus*, le professeur royal, par une sorte d'instinct, « flaire » la faute, et propose avec assurance une correction. Estienne rapporte le fait à propos d'une conjecture pour le vers 31 de l'*Hymne à Apollon* de Callimaque[19]. Sans doute le consensus des spécialistes est chose importante, mais Estienne, qui a lui-même adopté la correction, rapporte que la conjecture a été transformée en certitude par la découverte d'un autre manuscrit ancien[20]. Aussi le souvenir de Dorat est-il définitivement attaché, pour Estienne, à celui du vers de Callimaque, et il le note avec simplicité[21]. Cette vive intuition donne le premier rang à Dorat parmi les philologues. Scévole de Sainte-Marthe en témoigne, bien longtemps après la mort du professeur : *quod et summa eruditione et acerrima coniectura praestans optimi quoque* (sic) *critici laudem quotidie mereretur*[22]. Pourtant le jugement de Lambin, un spécialiste de l'édition, vient encore renchérir sur celui du magistrat humaniste : parmi ceux qui sont capables d'expliquer et d'élucider des phrases totalement obscures et énigmatiques, en grec et en latin, Dorat tient une place à part, car lorsqu'il explique, qu'il corrige ou qu'il restitue, on dirait qu'il a vécu avec les auteurs dont il s'occupe[23].

17. Cf. ci-dessus, p. 55.
18. *In restituendis multis... poetarum locis sagacitatem suam ostendit* (cité par Nolhac, *R. et l'H.*, p. 79). Dorat voyait les textes anciens comme des blessés à qui il fallait porter secours par des sutures et des greffes ; les soins d'Asclepios à Hippolyte-Virbius donnent une traduction mythique de la même idée ; cf. *Epgr.*, p. 131.
19. *Auratus aliud mendum sub hoc uersu latens* subolfecit *quum nullum uel in speciem aptum huic loco sensum elici posse uideret, et ex* ἰυν᾽ οὔρεα *faciendum esse* ἰυν οὐ ῥέα *affirmauit. Quam emendationem docti etiam uiri... amplexi sunt* (in *Poetae Graeci heroici carminis et alii nonnulli*, Genève, H. Estienne, 1566, 2e partie, p. XXXVIII).
20. *Sed quod hanc Aurati emendationem attinet, eam et ipse in contextum recepi, non iam tamen sola eius coniectura nitentem sed ueteris etiam codicis testimonio comprobatam* (op. cit., p. XXXIX). Les découvertes de ce genre, à cette époque, étaient fréquentes. C'est dans l'attente d'une aussi bonne fortune que Falkenburg s'est montré peu disposé à corriger le manuscrit des *Dionysiaques* que lui avait fourni Sambucus ; il attendra donc... *quoad prodeant alii, qui ex uetustorum codicum fide loca uacua suppleant* (Épître dédicatoire à Sambucus, sans p., ni sign. ; B.N., Rés. Yb 334).
21. *Quoties huius uersus recordor, toties Ioannis Aurati recorder necesse est* (op. cit., p. XXXVII).
22. *Virorum doctrina illustrium... elogia*, p. 87.
23. *Te autem quid dicam eam laudem esse consecutum qui... antiquorum scripta uel*

L'étape suivante fait de l'érudit un véritable devin, mieux encore, l'oracle[24] d'Apollon lui-même, selon Muret, qui écrit de Rome à Claude Dupuy : « J'escris au seigneur Manzuolo d'un lieü de Platon *de quo uellem istic meo nomine consuli Apollinem, id est Auratum.* Si le seigneur Manzuolo est trop empesché pour aller lui mesmes à l'oracle, je vous prie, prenés ceste peine là pour moi[25] ».

Si c'est là l'impression que produisait Dorat sur ses collègues, on imagine aisément ce que devaient ressentir les étudiants, fascinés. Il est vrai que, grâce aux soins de cet interprète sans pareil, ils avaient tôt fait de devenir des maîtres[26]. Ainsi le jeune Lucas Fruyter, de Bruges — qui, par ailleurs, regrette que Dorat ne fasse pas imprimer les conjectures qu'il présente si généreusement à ses étudiants — déclare qu'il s'en remet en dernier ressort à l'intuition de ce maître, car si Dorat ne trouve pas, personne ne trouvera : *Cum nuper ab eo quaererem de quodam Festi loco, qui hoc uel nullo alio interprete egere uidedebatur, promptissime, uix perlectis uerbis, satisfecit opinioni de se meae*[27].

Or la conjecture est une audace, et Lucas Fruyter, hésitant à voler de ses propres ailes, va chercher auprès de son maître la caution, plus morale qu'intellectuelle, dont il a personnellement besoin à propos d'une correction apportée à un texte de Tibulle[28].

Dorat se montrait accueillant et acceptait de répondre, impromptu, aux questions de ses élèves. Fruyter a noté la promptitude étonnante de la réponse après une lecture rapide — *promptissime, uix perlectis uerbis*. Canter a été sensible à l'aisance avec laquelle le maître trouve et expose d'ordinaire sa solution[29]. Les disciples se plaisaient à connaître

---

obscura sic illustras, uel corrupta sic corrigis ac restituis, ut cum illis uixisse uidearis (Dédicace de *Lucrèce*, 6), *op. cit.*, en n. 14, p. 467).

24. Le mot se trouve aussi chez Ronsard : « un oracle vieus » (S.T.F.M., t. 1, p. 127).

25. Cf. Nolhac, *R. et l'H.*, p. 80 et n. 1.

26. Dorat lui-même n'en doute pas ; il écrit, en effet, à Falkenburg : *Si quos nosti etiam nobiles studiosos praesertim Graece et Latine, eos quoque ad nos mitte ut ex illis nouos* Canteros et Vtenouos *faciam* (lettre inédite, publiée par M.-J. Durry, in *Mélanges Chamard*, Paris, 1951, p. 63).

27. In *Reliquiae* (ouvrage publié par Douza), Anvers, Plantin, 1584, p. 26 (B.N., Z 13109) : Dorat rétablit le mot grec ἄχνη, qui avait été latinisé en *agna*. A propos de Théocrite, Canter note que Dorat a corrigé un *locus desperatus* : *quod a nemine ante intellectum fuisset,* in Lycophron, Bâle, Oporin, s. d (= 1566), p. 169. Pour l'édition de Théophraste (Paris, F. Morel, 1583) Dorat est le seul nommément cité par Morel (f° 8 v°). Dans tous ces cas, il s'agit de travail gratuit de recherche ; mais l'habileté de Dorat lui valait aussi des propositions lucratives : ainsi le marchand libraire Jacques Dupuys lui avait demandé, en 1555, de corriger les fautes qui se trouvaient « en un livre blanc ains imprimé à Balle contenant les opuscules de Plutarque dicts Moralles », pour 92 l. t. (in Annie Parent, *Recherches sur les métiers du livre à Paris au XVIᵉ s.*, Genève, 1974, p. 121).

28. *Ego audaciam coniectandi cum mihi ipse probare non possem (quod tamen rarum est in his rebus), feci studiose ut Aurati mei, quem in hac palaestra unicum esse mihi iure persuadeo, iudicium explorarem* (*op. cit.* en n. 27, init., p. 42).

29. *Dexterrime, ut reliqua Theocriti omnia, et emendauit et exposuit : uide* Nouas Lect. nostras (*loc. cit.* en n. 27).

et à reconnaître cette extraordinaire facilité qui, toute intuition
mise à part, était aussi fondée sur l'expérience due à de vastes lectures.
Il faut bien admettre que la désinvolture avec laquelle Dorat offrait ses
trouvailles à ses auditeurs et à ses amis devait aussi les porter à croire
qu'il devait plus à la nature qu'à l'art et qu'il avait un don particulier.

INSPIRER LA RECHERCHE   En fait, ce qui anime Dorat c'est la vo-
                          lonté de faire partager sa propre passion.
Ainsi, l'édition du *Prométhée enchaîné* ne veut être, techniquement,
qu'un thème de travaux pratiques, mais le maître pense ainsi susciter
un éditeur d'Eschyle[30] . En effet, même Pindare, qu'il a introduit en
France, n'est pas pour Dorat un terrain réservé. Écrivant à François de
La Rochepozay, le 1er avril 1565[31] , il le prie de demander son avis à
J.-J. Scaliger (qui l'a remplacé comme précepteur au château) sur une
interprétation de *Pyth.* 1, init.[32]

La déclaration faite en 1570 à G. Falkenburg, l'éditeur de Nonnos,
est sans ambiguïté : *De Nonno, librum tibi* relinquo[33] . Dorat prend
néanmoins la précaution de demander à son correspondant de ne pas
imiter l'ingratitude d'Henri Estienne et de Canter, qui ont omis de
mentionner son nom, et ont présenté comme les leurs des résultats
qu'il leur avait communiqués : *nisi quod te admonitum uelim ne
Henrici Stephani et Canterii nostri ingrati animi exemplum sequaris,
qui nomen meum suppresserunt, scripta et inuenta mea pro suis
ediderunt*[34] . Une chose est sûre en tout cas : le nom de Dorat n'apparaît nulle part dans le livre que Falkenburg avait publié à Anvers, chez
Plantin, l'année précédente. Il y a pourtant de fortes chances pour que
ce soit le professeur français qui ait suscité cette édition[35] . En outre,

30. *Quoniam emendatius Aeschyli exemplar in Italia uel Germania extare dicitur, ut
aliquem ad eius editionem incitarem*, (*op. cit.* en n. 13, p. 269).

31. In *Histoire genealogique de la maison des Chasteigners*, par A. du Chesne, Paris,
S. Cramoisy, 1634, parmi les « preuves », p. 124 ; l'année n'a pas été indiquée, mais elle est
facile à retrouver, le *terminus post quem* étant la mort de Paschal, tandis que Turnèbe (mort
en juin 1565) est encore en vie.

32. Il s'inscrit en faux contre « le scoliaste et son interprete Henry » (Estienne), précisant
qu'il s'appuie sur un passage, corrompu pourtant, de la *Pyth.* 5. Il laisse d'ailleurs entendre
que d'autres conjectures vont suivre : *sed hoc unum ex infinitis quae muto (ibid.)*.

33. *Loc. cit.* en n. 26.

34. L'accusation est grave : nous avons vu, cependant, H. Estienne mettre au compte de
Dorat certaines des conjectures qu'il publie (cf. n. 19), mais la dette était peut-être beaucoup
plus considérable ; on peut faire une remarque analogue à propos de Canter : Dorat pense certainement aux conjectures que Falkenburg prête à Canter, dans son édition des *Dionysiaques*.
Le cas d'Estienne est différent ; cf. *op. cit.* en n. 26, p. 66.

35. Falkenburg a travaillé sur un manuscrit des *Dionysiaques* qui avait appartenu à Iohan-
nes Sambucus. Or ce Hongrois, érudit itinérant, qui s'était arrêté un temps à Paris, avait fréquenté les cours du Collège Royal. Falkenburg, dans sa dédicace, mentionne favorablement les
travaux de Charles Uytenhove (alors à Londres), et dit qu'il l'a connu à Paris. Or Uytenhove
était un disciple et un ami de Dorat, le parrain de son fils Charles (cf. *Ode XXIII*, 97-104).
Dans son commentaire, Falkenburg fait état de contacts avec Uytenhove (qui possédait un
autre manuscrit), et Canter, dont on connaît les liens avec Dorat, avait précisément joué un
rôle dans ces échanges de vues.

dans la lettre de Dorat à Falkenburg, la remarque sur la paraphrase de saint Jean par Nonnos semble bien répondre à une question précise de son correspondant[36]. Tout cela, sans doute, faisait que Dorat méritait bien une mention, mais il faut remarquer qu'au moment où il écrivait cette lettre (juillet 1570), il savait parfaitement qu'il n'était pas nommé dans l'édition de 1569 : il n'en montre aucune acrimonie, et promet même à Falkenburg de lui envoyer un poème à l'occasion de son mariage, et des traductions en français et en latin de certains passages de Nonnos[37]. Son *admonitio*, par définition, concerne l'avenir. C'est donc que Dorat considère l'édition de 1569 comme une première étape, et juge qu'elle ne saurait passer pour une véritable édition critique. De fait, Falkenburg déclare dans son épître à Sambucus que, en ce qui concerne les corrections, il s'est montré prudent[38]. Implicitement, c'est cette excessive prudence que Dorat déplore, en espérant que ses propres audaces — déjà connues de son correspondant — seront exploitées dans une édition suivante[39], mais il ne prétend nullement se charger de ce travail.

GOÛT POUR
LES TEXTES DIFFICILES

Mener à bien patiemment, dans le détail, une édition critique ne l'intéressait pas ; il préférait ce qu'on pourrait appeler le premier déchiffrage du texte, ou, si l'on veut, son défrichage, et il est certain que, par goût, il aimait s'attaquer aux textes difficiles. Si l'on pouvait en douter, Ronsard le proclame : le maître est renommé

« Pour denouer aus plus sages
Les plus ennoués passages
Des livres laborieus » (S.T.F.M., t. 1, p. 127).

Dorat avait une profonde admiration pour Eschyle : sa légende le disait, et nous avons, maintenant, son propre témoignage à ce sujet. On connaît son goût pour Pindare, et l'influence qu'il exerça sur Ronsard[40]. La publication conjointe de *Lycophron* et du commentaire

---

36. Falkenburg avait dépêché un courrier exprès à Dorat : cet homme est mentionné au début et à la fin de la lettre (*op. cit.* en n. 26, p. 63-64).
37. *Op. cit.*, p. 63-64. Pour les traductions, cf. ci-dessous, p. 179 et n. 63.
38. Pour ne pas dire timoré, car ce manuscrit est très mauvais (*Épître à Sambucus*, cf. n. 20 fin).
39. Mais Falkenburg en resta là ; Uytenhove aussi.
40. Sur l'initiative de l'imitation de Pindare, cf. *Ode* IV, str. -antistr. 1, cf. ci-dessus, p. 6-8. J.-A. de Chavigny évoque en 1594 (il avait alors soixante-dix ans) le souvenir d'un cours sur les *Pythiques* (*Iani Gallici facies prior*, p. 34). Dorat ne cessa jamais d'interpréter l'œuvre du Thébain. Paul Schede (*Melissus*) avait assisté à ces cours pendant son séjour à Paris, et l'on sait quil fut si impressionné qu'il se mit à pindariser à son retour à Heidelberg ; cf. *Emmetra*, in *Schediasmata*, Paris, Sittart, 1586, p. 3-57. Louis de Balsac, un aristocrate beaucoup plus jeune, publia des essais pindariques en 1578, en rappelant ce qu'il devait au vieux maître (in *Operum poeticorum lib. III*, Paris, 1578).

de Tzetzès à Bâle, chez Oporin, en 1546, par les soins d'Arnold Peraxylus et de Gerbelius, avait facilité le décryptage de l'*Alexandra*[41], et
l'explication de Lycophron remonte au bon vieux temps de Coqueret[42].
Si Guillaume Canter, rentré chez lui, s'adonne au travail ardu qui aboutit
à son édition (avec une traduction latine), publiée aussi chez Oporin,
en 1566, c'est bien à l'influence de Dorat qu'il le doit[43]. En outre,
ce dernier avait composé deux pièces liminaires en grec pour l'édition de
Lycophron (elle comportait la vie du poète et le texte de l'*Alexandra*),
qui fut imprimée à Paris, chez Bogard en 1547[44]. L'une de ces pièces
figure encore dans l'édition de Canter (p. 1). On y voit que, précisément, Dorat juge que le caractère sibyllin de l'énoncé est lié avec une
sagesse divine. C'est sans doute avec une certaine délectation, qu'après
avoir rapporté une version de la vengeance des Tyndarides à Athènes,
Dorat conclut en 1567 : *Vt tradit Lycophron* tenebricosus[45] (*P.*, p. 282).
Ce qui l'intéresse, en effet, par-dessus tout, c'est le procédé de cryptage
mis en œuvre par le poète alexandrin, car il souligne bien que, si Cassandre était en transes lorsqu'elle prophétisait, Lycophron, lui, était
dans son bon sens, et même usait de toutes ses ressources intellectuelles
pour présenter sa prophétesse qui peut, de fait, rivaliser avec la véritable
Cassandre[46]. Il y a du défi dans l'attitude de cet intellectuel et, comme
l'a noté Nolhac, « il est même ravi d'avoir à lutter contre des difficultés
plus grandes d'interprétation » (*R. et l'H.*, p. 86).

    On aurait tort, pourtant, de s'imaginer que ce sont là des jouis-
sances de cuistre laborieux. Sans doute, comme le dit le médecin humaniste Fédéric Jamot, de Béthune, Dorat résout les difficultés du
texte de Lycophron, les énigmes de la prophétesse phrygienne[47], mais
la déclaration du même disciple au sujet des épinicies de Pindare est
éclairante :

> Grandia... nobis Dircaei carmina cycni
> Excutis (*ibid.*).

Ainsi l'explication d'un texte ardu, toute minutieuse qu'elle était,

---

41. B.N., Yb 30. Le titre annonce : *poema... eruditissimis Isacii Tzetzis Grammatici
Commentariis... illustratum atque explicatum.*
    42. Une allusion au poète de Chalcis dans l'*Ode* offerte à Michel de l'Hospital (S.T.F.M.,
t. 2, p. 140), qui fut composée probablement dès 1550, en témoigne.
    43. Aussi dédie-t-il à son maître parisien deux résumés en vers, *utraque lingua*, des oracles
de Cassandre — ᾿Ανδρί λογιωτάτῳ ΙΩΑΝΝΗ ΑΤΡΑΤΩ (p. 231).
    44. B.N., Rés. Yb 456. Le livre est copieusement annoté, en latin, dans les marges et
au-dessus des lignes. Nous espérons étudier ce commentaire, qui est probablement un souvenir
du cours de Dorat.
    45. L'édition de Peraxylus annonce : *poema quidem obscurum etiam doctis appellatum.*
L'édition parisienne note aussi : *Alexandra, obscurum poema...* τὸ σκοτεινὸν ποίημα.
    46. Ce texte est cité par Nolhac (*R. et l'H.*, p. 90, n. 2), qui ne semble pas avoir connu
l'édition parisienne de Lycophron.
    47. *Soluis nodos Phrygiaeque aenigmata uatis / Chalcidica* (*Anagrammata* in *Varia
Poemata Graeca et Latina*, p. 114).

n'empêchait pas l'auditoire de goûter les vers sublimes du « cygne dir-céen »[48].

TRADUCTION OU GLOSE? L'« interprétation » du texte comprenait-elle la traduction? Si, par là on entend un mot à mot, la réponse est négative[49]. Les notes qu'a publiées M. Sharratt le faisait pressentir, et celles qui sont conservées à Milan, à la Bibliothèque Ambrosienne (Mss. A 184), le confirment.

La méthode préférée de l'helléniste consistait à donner un équivalent exact en latin — λαγέτης *populi ductor*[50] ; parfois il s'agit plutôt d'une glose que d'une traduction, et seule l'idée fondamentale est notée, par exemple νεοσίγαλον *nouum et nouitate admirandum* (*op. cit.*, p. 102), mais il arrive que le professeur admette qu'il ne présente qu'une approximation : ἐφάψασθαι λόγοις quasi *ambire uerbis* (*op. cit.*, p. 100), parfois il fait un rapprochement : (λαγέτης *populi ductor*) ut ἀγεσίλαος (*op. cit.*, p. 102) ; il prend soin de noter qu'une syllabe est susceptible d'allongement κενά et κεινά, et il précise deux orientations possibles : *uacua, otiosa* (*op. cit.*, p. 101), κόλποι *sinus, ualles* (*op. cit.*, p. 111)[51].

Les notes conservées à Milan laissent apparaître un autre trait de l'interprétation littérale de Dorat, l'abondance[52]. Et les étudiants ne se faisaient pas faute de solliciter l'avis du maître sur un mot difficile, qui ne figurait pas dans la leçon du jour, tel *aretalogus* (4 rº).

Généralement la glose latine n'est pas présentée seule en face du mot grec, elle est intégrée dans le fil du commentaire, ainsi à propos de l'île d'Éole : *Aeolia insula dicitur, tamquam picturatum opus ubi descripta erant 12 signa coelestia. Quaecumque enim picturata et uariegata erant* αἰόλα *dicebantur* (2 vº). Cela implique que les auditeurs savaient suffisamment de grec, et, bien entendu, de latin, pour être en mesure de se passer d'une traduction juxtalinéaire et pour saisir le commentaire au vol.

48. De même l'épître liminaire à l'édition de *Prométhée* nous apprend que, tout en établissant le texte, Dorat voulait faire lire et apprécier ce poète qu'il révère, et dont il regrette qu'il soit moins connu en France que Sophocle ou Euripide.

49. Il faut, cependant, réserver le cas du manuscrit nº 659 de la Bürgerbibliotek de Berne, qui porte le titre *Ex Aurati recitationibus in Sophoclis Oedipum tyrannum*, daté *Pr. Non. Sext.* ...8 (une tache recouvre les trois premiers chiffres). Le manuscrit est en très mauvais état et l'écriture, hâtive, est très difficile à déchiffrer. Après quelques indications générales, l'auteur a noté une traduction latine juxtalinéaire précise (nous avons fait un sondage pour les v. 87-100) mais, à part quelques notes marginales qui précisent l'étymologie, il n'y a pas de commentaire. Nolhac qui connaissait ce manuscrit a renoncé à l'exploiter en détail (cf. *R. et l'H.*, p. 75, n. 1).

50. *Op. cit.* en n. 9, p. 100.

51. Le recours à une langue vernaculaire est exceptionnel : ὄκχος *currus gall. per metath.* coche (*op. cit.*, p. 103) — le mot français, du reste, ne vient qu'après l'équivalent latin. Cf. ci-dessous, p. 182, n. 88.

52. Ayant à préciser les sens de φιλεῖν, il dit : *non solum est amare, sed amice, amanter, prolixe liberaliterque aliquem accipere* (3 rº) : πέμπεω *uero non solum significat dimittere, sed abeuntem deducere, subsidiis itinerariis munire et quasi uiaticum dare* (*ibid.*).

PUBLICATION   Dorat ne publia pas plus ses commentaires que ses conjectures sur les textes,
mais il semble avoir été parfois séduit par l'idée de faire des traductions
latines suivies. Si ce travail n'aboutit pas, il ne faut pas, toutefois, se
hâter de mettre cet échec sur le compte de la légendaire paresse de
l'humaniste[53] : c'est plutôt sa trop grande exigence qu'il faut incriminer,
dans ce cas.

En effet, il avoue à Daniel d'Augé avoir souvent tenté de traduire
Anacréon, mais ce travail ne consistait pas seulement en une traduction
juxtalinéaire précise : Dorat avait le projet d'utiliser les mêmes mètres
que son modèle, mieux encore, de conserver le schéma métrique :

> Tantum mihi saepe nec negabo
> Versus reddere uersibus sed iisdem,
> Atque eodem numero[54].

Il reconnaît, de bonne grâce, que ce travail lui a donné beaucoup de
peine, mais ne l'a pas satisfait, car les fragments de traduction latine
achevés n'ont pas la grâce de l'original grec et — l'explication est horatienne[55] — la langue elle-même en est peut-être la cause :

> ... laboriosum
> Et quod non habeat parem leporem
> Graecis, Musa quibus rotundiore
> Quam nobis[56] dedit ore personare.

Il avait eu même ambition pour Pindare[57], au moins pour les *Pythiques*,
et pensait dédier la traduction de chaque pièce à l'un de ses meilleurs
amis[58] : l'un des La Rochepozay, l'abbé de la Granetière, devait recevoir la *Pythique* 1[59]. Mais, alors que le projet semble ici encore vague,
dans la phrase suivante, la vive imagination de Dorat le voit déjà réalisé :
eamque ubi perpoliero ad te mittam, sicut alteram[60]. Nous ne savons
pas s'il a jamais dépassé le stade de l'intention[61].

---

53. M.-J. Durry croit reconnaître chez lui « un certain manque de volonté, de ténacité »
(*op. cit.*, en n. 26, p. 68).

54. Cité par Nolhac, *R. et l'H.*, p. 113, et n. 1.

55. Horace précisément oppose le grec et le latin (*Ad Pis.* 323).

56. Il est très remarquable que Dorat se range parmi les gens de langue latine.

57. Il a, en tout cas, composé une ode (VII) d'après la colométrie d'*Ol.* 4. Son projet est
donc tout à fait différent du travail de version, réalisé par Lonicerus (Bâle, Cratander, 1526).

58. Lambin a dédié chacun des six livres de Lucrèce à différents amis ; en outre H. de
Mesmes reçut la dédicace de l'ensemble.

59. *Et quia Latinum aliquando meditor iisdem numeris edere, et singulas odas singulis
amicis consecrare, tua iam esto, cuius* ε ὐτυχῶς *absoluendae auspicium mihi fecisti* (cf. n. 31).

60. Le choix du verbe *perpolire* montre, cependant, que l'humaniste était bien conscient
d'avoir à affronter une tâche délicate.

61. Ce projet prouve, en tout cas, que le poète utilisait une édition comportant des scolies
métriques (cf. n. 12).

En ce qui concerne les *Dionysiaques* de Nonnos il est allé plus loin. Il annonce, en effet, à G. Falkenburg, dans une lettre de l'été 1570, qu'il a déjà traduit en latin, et, ce qui est plus surprenant, en français, certains passages de ce texte : *Ego quaedam ex Dionysiacis uerti, et latine, et gallice, quae aliquando ad te mittam*[62]. Si l'emploi du même adverbe — *aliquando* — ici et dans la lettre à l'abbé de la Granetière peut nous laisser des doutes sur l'envoi, les traductions de Nonnos, comme le traducteur l'affirme, ont bien vu le jour. Il s'agit des documents de travail sur lesquels Dorat compte s'appuyer pour l'organisation des « entrées » de 1571[63].

Le professeur n'a donc jamais considéré la traduction des œuvres antiques en français comme un genre universitaire. Il eût plutôt souhaité en faire une œuvre poétique latine qui serait l'imitation la plus fidèle possible de son modèle, y compris « l'élocucion », comme disait Peletier, et le « nombre ». Pour donner accès aux grandes œuvres, il a toujours préféré « l'interprétation » directe.

*
* *

II. L'ALLÉGORIE

II. 1 L'INTERPRÉTATION ALLÉGORIQUE
L'interprétation allégorique des textes est souvent qualifiée de « médiévale »[64].

Pourtant, au-delà d'Eustathe et de Tzetzès[65], cette méthode est celle des exégètes stoïciens, notamment de Cornutus[66] ; cette tradition est bien attestée encore au VIᵉ siècle, par exemple dans les *Mythologiarum lib. III* de Fulgence[67]. Mais si de nombreux humanistes restent résolument attachés à cette 'herméneutique[68], leur admiration pour Pétrarque en est certainement la cause.

---

62. *Op. cit.*, en n. 26, p. 63-64.

63. L'humaniste a pu traduire quelques vers suggestifs pour le bénéfice des artistes qui devaient exécuter sa commande, Nicolo dell'Abate et son fils (cf. ci-dessus, p. 85, et ci-dessous, p. 198-200). En outre, si Dorat voulait, dans les livrets ou les cartouches explicatifs, utiliser le texte de Nonnos, la présence des édiles parisiens qui organisaient la fête, aussi bien que celle des courtisans, rendait nécessaire le recours à la traduction française. Sur le détail des textes utilisés, cf. S. Bouquet, *Bref et sommaire recueil*, Fij vᵒ-Fiij vᵒ; cf. aussi F. Yates, *Astraea*, p. 143, n. 2-10. Tous n'avaient sans doute pas la même culture que S. Bouquet, qui jugea néanmoins les devises « hieroglyfiques » (*op. cit.*, Bij vᵒ).

64. Nolhac lui-même parle de la « rêverie médiévale » de Pétrarque (*R. et l'H.*, p. 71).

65. Sur Tzetzès, cf. n. 41. Les commentaires d'Eustathe sur l'*Iliade* et l'*Odyssée* avaient d'abord été imprimés à Rome, Blado, 1542-1551 (B.N., Rés. Yb 110-113), puis à Bâle, Froben, 1559-60 (B.N., Yb 8-9).

66. Cf. F. Buffière, *Les Mythes d'Homère*, p. 71-72.

67. Le livre avait connu une édition à Bâle, chez R. Petrus, en 1543 (B.N., J. 24865) ; à la suite est imprimée une traduction latine de Palephatos.

68. Par ex., Josse Bade, qui, dans son commentaire sur le *Bucolicum carmen* de Pétrarque

L'INFLUENCE DE PÉTRARQUE   Sans doute l'humaniste toscan avait-il
déclaré que cette forme d'interprétation
lui était personnelle, mais ses invitations à trouver, chez Virgile, la lumière sous le nuage de la poésie, ont été entendues de ses fils spirituels[69].
Sans doute encore reconnaissait-il, dès sa jeunesse, qu'il y a des beautés
apparentes chez Virgile, mais combien plus nombreuses sont les merveilles cachées : *Ista palam, quam multa latent (Epist.* 2, 11)[70]. Son
manuscrit des *Bucoliques* révèle ses réactions immédiates de lecteur : il
était plutôt porté vers le sens « moral » des textes. En effet les interprétations naturelle et historique — souvent appuyées sur les scolies —
lui semblent à la portée de tous[71]. Dès lors il conclut, sagement, à la
pluralité des lectures[72]. Quand, grâce à Boccace, il fut entré, enfin, en
possession d'un Homère, il applique tout naturellement la même méthode[73]. Pour garder la métaphore, Pétrarque, à son tour, leur a em-
boîté le pas dans son *Bucolicum carmen*[74].

Dorat a suivi le Toscan sur les deux terrains : son travail universitaire
d'interprétation est essentiellement fondé sur une lecture allégorique,
et, d'autre part, il a composé lui-même des *Eclogae* qui sont en accord
avec la conception de Pétrarque. Le chantre de Laure est, du reste,
appelé personnellement à garantir l'entreprise[75].

LE TÉMOIGNAGE   En ce qui concerne l'interprétation allé-
    DE CANTER   gorique des textes anciens, Nolhac,
                        s'appuyant sur les remarques de Guil-
laume Canter, a depuis longtemps indiqué la ligne directrice du travail

---

— Paris, J. Petit, 1502, B.N., Rés. mYc 915 (1) — note : *Nam et Vergilius* allegoricos *se sub
fago recubantem inducit appositorie : sedes aptissima nidis uolucrum. i. poetarum, dulciter
more auicularum canentium* (f° LXXX r°).

69. *Si sic intelligatur ut animus mens fert, puto, quisque operum eius elegantiam et in
singulis uerbis lumen aliquod sub nube poetica... introspexerit (Res memor.*, 2, 2). Nolhac a
publié (in *Pétrarque et l'Humanisme*, p. 122-123) des annotations allégoristes de Pétrarque à
son manuscrit des *Bucoliques* de Virgile.

70. Son vocabulaire montre bien ce souci constant de chercher un sens au-delà de la littéralité du texte : *Quid pius Aeneas, socius quid* signat *Achates? / Quid Venus ambobus
mediae uelit obuia siluae? (ibid.).*

71. Il le note à propos d'Éole dans l'*Énéide* : *Hoc sane Physicum et Historicum notum-
que omnibus (Seniles,* 4, 4).

72. *Sunt qui moralem sensum apud Virgilium quaerunt... Itaque de una eademque re,*
pro *uarietate utentium, uarii captantur effectus (ibid.).*

73. *Et quod de Virgilio dixi, de Homero dixerim : uno enim calle gradiuntur aequis pas-
sibus (ibid.).*

74. Le décryptage de l'allégorie qu'il lui arrive de fournir dépasse de beaucoup toutes les
spéculations du plus hardi commentateur laissé à lui-même : cf. par ex. le commentaire de
l'*Eglogue* 1 dans une lettre à son frère (*Fam.* 10, 4).

75. Cf. *Ecl.*, p. 29 (=26)-34.

de Dorat[76]. Selon l'érudit néerlandais, auditeur passionné du professeur royal, on est fondé à chercher perpétuellement l'allégorie sous le voile charmant du mythe, et le cas de l'*Odyssée* lui paraît caractéristique[77].. Les notes d'étudiant dont nous avons déjà publié des extraits[78] nous permettent de préciser quelque peu la manière dont Dorat entendait ce genre d'interprétation.

LE MANUSCRIT   S'il lui arrive, selon les textes, de pri-
DE MILAN   vilégier tel ou tel type. d'explication
                   — naturelle, historique, morale, mys-
tique, parfois — il n'en exclut aucune a priori, pas plus qu'il ne cherche à les utiliser systématiquement toutes à propos d'un même texte.

Il arrive que le commentateur avance discrètement son opinion — *Haec omnia* possunt *referri ad Zodiacum* (2 v°) ;*Per tapetia... intelligi potest coelum* (3 r°) — mais, le plus souvent, son assurance transparaît dans les notes de son disciple — *nempe* (2 r°), *facile deprenditur* (4 r°), *scilicet* (5 v°). Les verbes qui « traduisent » le sens profond sont employés à l'indicatif présent, avec aplomb — *id est, significat (passim)* ; le futur atténue à peine — *significabit* (2 r°), *dicendum erit* (4 r°), *intelligemus* (4 v°). Même en dehors de l'influence de son maître, Canter a conservé sa certitude — *uidelicet*[79], et il termine en exprimant son admiration pour son ancien professeur[80]. Or Canter, qui avait aussi étudié à Utrecht avec Cornelius Valerius (un spécialiste d'Aristote), qui, lorsqu'il écrit ces lignes, a l'expérience d'un éditeur de Lycophron[81], ne devait pas être un étudiant trop vite satisfait. Les notes de son camarade italien nous révèlent la richesse et la diversité des explications offertes. Rares sont les textes qui n'ont pas suscité une interprétation naturelle[82]. Ainsi, Éole est l'année, dans sa variété, et ses douze enfants sont les douze mois : *Aeolus non solum uarium denotat, sed etiam annum uarium et inaequalem... qui tot liberos habet quot annus menses* (2 r°). Pour Circé, Dorat rejette d'abord l'interprétation morale — malgré la garantie d'Horace[83] — et voit dans la magicienne la

76. *R. et l'H.*, p. 71 et n. 3-72 et n. 1. Au demeurant, Dorat (ou Canter) s'est trompé en mentionnant Aristote ; le texte qui reproche à Homère le sommeil d'Ulysse à son arrivée à Ithaque est de Plutarque (*De audiendis poetis*, 27 e).

77. *Sub dulcissimo fabularum inuolucro perpetuam quamdam a principio ad finem usque allegoriam contineant. Id autem in* Odyssea *uel maxime apparet.* (*Nouarum lectionum lib VIII*, p. 334-335).

78. In *Vita Latina*, 70 (juin 1978), p. 36-42, et *Études seiziémistes*, Genève, 1980, p. 223-234 (Mss. Ambr. A. 184).

79. *Op. cit.* ci-dessus, en n. 77, p. 335.

80. *Haec e cuius ingenio prodierint, si quis requirat, I. Auratum, maximum sane uirum, unicum et optimum* Homeri *interpretem, auctorem laudabo. op. cit.* ci-dessus en n. 77, p. 335.

81. Cf. ci-dessus, p. 176, et n. 43.

82. C'est le cas de l'épisode des Lestrygons ; cf. n. 78, init.

83. *Epist.* 1, 2, 23 ; mais il joint une allusion à la compétence d'Horace en paraphrasant *Ad Pis.* init. (4 r°).

philosophie naturelle et la connaissance des choses d'ici-bas[84] . Quant à
ses quatre servantes, elles sont les quatre éléments[85] . La fumée qui s'é-
lève de l'île de Circé provient de l'évaporation causée par le Soleil (Circé
n'est-elle pas sa fille?) qui agit sur la terre et sur les fleuves[86] . Ce n'est
pas là, pourtant, une interprétation passe-partout. La fumée, chez les
Lestrygons, se justifie d'une manière bien différente : ce peuple représentant les professionnels de la chicane[87] , ils ne produisent que
des choses aussi inconsistantes que la fumée[88] . Quant à la fumée du
manoir d'Éole, le fait que l'île soit volcanique et produise des fume-
roles n'est pas une explication suffisante : Dorat avance aussitôt une
autre proposition : il s'agit de la fumée des sacrifices.

Pour le professeur, il semble que c'est l'explication morale qui
demande le moins de science. Sans se remettre entièrement à la sagacité
de ses élèves, il leur fait confiance, et se borne souvent à indiquer une
ligne de réflexion sans développer à fond. Il note rapidement qu'Ulysse
s'efforce de garder ses compagnons dans le devoir, mais que le vent des
passions rend vain les efforts que *nous* faisons pour parvenir au but (la
première personne du pluriel cache un àveu)[89] .

Bien que, d'emblée, Dorat ait privilégié l'explication naturelle pour
l'épisode de Circé, l'explication morale reparaît avec les trois sortes
d'animaux — lions, loups et porcs, qui représentent les plus vives
passions humaines, le désir du pouvoir, de l'argent, de la volupté[90] —
et, si les compagnons d'Ulysse voient les soies tomber de leurs membres,
c'est signe que ces hommes, qui avaient cédé à la volupté, éliminent
maintenant tout ce qu'ils avaient de mauvais et d'impur grâce au second
breuvage de Circé, qui est assimilé, pour ses bienfaits, à la philosophie

84. *Dicendum erit ipsam Circem non significare uoluptatem et libidinem, ut Horat.
putauit, sed potius scientiam et rerum inferiorum cognitionem. Itaque sub Circe naturalis philosophia, ceu Physica, commode intellegetur* (4 r˙).

85. *Quatyor erant famulae Circes. Naturae enim quatuor elementa subiiciuntur, quorum
ope utitur in rerum omnium compositione* (5 r˙). Eustathe présente une interprétation naturelle différente : les quatre servantes seraient les quatre saisons (1661, 1).

86. *Per fumum quae Vlyssi apparet, intelligemus exhalationem quae fit cum Sol calore
suo in terram et flumina agit* (4 v˙).

87. Cf. n. 78, init.

88. *Et ueluti apud illos solus fumus uidebatur, ita ii causidici sunt ueri* fumivendoli *me-
rasque nugas prae se ferunt* (3 v˙).

89. *Et seruasse cupit socios... in officio continere et iustitia, sed uenti reflant : sic multa
impediunt quominus ad metam perueniamus* (3 r˙). Dorat se souvient, sans doute, de l'interprétation morale de Boccace à propos de l'outre faite dans la peau d'un bœuf de neuf ans :
*uentos, id est concupiscibiles appetitus datos bouino in corio, id est in arbitrio uirilis aetatis,
quae fortis et constans esse debet, uti corium bouis est* (Genealogia deorum gentilium, 11,
40, 120 b).

90. Dorat, en tout cas, rejette, sans même y faire allusion, l'interprétation historique,
qui faisait de Circé une courtisane (cf. Pseudo-Héraclite, *De incred.* 16. Sur l'édition de Palephatos, cf. n. 67). Il ne dit pas non plus que ces animaux représentent les êtres dans lesquels les
hommes qui se seraient laissé aller à leurs passions seraient réincarnés selon la métempsychose
des Pythagoriciens ou des Platoniciens (cf. F. Buffière, *Les Mythes d'Homère* p. 516-520).
Chez Platon, les animaux sont des loups, des lions et des ânes.

morale de Socrate[91] . Mais, d'ordinaire, c'est plutôt la morale de la cité qui intéresse Dorat. Il voit dans les Lestrygons, mangeurs de chair humaine, une caste judiciaire profiteuse et stérile (3 v°-4 r°). Aussi leur régime politique, il le dit plus tard, ne peut-il être que dégénéré : *in Laestrigonibus* ὀλιγαρχία : *paucorum status* (4 v°)[92] .

Le professeur se garde surtout d'être enfermé dans une thèse unique. Ainsi, ses réflexions morales sur le cerf tué et dépecé par Ulysse[93] , parce que ce dernier doit fouler au pied toute sorte de crainte — crainte dont cet animal est le symbole — aboutissent à une méditation naturaliste sur l'homéopathie et le traitement des morsures de serpent par leur propre venin[94] .

L'explication historique, en particulier, qui dénote chez l'interprète du mythe une suffisance hautaine et dédaigneuse[95] , n'est jamais, chez Dorat, présentée seule. Si, par exemple, il fait d'Eole un roi des îles Lipari, particulièrement expert en astronomie[96] , grand observateur des vents et des éruptions volcaniques, il a d'abord exposé une interprétation naturelle, et, dans un premier temps, il s'est contenté de renvoyer les amateurs d'évhémérisme à de bonnes sources[97] .

Finalement, il se décide à traiter de ce problème, mais il apporte des nuances. Ainsi à propos de l'explication historique de l'outre donnée par Eole[98] , Dorat fait entendre qu'il connaît, par ailleurs, une interprétation alchimique du mythe de la toison d'or. C'est ici le procédé métonymique qui lui permet un tel rapprochement : la carte sur laquelle Eole avait donné des indications anémographiques est une peau tannée comme le sont les parchemins formant le livre où se trouvent des indications mystiques et précieuses, « en or »[99] .

---

91. *Bono medicamento scilicet morali et Socratica philosophia ea quae erant ualde noxia et tanquam excrementa eluuntur in uoluptuariis uiris* (5 v°).

92. Cf. *op. cit.* en n. 78, init. Nous ne savons pas d'où Dorat a tiré cette idée ; chez Homère, l'oligarchie est représentée par les prétendants de Pénélope (*Od.* 1, 247).

93. *Incidit Vlysses in ceruum eumdemque interficit quoniam naturae contemplator, is qui rerum causas cognoscere affectat, sub pedibus ponere, conculcare atque opprimere omnem metum debet* (4 v°). En effet Ulysse, qui mange la chair de cet animal peureux, risquerait de devenir lâche : *quoniam carnes timidi animalis timidum reddunt hominem* (*ibid.*).

94. *Tamen ex iisdem* (= *scorpiones et serpentes*) *remedia aduersus uenena sumuntur* (*ibid.*). Dorat était grand amateur de Nicandre, comme de nombreux disciples en témoignent. Pour l'homéopathie, cf. *Theriaca*, 98-114.

95. Cf. par ex. Palephatos, *De Aeolo* : *Vlyssi uentos in utre conclusos dedit. Quam quidem rem fieri impossibile esse omnibus manifestum existumo... Moenia... ciuitatis suae ex aere circumdata habuisse traditur. Quod etiam falsum omnino est* (*op. cit.* en n. 67, p. 123-124).

96. Cf. *op. cit.* en n. 78 (fin), p. 233.

97. *Coeterum de Aeolo plura leges apud Diodor. Sicul. lib. 6, et apud Plinium, Histor. natur. lib. 3, cap. 9* (2 r°). La référence à Diodore est inexacte : il s'agit de 5, 7.

98. Cf. n. 96. Le commentaire ne s'accompagne d'aucune déclaration dans le style d'esprit-fort de Palephatos.

99. Cf. n. 96. Selon dom Antoine-Joseph Pernéty, l'idée que la toison d'or « étoit un livre de parchemin qui contenoit l'Art Hermetique, ou le secret de faire l'or » se trouve chez Suidas

L'interprétation mystique avait fasciné Guillaume Canter : Ulysse
à travers le monde est à la recherche de la vraie sagesse et du bonheur
final, symbolisé par Pénélope, par Ithaque : *(Vlysses)... uerae sapientiae
ac felicitatis (haec enim est Penelope, haec Ithaca) studiosus ... morte
obita*[100], *optatam felicitatem consequitur... (Ithaca) quae, uti diximus,
felicitas est et beata uita*[101]. Dans les notes conservées à Milan, cette
interprétation se fait jour, parfois, mais elle est mince. La patrie,
Ithaque, c'est le ciel d'où les âmes sont envoyées pour venir habiter
dans les corps, et le voyage de retour est rude[102].

Venant de traiter de philosophie politique, Dorat évoque encore
deux sujets d'étude, la Nature, représentée par Circé, et le « supra-
naturel », avec Calypso : *Status autem qui est extra Rempub. duplex
constituitur, aut enim est naturalis, nempe* φυσική *et continetur sub
Circe, uel est supranaturalis uocaturque* μεταφυσική, *et sub Calypso
intelligi potest* (4 v°)[103].

S'il ne développe pas davantage ce thème, c'est que l'interprétation
politique lui semble toujours particulièrement tentante. Alors qu'il
donne de l'épisode des Lestrygons une explication fondée sur la morale
sociale, il élargit ses conclusions : les grands hommes politiques de la
Grèce et de Rome ont fini par mourir misérablement : *Clades socio-
rum Vlyssis, si ad* Politicen *spectemus, pertinet ad eos qui cum diu in
aura populari capienda fuerunt occupati, tandem miserum exitum
sortiuntur, ut Demosthenes et Themistocles apud Athenienses, Cicero,
Scipio et alii multi apud Romanos, qui cum multa in Repub. gessissent,
tandem misera et iniqua morte perierunt* (3 v°).

Ce jugement implique plus de sympathie pour les compagnons
d'Ulysse que celui qui fait d'eux des candidats tout prêts pour la
métamorphose en lions, en loups ou en porcs, des êtres incapables de

---

(*Les fables égyptiennes et grecques*, t. 1, Paris, Delalain, 1786, p. 450). Cette idée séduit
Dorat qui la reprend dans son liminaire pour l'*Histoire des plantes* de Geoffroy Linocier : *Auri
coma nihil est aliud cutis obsita lana / Quam plena aureolis pagina prisca notis* (P., p. 14).

100. Cette mort est symbolisée par le sommeil dans lequel Ulysse est plongé au moment
où les Phéaciens le déposent au rivage d'Itaque : *mortem per somnum feliciter expressit*, dit
Canter (*op. cit.*, en n. 77, p. 335). Nolhac ne peut s'empêcher de noter à ce sujet : « ces puérilités paraissent prises au sérieux » (*R. et l'H.*, p. 72 et n. 1).

101. *Op. cit.* en n. 77, p. 336. Dorat se souvenait sans doute, quand il présentait cette
thèse en présence de Canter, des réflexions d'Eustathe (1390, 2 et suiv.) en ce qui concerne
Pénélope, mais l'interprétation de Calypso est différente : pour Eustathe, Calypso est une géô-
lière, et son nom est à rapprocher de καλύβη (la hutte). Il est possible qu'Eustathe ait davantage influencé Dorat au temps où Canter était dans l'assistance : le professeur aurait développé
alors l'opposition Calypso/Pénélope, tandis que, d'après les notes conservées à Milan, il op-
posait Circé / Calypso.

102. *Patria est coelum unde a principio animae in corpora nostra immittantur. Foelicitas
significatur per asperam Ithacam... Errorem molestum uocat... peregrinationem quam homines
in hoc mundo peragere debent ut ad coelestem patriam peruenire possint* (5 v°).

103. Cette interprétation est fondée sur l'étymologie Calypso/καλόπτειν (4 v°).

rechercher leur salut, parce qu'ils se laissent détourner par les plaisirs de la table, de l'amour, ou par « telle autre catastrophe »[104]. C'est, en dernière analyse, l'interprétation politique que Dorat privilégie, puisque, en 1576, il en arrive à voir dans Ulysse l'image du mauvais chef, qui rentre, seul, pour annoncer le désastre des siens :

> ... haud dignus profecto laudibus
> [...]
> Qui perdito uictor redux exercitu
> Fuit ipse factae nuncius cladis suis (*Exh.*, 141-144)[105].

Sans doute l'humaniste n'est pas personnellement responsable des diverses interprétations qu'il a présentées. C'est particulièrement net en ce qui concerne les explications naturelle et historique : dans ce cas, il a servi de relais entre l'érudition des scoliastes et son auditoire. L'interprétation morale implique une position plus personnelle, et, du reste, l'autorité du professeur sur les étudiants est telle, qu'un esprit aussi éclairé que Canter n'hésite pas, nous l'avons noté, à voir dans Dorat l'*auctor* de l'interprétation.

DIFFICULTÉ DE DATATION   S'il est possible d'enregistrer des différences entre les souvenirs de Canter et les notes de cours conservées à Milan[106], ces indices sont trop ténus pour permettre une datation précise des cours.

Le séjour parisien de l'humaniste d'Utrecht est antérieur à 1564 ; le *terminus post quem* pour la rédaction des notes de l'Ambrosienne est 1554[107], mais le nouveau jugement porté par Dorat sur Ulysse en 1576 peut nous permettre de fixer le *terminus ante quem* du *Mythologicum* conservé à Milan à 1571[108]. Nous ne sommes pas en mesure de dater plus précisément l'*interpretatio atque explicatio allegorica* du livre 10 de l'*Odyssée*. Il est possible que le cours ait eu lieu au Collège Royal, mais le fait que les notes aient été conservées dans une bibliothèque étrangère n'est pas une indication suffisante : d'une part la notoriété de Dorat remontait au temps de Coqueret, d'autre part nous savons, par un billet adressé à M. de Thermes, qu'il avait commencé ses leçons dans sa propre demeure, après son départ de la Cour, par l'*Iliade* et l'*Odyssée* :

> Vtraque magniloqui mysteria rimor Homeri (*Epgr.*, p. 15).

---

104. (*Vlysses*) *comites habet in hoc studio non nullos, sed qui in itinere fere omnes deficiant, partim gula, partim libidine, partim alia quadam clade intercepti* (selon Canter, *op. cit.* en n. 77, p. 335).

105. Sur Ulysse, exemple de la vraie sagesse, cf. *Epgr.* p. 15-16, et ci-dessus, p. 129.

106. Cf. n. 100 et 101.

107. Date de l'impression du livre de Cardan, *Geniturarum exempla*, mentionné f° 3 r° du manuscrit de Milan.

108. Devenu chrétien, en effet, Dorat sait, désormais, et il le rappellera à son prince, qu'il est inadmissible qu'un homme ne cherche que son propre salut.

Les mots qu'a choisis Dorat pour mettre le père d'un de ses étudiants
au courant de ses activités montrent bien que sa méthode était la difficile interprétation allégorique.

II. 2 L 'ÉCRITURE
ALLÉGORIQUE

Prompt à reconnaître l'allégorie et à
lever le voile, Dorat, comme le Pétrarque
du *Bucolicum carmen*, s'est aussi essayé
à l'écriture allégorique. Dans sa thèse sur l'*Églogue en France au
XVIe siècle*, Alice Hulubei a consacré, à plusieurs reprises, quelques
pages aux transpositions allégoriques dans les poèmes bucoliques latins
de Dorat. La matière de ces textes y a été longuement analysée, mais
il nous a paru nécessaire de revenir sur quelques points.

PREMIERS
POÈMES BUCOLIQUES

En ce qui concerne la première création
bucolique, il apparaît que Dorat n'a pas
attendu 1558 et la mort de Mellin de
Saint-Gelais pour s'essayer dans le genre[109]. Même si les textes en
question ne nous sont pas parvenus, nous n'avons aucune raison de
douter du témoignage de l'auteur lui-même. En effet, dans l'églogue
où, précisément, il dialogue en rêve avec l'ombre de Pétrarque, il nous
apprend qu'il a accompagné le roi Henri II lors du « voyage d'Allemagne » et que, sur son chalumeau, seule arme que portât cet étrange
soldat, il chantait la gloire du roi et celle des Guise. C'est Pétrarque qui
parle :

... dum castra sequi regalia iussus
Regales ageres pecudes ad prata Mosellae
[...]
Nam praeter *calamos*[110] nihil ille in bella ferebat,
Clara quibus caneret regisque ducumque trophaea
Guisiadum (*Ecl.*, p. 30).

Sans doute Dorat cultivait-il alors « la muse stérile de l'opportunisme »,
selon une formule d'A. Hulubei[111] , car ces vers n'ont jamais dû être
confiés à un imprimeur, et ne nous ont pas été transmis. La raison de
cette carence est qu'ils furent composés pendant le siège de Metz[112] .
La mention de la Moselle, l'allusion à la ville de Metz — *Metae* —,

109. Comme le note A. Hulubei, *L'Églogue*, p. 344.
110. Le poète insiste sur le fait que, pour glorifier ceux qui avaient fixé des bornes aux
envahisseurs espagnols et sauvé la France de l'invasion, il avait, lui, en poète pastoral, utilisé
d'ordinaire sa flûte rustique : *(Guisiadae) clausis arcebant moenibus hostes / Hispanos,
metas nec eos transire sinebant / Oppositas, ferriue in Celtica rura furentes, / Talia flare* sua
solitus tunc pastor auena (*op. cit.*, p. 30-31).
111. *Op. cit.*, p. 447.
112. En effet le poète déclare, avec l'humour grinçant qui est le sien lorsqu'il évoque les
souffrances de la guerre, que sa flûte s'efforçait alors de couvrir tous les bruits sauvages du
camp retranché et les plaintes rauques des blessés (*op. cit.*, p. 31).

quand on évoque les bornes — *metae* — de l'invasion, ne peuvent laisser de doute : les textes dont parle ici Dorat ont bien été composés à la fin de 1552 ou au début de 1553. Ses amis ont fort bien pu connaître ces poèmes, mais les copies manuscrites ont dû être rares. S'ils n'ont pas été imprimés, il n'y a pas lieu de s'en étonner : même une ode, composée un peu plus tard sur le même sujet, est demeurée inédite[113]. La très grave maladie dont parle l'auteur, juste après les propos que nous venons de citer, explique qu'il n'ait pu prendre soin de son œuvre (*op. cit.*, p. 31). Une fois rétabli, plusieurs mois plus tard, Dorat dut comprendre que le clan pacifiste l'emportait désormais[114]. Ayant, du reste, rejeté le carcan aulique, il a préféré demander sa subsistance à ses seuls talents d'« interprète ».

L'ÉGLOGUE DE
PETREOLUS / PÉTRARQUE

Dans le texte dont nous venons de parler, le siège de Metz et la maladie qui faillit emporter le poète et son épouse semblent tenus pour des événements récents[115]. Du reste, pour venir à bout du solide optimisme naturel de Dorat, il ne fallait rien de moins que la conjonction des tristesses de la guerre, des déceptions auliques, des tracasseries de la chicane[116] et de l'abattement dû à la maladie. Or les éléments d'une semblable situation n'ont été rassemblés que dans le courant de l'année 1553[117].

Les conseils que Dorat se fait donner par l'ombre de Pétrarque — qui avait l'expérience de la vie des cours — sont fort clairs et réalistes. D'abord, il faut chanter diligemment la Cour, mais sans y vivre : *absens tamen absentem colet impiger aulam* (*Ecl.*, p. 32)[118]. L'autre conseil donné par Pétrarque était de chanter, comme lui, le Laurier, non pas en langue vulgaire, comme il l'avait fait dans son *Canzoniere*, mais en latin :

> Te quoque sors eadem fatis manet, et tibi laurus
> Et tua dudum uiridis tibi laurea surgit
> Quam celebres, sed carminibus numerisque Latinis
>
> (*op. cit.*, p. 28).

113. *Ode* VIII (Mss. Lat. 10327, f ° 6 r °-7 v °) : ce texte a été conservé dans les papiers de la famille de Mesmes ; il ne s'agit pas d'un autographe.
114. Les négociations n'aboutirent qu'à la trêve de Vaucelles.
115. Annoncés à l'ombre de Pétrarque par Mercure qui, naguère, conduisait aux enfers des âmes qui venaient de connaître la mort : *Dixit, ut aethereis ueniebat nuper ab oris / ... agens animas a morte recentes* (*Ecl.*, p. 28) : la construction rappelle *En.* 6, 450 : *recens a uulnere Dido* ; le souvenir de la catabase d'Énée est sans cesse présent à l'esprit du poète néo-latin. Le dieu a dû faire part à *Petreolus* de ce qu'il lui fallait savoir pour rencontrer *Aureolus* dans un songe d'*Auratus* : le récit d'événements anciens eût été inutile.
116. Cf. *Lis* (Mss. Lat. 8139, f ° 27 v °).
117. Très vraisemblablement ce texte a été composé peu de temps après que l'humaniste, à son retour de l'armée, eut quitté la Cour, mécontentant peut-être par son franc-parler des protecteurs qui eussent souhaité plus de docilité. Cf. ci-dessous, p. 345-346.
118. C'est là, en effet, le vœu le plus cher du poète français : il déclare aussitôt qu'il ne refuse pas le concours de sa Muse, mais prétend rester chez lui, sans être inquiété : *ut (que) domi cantem securus in umbra (ibid.).*

On peut être étonné que Dorat ne fasse pas allusion à l'œuvre latine de Pétrarque, et au *Bucolicum carmen*, en particulier[119]. Pourtant, l'œuvre de Pétrarque qui a le plus influencé l'humaniste français, c'est l'*Eglogue* 10, *Laurea occidens*. C'est, en effet, dans ce texte que se trouvent le plus intimement mêlés les deux sens allégoriques du Laurier, Laure elle-même, qui est morte au moment de la composition de l'*Eglogue* 10, et la poésie, toujours vive[120]. Dans ce poème, en particulier, la quête de Pétrarque auprès des autres « cultivateurs », parce qu'il ne se sent pas assez sûr de sa propre habileté (*op. cit.*, 37-38) se rapporte clairement à ses expériences de lecture.

Le poète toscan donne donc au Français le conseil de « cultiver », lui aussi, un laurier, et il lui indiquera, en clair[121], le sens de l'allégorie :

> ... ipse
> Nunc te quae laurus noua surgat in orbe docebo.
> Laurus ab Aureolo numeris memoranda Latinis :
> Nostin quae sit dicta Margareta Valesia?
> Haec illa est laurus, haec est tua laurea crescens (*Ecl.*, p. 34).

A. Hulubei entendait que ce laurier était la troisième Marguerite, « Margot »[122], et, de fait, une expression comme *laurea crescens* paraîtrait mieux s'appliquer à une jeune fille qui s'épanouit qu'à la protectrice un peu mûre de la « Pléiade », mais ces mots ne prennent leur sens que par rapport aux dires de Pétrarque, et l'ombre de celui-ci ne peut qu'opposer sa Laure morte — *Laurea occidens* — et la femme bien vivante qui doit être chantée par son protégé — *laurea crescens*[123].

Quoi qu'il en soit, Dorat est bien, en effet, « redevable à messer Francesco de la conception même de ses deux églogues à Marguerite »[124]. Comme Pétrarque a rencontré en rêve les poètes latins, Dorat a ren-

---

119. C'est là un témoignage du fait que, pour le public lettré de l'époque, et même pour la destinataire de ce texte (Mme Marguerite savait l'italien, mais aussi le latin), le succès de l'œuvre toscane de Pétrarque avait, déjà, fait passer au second plan sa création latine : *cantat Thuscanos Gallia uersus, / Laureolos uersus sua laurea serta canentes* (*Ecl.*, p. 27). L'œuvre latine de Pétrarque n'a pas encore sombré dans l'oubli; la *Deffence* fait état de sa double vocation toscane et latine (2, 11 ; S.T.F.M., p. 75).

120. *Creuerat ad ripam fluui pulcherrima laurus. / Huc rapior, dulcisque semel postquam attigit umbra, / Omnis in hanc uertor... / [...] / ... mihi laura curae / Sola fuit* (*Ecl.* 10, 21-33). Laure mourut en 1348; Pétrarque commença la composition de l'*Eglogue* 10 peu après; il y travaillait encore en 1364-65 (cf. *Bucolicum carmen*, éd. Th. Bergin, p. 236).

121. On comprend mal qu'A. Hulubei parle à propos de ces églogues « d'allégorie obscure » (*L'Églogue*, p. 592).

122. *Op. cit.*, p. 590.

123. Le titre, en tout cas, ne nous apprend rien : *In D. Margaridem Francicam Regis sororem* (*Ecl.*, p. 29 = 26). Si ce texte ne peut guère avoir été composé au-delà de 1553-1554, comme nous avons tenté de le montrer, le « laurier » ne peut être Margot, née précisément en 1553. Quant à l'utilisation finale de l'anagramme, elle n'était pas impossible à la date que nous avons indiquée, puisque la première anagramme de Dorat figure en tête des *Quatre premiers livres des Odes* de Ronsard, publiés en 1550.

124. *L'Églogue*, p. 590.

contré en rêve Pétrarque lui-même[125] . Mais les démarches des deux humanistes sont suffisamment proches pour que l'églogue de Dorat se
trouve enveloppée dans la même réprobation que le *Bucolicum carmen* :
« il est... bien plus près de l'esprit du Moyen Age qui règne dans le *Bucolicum carmen* que de la claire idylle de Théocrite », juge A. Hulubei[126].
En effet, le chantre de Laure, lui-même, n'est pas épargné. L'un de ses
derniers commentateurs, traducteur du *Bucolicum carmen*, M. Bergin,
porte sur l'*Eglogue* 10 un jugement aussi dépourvu de sympathie :
« One might fairly call it the most « medieval » of the series. The Vir-
gilian element is completely overshadowed by the pedantry of the
lengthy catalogue »[127] .

Mais comment considérer, quand on voit ce que représente pour
Pétrarque l'expérience de la lecture des Anciens[128] , que l'énumération
des poètes qu'il a lus, au plus profond de son désespoir, soit une démarche « médiévale » et pédante? Et il semble bien que Dorat, lui
aussi dans la détresse, a cherché, non seulement, comme d'ordinaire,
auprès des auteurs anciens, mais auprès du premier des humanistes,
le réconfort dont il avait besoin, et qu'il a transposé cette expérience
dans son églogue.

L'*ECLOGA LAUREA*   Le poème intitulé par les éditeurs de
                        Dorat *Ecloga laurea* (*Ecl.*, p. 18-25) ne
fait que mettre en application le conseil donné dans l'autre texte par
l'ombre de Pétrarque. Bien que l'*Ecloga laurea* figure dans le recueil
de 1586 avant celle qui fait dialoguer *Petreolus* et *Aureolus*, elle semble
bien avoir été composée plus tard[129] . Alors que l'autre texte était dédié
à une Marguerite, princesse française, sœur du roi, l'*Ecloga laurea* indique de quelle Marguerite il s'agit — *Ad D. Margaretam Valesiam Caroli Regis Christianissimi sororem* (*op. cit.*, p. 18). Une telle précision
n'est pas, en elle-même, convaincante dans un recueil aussi négligé[130] ,
mais le témoignage du texte lui-même n'est pas clair.

125. Mais Dorat, après avoir présenté le poète toscan par une sorte de devinette (procédé
constant de ce dernier dans l'*Églogue* 10), prend le soin de dire clairement le nom — prestigieux —
de son conseiller.
126. *Op. cit.*, p. 592.
127. *Op. cit.* en n. 120 fin, p. 237. Or ce « catalogue » fait partie du dessein fondamental
de Pétrarque, et il est même plus développé que dans la première rédaction (*op. cit.*, p. 236 :
« Of the approximately one hundred and twenty figures mentioned in the catalogue, fifty are
found in the later interpolations »).
128. La lettre à Virgile (*Fam.* 24, 12) fut composée en 1349, donc peu après la mort de
Laure.
129. A. Hulubei traite des deux poèmes dans l'ordre où les présente l'édition de 1586 :
« Une deuxième églogue » — c'est de celle de *Petreolus* qu'il est question — « adressée à la
même princesse, renouvelle les doléances du poète, répète les mêmes compliments pour Marguerite et les mêmes protestations de fidélité » (*L'Églogue*, p. 590).
130. Ainsi un texte dans lequel le chevalier d'Angoulême est nommé comme dédicataire
porte en titre *Ad Henricum III. Gal. et Pol. Regem* (*P.*, p. 212).

« MYCON »   Le choix du nom de Mycon pour l'interlocuteur d'*Aurillus/Auratus* est un
souvenir de Calpurnius (*Eglogue* 5) : il donne l'idée de protection et
d'expérience[131].

A. Hulubei a reconnu dans ce Mycon, interlocuteur d'Aurillus,
Jacques Amyot, aumônier du roi[132]. L'hypothèse paraît, d'abord,
d'autant plus séduisante qu'il s'agit de vie de Cour et que Dorat, par
ailleurs, a mis dans la bouche d'Amyot une diatribe contre les misères
dégradantes de ce genre d'existence – *De aulici uictus miseriis* (*P.*,
p. 240-242). Dans notre texte, Mycon note qu'il connaît mieux que
son ami des lieux qu'il fréquente depuis longtemps en raison de la pieuse
charge[133]. Or Amyot était, depuis 1557, chargé d'un préceptorat à la
Cour, et il était devenu aumônier du roi en 1560. Pourtant, l'on ne
peut s'empêcher de penser à Ronsard, qui devint aumônier du roi après
la mort de Saint-Gelais et qui, mieux que personne, pouvait affirmer
en toute connaissance de cause : *Carmina Phoebus amat* (*op. cit.*, p. 25).
Et, surtout, la fin du texte montre bien que c'est à sa poésie savante
que Mycon doit sa situation. C'est Aurillus qui parle :

> ... carmina docta
> Pro quibus hoc Phoebus merito te effecit honore
> Templa sua ut serues *(ibid.).*

DATE   Cela dit, il est difficile de dater l'*Ecloga
laurea*. Mycon s'étonne de voir revenir
à la Cour son ami Aurillus, berger qui naguère méprisait les richesses et
les honneurs que donnent les rois :

> Pastor opes Regum et Regum spernebat honores (*Ecl.*, p. 18).

Que faut-il entendre par là ? L'humaniste bougon pourrait revenir à la
Cour dans l'espoir d'être nommé *professor Regius* : nous serions alors
en 1556, mais la date ne convient pas pour Ronsard. En fait, la chaire
du Collège Royal n'entraînait aucune obligation aulique, mais la pension
était très irrégulièrement servie[134]. Donc, même si l'allusion à la vie
sûre et discrète convient mieux au temps où l'humaniste enseignait
dans sa propre maison, il faut admettre que c'est un Aurillus qui, tout
professor Regius qu'il est, tente de se rapprocher de la Cour, afin d'être

---

131. Le berger en question prodigue ses conseils au jeune Canthus, qui l'écoute dans le
silence le plus absolu. Si Mycon, chez Dorat, s'offre bien à servir de guide à Aurillus, ce
dernier est singulièrement plus disert que le jeune berger de Calpurnius. Le rapport des deux
personnages est donc bien différent de ce qu'il était chez le poète latin.

132. *L'Églogue*, p. 588.

133. *Nam mihi nota magis loca sunt, numenque locorum, / Cui data* iampridem *est sacri
custodia templi* (*Ecl.*, p. 25).

134. Ronsard rapproche les noms de trois professeurs royaux qui sont ses amis – Lambin,
Dorat, Turnèbe – pour déplorer leur pauvreté (S. T. F. M., t. 12, p. 181-182 et n. 1) ; le texte
de 1564 ne mentionne que « Tournebœuf et Daurat ».

nommé *poeta Regius*, ce qui d'ailleurs fut fait en janvier 1567. L'*Ecloga laurea* pourrait donc avoir été offerte à Marguerite dans le courant de 1566.

Quoi qu'il en soit, ce texte manque de cohérence. Nous n'avons analysé jusqu'ici que les passages qui permettaient de faire de Marguerite « Margot », comme le titre nous y invite, mais le début de l'églogue rend un son bien différent.

Sans chercher à expliciter ici les détails de l'allégorie[135], nous devons remarquer que, dans un premier temps, le poète dit clairement que celui qui l'a attaqué est envoyé par Jupiter irrité[136], ou, si l'on veut — *uel* — par Diane irritée : une telle remarque ne peut que faire songer au règne d'Henri II. Mais, à ce point, le texte est défaillant[137]. Désormais, ni Jupiter, ni Diane ne seront plus mentionnés et, dans la deuxième partie de l'églogue, c'est de Phébus seul qu'il sera question.

A. Hulubei pensait d'autre part à identifier Mantho, une vieille — *anus* — avec la duchesse de Savoie[138] : le procédé serait peu flatteur pour cette dernière[139]. Par contre, si l'on se reporte au texte d'Ovide (*Met.* 6, 157) d'où Dorat a tiré le nom de sa prophétesse, on voit que celle-ci donnait le conseil d'honorer Latone et les enfants de Latone, donc, si l'on transpose, la reine-mère, le roi et sa sœur « Margot », seule présente à la Cour à cette époque. Mantho, qui, au demeurant, compose des vers latins après avoir remué ses sorts, pourrait représenter l'imagination créatrice du poète[140]. Enfin, quand A. Hulubei suppose que l'*Ecloga laurea* pourrait être la supplique par laquelle Dorat demande au roi de réparer sa maison de Limoges[141], l'hypothèse n'est pas recevable. En 1569, lors de la troisième guerre civile, Dorat est *poeta Regius*, donc accomplit des fonctions officielles à la Cour et n'a pas besoin d'y être introduit. D'autre part, si l'on peut considérer que le roi est responsable des dégâts causés par ses troupes — *casus tam grauis auctor* (*op. cit.*, p. 20) — on ne voit pas pourquoi une telle action militaire aurait irrité le prince contre le poète : or l'*Ecloga laurea* peint l'état d'esprit de « Phébus » en disant *ira/Illius* (*ibid.*). A n'en pas douter, Phébus est mécontent de Dorat. Pourquoi ? Plus que le roi

135. Nous réservons les recherches concernant les détails biographiques à une étude postérieure.

136. Dans tout système allégorique, Jupiter ne peut représenter que le roi.

137. Il faut supposer soit une lacune, soit une dure anacoluthe : *(Diana) Cum sibi solemnes raptos quereretur honores // Nos quoque praeteritis fortasse Lycoreos aris* (*Ecl.*, p. 19).

138. L'*Églogue*, p. 588, n. 4.

139. D'ailleurs, cette Marguerite-là, a quitté la Cour de France, au grand chagrin de nos poètes (cf. *Ode* XXII, 1-48) et l'on peut douter de son influence.

140. Ce qui justifierait le jugement de Mycon, particulièrement quand il s'agit d'une poésie allégorique, souvent sibylline : *nec enim uulgaria Mantho, / Sed canit antiquae foliis aequanda Sibyllae* (*Ecl.*, p. 21).

141. L'*Églogue*, p. 590, n. 1.

lui-même, sa Cour peut reprocher à l'humaniste des prises de position tranchantes à propos de la première guerre civile et de ses conséquences. Dorat, en effet, n'a pas hésité, en 1565 ou 1566[142], à déplorer le mépris dans lequel la Cour, tout attachée aux « Hectors » et aux « Achilles », tient les valeurs intellectuelles : *Mens contempta iacet* (*P.*, p. 123).

L'ensemble du texte de l'églogue, en tout état de cause, ne pourrait pas avoir été présenté avant 1565, début du règne personnel de Charles IX, et il faut aussi tenir compte du fait que « Margot », née en 1553, ne pourrait guère être une protectrice possible avant cette date, quelle que soit la précocité de son intelligence. Dès lors, la réponse de « Phébus » à la demande du berger aurait été la nomination de poète royal, accordée en janvier 1567.

COHÉRENCE
DE L'ALLÉGORIE ?

L'absence de cohérence du texte — à supposer que les éditeurs n'aient pas mélangé les feuillets des manuscrits — peut s'expliquer de deux manières. D'une part, le poète a pu réutiliser, en jouant sur l'ambiguïté du nom de Marguerite, un projet de supplique adressée à Madame Marguerite, sœur d'Henri II, qui aurait, sans doute, été assez disposée à aider une victime de Diane. D'autre part, on peut, mais plus difficilement, mettre en avant une sorte de rupture de l'allégorie. La puissance royale serait, d'abord, représentée par Jupiter, comme à l'ordinaire ; ensuite, puisqu'il s'agit de poésie et de poètes, par Phébus[143].

Lorsque Dorat, en effet, commente les allégories d'Homère, il cherche à rendre compte du plus grand nombre possible de détails, mais pas absolument de tous[144]. Il est, sans doute, raisonnable de faire de même lorsqu'on cherche à expliciter le sens de ses propres allégories. Ainsi le poème *In Conuentus* (*Ode* XVI), qu'il a pris soin de sous-titrer *Allegoria*, fournit un exemple de ce que pourrait donner un « décryptage » trop scrupuleux[145]. Par contre, l'*Ode allegorica* (XXXIII) est cohérente : composée à l'occasion du départ d'Henri d'Anjou pour la

142. Le *terminus post quem* pour ce texte est juin 1565, date de la mort de Turnèbe : Dorat demande à Ch. de Thou de veiller sur les orphelins de son collègue. Dans un texte légèrement antérieur (il date de la minorité de Charles IX), Dorat demande à la régente de ne pas permettre que ses enfants meurent de faim et de froid (B.N., Mss. Lat. 8138, f° 74 r°).

143. On assiste à une rupture d'allégorie du même type dans l'*Églogue* 12 de Pétrarque : le début du texte présente Pan, berger qui symbolise le roi de France Philippe VI à la veille de Crécy, en 1346 ; la fin du poème montre un Pan vaincu, chargé de chaînes, qui ne peut être que le roi Jean le Bon après sa défaite et sa capture à Poitiers en 1356 : l'attitude de Pétrarque à l'égard de « Pan » est, bien entendu, très différente de ce qu'elle était au début de l'églogue.

144. Ainsi dans le commentaire sur l'épisode d'Éole (*Od.* 10, init.), Dorat ne dit rien sur les murailles d'airain qui entourent l'île (cf. *op. cit.* en n. 78, fin, p. 232-234).

145. Puisque le téméraire jeune homme responsable de la catastrophe serait le vieux connétable de Montmorency : *Audacis iuuenis... temeraria / Virtus, patris equis usa proteruius* (*Ode* XVI, 1-2).

Pologne, elle assimile le voyage à l'expédition des Argonautes, et l'attribution des différents rôles se fait sans difficulté[146].

Dorat, on le voit, a utilisé l'allégorie en dehors du cadre de la bucolique. Il n'y a donc pas lieu de s'étonner que les personnages qui dialoguent pour célébrer le mariage du duc de Lorraine Charles III avec la seconde fille du roi de France se servent de la lyre, et non du chalumeau, puisque ce texte est une ode (XX), composée dans la strophe Asclépiade A[147]. Seule l'incompétence de ceux qui ont composé le recueil imprimé par Linocier en 1586 a fait que ce poème ait été rangé dans les *Eclogae* (p. 56-60) : Dorat n'a pas pris soin lui-même de ce volume, et déplore le tort que lui a fait la maladroite bonne volonté de ses éditeurs[148].

Les deux poèmes où dialoguent *Carylus* (Lancelot de Carles) et *Dorylas* (Dorat) sont bien tous deux des églogues, mais si ces textes sont bien tous deux des « églogues d'oiseaux »[149] de forme allégorique, chacun d'eux procède, croyons-nous, d'intentions fort différentes.

L'EPICEDIUM En composant l'*Epicedium* en l'honneur de Mellin de Saint-Gelais, Dorat s'acquitte du devoir d'un poète envers un autre poète défunt, et il est légitime, du reste, qu'il témoigne de sa reconnaissance[150]. En fait « l'aveu » de Dorat au sujet de sa présentation à la Cour et du patronage de Mellin ne dut pas lui coûter beaucoup, et il n'avait pas lieu de se sentir, de ce fait, « dans une posture humiliante »[151].

Deux versions de ce texte, en effet, nous ont été transmises : l'une — la plus développée — figure dans Mss. Lat. 10327 (f° 57 r°-69 v°),

146. Le jeune roi est, bien entendu, Jason. Quant à Orphée, l'anagrammatisme a fait que ce ne pouvait être que Desportes : PHILIPPVS PORTAEVS / PVPPI TALIS ORPHEVS. Dorat utilise encore cette allégorie dans l'*Églogue latine* (Biij v°) : le geste symbolique d'Euphémos offrant une poignée de terre semble, dans ce texte, être passé du mythe à la réalité.

147. A. Hulubei à propos de cet épithalame lorrain renvoie (*L'Églogue*, p. 473) à Théocrite, *Id*. 18, comme à un chant alterné, mais ce texte n'en est pas un. D'autre part Bion, *Id*. 2 (épithalame d'Achille et de Déidamie) n'est pas la source de Dorat (il n'y a aucune ressemblance de détail, et Bion a tôt fait de changer de propos) : le poète français s'est inspiré de l'*Achilléide* de Stace (cf. *Ode* XX).

148. Cf. *Autor ad Lectorem* (*P*., p. 2). Malgré cela, A. Hulubei accuse Dorat, qui « ne se montrera d'ailleurs pas gêné de ranger son épithalame parmi les églogues des *Poematia* qu'il publiera en 1586 » (*L'Églogue*, p. 424). Le critique note pourtant (*op. cit.*, p. 695) : « nous ne savons pas quelle part revient à l'auteur dans le choix des pièces et dans l'organisation de la structure des *Poemata* » (*sic*); en tout cas le malheureux auteur est dûment enterré deux ans avant sa mort (*ibid.*, n. 1).

149. Le rapprochement entre ces deux églogues et celle de Duchier qui transforme le prince en un poisson (*L'Églogue*, p. 474) ne paraît pas s'imposer.

150. En 1558 en effet, les bons offices de Mme Marguerite et de son chancelier M. de l'Hospital ont fait que, depuis longtemps, Ronsard et ses amis se sont réconciliés avec Mellin, et tous ont voulu oublier l'incident aulique qui avait opposé les Muses de Ronsard et de Saint-Gelais. Dorat emploie même, dans le texte imprimé, une métaphore qui montre bien qu'il ne cherche pas à escamoter le fait qu'il y a eu brouille, puis réconciliation : *gratia sarcta* (*Ecl.*, p. 40). Il n'est pas le seul à avoir déploré la mort du vieux poète.

151. *L'Églogue*, p. 474.

l'autre dans les *Poëmatia* de 1586 (*Ecl.*, p. 35-42). A supposer que Dorat soit responsable des coupures opérées dans son texte[152], s'il avait réellement voulu laisser dans l'ombre le fait que Mellin l'avait protégé à la Cour, il lui aurait été bien facile de n'en point parler du tout, car les survivants de l'époque en question devaient être rares en 1586.

Le texte de l'églogue que cite A. Hulubei[153] se réfère, croyons-nous, à une époque où Dorat commençait à se faire un nom, et non pas au règne d'Henri II, où le clan des « Latineurs », par la bouche de Salmon Macrin[154], avait reconnu ses mérites. En effet, dans l'églogue, Dorat fait dire à Mellin :

> ... Lemouix (ait) iste Poeta
> *Surgit*, honor Gallis[155]   (Mss. Lat. 10327, f° 62 v°).

Mellin attire donc l'attention sur un débutant, et surtout, la manière dont Dorat parle du roi dans ce texte montre que ce n'est pas d'Henri II qu'il s'agit, mais bien de François Ier. En effet, quelle que soit la fidélité du poète envers Henri II, il ne désignerait pas en disant « mon roi à moi » ce prince peu intellectuel :

> Me certe ille meo Regi et tibi, Margari, primum
> Tradidit *(ibid.)*[156].

PLURALITÉ
DES ALLÉGORIES

Reste l'allégorie de l'églogue. Même si nous jugeons d'un goût douteux l'idée de donner à Saint-Gelais la triple forme d'abeille, de colombe et de cygne, Dorat s'est trouvé pris dans le réseau complexe des métaphores, et il n'a voulu en rejeter aucune, car elles avaient toutes trois leur raison, et des garants notoires.

Comment aurait-il renoncé au jeu — presque obligatoire[157] — sur *mel* et le nom du défunt ? (*op. cit.*, p. 37).

En choisissant l'oiseau blanc de Vénus, Dorat voulait, d'une part, montrer que Saint-Gelais avait composé dans ses épithalames des vers candides, d'autre part que le défunt avait mené une vie exemplaire,

---

152. Cf. *op. cit.* en n. 148. Si c'est vraiment Dorat qui a coupé ce texte, nous pensons qu'il l'a fait pour éviter de mentionner le cardinal de Châtillon, qu'il citait alors affectueusement à côté de Charles de Lorraine : *(Tradidit) et uobis, mea Carole lux et Odete* (Mss. Lat. 10327, f° 62 v°). La raison est valable aussi pour ses éditeurs.

153. *L'Églogue*, p. 475.

154. Cf. appendice à l'*Ode* VII.

155. C'est là une déclaration « nationaliste », bien dans le style de la première génération de poètes humanistes français, travaillée par le désir d'égaler l'Italie néo-latine.

156. Sur le « mythe » de François Ier, cf. ci-dessous, p. 329-333. Dorat, en effet, a toujours à l'esprit le règne de *son* roi, et il évoque volontiers, en même temps que l'époque d'Henri II et de Mme Marguerite, celle de François Ier et de la dame de Navarre : *Gratus apus Reges geminos Regumque sorores / Franciscum Henricumque et Margaridas simul ambas* (*Ecl.*, p. 39).

157. Cf. par ex. J. Du Bellay, *Mellini Sangelasii tumulus*, in *Poésies françaises et latines*, p. 532. Dorat lui-même rapproche volontiers, à la suite de Pindare et d'Horace, la création du miel et celle des poèmes (cf. *Ode* IV, *passim*).

et n'avait pas voulu faire de ses amours un thème de sa poésie :

> Quos aliis cecinit, tacitus sibi sensit amores (*op. cit.*, p. 38).

Enfin, il est séant, lorsqu'on célèbre un poète, de reconnaître en lui un cygne[158]. Pour comble, Dorat n'a pas voulu, non plus, renoncer à une métamorphose en astre, qui, assez heureuse en elle-même (*op. cit.*, p. 41-42), est venue s'ajouter à un texte déjà lourd. Enfin l'idée de la synthèse de tous ces êtres en un seul fut suggérée à Dorat par un sommet de la *Continuation des Amours* de Ronsard (S.T.F.M., t. 7, p. 121-122), qui précisément lui est dédié. Dans ce texte, en effet, le disciple envisage que son maître, après sa mort, subira de multiples métamorphoses[159]. Mais l'imagination de Ronsard ne s'arrête pas là : puisque chacun de ces êtres ne peut représenter qu'un aspect de la personnalité de Dorat, il conclut énergiquement :

> « Et d'home seras fait un beau monstre nouveau
> De voix, cigne, cigalle, et de mouche, et d'oyseau »
>
> (*op. cit.*, p. 122).

Si dans l'édition de 1578, le poète a renoncé à l'expression « beau monstre nouveau », c'est parce qu'il a organisé différemment son tercet, mais l'idée demeure :

> « Et seras composé de tous les cinq ensemble.
> Car un seul pour d'Aurat suffisant ne me semble »
>
> (*op. cit.*, p. 121).

Telle est la vraie raison de la suite d'allégories chez Dorat :

> Car un seul pour Mellin suffisant ne lui semble.

Ainsi il paraît bien inopportun d'appliquer à une époque des critères littéraires formés en un autre temps. Si le goût classique porte à privilégier les qualités de choix, bien certainement la Renaissance a cru aux vertus de la richesse et du foisonnement.

LE MARIAGE ESPAGNOL   C'est dans un état d'esprit bien différent de celui qui fit naître l'*Epicedium* en l'honneur de Mellin que Dorat eut encore recours à « l'églogue d'oiseaux », à l'occasion du mariage d'Elisabeth de France et de Philippe II. Nous étudions ailleurs[160] le point de vue de l'humaniste sur la raison d'État qui a fait sacrifier la petite princesse. Dorat qui, d'autre part, a célébré en clair l'union de Charles III de Lorraine et de Claude de France (*Ode XX*), n'a marqué aucun empressement à chanter le mariage espagnol. Selon Carylus, il s'était même caché ; en tout cas, on ne

---

158. L'évocation détaillée de la métamorphose (*ibid.*) n'était que trop bien patronnée par Horace et par Ovide ; cf. *Carm.* 4, 20, 9-13, et *Met.* 2, 373-377.

159. Nous citons ici le texte de 1578, noté en apparat critique par Laumonier : « après ta mort tu deviendras un Cygne. / Tu deviendras Cigalle, ou Mousche Limousine, / Qui fait un miel plus doux et que n'est l'Hymettien, / Ou Voix qui redit tout... » (*op. cit.*, p. 121).

160. Cf. ci-dessous, p. 322-324.

l'entendait plus (Mss. Lat. 10327, f° 48 r°). La réponse de Dorylas
invite à cesser les questions : il s'est tu à cause du bruit des armes
(ibid.). Or en 1558, au moment où la guerre faisait rage, mais où l'espoir était revenu sur les pas de François de Guise, le poète a, aussitôt,
chanté sa joie[161]. Il n'y a donc pas à chercher loin pour voir que la
raison invoquée ici n'est qu'un prétexte[162].

A. Hulubei, qui a cependant rappelé que le roi d'Espagne était
« l'ex-mari, si peu tendre, de deux femmes »[163], n'a pas vu que Dorat
pouvait cacher sa gêne sous le voile de l'allégorie. Elle a jugé le poète
« lourd et prétentieux » quand il évolue « dans sa volière » *(ibid.)*,
« ridicule » aussi parce qu'il présenterait un Carylus « pudique et dé-
cent » qui n'a jamais voulu servir *obscenas uolucres*, tels le corbeau et
la pie bavarde » *(ibid.)*. En réalité, Lancelot de Carles ne s'effarouche
pas à la vue d'oiseaux inconvenants, mais fait état de la tradition qui
voit dans ces oiseaux noirs — et capables d'imiter la voix humaine —
des êtres de mauvais augure : Carylus, du reste, paraphrase Virgile[164].

AUTRE FINALITÉ   En fait, l'allégorie a permis à Dorat de
DE L'ALLÉGORIE   prendre ses distances par rapport à son
                      sujet, et le choix des différents oiseaux
n'est pas sans arrière-pensées. La Tourterelle est présentée comme un
oiseau morose, qui, depuis la nouvelle, « paraît gaie » (Mss. Lat. 10327,
f° 49 v°) ; c'est aussi le jugement de l'Histoire : « elle paraissait en-
jouée »[165].

Le choix du Perroquet n'est pas sans malignité, car — le poète
prend bien soin de le préciser — il ne s'agit pas d'un vrai perroquet des
Indes[166]. Cet oiseau est spécialisé dans une imitation qui suscite l'intérêt, mais aussi la méfiance : cette voix n'est pas ce qu'elle paraît être
tout d'abord. De fait, on renonce vite à la séduction pour déclarer sans
ambages :

> Sin haud ista mouent, moueat quod foedere ab isto
> ... Pax *(op. cit.,* f° 51 r°).

Si réaliste soit-il, le poète aurait difficilement pu attribuer de tels

---

161. *Soluant Camoenae triste silentium* (*Ode* XI, 1).

162. Toutes les pièces composées en 1558 ont été regroupées dans le recueil très soigné
des *Triumphales Odae* (Paris, R. Estienne, 1558) et il était impossible que Carylus n'en eût pas
connaissance.

163. *L'Églogue*, p. 477.

164. *Georg.* 1, 470. Dorat précise ailleurs le caractère défavorable des présages apportés
par ces oiseaux : *At procul hinc abeant coruus niger, et uaga cornix,/ Omina quae nigro maesta
colore notant*, (P., p. 186).

165. Cf. L. Romier, *Le Royaume de Catherine de Médicis,* t. 1, p. 151. On sait quelle
était l'angoisse de Catherine qui retarda, tant qu'elle put, le départ de cette fillette fragile (*op.
cit.,* p. 20-21 ; 150-151).

166. Ces oiseaux étaient à la mode ; Thevet rapporte que les indigènes les échangeaient
volontiers « pour quelques ferrailles » (*Les singularitez de la France antarctique*, p. 85).

propos à un homme, à l'adresse d'une enfant de treize ans[167]. En outre, le Très-Catholique était d'une élégance vestimentaire « exacte »[168], mais austère, et Dorat l'a affublé de couleurs éclatantes[169].

On sait que le poète n'avait pas une sympathie débordante pour le présomptueux connétable — partisan, par ailleurs, d'une paix à tout prix[170]. La présentation qu'il en a faite dans l'églogue n'est pas innocente :

> Nec mora. Porphyrio rubris in alis,
> Porphyrio, sylua Memorantide nata uolucris
> [...]
> Miratus uolucrem, miratus amabile murmur,
> Narratur tenues se tollere uisus in auras
>
> (Mss. Lat. 10327, f° 50 v°).

L'anaphore du nom de l'oiseau — un nom féminin, au demeurant[171] — souligne l'importance que se donne le personnage ; celle de *miratus* montre son empressement, pas très discret ; quant à son vol dans l'air léger, Carylus — qui l'évoque pour le bénéfice de Dorylas — y met toutes les réserves possibles (on le dit, et ce n'est qu'une apparence), car le connétable était de stature épaissse, mais l'évocation perfide est lancée.

Par contre, lorsque le poète se prend à chanter le retour de l'âge d'or, la formule de « l'églogue d'oiseaux » n'est plus nécessaire et il célèbre, en clair, le roi qui transformera l'épée porteuse de mort en faucille pour la moisson[172].

Si donc dans l'*Epicedium* Dorat s'est, selon le goût moderne, laissé empêtrer dans une série de métaphores, l'allégorie de la seconde « églogue d'oiseaux » n'a pas réussi à voiler toutes ces réticences.

---

167. Il paraît difficile de voir là, selon la formule d'A. Hulubei, « un chef-d'œuvre de naïveté » (*L'Églogue*, p. 477).

168. Cf. L. Romier, *op. cit.* en n. 165, p. 150.

169. Même si la nuance indiquée par *flauum* symbolise la Toison d'Or, il reste encore beaucoup de rouge et de vert pour représenter le vêtement du sombre monarque peint par Greco. Sans doute ces couleurs riches et barbares peuvent symboliser les possessions exotiques de l'Espagne, mais l'idée d'utiliser l'allégorie de l'oiseau a bien pu être suggérée à Dorat par le souvenir des aigles de la Maison d'Autriche, qu'il avait caricaturées peu de temps avant (*Ode* VIII, 66). En outre, une métaphore cruelle faisait de Charles Quint déçu une mouette, bec ouvert — *larus* / ... *hians* (*op. cit.*, 83-84).

170. Dorat, vétéran du règne de François Ier, n'est pas partisan d'une paix honteuse dans le duel qui oppose la France aux Impériaux. Par contre, quand il s'agit de la paix civile, il loue le connétable, en dépit de l'opposition rencontrée, d'avoir été un partisan de la paix (cf. ci-dessous, p. 276).

171. Il s'agit de la poule sultane ; cf. Pline, 10, 129. Il semble difficile de voir ici des « compliments au connétable » (*L'Églogue*, p. 477).

172. *Henricus nam nostri falcifer aeui / Iam Saturnus erit, nec tu tibi turpe putaris / Ensem fatiferum falcis messoriae in usum / Curuari* (*op. cit.*, f° 55 r°).

L'ALLÉGORIE PICTURALE   Enfin Dorat, en faisant exécuter par Ni-
DE 1571   colo dell'Abate et son fils un programme
pictural allégorique, a utilisé le procédé
par personne interposée, si l'on peut dire : il s'agit de la décoration de
la salle où la ville de Paris offrit un banquet à Elisabeth d'Autriche, le
soir de son « entrée », le 30 mars 1571.

Miss Yates a montré que Dorat avait puisé son inspiration dans la
récente édition des *Dionysiaques* de Nonnos[173]. L'humaniste devait
donc harmoniser les images à peindre par l'Italien avec l'idée qu'il se
faisait lui-même du royaume de France à cette date. Nicolo a peint
des sujets mythologiques jusque là peu connus — voire inconnus[174] —
mais ce qui donne un sens allégorique à ces tableaux, c'est le commentaire ajouté par le poète. Il ne s'agit pas ici d'un voile épais. Il faut, au
contraire, que l'allégorie soit aisément saisie par tout le monde. L'originalité — et l'efficacité — d'une telle création tient donc à l'union des
thèmes ésotériques et de la banalité voulue de leur application allégorique.

L'édition de Falkenburg a fait connaître au public lettré les aventures de Cadmos, grand-père maternel de Dionysos[175]. On peut trouver,
entre la vie de Cadmos et celle de Charles IX, suffisamment d'analogies
pour que l'allégorie soit convaincante, et Dorat a probablement conçu
d'abord cette partie de son projet, la plus importante il est vrai. Miss
Yates a mis en relief l'ingéniosité avec laquelle il avait résolu les problèmes à la fois graphiques et allégoriques dans la conception du plafond. L'organisateur prétend montrer un roi qui rassemble ses peuples :
les quatre États doivent donc occuper les quatre coins du plafond, le
roi étant au centre. Puisque les *Dionysiaques* forment le thème d'un programme qu'il veut cohérent, Dorat a dû se mettre en quête d'analogies.

Le plafond comporte cinq bateaux, car le poète royal était tenu de
faire plaisir aux édiles d'une cité dont la devise est *Fluctuat nec mer-
gitur*; d'ailleurs, ces messieurs avaient peut-être exigé que la nef parisienne fût à l'honneur dans le décor[176]. Si la France a quatre États,
Cadmos a quatre filles, et chacune a un fils : chaque groupe de deux
personnages occupera donc un des vaisseaux des angles. On voit bien

173. « Poètes et artistes dans les entrées de Charles IX... », in *Les fêtes de la Renaissance*,
Paris, 1956, p. 68.
174. Cette originalité est soulignée par Falkenburg dans son épître dédicatoire à Sambucus (cf. n. 20) : *Adde quod hic multa uidere liceat, quae apud alios non tantum sunt obuia,
sed nusquam in libris impressis reperiuntur* (sans p., ni sign.).
175. Cadmos a pu anéantir, grâce aux sons harmonieux qu'il tire de sa lyre, la révolte de
Typhon ; il est récompensé parce qu'on lui donne en mariage la fille d'un dieu puissant, qui,
de surcroît, porte le nom d'Harmonie.
176. Même Saturne, qui symbolise le retour de la paix, est représenté, sur l'une des
planches du *Bref et sommaire recueil* de S. Bouquet, avec un bateau (Cij rᵒ), et l'échevin
rapporte l'explication : *Falx dabit haec segetes; ratis haec undique merces (op. cit.*, Cv°).

comment la chose a pu s'imposer à l'imagination du poète. Cadmos, en effet, dans les *Dionysiaques* (4, 231-234), s'embarque avec Harmonie, sa nouvelle épouse : le bateau du roi est justifié. Dorat a dû, ensuite, avoir l'idée de faire représenter la bourgeoisie, la « Marchandise », comme dit Simon Bouquet[177], par Ino et Palémon[178]. Les autres bateaux ne sont justifiés que par analogie : si le roi est dans un navire, ses sujets doivent s'embarquer aussi. Quant au rapprochement des trois autres filles de Cadmos avec les trois autres États du royaume, le poète ne l'a réussi que grâce à un certain nombre de tours de passe-passe.

Nous avons vu que son syncrétisme, fondé à cette date sur une indifférence dogmatique totale, l'avait conduit à faire asssumer le symbole du clergé — la « Religion » — par Sémélé et Bacchus[179]. Le fait qu'on utilise, d'ordinaire, le mythe d'Actéon quand on évoque la faute involontaire[180], rend surprenante la représentation de la noblesse par lui et par Autonoé, sa mère. Mais Dorat, dans ce cas, a isolé l'idée de chasse, passe-temps aristocratique[181].

Plus étrange encore est le fait qu'Agavé et son fils Penthée représentent la « Justice »[182]. C'est que le sophisme est venu au secours de l'humaniste : le justicier doit être capable de sévir aussi bien contre un proche que contre un étranger, et Agavé n'a pas hésité à frapper son propre fils. Dorat veut alors oublier que la mère n'a pas tué en toute connaissance de cause, mais dans l'égarement de la folie. Agavé, en tout cas, est honorée du titre de *uindex iustitiae*[183], puisque Penthée était vraiment coupable. Pourtant, si Dorat a fait d'Agavé — tuant Penthée l'impie — un symbole de justice, l'état d'esprit manifesté par l'humaniste dans l'assimilation du groupe Sémélé-Bacchus à la « Religion », et, d'autre part, l'esprit de l'ensemble du programme de 1571, reflet de la politique inaugurée par l'édit de Saint-Germain[184], interdit de conclure qu'il pouvait, à cette date, considérer qu'il était « juste » de punir de mort l'impiété. Ce dernier exemple incite donc à exploiter prudemment les données allégoriques.

En 1571, Dorat, toujours en s'appuyant sur les *Dionysiaques*, pouvait présenter en Bacchus, conquérant de l'Inde, l'exemple du prince

177. *Op. cit.,* Fiij v °.
178. En effet, quand Ino se jette dans la mer — drame qu'il vaut mieux laisser dans l'oubli — elle est bien reçue par Poséidon, et devient l'une des protectrices des marins de commerce ; cf. P. Grimal, *Dictionnaire de la mythologie grecque et latine,* (3ᵉ éd. rev.), p. 262.
179. Cf. ci-dessus, p. 136.
180. Cf. par ex. Ovide, *Tr.* 2, 105.
181. Il précise : *Haec uehit Autonoen, agitatoremque ferarum / Acteona : notat quae nobilis ordinis arma.*
182. Miss Yates commente : « il est un peu effrayant qu'une femme qui a tué son fils dans un accès de frénésie religieuse ait représenté la Justice » *op. cit.* en n. 173, p. 75.
183. Le texte de S. Bouquet porte *index* (Fiij v °).
184. Cf. ci-dessous, p. 282 ; Simon Bouquet (B v °) parle du « sainct edict » ; il rapporte que près de Jupiter figurait « ceste devise » : *Parcam ego subiectis, debellaboque superbos* (O r °).

qui marcherait contre l'Infidèle, à la tête de la Chrétienté. Ce thème
impérial sera bien repris, sous Henri III[185] , mais il est très remarquable
que le poète royal ait eu l'idée d'une telle allégorie peu avant la bataille
de Lépante (7 octobre 1571). Certes, c'est alors Don Juan qui commande l'escadre chrétienne, mais Charles IX, lui, l'héritier de Charlemagne, avait épousé la fille de « César »[186] .

Il est juste de reconnaître à Dorat ce qu'on pourrait appeler un
esprit « allégoriste », et son ingéniosité se révèle aussi bien dans le décryptage des textes qu'il interprète que dans sa capacité à créer des
codes allégoriques nouveaux, ou à faire coïncider deux séries préexis-
tantes : les composantes d'une situation historique schématisée et celles
d'un récit mythologique qu'il adapte aux besoins de la cause. Quoi
qu'il en soit, il s'est trouvé mis en accusation, comme Pétrarque, par
une critique qui, sûre de la valeur unique de la littéralité, n'était pas
prête à admettre la pluralité des lectures. L'humaniste était plus
avisé : il n'a jamais enfermé ses étudiants dans une explication dogmatique, et il n'aurait pas récusé la remarque de Montaigne : « J'ai
leu en Tite-Live cent choses que tel n'y a pas leu. Plutarque y en a
leu cent outre ce que j'y ai sceu lire, et, à l'adventure, outre ce que
l'autheur y avoit mis » (1, 26).

*
* *

III. LA DIVINATION

**III. 1 LES SECRETS
DU LANGAGE**   On peut regretter que Dorat, qui travaillait à donner aux mots leur(s) sens,
n'ait pas jugé opportun de laisser une
belle déclaration en forme, comme la préface que Joachim Du Bellay
composa pour ses *Allusiones*[187] . Néanmoins, dans la vieille querelle
qui oppose, sur le problème du langage, les « conventionalistes » et
les « naturalistes »[188] , Dorat se range, sans hésitation, dans le second
groupe[189] .

---

185. Cf. notamment *Exh.*, 453-465.
186. Cf. F. Yates, *Astraea*. p. 144-146.
187. In *Xenia*, Aij r°.
188. Pour la position du problème φύσις ἤ θέσις, cf. J. Collart, *Varron, grammairien latin*, p. 258-268; nous citerons désormais *Varron*. A propos de *Cratyle*, cf. H. Joly, *Le renversement platonicien*, Paris, 1974, p. 133-139.
189. Tous les témoignages que nous avons pu glaner dans ses différentes œuvres, à divers moments de sa vie, montrent l'importance qu'il attachait au nom lui-même, qui n'est pas un accident fortuit, accrédité après coup par un consensus social, mais une réalité première et, c'est le cas de le dire, signifiante.

Bien qu'il se soit intéressé plus particulièrement aux noms «propres »[190], l'interprète a réfléchi sur les *primigenia*[191] *nomina*.

HERMÈS LOGIOS   Dans un texte que nous pensons pouvoir dater de 1553 ou 1554[192], Dorat met dans la bouche de l'interprète par excellence, Hermès, et plus précisément Hermès Logios[193], une déclaration de paternité exclusive et universelle des langages :

> Nomina[194] quis dubitet, quis cuncta uocabula rerum
> A me uno cunctis mortalibus esse reperta? (*Ecl.*, p. 34).

Il faut bien remarquer que Mercure ne prend pas ici position sur l'unité ou la pluralité des langages originels[195] : Dorat note seulement que tous les hommes ont reçu du dieu les noms qu'il avait « trouvés »[196]. C'est là une évidence que le disert petit-fils d'Atlas réitère aussitôt, en précisant qu'il a aussi donné, en même temps, une autre « traduction » des choses, un code écrit, qui a, lui aussi, ses raisons :

> Nomina Mercurius dixit sua singula rebus,
> Nomina per certas hominum scribenda figuras[197],
> Nomina... positis certa ratione figuris *(ibid.)*.

Il n'y a donc pas de hasard : le dieu a découvert pour les choses des noms pourvus d'une réalité sonore — *uocabula* — eux-mêmes interprétés une seconde fois grâce à un système de signes[198], méthodiquement créé par lui, et imposé aux hommes qui devront reproduire par écrit ces dessins doublement signifiants.

Tel est le cadeau fait à l'humanité, mais ce double code — sonore et graphique — est porteur, pour les dieux, d'un sens supplémentaire qui échappe aux simples mortels : le nom peut rendre compte non seulement des qualités apparentes des choses, mais aussi de leur essence

---

190. Comme c'est d'ailleurs la règle chez la plupart des « étymologistes » latins ; cf. *Varron*, p. 255.

191. Le mot de Varron (*L. L.*, 6, 36) ne se trouve pas chez Dorat, mais il est commode : il traduit πρῶτα ὀνόματα.

192. Le siège de Metz y est tenu pour récent.

193. Il est plaisant de noter que Canter donne ce qualificatif à Dorat lui-même ; cf. n. 43, fin.

194. Varron utilisait le terme *uerba* (*L. L.*, 5, 1) ; Isidore glisse d'un mot à l'autre — *uis uerbi uel nominis* (*Etym.*, 1, 29).

195. Une telle attitude n'est pas fréquente ; la théorie de la « monogénèse du langage » est très répandue au XVIe siècle ; contre elle, on trouve tout de même Joachim Périon ; cf. C.-G. Dubois, *Mythe et langage au XVIe siècle*, p. 68 et n. 3.

196. Le verbe peut s'employer quand un voleur déniche ce qu'il cherche (on connaît la réputation de Mercure) ; il peut signifier aussi trouver du nouveau, imaginer.

197. Le mot fait songer à des idéogrammes ; *certas* pourrait signifier que le dessin est fixé une fois pour toutes, et l'humaniste viserait ici le caractère conservateur de l'écriture.

198. Le choix de *certa ratione* ferait entendre cet effort méthodique d'abstraction qui permet la création du code écrit, lequel est autre chose qu'une simple représentation.

fondamentale, de l'énergie de leur être :

> Nomina quae...
> Nota sonent superis certarum pondera[199] rerum,
> Quae tamen ignorant homines *(ibid.)*.

Il n'y a donc pas, pour Dorat, de paradis linguistique originel, où les mots, pratiquement, coïncideraient avec les choses : cette adéquation totale, cette transparence parfaite sont réservées aux dieux, depuis toujours.

Pourtant, même ce sens caché, les hommes peuvent y avoir accès, mais ils ne peuvent réussir seuls ; il faut qu'un dieu[200] mette pour eux en lumière les mystères aveugles de l'onomastique :

> (ignorant homines)
> ... nisi caeca deorum
> Illustrante aliquo mysteria *(ibid.)*.

Il ne semble pas, en effet, qu'il y ait une différence essentielle entre noms communs et noms propres. On est fondé, selon Dorat, à rechercher un rapport entre l'être nommé et le nom, car c'est un dieu qui attribue ce dernier. Ainsi, en même temps que le fil de la destinée, la Parque donne un nom à chaque homme : *dederat ... Parca / Nomina* (*P.*, p. 201). Dans un contexte chrétien, on retrouve la même idée : le nom fait partie intégrante des êtres, de par la volonté de Dieu[201] : *(nomina) quae diuinitus insunt* (*P.*, p. 306).

NOMEN/NUMEN   Le nom est, en effet, porteur d'une certaine puissance *(nomen/numen)*. C'était absolument vrai à l'origine quand le dieu qui nommait connaissait le « poids » des choses ; c'est encore vrai, partiellement, quand c'est un être faillible qui nomme[202]. Pour Dorat, en effet, un nom a une valeur dynamique propre ; il fait partie des composantes qui déterminent le destin d'un être. Ainsi, par exemple, saint Luc et Lucas de Leyde étaient

---

199. Dans un système parfait, celui qui connaît le nom connaît la chose, et le corollaire est la doctrine stricte de Cratyle : tous les noms sont justes, et ceux qui ne le sont pas ne sont pas des noms. Cette vérité accessible aux seuls dieux fait songer au quatrième degré de la science étymologique selon Varron ; cf. J. Collart, *Varron*, p. 275. Cicéron a employé le terme de *pondus* (*Br.* 140), mais il parle des mots, pas de choses.

200. Hermès lui-même, du reste, montre immédiatement sa bonne volonté en faisant connaître le « sens » de deux noms propres : il s'agit de *Margareta Valesia*.

201. L'exemple choisi est irrécusable puisque ce nom est celui de Jésus, donné explicitement par l'ange (*Luc*, 1, 31).

202. J.-C. Scaliger a bien noté ce que représentait chez les anciens Hébreux l'imposition du nom (*De subtilitate*, f° 337 v°). Il rappelle aussi : *Pythagorei tria ponebant : Fatum, Genium, Nomen* (f° 338 r°). A propos du monde grec archaïque et même de Platon, cf. H. Joly, *Le renversement platonicien*, p. 20-21. Les Latins jugeaient que certains mots avaient une vertu particulière — *ualere* ; cf. par ex. Cicéron, *Diu.* 1, 45, 102. Scaliger conclut qu'il s'agit là d'une attitude archaïque, et souligne la dégénérescence du caractère sacré du mot (*op. cit.* 338 r°-v°). Dorat ne le suivrait pas sur ce point.

prédestinés à montrer la venue de la lumière, la guérison de l'aveugle
de Jéricho (Mss. Lat. 8139, f° 121 v°)[203]. Le véritable nom du duc
d'Anjou était Alexandre ; le nom du conquérant, dont il « hérite », sert
à lui présenter son exemple[204] :

> Fortis Alexandri fueras qui nominis haeres
> [...]
> Illius exemplum tua nunc pia cura sequatur (*P.*, p. 72).

Dorat aime à rappeler à Charles IX qu'en raison de son nom[205], il est
le véritable successeur de Charlemagne, l'homme de la première renaissance intellectuelle (*Epgr.*, p. 37).

En choisissant le parrain d'un enfant, on espère voir passer en lui
les qualités de celui qui le porte sur les fonts baptismaux[206], mais la
relation est plus complexe, aussi Dorat ne trouve-t-il rien de mieux
qu'un jeu de mots pour se faire entendre. Ainsi le cardinal de Lorraine
a parrainé ses livres et son fils :

> Dulce suum dedit ipse nomen (*Ode* XXIV, 80).

En effet il a donné son nom à l'enfant[207], mais *dare nomen* signifie
« se faire inscrire à l'enrôlement », d'où offrir son concours à une entreprise ou à une personne.

Le nom reçu sert bien à se déterminer soi-même, pas seulement,
du reste, pour imiter un être qui a porté le même nom, mais pour s'en
différencier aussi. Par exemple, la jeune Camille Morel ne sera pas une
sauvageonne comme l'héroïne du chant 11 de l'*Énéide*, qui lui a pourtant donné son nom[208] :

> ... nec Camillae more, tibi dedit
> Quae nomen, altis in sylüis feras
> Sectans (*op. cit.*, 13-15).

Dans le chapitre *Des Noms* (1, 46) Montaigne déplore l'obscurité
qui vient du fait qu'on ne porte pas le nom de sa famille, mais celui de
sa terre. Pourtant, il est parfois commode de pouvoir choisir. Ainsi
Henri de Mesmes — M. de Roissy — est toujours nommé *Memmius* par
ses amis humanistes en souvenir du protecteur de Lucrèce[209]. Par
contre, on ne l'a jamais nommé M. de Malassise qu'au moment de la

---

203. Cf. ci-dessus, p. 82-83.
204. Pour les Catholiques, le saint patron offre exemple et protection.
205. Les hommes de la génération de Dorat ont solidement haï Charles Quint ; il est
réconfortant pour le poète que se soit maintenant son roi qui s'appelle Charles.
206. Dorat souhaite que, par l'intermédiaire d'Henri de Mesmes (parrain de sa fille),
la lumière qui émane du roi de Navarre (parrain d'Henri) parvienne jusqu'à la petite (*Ode* I,
57-58).
207. Dont l'autre parrain, Uytenhove, se nomme aussi Charles ; cf. *Ode* XXIV, fin.
208. Même remarque à propos de la comtesse de Retz ; cf. *Epgr.*, p. 36-37.
209. La dédicace du *Lucrèce* de Lambin a été, dans une notable mesure, motivée par ce
nom.

paix « bancale et malassise » qu'il avait négociée avec Biron qui était boîteux[210].

Chez Dorat, on rencontre toujours la préoccupation de trouver le sens caché : chaque signe est pour lui, si l'on peut dire, ultra-signifiant, et sa démarche n'est pas gratuite, ni scientifique, quand il cherche à remonter aux origines du langage. Ce n'est pas un hasard s'il est intéressé au premier héros des *Dionysiaques*, Cadmos[211].

LES NOMS-RACINES   En tout cas Dorat a l'intuition — qu'il la doive à son expérience ou à des spéculations plus confuses — que le sens était, au commencement, porté par ce que nous nommons des racines : le message pouvait être très bref, il n'était nullement proportionnel à l'importance de la chose signifiée :

> Nam parua quondam maximis uocabula
> Imposita rebus (*Exh.*, 246-247).

Dans ce texte Dorat s'intéresse particulièrement aux noms *rex*, *lex*, *ius* et *uis*. La simplicité[212] est, en tout cas, à ses yeux, une qualité essentielle puisque Dieu lui-même, qui est d'essence simple, a voulu être nommé simplement :

> Natura namque simplicissimi Dei
> Nomine uocari est digna simplicissimo (*op. cit.*, 253-254).

L'ordre des phonèmes est particulièrement signifiant — comme dans le cas de *ius* et de *uis*[213], mais Dorat ne se livre à aucune spéculation sur la valeur propre de ces phonèmes, consonnes ou voyelles : il ne mentionne aucune « motivation directe » dans l'acte de l'onomaturge[214].

Par contre, le genre des « noms-racines » lui apparaît comme une donnée fondamentale et signifiante[215].

Le terme d'*imposita* — employé aussi par Du Bellay[216] — n'apparaissait pas dans le texte de 1553 sur la création des noms, et il peut

---

210. Cf. ci-dessous, p. 283-285.

211. En qui Nonnos voyait celui qui apporte « à toute l'Hellade des présents doués de parole et raison ; (il) fabrique des instruments qui correspondent aux sons du langage ; unissant voyelles et consonnes en une suite cohérente et ordonnée, il dessine les signes de l'écriture, silencieuse sans être muette » (4, 259-263), traduction de P. Chuvin.

212. D'autant plus que *simplex* a, en outre, une acception morale qui rapproche ce terme de *purus*.

213. Cf. ci-dessous, p. 220.

214. Ce qui le démarque du *Cratyle*, 423 e-426 c : le mot serait une sorte de portrait réussi de la chose ; cf. H. Joly, *Le renversement platonicien*, p. 105 ; sur le fait que les mots sont justes en raison de leurs sons, cf. aussi saint Augustin, *Princ. Dial.* 6, in Migne, t. 1, col. 1412.

215. *Ius*, qui ne doit favoriser personne, est neutre ; la figure allégorique de *Vis*, qui crée partout la discorde, est féminine, tandis que *Lex* apparaît comme une faible femme qui a besoin d'être protégée par un mâle (*Rex*).

216. Cf. n. 187.

être un souvenir de Varron[217]. Dans l'*Exhortatio* (1576), Dorat conçoit, semble-t-il, un univers créé, et nommé aussitôt dans la langue des Hébreux, peuple élu du Dieu-créateur. Il ne mentionne pas Adam *impositor nominum*, mais, à la recherche des racines, après avoir évoqué la notion fondamentale de droit — *ius* — il propose aussitôt une transposition hébraïque qui présente quelque ressemblance — *est quod Hebraeis Iä* (*op. cit.*, 252). Il n'a pas laissé, semble-t-il de composition en langue hébraïque[218], mais il fréquentait des cercles hébraïsants, la maison des Morel, par exemple[219], et aussi les milieux de la cabbale[220]. Pour tous, la primauté et la précellence de la langue hébraïque étaient des articles de foi[221]. La prise de position de Dorat dans l'*Exhortatio* est claire, sans doute, mais il est étrange qu'elle soit unique. Son œuvre, sur ce point, n'est pas un reflet absolument fidèle de ses préoccupations intellectuelles.

En tout cas, quelques déclarations de Vigenère, dans le *Traicté des chiffres*, peuvent nous aider à comprendre comment avaient pu se former, beaucoup plus tôt, les convictions linguistiques de Dorat. Vigenère note, en effet, en parlant des caractères hébraïques qu'« il y a toujours quelque sens de grand mystere et importance, pour raison qu'ils tiennent leurs dits caracteres estre divins, et formez de la propre main de Dieu mesme... esquels caracteres il n'y a rien de frivole ni d'oisif, et sans quelque occulte signifiance en leurs figures » (*op. cit.*, p. 37).

Mis à part la mention de l'hébreu, Dorat ne disait pas autre chose en 1553, quand il évoquait la création des noms et de l'écriture, qu'il rapportait, à cette date, à Mercure Logios. Ce schéma avait pu se former dans son esprit, dès ses conversations avec Postel[222], et l'humaniste l'avait remanié à sa mode. Plus tard, il a pu se trouver en plein accord avec les cabbalistes chrétiens.

Bien que Dorat se soit tourné parfois vers l'hébreu, son intérêt, comme on peut s'y attendre, se concentre sur le latin et le grec. Le français le sollicite peu, mais on ne trouve sous sa plume aucune déclaration analogue à celle de J. Du Bellay. En effet, l'auteur repenti de la *Deffence*, en présence d'une langue en pleine évolution, attribue au hasard — *casus* — la structure phonique des mots français[223]. En tout

217. *Imposita rebus* (*L. L.*, 5, 1).
218. Il était néanmoins capable de faire des jeux de mots en hébreu; cf. ci-dessus, p. 163, n. 222.
219. Cf. notamment *Ode* XXIV.
220. Il avait connu Postel quand celui-ci était encore professeur royal de « langues pérégrines » ; il était l'ami de Guy Le Fèvre de La Boderie et de Blaise de Vigenère.
221. Pour Postel, cf. par ex. C.-G. Dubois, *Mythe et langage*, p. 69-71. Pour La Boderie, cf. ci-dessus, p. 136-137.
222. Cf. ci-dessus p. 121-122.
223. Il oppose ainsi sa langue maternelle à l'hébreu, au grec, au latin, dans lesquels les mots sont composés ou dérivés selon une méthode réfléchie — *ratione et consilio* — ce qui permet de retrouver leur « vérité » et de la faire paraître (cf. n. 187).

cas Dorat, quelle que soit sa méthode, a « interrogé » les mots français beaucoup moins souvent que les mots latins[224].

LES DIFFÉRENTES MÉTHODES DE RECHERCHE — En présence du mystère des noms, l'interprète a appliqué trois procédés : « l'étymologie », l'anagrammatisme et la recherche cabbalistique. Bien conscient qu'il s'agit de pratiques difficiles[225], il a fait rappeler par Mercure que les noms présentent d'insondables mystères, sauf si un dieu aide à y voir clair :

... nisi caeca deorum
Illustrante aliquo mysteria (*Ecl.*, p. 34).

1re MÉTHODE : L'« ÉTYMOLOGIE » — Dans le cas de la première méthode, une nymphe intervient obligeamment en faveur de l'étymologiste pour que sa recherche d'éléments obscurs ne soit pas vaine[226]. La charmante personne apporte une garantie plus précise en rappelant qu'on est fondé à chercher la « vraie cause » de son nom parce qu'une volonté divine a présidé au choix du dit nom :

Nominis ergo mei quae uera sit accipe causa,
Quo sine non aliquo numine[227] dicar ego (*op. cit.*, p. 110).

LE « CELTHELLÉNISME » — Comme préambule à cette recherche étymologique, Dorat nous rappelle les rudiments de la thèse du « celthellénisme »[228], indispensable ici

---

224. Par ex., sur trente anagrammes proposées, l'*Anagr. lib. I*, n'en présente que deux en français, deux aussi en grec.

225. Varron note que la tâche de l'étymologiste est laborieuse, et que le lecteur doit en tenir compte (*L. L.*, 7, 4). Pour lui, l'étymologie est véritablement fondée sur une initiation qui comporte quatre degrés (*op. cit.*, 7-9) : les hommes du Portique ne dépassent pas le troisième ; Varron ne dit rien du quatrième — *adytum* : J. Collart pense que ce niveau est réservé aux Pythagoriciens (*Varron*, p. 275).

226. Elle note, elle aussi, que l'action d'un dieu est indispensable : *Atque ita non frustra quae sunt obscura requiris / Nec nisi sunt aliquo quae tibi nota Deo* (*P.*, p. 109). La nymphe de Meudon vient aussi éclairer Dorat sur l'origine de ce nom, qui a suscité beaucoup de vaines recherches : *Quaesiuere quidem multi quos quaerere frustra / Arguit euentus,* non comitante Deo. / *At mihi quaerenti mox una locuta Dearum* (Mss. Lat. 10327, f ˙ 5 r ˙).

227. L'énoncé est ambigu : la nymphe peut vouloir dire aussi que son nom a une énergie signifiante.

228. On connaît les travaux de Budé, *Commentarii linguae Graecae,* Paris, 1529 (mais le *Sommaire ou épitome du livre de Asse,* Paris, 1522, faisait déjà état de ce genre de préoccupation ; le mot de celthéllénisme n'y apparaît pas) ; cf. aussi H. Estienne, *Traicté de la conformité du langage françois avec le grec...,* Genève, 1565 (les remarques concernent la syntaxe, le style, l'« étymologie »). Cette direction de recherche est bien attestée jusqu'à la fin du siècle ; cf. par ex. Léon Trippault, *Celt. Hellenisme ou Etymologique des mots françois tirez du Graec. Plus preuves en general de la descence de nostre langue,* Orléans, E. Gibier, 1580 (B.N. Rés. X 1985) : on y voit que *abboyer* se rattache à αἰβοῖ *heu* ou à βοῶ *clamare* ; *acouter* à ἀκούεω (*op. cit.,* p. 3). Les Français n'avaient pas le monopole : Conrad Gessner rattache l'allemand au grec, et note : *Infinita sunt uocabula, quae nobis et Graecis idem ualent* (*Mithridates,* p. 38). Ce livre fut imprimé à Zurich en 1555.

pour sa démonstration, et qui pouvait séduire un helléniste, bon sujet du roi de France.

Jadis, donc, il y eut un mélange des peuples gaulois et grec : on connaît encore le nom de Gallo-grec, et des conséquences linguistiques se font sentir encore aujourd'hui :

> Mixta fuit populis uetus olim Graecia Gallis,
> Gallo-Graecorum nomen et inde manet.
> Inde manent hodie diuersa uocabula rerum *(ibid.)*.

L'humaniste précise ensuite la nature de cet héritage. D'une part, certains mots sonnent de manière analogue dans les deux langues[229], mais le cas le plus fréquent est une dégénerescence due au caractère mal dégrossi des usagers : les mots qui ne pouvaient conserver leurs structures phonétiques ont « glissé » :

> (uocabula)
> Communis quorum est inter utrosque sonus.
> Sunt etiam rude quae corrupit plurima uulgus,
> Nec potuere suas, lapsa, tenere notas *(P., p. 110).*

Sous des allures plaisantes, ce texte fait état de préoccupations concernant l'orthographe[230], et surtout oppose explicitement les mots nés de l'évolution phonétique spontanée, populaire, et les mots savants, calqués.

Remarquons, en passant, qu'il s'agit d'une vue neuve. Si la dégradation phonétique a aujourd'hui des lois connues, l'antiquité ignorait ce phénomène et, au XVIᵉ siècle encore, un Joachim Du Bellay ne voyait dans les changements intervenus que le fait du hasard — *casus*[231] . En outre, des esprits « pieux » ne jugeaient pas que les changements fussent directement causés par l'ignorance des locuteurs ; ils y voyaient la conséquence de la transgression originelle[232] , comme si le châtiment continuait à s'abattre sur les langues multiples, nées de Babel, et les délitait lentement. Il faut donc remarquer que Dorat, même après sa conversion[233] , a sur ce point des vues résolument laïques.

Cela dit, l'interprète est le maître des mots, et il va leur faire subir les interrogations « étymologiques » les plus variées.

---

229. Trippault note : « Artois païs en Picardie, du mot ἄρτος pour sa fertilité, *in datiuo plurali* ΑΡΤΟΙΣ » ; pour Bodin, le nom du village d'Oucques s'explique par οὐκ.

230. Ramus, au début de sa *Gramere* (Paris, 1562) fait un bilan des travaux de ses contemporains qui « depuis quarante ans ença » s'efforcent de « *vrayement* escripre ».

231. Cf. n. 187. Varron conçoit la mort des mots, mais pas leur modification ; cf. J. Collart, *Varron*, p. 272, n. 4.

232. Cf. par ex. Calvin, *Commentaire sur les cinq livres de Moyse*, Genève, 1554, p. 21 : « l'usage d'iceux (les noms donnés par Adam) comme beaucoup d'autres bonnes choses est aboli » (livre 1).

233. Le *terminus post quem* pour le texte (*P.*, p. 109-111), concernant Ampolis, est 1578, date où Biragues reçut le chapeau de cardinal.

L'ANALYSE   Le procédé le plus simple est celui de
                       l'analyse qui décompose le mot en élé-
ments successifs, un avatar de çe que les linguistes nomment l'analyse
syntagmatique. L'exemple le plus parfait, parce qu'il n'y a pas de
« reste », est celui d'ἀλήθεια :ἄλη + θεῖα = course divine (Cratyle,
421 b). Dorat, décompose ainsi le nom de Petrarca en petra + arca
et explique :

$$\text{Quod mea de petra durum cor habebat amica } (Ecl., \text{ p. } 27)^{234}.$$

Parfois, le rapprochement est plus fantaisiste[235], mais l'humaniste
s'attache à rendre compte des changements intervenus. Ainsi, par
exemple, il rapproche le nom de J.-A. de Thou, latinisé en Thuanus,
du verbe tueor, parce que le magistrat semble né tuendo (iuri). Si le
nom propre présente une aspirée en plus, c'est qu'elle a été ajoutée par
des gens qui n'y entendaient rien, mais — la chose vaut d'être notée —
l'intervention malencontreuse est le fait des grammairiens. L'humaniste
avait donc parfaitement conscience de ce que les mots français avaient
pu être affublés de lettres « ornementales »[236] :

> Vnde Thuanus habes cognomen littera quamuis
> Aspera ab indoctis addita Grammaticis (P., p. 205).

Par contre, la perte d'une syllabe par haplologie peut être mise au
compte des gens ordinaires[237]. C'est, du moins, l'une des hypothèses
avancées par la nymphe Ambolis pour rendre compte de son nom. Elle
sait aussi que l'influence analogique de πόλις a pu jouer, puisqu'elle
est citadine[238]. Elle envisage, enfin, la restitution autoritaire de son
nom, appuyée sur la vraie étymologie, au demeurant plus glorieuse[239] :

> Sed me restituet ueteri Numa noster[240] honori
> Ampolis, et rursus nomen ab urbe feram (ibid.).

---

234. En accord d'ailleurs avec une tradition ancienne, il analyse Iupiter en iuris + pater
(Exh., 250) et élabore toute une fable sur la naissance de Ius. Cf. G.D., « Le poète et le prince »,
in Hum. Lov. XXVI (1977), p. 167-168.

235. On est loin, toutefois, des affirmations de Budé ou de Trippault. Selon Budé, cité
par Estienne, « pantoufle quasi παντόφελλος, de πᾶν, signifiant tout, et φέλλος, liège » (De
la conformité du langage François avec le Grec, p. 152). Notons encore « maraud, pour
miaraud, de μιαρός » (op. cit., p. 150).

236. Sébillet était sévère pour ces lettres parasites « lesquelles escrites ne servent que
d'emplir papier, sans ce qu'elles se prononcent » (Art Poetique François, Paris, G. Corrozet,
1548, f° 37 r°).

237. C'est aussi le cas pour le phénomène que nous nommons apophonie : ainsi la ville
de Mézières, qui est le séjour des Muses, puisque la Cour y séjourne (en 1570), a vu son nom
déformé par le populaire : Maesarium rude nunc uulgus uocat (P., p. 247).

238. Forsan et Amphibolis mihi uox dedit integra nomen, / Syllaba sed medium perdidit
una locum. / Nunc quae dicta fui tunc cum uersarer in urbe / Ampolis, indoctis Ambolis ecce
uocor (P., p. 110). Poursuivant son petit cours de phonétique, Ambolis / Ampolis explique
que, si une sourde s'affaiblit, elle passe à la sonore, qu'elle nomme un « son intermédiaire » :
Quae (que) sonum fortem tunc littera fortis habebat, / Transiit in medium debilitata sonum
(ibid.). Dorat se réfère ici à Priscien (Gramm. 2, 20, 11).

239. Pallas habet nomen Poliouchos, ego Ampolis (P., p. 110).

240. Le cardinal de Birague.

Ainsi, sous l'aspect[241] de la plaisanterie, l'humaniste a mis en lumière quelques cas de transformations phonétiques, mais il est très conscient aussi qu'il existe dans ce domaine des forces conservatrices, voire réactionnaires. Bien que la nymphe ait une préférence[242], elle ne s'en est pas moins donné la peine de présenter deux étymologies.

LA « SURDÉTERMINATION »   Cette « surdétermination » montre bien que, pour l'helléniste, comme, du reste, pour tous les tenants de la thèse cratylienne[243], l'essentiel est de faire voir que le nom est « juste », et un nom bien « motivé » est d'autant plus satisfaisant.

Ainsi, en ce qui concerne la fontaine d'Arcueil, Dorat présente deux hypothèses, et, d'abord, la plus ordinaire :

> Seu tu nomen habes *arcubus* a tuis (*Ode* III, 5).

Mais ce n'est qu'une explication historique ; une justification mythique est plus glorieuse, parce qu'elle en appelle à des faits plus anciens :

> Seu fors grata tibi causa uetustior
> Huius nominis est, atque libentius
> Audis *Herculis* fons (*op. cit.*, 13-15).

Dans cet exemple l'étymologiste a procédé par gradation, mais il lui arrive aussi d'opposer deux solutions, présentées par deux personnages différents. Ainsi, un grammairien et un avocat discutent de l'étymologie du nom de l'oreille — *auris*. Le grammairien tient pour le rapprochement avec *haurio* (malgré la perte de l'aspiration, il prend soin de le dire) ; l'avocat, au contraire, prétend lier *auris* et *aurum* : il a, pour cela, des raisons — très personnelles — pertinentes :

> (aurem)
> Causidicus contra dictam contendit ab auro,
> Aurum quod nisi des, audiat ille nihil
> (Mss. Lat. 8138, f° 75 v°).

L'étymologie peut, on le voit, devenir une arme de la satire.

241. Le problème du « sérieux » de ces « jeux » est bien posé par T. Todorov, « Introduction à la symbolique », in *Poétique* 11 (1972), p. 289-290, à propos du *Cratyle*, alors qu'Henri Guy jugeait que toutes les étymologies de Ronsard étaient des plaisanteries (« Les sources françaises de Ronsard », *R.H.L.F.*, IX (1902), p. 234). La formule de M. Todorov est significative : « Platon est jugé comme s'il était un néogrammairien de la fin du XIXe siècle, qui a mal appris sa leçon ». Cf. aussi H. Joly : ce qu'il faut retenir de sérieux dans le plaisant, c'est qu'il y a des mots sous les mots et qu'ils renferment la définition des choses (cf. *op. cit.* en n. 188 fin, p. 30).

242. Indiquée d'ailleurs dans le titre du poème — *Ambolis seu potius Ampolis, illustriss. Cardinalis Birachi secessus* (*P.*, p. 109).

243. Pour Socrate, en effet, les « étymologies » successives ne s'excluent pas, elles peuvent s'additionner (*Cratyle*, 406 b) ; cf. G. Genette, *Mimologiques*, p. 19-26. Lorsque Varron présente plusieurs explications pour un même mot, son état d'esprit est différent : il agit par scepticisme à propos de ses propres trouvailles, et prétend opposer ainsi sa modestie au dogmatisme stoïcien ; cf. J. Collart, *Varron*, p. 273.

Pourvu qu'il suscite des significations nombreuses, Dorat fait flèche de tout bois. Ainsi, pour louer la bravoure du comte de Brissac, il orthographie d'abord son nom *Timoleon*, nom qui convient[244] à qui chasse les tyrans[245]. Mais analysant le nom — devenu *Thymoleon* — en θυμός + λέων, le poète est fondé à montrer que le mort était un cœur de lion :

> Thymoleon fueras, cum uis animosa leonis
> Tentaret belli prima pericla *(ibid.)*.

Un tel changement orthographique n'était pas pour choquer, d'autant plus que l'humaniste pouvait s'abriter derrière l'autorité de Varron[246]. Que l'étymologiste, donc, soit fidèle à l'esprit plutôt qu'à la lettre.

Même en restant dans le seul domaine étymologique, Dorat met en œuvre des procédés très différents. Il semble qu'il ait vu dans *lex* un des noms-racines les plus anciens, au même titre d'ailleurs que *rex* (*Exh.*, 187), mais il présente, en outre, ce qu'on pourrait appeler une explication a posteriori. Les lois sont nommées *leges* parce qu'elles lient les coupables :

> Nam uincula *Legum*, quae nocentes *alligant*
> Nomenque sortiuntur hinc *(op. cit.*, 397-398).

Le poète n'a pas pu résister à la tentation de noter une étymologie « à rebours » (peu importe qu'elle soit fausse), parce qu'elle lui paraît signifiante.

LA PARONOMASE   Parfois l'analyse étymologique se dégrade en simple paronomase ou, si l'on veut, « étymologie d'affinité »[247]. Tel est, par exemple, le rapport entre *limes*, la limite du terrain et l'adjectif *limus*, oblique. En effet, il suffit d'une contestation de propriété pour que les gens se regardent de travers ; en outre, ils utilisent alors des limes pour polir des armes artisanales :

> *Limes* ad arma dedit polienda fabrilia *limas*,
> *Limes* ad inuidiam lumina *lima* dedit (*P.*, p. 75).

La commutation d'une seule lettre peut être très éclairante[248], et *lites*

---

244. Cf. ci-dessus, p. 203.

245. Ce procédé n'est pas une étymologie : *Timoleon fueras, arcendis usque tyrannis, / Restituens patriae libera iura tuae.* (In *Epitaphes de M. Thimoleon de Cossé*, Aij r°).

246. *Non reprehendendum igitur in illis qui in scrutando uerbo litteram adiciunt aut demunt, quo facilius quid sub ea uoce subsit uideri possit (L. L.*, 7, 1). Varron souligne, à plusieurs reprises, les problèmes causés par ces vicissitudes phonétiques, en particulier quand on accède au troisième degré (cf. J. Collart, *Varron*, p. 274 et n. 4).

247. Sans préjuger de son utilisation, Cicéron définit le procédé : *Alterum genus est, quod habet paruam uerbi immutationem, quod in littera positum Graeci uocant* παρονομασίαν, *ut Nobiliorem mobiliorem Cato* (*De or.*, 2, 63, 256). A propos de l'étymologie d'affinité, cf. G. Genette, *op. cit.* en n. 243, p. 18 et n. 1, p. 20-21 et n. 2.

248. Les notes prises au cours sur les *Olympiques* et publiées par M. Sharatt (*op. cit.* n. 9, p. 170) ont conservé une commutation inattendue, mais significative : *Musa/mula* ; on

est à rapprocher de *limes*, puisque c'est à propos de limite qu'eut lieu le premier litige :

> *Limes* et ut causam, sic fecit nomine *lites*,
> Limite de certo lis quia prima fuit *(ibid.)*.

Le jeu, ici, ne vaut qu'en latin, mais la paronomase ne connaît pas de frontières linguistiques. Ainsi, le nom de la Pologne se prête à de fructueux rapprochements, d'abord avec πόλος /*polus*, puisqu'elle est située « vers le pôle » : *Gens Polo deducta Polonia*[249]. La jonction se fait, aussi bien, entre *Polonia* et le grec πῶλος, le poulain, et c'est pourquoi Dorat pense que ce pays est plein de chevaux :

> Fortes Polonum fert equites solum,
> Et fert equorum plurima millia *(Ode* XXXV, 29-30).

Le jeu devient vite systématique : on n'échappe pas à *nomen/omen*, non plus qu'à *nomen/numen*[250].

La paronomase a le plus souvent valeur étiologique. Un exemple d'explication pris dans le cours sur le chant 10 de l'*Odyssée*[251] est particulièrement frappant. La mixture que Circé offrait à ses visiteurs les transformait en lions, en loups et en porcs, êtres représentant l'ambition, la cupidité, la débauche. Or tout devient clair, quand on sait que ce mélange était composé de fromage, de farine et de miel. Il est aisé, en effet, de rapprocher τύραννος (le tyran) et τυρός (le fromage), ἀλφή (le gain) et ἄλφιτον (la farine) ; seul le rapport miel/débauche n'a pas de motivation « paronymique » (5 r°).

La paronomase peut aussi mettre en lumière une parenté profonde. Dorat, bon père et travailleur intellectuel, rapproche volontiers *liberi/ libri*. Il prie le président Christophe de Thou d'apporter le même soin à protéger les orphelins de Turnèbe et ses livres *(P.*, 124-125)[252]. Le procédé « paronymique » peut avoir, aussi, valeur adversative, et Dorat aime opposer la parenté phonique aux sens antinomiques de deux mots. En particulier pendant les guerres civiles, il fait se heurter *ferrum/forum*[253], *Mars/ars*[254].

Le terme d'*allusio* (ou celui de « jeu » de mots) ne doit pas nous induire en erreur. Certes le jeu peut être gai. Par exemple, quand on

---

aurait pu penser à *Musa/muta*, mais la première est plus frappante (en outre, il était question de « mule » dans le contexte grec). Dorat ajoute aussitôt : *nostraque fama, fames (ibid.)*.

249. In *Delit. poët. Gall.*, t. 1, p. 281.

250. Dorat a même placé une paronomase latine dans la bouche du brigand qui s'apprête à noyer dans la « Mare au diable » le médecin Deschamps et son compagnon de route : il les invite à ne pas traîner, mais à mourir — *non morari, sed mori (Monodia,* p. 10).

251. Mss. Amb. A. 184.

252. Il rappelle à Tiraqueau, non sans humour, la hiérarchie qui s'impose : puisque l'esprit vaut mieux que le corps, le jurisconsulte continue à faire des livres, tandis que sa femme, en prenant de l'âge, a dû renoncer à faire des enfants (parmi les liminaires de Tiraqueau, *Le mort saisit le vif*, Paris, J. Kerver, 1554, aiiij r°).

253. Cf. ci-dessous, p. 270.

254. Cf. ci-dessous, p. 282, 296.

cherche l'inspiration, rien de tel que la vigne pour aider les poètes :

Cum possint *uates* nil sine *uitis* ope (*P.*, p. 188)[255].

Mais Dorat, évoquant son pauvre pays de Limoges, qui vient de traverser un temps de famine, fait un rapprochement gallo-grec sinistre :

Nomen et inde famis uetus illi Graecia fecit,
Si modo Lemouix λιμοίς ante fuit (*P.*, p. 101).

Il a donc fallu une certaine circonstance pour susciter cette paronomase, mais, si l'on peut dire, la chasse est toujours ouverte, et les patronymes offrent un terrain spécialement favorable.

L'« ÉPONYMIE »   A vrai dire, il s'agit plutôt, dans ce domaine, d'« éponymie »[256]. En présence
d'un nom dont on sait déjà qui il désigne, Dorat cherche volontiers
ce qu'il veut dire, et trouve grande jouissance à constater l'accord entre
les deux fonctions du nom : désignation et signification. Ainsi, pour
Michel de l'Hospital, une première évidence s'impose : il est un hôte
exquis :

Pro... munifica hospitalitate
Antiquum tibi nomen Hospitalis
Fatali quasi sorte congruebat (Mss. Dupuy 810, f° 103 r°).

Pourtant, comme il vient de sauver la France, son ancien nom pourrait
être avantageusement modifié :

Iam non te sibi dicet Hospitalem
A te Gallia tota sospitata :
Dicet te sibi iure Sospitalem *(ibid.).*

Ce n'est pas tout : quand le professeur a changé ainsi le nom du chancelier, il ignorait que ce dernier fût souffrant. Or il l'a appris depuis, et
il a enregistré la coïncidence : c'est au moment où il changeait le nom
en *Sospitalis* que la maladie a cessé, car telle est la puissance du nom :

Nam qua luce tibi mutaui nomen, eadem
Febris reliquit sospitem.
Lugebat nuper, nunc gaudet Gallia sospes,
Te, Sospitalis, sospite *(ibid.).*

Dorat, très « cratylien », se plaît à souligner que beaucoup de gens
sont bien nommés. Guillaume Boni est homme de bien (*P.*, p. 3) ; il
est réconfortant pour un malade de recevoir les soins d'un médecin
nommé Valet (*P.*, p. 201), ou même Duret, si l'on veut espérer une

---

255. Paronomase plaisante entre *uineta* et le nom de l'ami Binet, mais si Binet aide Dorat
à conserver sa vigne, le cru méritera deux fois d'être nommé *Binetia* (*P.*, p. 188).
256. Chez Cicéron, qui avait l'esprit caustique, la recherche « étymologique » sur le nom
propre est inséparable du rire, si elle est réussie (*De or.*, 2, 63, 257). Cicéron, avocat, faisait
flèche de tout bois et chacun se souvient des « étymologies » du nom de Verrès. Sur cette
sorte d'adéquation « éponymique », cf. G. Genette, *op. cit.* en n. 243, p. 23-24.

longue vie (*op. cit.*, p. 198). On pourrait multiplier les exemples. Parfois les *allusiones* présentent un vœu, plutôt qu'une réalité : Dorat, en effet, rapproche Este de *stare* (*P.*, p. 21), et loue le bras de fer du prince de Ferrare, Alphonse d'Este, allié au bord de la trahison :

> Ferrariani ô ferrea dextera (*Ode* XV, 17).

Parfois il faut de l'ingéniosité : pour justifier le nom de L'Huilier, Dorat utilise une motivation qui conviendrait mieux pour Olivier (en fait, il y a peut-être eu réutilisation) : *Si tibi docta sua dat Pallas ab arbore nomen* (*P.*, p. 23).

Enfin, il faut bien admettre qu'il y a quelques mal nommés, comme l'était déjà l'Hermogène du *Cratyle*. Il est gênant qu'un professeur de médecine s'appelle Malmédy, si l'on s'obstine à traduire ce nom par *Malus medicus* (*P.*, p. 200). Il est plus douloureux encore de s'appeler *Auratus*[257] et d'être « dédoré ». Aussi le poète demande-t-il plaisamment au roi Henri III de ne pas permettre une situation aussi scandaleuse :

> « Ne soufrés que par vous d'Aurat soit dedoré » (*Epgr.*, p. 102).

Les recherches étymologiques, menées par analyse, ou par paronomase, permettent donc de faire apparaître une certaine vérité profonde, qui existait, sans doute, auparavant, mais que seul l'événement a pu mettre en lumière. Ainsi la ville de Metz s'appelait bien *Metae*, mais il a fallu le siège et la résistance victorieuse de François de Guise pendant le rude hiver 1552-1553, pour qu'on sache ce que signifiait ce nom, sur lequel on a beaucoup « joué »[258]. Dorat lui-même présente deux versions de ce « jeu ». En 1553, il note qu'en arrêtant Charles Quint devant Metz, Guise a fixé une ultime limite à l'élan de ce farouche ennemi (le texte est dédié à Charles de Lorraine) :

> Scimus frater uti tuus
> *Metis* reppulerit Caesaris impetum,
> Et ceu nomen ab omine
> Vrbs sortita foret, fixerit ultimas
> *Metas* hostis ibi trucis (*Ode* VIII, 55-59).

En 1558, c'est Guise qui est le vivant symbole de cet arrêt de l'invasion devant Metz :

> *Meta* nam *Metensibus*
> Ille terris firma tenaxque manens
> Transitum praeclusit hosti (*Ode* XVIII, antistr. 8).

Il arrive même que Dorat interprète l'homonymie de mots français. Ainsi l'« androgyne » né à Paris en juillet 1570 se nommait *Lois*. Or

---

257. Le rapprochement *Auratus / aurum* est obligatoire. Citons, entre autres, la dédicace de l'*Hymne de l'or* par Ronsard (S.T.F.M., t. 8, p. 179); cf. aussi liminaires des *Poëmatia* de 1586, *passim*.

258. Cf. par ex. M. de Saint-Gelais : *Ad Carolum V. Imperatorem Metas obsidentem*, 1552 (éd. Blanchemain, t. 2, p. 309).

ce nom — *uulgari uoce* — désigne aussi des lois, ce qui est bien signe
que la loi qu'on est en train de mettre en œuvre est androgyne, elle
aussi, et la chose est d'autant plus inquiétante que Lois est un prénom
royal.

Ainsi l'analyse peut révéler dans un mot une suite d'éléments signifiants, le mot peut en rappeler un autre par sa structure phonique — à
la limite deux mots peuvent même être homophones. Même si l'étymologiste leur fait subir, pour le bon motif, des traitements que nous
avons tendance à juger abusifs, l'existence des mots n'est pas en cause :
ils sont là, on ne les perd pas de vue.

2ᵉ MÉTHODE :   Or selon la jolie formule de Starobinski,
L'ANAGRAMMATISME   des mots sont cachés dans les mots :
                     il faut donc les débusquer. Dorat précise
bien la règle du jeu : le mot est, en effet, un tissu des signes ; l'anagramme réduit à néant ce tissu, mais en recrée un autre, qui comporte
exactement les mêmes signes :

E totidem notis textas tria uerba retextis (*Ecl.*, p. 34)[259] .

Dès lors, le sceptique est confondu par la preuve *littérale* de ce qu'on
lui annonce. Mercure le dit lui-même :

... manifesta fides tibi fiat ab ipsis
Litterulis, quibus hoc nomen signatur utrumque[260] (*Ecl.*, p. 34).

Le choix du verbe *signare* est éclairant. Le mot, bien sûr, est noté bana-
lement par des signes, mais il y a là aussi une caractéristique plus profonde, le mot comporte une « signature », car, selon la formule de
M. Foucault, « le langage est à mi-chemin entre les figures visibles de
la nature et les convenances secrètes du discours ésotérique[261] ». Il ne
faut donc pas se fier aux apparences : ces « chétives lettres » dissimulent
un second sens virtuel.

LA TECHNIQUE   La quête est difficile, on le savait déjà.
ANAGRAMMATIQUE   Pour mieux nous en convaincre, l'inter-
                     prète nous fait assister à une séance
d'anagrammatisme, dûment mise en scène. Nous y voyons opérer
Mantho — allégorie, croyons-nous, de l'imagination du poète[262] . Dorat
a voulu insister sur l'aspect sacré et augural de la chose — *augurii genus*
(*Ecl.*, p. 20). Dans son rituel — *ritus (ibid.)* — Mantho, telle la Pythie
sur son trépied, invoque Phébus, et purifie le lieu — bien plat — où sera
produit le résultat :

259. Le fréquentatif de *texere*, *textare*, n'est pas attesté en latin classique : ce verbe
marque l'effort renouvelé de l'interprète.
260. Ces deux noms sont *Margareta Valesia*.
261. *Les mots et les choses*, p. 50.
262. Cf. ci-dessus, p. 191.

> Multa rogans, Phoebumque uocans in uota secundum,
> Ante repurgatae mox fudit in aequore terrae (*op. cit.*, p. 21).

Ce résultat, dûment patronné par le dieu, est à la fois une création poétique et un oracle — *carmen (ibid.).*

Bien sûr, une telle évocation pourrait faire croire à un certain charlatanisme, mais le producteur d'anagrammes fournit aussi nombre d'indications pratiques[263]. On peut imaginer que tout va bien, tout de suite, mais l'interprète avoue, de bonne grâce, qu'il faut plusieurs essais : il choisit des lettres, les déplace et, si les choses ne marchent pas, il « brouille », et recommence, jusqu'à ce que sa sélection ait abouti à un texte cohérent :

> ... legit et miscetque quatitque
> Atque iterum, atque iterum, donec ter[264] in ordine factum
> Carmen legit idem (*op. cit.*, p. 21).

Mais ce message, dont on ne peut nier l'existence, aura souvent besoin d'être décrypté à son tour[265].

Pourtant, quelle que soit l'ingéniosité de l'interprète, et même s'il recommence ses essais, les possibilités de jouer sur le prénom et le nom de famille, ou sur le nom d'un roi et l'ordinal qui le précise, ne sont pas infinies.

Le recueil Mss. Lat. 10327 de la Bibliothèque Nationale nous a conservé divers essais d'anagrammes sur le nom d'Henri de Mesmes, et l'on y peut observer les différents coups de pouce donnés par Dorat lorsqu'il « traite » le nom de son ami. L'une des anagrammes latines est sans tricherie : *HENRICVS MEMMIVS / SECVRVM MIHI MENS* (*op. cit.* f° 46 r°).

SUBTERFUGES
ET VARIATIONS

Dans une autre, pour obtenir *SEMEN SUM MERCVRII* (f° 34 r°) l'interprète a débarrassé le prénom de son H initial encombrant[266]. L'artifice paraissait, sans doute, bien plus innocent au XVIe siècle, où l'orthographe n'était pas encore fixée.

Mais ces petits subterfuges sont vite épuisés. Le poète est alors amené à étoffer la matière de son travail anagrammatique. Dorat l'a fait pour

---

263. Il opère avec de petits carrés en bois de peuplier. Le bois est utilisé parce qu'il est tendre, mais Dorat trouve une motivation plus humaniste à ce choix : *namque arbor sortibus apta / Populus Herculea est (Ecl.*, p. 20). Sur ces carrés sont inscrites les lettres du nom qu'on doit anagrammatiser ; puis les lettres sont jetées dans une urne vide, où le mot s'anéantit : *in quadratis rite notauit / Populeis tabulis... / ... uacuamque iniecit in urnam (Ecl.*, p. 20). Les sorts une fois jetés forment, dûment ordonnés, un nouveau message : *nouumque dant ordine carmen / Effusae sortes (op. cit.*, p. 21).

264. Ce chiffre n'a de valeur que dans ce cas précis : les deux mots sont « décryptés » en trois.

265. Cf. ci-dessous, p. 221-223.

266. Pour l'anagramme française, l'orthographe du patronyme a été légèrement modifiée : HENRI DE MEMES / NE DEMI HERMES (f° 34 v°). Ces textes sont autographes.

le nom d'Henri II — nous n'avons d'ailleurs pas retrouvé d'anagramme
« simple » du nom de ce prince[267]. La seule qui nous soit parvenue est :
*HENRICVS SECVNDVS REX GALLIARVM DEI GRATIA / IT DVX
ILLE CHARVS DEI GREGEM CVRANS A RVINA* (*A.*, p. 125). Il
est d'ailleurs très frappant de voir combien le contexte historique peut
influencer les résultats de la technique anagrammatique. Par exemple,
si l'on ne peut déterminer la date de l'anagramme *HENRICVS VALE-
SIVS / NAE VISVS HERCVLIS* (*A.*, p. 124-125), puisque le thème de
l'Hercule gaulois était plein de vigueur sous Henri II et sous Charles IX,
celui de l'Hercule purificateur sous Henri III, par contre le même
HENRICVS VALESIVS fut « tourné » en *LAVREVS HVIC ENSIS*
(*op. cit.*, p. 134) en 1569, l'année de Moncontour[268]. On peut aussi
suivre la progression du travail du poète à travers les anagrammes de ce
prince, après qu'il fut devenu Henri III. Dans un premier temps, *HEN-
RICVS TERTIVS* a donné *VERE IN TE CHRISTVS* (*P.*, p. 2). Dorat
pouvait difficilement expliquer que la dite anagramme n'était pas une
louange, mais un avertissement[269]. Las de ressasser les victoires de 1569,
il a voulu mettre en œuvre le thème encomiastique de l'Empire, auquel
la mort de Maximilien II en 1576 allait redonner de l'intérêt. Dès lors,
s'il voulait tirer à fond les conséquences de *nomen/omen*, il fallait
trouver une autre anagramme[270]. Spéculant sur le fait que les sujets
français d'Henri III ont continué à le nommer « roi de Pologne », et
même s'il n'était pas dans ce pays roi de droit divin comme il l'était en
France, Dorat était fondé[271] à écrire : *HENRICVS TERTIVS DEI
GRATIA REX FRANCORVM ET POLONORVM* (*A.*, p. 125), et à
« traduire » en exploitant le thème impérial et oriental[272] : *REX
FORTIS SOLO DEI NVTV IMPERATOR REGNA THRACVM
REVINCET* (*A.*, p. 129 = 126). Ainsi, même si l'anagrammatisme a un
aspect mathématique et inexorable, néanmoins, l'imagination de
l'interprète guide sa main, et nous sommes en présence d'une véritable
création poétique.

**LA MODE
ANAGRAMMATIQUE**   Dorat y était passé maître : on a pu le
voir en étudiant sa technique. A. du Ver-
dier prétend que c'est lui qui avait
« introduit les anagrammes en France, prises des Grecs et peu usitées,

267. La *Deffence* en reproduit une (2, 8 ; S.T.F.M., p. 154).
268. Comme l'annoncent les vers explicatifs qui font allusion au triomphe que va rem-
porter Henri d'Anjou pour le compte du roi, son frère : *Nomina uenturi praesagia certa triumphi/
Quem tibi, quem fratri, nomina bina parent* (*A.*, p. 134). Sur l'utilisation des anagrammes sur
les jetons des princes, cf. V. Juřen, « Une devise pour Catherine de Médicis et ses enfants », in
Revue de l'Art, 50 (1980), p. 48-50.
269. Cf. ci-dessous, p. 328-329.
270. Il doit en manquer une dans *P.*, p. 2.
271. Cf. ci-dessous, p. 315 et n. 37.
272. Ce thème est traité dans l'*Exhortatio* (1576) et dans le poème qui décrit les fêtes
en l'honneur de Joyeuse (1581) ; cf. *P.*, p. 262.

et point du tout par les autres avant luy[273] ». La légende s'établit même — tant il est vrai qu'on n'est pas interprète à demi — que Lycophron « lui avait fourni la tablature de cet art mystérieux[274] ».

Ce qu'il y a de sûr c'est que, si Dorat n'a pu trouver de « tablature » dans le texte de l'*Alexandra*, il a trouvé chez Isaac Tzetzès, « l'interprète de Lycophron », « en sa vie » (qui précède le texte), l'idée que le poète de Chalcis dut moins sa célébrité à ses vers qu'à l'anagrammatisme, comme le rappelle la *Deffence*[275].

Ronsard, en tout cas, est sûrement le premier à recevoir en 1550 l'honneur d'une anagramme en grec, et le fameux ΣΩΣ Ο ΤΕΡΠΑΝΔΡΟΣ figure en tête de la première édition des *Quatre premiers livres des Odes*. Dans le domaine universitaire, Canter donnait à son tour, à Bâle, en 1556, une édition de Lycophron avec une traduction latine, et dans les *Prolegomena*, après avoir rappelé le succès de ce poète dans l'anagramme, il jugeait opportun d'éclairer son lecteur par une définition[276].

Sa précaution semble prouver que l'anagramme était restée une spécialité parisienne. Elle n'en était que plus goûtée des étrangers qui avaient pu écouter la bonne parole, et avaient quitté Paris par la suite. Ainsi Charles Uytenhove, qui vivait à Londres depuis 1564, compose en l'honneur de son maître l'anagramme *ARS EN NOVA VATIS*[277], qui met en relief deux idées importantes : l'une est que cette pratique passe encore pour une nouveauté en 1568 ; l'autre est qu'il y faut ajouter l'inspiration à l'art.

Ronsard allait s'y essayer : il a composé une anagramme pour un ami qui se mariait, donnant une préexplication dans un *Sonet pour un anagramme*[278]. Quant au médecin Fédéric Jamot, de Béthune[279], il

273. Cité par Marty-Laveaux, *Œuvres* de J. D., p. XLIII.
274. Cf. A. Hulubei, *L'Églogue*, p. 584-585 et n. 1. La fréquentation assidue d'un auteur expliqué de façon allégorique amène le public à croire que le « décrypteur » trouve dans le texte qu'il interprète des recettes magiques : tel fut le cas de Pétrarque lecteur de Virgile (cf. Nolhac, *Pétrarque et l'Humanisme*, p. 108 n. 5).
275. J. Du Bellay qui a cité deux exemples en français (les noms des deux derniers rois de France), consacre quelques lignes au procédé anagrammatique. Il ne fait pas de doute, en effet, que l'exemple de la cour d'Alexandrie ne soit venu donner du lustre à ces techniques « fort vulgaires en notre langue » (*op. cit.*, p. 154), car Du Bellay ne manque pas de rappeler, en prenant soin de les traduire, les anagrammes de Ptolémée et d'Arsinoé (*op. cit.*, p. 155). Il subissait ici l'influence de son maître : c'est l'excuse que lui trouve H. Chamard (*op. cit.*, p. 154, n. 1) pour avoir consacré la moitié d'un chapitre à des « jeux d'esprit aussi puérils que l'anagramme et l'acrostiche ». Le critique reconnaît que Dorat s'était fait « un renom véritable pour son adresse à composer des anagrammes ».
276. *(Anagrammatismi) sic fiunt cum ex nomine aliquo proprio (quod uocant) sententia praeclara, uel dictum aliquid subtile et argutum, literis tantum inter se loco mutatis, elicitur* (*op. cit.*, a 'r').
277. In *Variorum poëmatum silua* (s. n. Buchanan), p. 175.
278. En outre, il offrit un quatrain à l'avocat parisien Michel Leconte, comme liminaire à *L'Art et Methode à tourner noms en Latin et François*, qui fut imprimé à Paris en 1578. A ce propos M. J. Céard a sûrement raison quand il avance, avec ménagement toutefois, que ce quatrain n'est pas ironique (*La nature et les prodiges*, p. 215 et n. 123) : il y aurait quelque incohérence à placer le ΣΩΣ Ο ΤΕΡΠΑΝΔΡΟΣ en tête de sa première grande production

voue à Dorat une reconnaissance posthume. En lui dédiant, en 1593, son recueil d'*Anagrammata*, il met à l'actif du vieux maître le plaisir que le lecteur pourra trouver dans ses propres anagrammes[280].

Innombrables sont les amis dont Dorat s'est amusé à tirer l'anagramme. Nous avons déjà rencontré celles qu'il offrit à Henri de Mesmes pour étrennes, celles de Ronsard ; il fit également celle de Claude Binet (*A.*, p. 128), celle de Benedetto Manzuolo (*op. cit.*, p. 131), celle de Philippe Desportes[281], mais la curiosité diligente de l'interprète s'exerce sur les noms les plus imprévus. La découverte qu'il fit sur celui de Jésus lui sembla si importante qu'elle le décida à publier un petit volume d'anagrammes grecques et latines, où elle figurerait à la première place ; le livre contiendrait un grand nombre d'anagrammes sacrées et profanes, concernant les morts aussi bien que les vivants :

> Talia multa breui mihi sunt comprensa libello
> Primo Dei sub nomine,
> Graeca, Latina simulque, et sacris mixta prophana,
> Nouis uetusta (*P.*, p. 306-307).

Si l'on en croit l'auteur, le manuscrit est prêt, et le cardinal François de Joyeuse, à qui est envoyé ce texte, pourrait être le dédicataire de l'opuscule[282]. Mais, soit que le mécène pressenti se montrât peu enthousiaste, soit que l'auteur s'abandonnât à sa légendaire paresse, le petit livre ne vit pas le jour, et l'*Anagrammatum lib. I* des *Poëmatia* de 1586 ne correspond pas à la description du *libellus*[283].

Si incomplet que soit ce recueil, il donne tout de même une idée de la diversité des destinataires, et de l'étendue de l'audience de l'anagrammatiste. Les diverses anagrammes des noms des rois et de leur famille, celles du nom de deux papes — Grégoire XIII (*A.*, p. 124) et Sixte Quint (*op. cit.*, p. 131) — sont sûrement des commandes officielles. C'est sans doute aussi le cas pour celle d'Henri Stanley (*op. cit.*, p. 125) qui remplit des fonctions d'ambassadeur de la reine Elisabeth d'Angleterre, et dont on vante l'intégrité. Sans doute rapporta-t-il à la reine sa propre anagramme, qui « révèle » qu'elle est la souveraine comblée d'une nation de marins : *TEVDERA ELISABETA / DEA*

poétique et à se moquer d'un homme qui a « tourné » le nom du roi et d'autres personnages en vue.

279. Cf. ci-dessus, p. 176 et n. 47.

280. *Si qua reuoluenti est homini mea scripta uoluptas / ... / (fatebor) / Aurate, id totum muneris esse tui* (*op. cit.*, p. 113).

281. Cf. ci-dessus, n. 146, p. 193.

282. En attendant, Dorat lui offre une anagramme digne d'un pieux prélat : *FRANCIS-CVS DE IOEVSIA / IESV IN FIDE SACRIS VACO* (*P.*, p. 307).

283. Les anagrammes relevées ne sont pas très nombreuses, celle du nom de Jésus ne figure pas en tête (ni ailleurs) ; à moins de considérer comme « sacrées » celles de Grégoire XIII et de Sixte Quint, elles sont profanes ; enfin on trouve aussi deux anagrammes françaises qui n'étaient pas mentionnées dans le poème offert à Joyeuse. On peut en conclure que l'*Anagr. lib. I* fut, comme tout le reste, composé sans l'aveu de l'auteur, car, si on l'avait sollicité, il n'aurait pas manqué de sortir de ses dossiers le manuscrit du *libellus*.

TER BEATA VELIS (*A.*, p. 143 = 149). Mais si le poète humaniste ne manque pas de glisser dans son texte une allusion à la mâle intelligence qui habite ce fragile corps de femme[284], c'est sur la vocation profonde de l'Angleterre et de sa reine qu'il termine, parce que telle est l'indication « fatale » :

> Deum fauore diues,
> Sortita et inde nomen
> Fatale per figuras
> Et nominis prioris
> Mira sed arte uersas :
> Dea ter beata uelis (*op. cit.*, p. 141).

Le *terminus ante quem* pour ce texte est décembre 1585[285].

Dorat, en effet, ne cessa jamais de manipuler ses petits carrés en bois de peuplier. Il avait même plus de « commandes » qu'il n'en pouvait satisfaire. Papire Masson en témoigne[286]. Dans ces conditions, le jugement méprisant de La Monnoye est bien fait pour surprendre : il n'avait pas, en effet, « assez bonne opinion de Dorat pour le croire Auteur du fameux distique :

> Roma quod auerso delectaretur amore,
> Nomen ab inuerso nomine fecit amor[287] ».

La Monnoye, semble-t-il, avait porté son jugement sans lire les écrits de Dorat, ni ceux de ses contemporains car, s'il est permis de trouver absurde le jeu anagrammatique[288] — ce qui n'est pas le cas de La Monnoye qui semble s'être délecté — l'interprète royal a montré une virtuosité reconnue dans ce domaine.

LES FINALITÉS
DE L'ANAGRAMME

Dorat ne va pas jusqu'à affirmer que tous les noms révèlent ainsi la qualité profonde de l'être qu'ils dénomment, mais, sans fausse modestie, il note que sa technique lui a permis d'en anagrammatiser beaucoup avec succès :

> Sunt quibus inuerso notescit nomine uirtus,
> Versa quod arte mea nomina multa probant (*A.*, p. 129 = 126).

La diversité des noms « traités » par lui montre bien que l'anagrammatisme avait, à ses yeux, des finalités très différentes.

Il n'est peut-être pas abusif de dire que, parfois, cette technique est

---

284. Cf. ci-dessous, p. 313.

285. Dorat montra cette anagramme à A. Van Buchel quand ce dernier lui fit visite le 1er décembre 1585 « Description de Paris » par A.V.B., in *Mém. de la Société de l'hist. de Paris et de l'Ile-de-France*, XXVI (1899), p. 143.

286. *Et quidem confectus senio semper aliquid scribebat, etiamsi nollet. Nam plerique insignes uiri nominum suorum anagrammata, ut uocantur, ab eo fieri optabant, et uaticinari plerumque in iis ipsis literarum transpositionibus* acute *uidebatur*, (in *Elogia* 2, p. 289).

287. Cité par Marty-Laveaux, *Œuvres* de J. D., p. XLIII n. 2.

288. Cf. n. 275.

un essai de recherche ontologique, gratuite. L'ordre des signes, on s'en doute, est contraignant, mais le cas limite est qu'avec le même matériau on arrive à fabriquer deux mots de sens radicalement opposés, par la seule mutation intérieure. Tel est le cas pour *ius* et *uis*, qui sont devenus des figures allégoriques :

> Elementa sic auersa sunt et nominis,
> Vt IVS quod esset nomen ante VIS foret :
> Duobus utque nomen est contrarium,
> Sic et duobus mens inest contrariā (*Exh.*, 284-287).

C'est, sans doute, la plus parfaite des anagrammes, et ce résultat semble une obsession pour Dorat, qui reprend le même thème, quelques années plus tard[289].

Il est particulièrement satisfaisant aussi que le nom, seul, une fois anagrammatisé, donne une sorte de définition de lui-même. On ne peut en trouver de meilleur témoignage que celui du nom de Jésus, et, ce qui est beaucoup plus probant encore, en latin et en grec :

> Omina nominibus data... diuinitus insunt
> [...]
> Nec melior testis quam Christi nomen IESV
>   Graecis et Latinis *simul*,
> Quod facit inuersis Graeco sermone figuris,
>   Quod est ΙΗΣΟΥΣ, ΣΥ Η ΟΙΣ.

Dorat prend la précaution de paraphraser la formule en latin, avant de noter l'anagramme latine :

> Et Latiis uerbis, tu uictima uertitur ipsa
>   Mactanda fuit Deo.
> Nec minus in Latia sacra nominis omina lingua
>   IVS ES, quod IESVS efficit (*P.*, p. 306).

On trouve donc ici le complément de la fable élaborée, en 1576, dans l'*Exhortatio*, qui faisait de *IVS*, notion avec laquelle le poète voit une analogie avec l'hébreu *Iä*, le fils du Dieu tout-puissant. Ainsi la vérité se trouve pleinement réalisée après la révélation — *efficit* — alors qu'elle n'avait été qu'indiquée, auparavant, dans l'analyse étymologique *Iupiter/Iuris pater*.

L'anagramme peut mettre en lumière les rapports les plus divers, et, par exemple, la cause, dans le cas de *LIMES/MILES*[290] :

> Et *quia* prima fuit de terrae limite pugna,
>   Nomen ab inuerso limite miles habet (*P.*, p. 75).

Quand il s'agit de noms propres, c'est souvent un rapport d'analogie

---

289. Après la mort du président Ch. de Thou, survenue en 1582. Il croit assister à un double combat, celui des faits, et celui des signes qui est fondamental : *Ius et uis uersis nomen utrunque notis / Pugnat et aduersis nomen utrunque figuris / Pugnant aduersis hic inimicitiis* (*P.*, p. 206).

290. A propos des jeux paronymiques sur *limes*, cf. ci-dessus, p. 210.

qui se présente, comme dans le fameux ROSE DE PINDARE, et A. Hulubei avait beau jeu d'ironiser sur le caractère systématique de *CAROLVS/O CLARVS*[291].

La découverte faite peut être utilisée aux fins les plus variées. La plupart des anagrammes de noms propres ont une valeur encomiastique, et le personnage aime à se reconnaître dans la devise présentée. Nous pensons, toutefois, que certaines des anagrammes royales peuvent être interprétées différemment[292]. Il est très remarquable que Dorat, qui ne manque pas de verve satirique, a rarement purgé sa bile dans l'anagramme. L'exemple de *ROMA/AMOR*, qui met en cause les mœurs de la ville pontificale, est isolé[293].

COROLLAIRE   Enfin, si le jeu anagrammatique permet de débusquer les mots cachés dans les mots, l'opération inverse est possible aussi, et une phrase connue, apparemment satisfaisante et claire, peut dissimuler un autre message qu'on devra débusquer aussi.

Nous n'en donnerons qu'un exemple, qui ne saurait présenter le caractère de la certitude, mais on ne prête qu'aux riches. Apparemment, donc, la « signature » du *Decanatus* (*P.*, p. 291) est une citation d'Horace — *Genus irritabile uatum* (*Epist.*, 2, 2, 102) —, et l'énergie de ce pamphlet contre Ramus[294] fait qu'une telle formule est bien en situation. Mais, compte tenu du goût de l'auteur présumé pour la manipulation des lettres, nous avons pensé que ces trois mots pouvaient cacher *AVRATVS I.R. (interpres Regius) BILEM GENVIT*. Ce serait là une dernière façon d'agacer le doyen Ramus, qui n'aimait pas les jeux de mots.

COMMENTAIRE À   Parfois, la devise qui jaillit de l'ana-
L'ANAGRAMME   gramme n'a pratiquement pas besoin de commentaire. Il en est ainsi pour *HENRICVS VALESIVS/LAVREVS HVIC ENSIS* : les quelques vers d'accompagnement ne sont que des précisions circonstancielles (on serait presque tenté de dire qu'ils affaiblissent l'anagramme). Pourtant, il est exceptionnel que Dorat y renonce[295]. Bien souvent le poète qui s'est mis en frais d'imagination pour l'anagramme elle-même, afin de ne pas voir dans les commentaires un fâcheux pensum, s'amuse à les présenter

291. *L'Églogue*, p. 583-584.
292. Cf. ci-dessous, p. 316.
293. Cf. ci-dessus, p. 219. Le texte de l'anagramme (légèrement différent) figure dans *Epgr.*, p. 37. Sur les mœurs contre nature du pape Jules III, cf. Mss. Lat. 8138, f˚ 74 r˚.
294. Cf. G. D., « Contestation au Collège royal », in *Vita Latina*, 65 (mars 1977), p. 19-34.
295. Dans l'*Anagr. lib. I*, deux anagrammes seulement ne sont pas accompagnées d'un texte explicatif, et encore l'une d'elles est expliquée ailleurs (*A.*, p. 126 = 129) ; cf. Chavigny, *Iani Gallici facies prior*, p. 335.

dans des mètres très divers[296] .

Parfois, au contraire, l'intérêt se trouve surtout dans le commentaire. Ainsi quand l'anagramme de *CAROLVS VALESIVS* donne *SOL CVI VERA SALVS* (*A.*, p. 132-133), il est indispensable de préciser le salut de qui est assuré par ce soleil royal[297] :

> Sol cui uera salus regni populique ruentis,
> Sol cui uera salus relligionis inest (*op. cit.*, p. 133).

Le message, parfois, est complet, mais obscur. Il est bon d'expliquer les conséquences de la transposition de *MARGARETA VALESIA* en *LAVREA REGIS AMATA* (*Ecl.*, p. 21 ; 34)[298] . Le commentaire peut être utilisé aussi à des fins diplomatiques. Ainsi Charles de Lorraine, qui se trouvait gratifié par la fatalité des signes de la devise *CAROLVS LOTARENVS / O SOL CLARVS NATVRAE* (*A.*, p. 136), se voit, pour ainsi dire, rétrogradé par la suite, avec ménagement, il est vrai, au rang de Lucifer :

> ... nam dicere solem
> Quis uetet hunc, solem qui Lucifer exorientem
> Anteit ? ...
> ... nunc Carolus exoritur sol
> Quem tua *stella* praeit (*ibid.*).

Il peut arriver que les « sorts », qui ne tiennent pas compte des quantités vocaliques, apportent une devise équivoque ; c'est le cas de celle de Grégoire XIII : *GREGORIVS DECIMVS TERTIVS / SECVRI*[299] *DEI GREGIS TVTOR SVM* (*A.*, p. 131). En tout cas, le doute est levé grâce au deuxième vers du distique d'accompagnement, et la devise prend ainsi un caractère uniquement défensif et pacifique :

> Securi tutor sum gregis ipse Dei (*ibid.*).

L'anagramme d'Henri de Guise donne davantage à penser : *HENRICVS GVISIVS /REGIVS HVIC SINVS* (*A.*, p. 136). Le commentaire incite à comprendre que Guise est l'ami du roi, que « le cœur du roi lui appartient », que le roi lui accorde toute sa confiance :

> Regius huic sinus est, ut nominis innuit omen :
> Huic rex, huic regis credita tota domus (*op. cit.*, p. 137).

Il est difficile de ne pas conclure que l'astucieux interprète a su présenter un texte en fait beaucoup plus compromettant, et il faut admettre

---

296. Cf. par ex. le commentaire sur l'anagramme d'Élisabeth d'Angleterre (*A.*, p..143 (=139)-141) : il est formé d'une suite de tétrapodies iambiques catalectiques.

297. Le thème du roi-soleil permet de dater avec quelque vraisemblance ce texte de 1570, mais l'anagramme peut se transformer à peu de frais en *VER CVI SOLA SALVS* (*op. cit.*, p. 134), qui, si l'on peut dire, est toujours de saison ; cf. ci-dessus, *op. cit.* en n. 268, fin.

298. *Phoebus adorandus, Phoebus tibi rite placandus, / Phoebus amat lauros* (*Ecl.*, p. 21).

299. Peut-être l'ambiguïté de *securi* a-t-elle échappé à Dorat qui, par ailleurs, voit essentiellement dans Grégoire XIII le réformateur du calendrier ; cf. *A.*, p. 127.

que, si les mots « il a un cœur de roi » se sont présentés lors de la manipulation des « sorts », c'est que, déjà, le meneur de la Ligue perçait sous le jeune vainqueur de Poitiers[300].

L'ANAGRAMME-PRÉSAGE   Le nom révèle donc, au moins à l'auteur de l'anagramme, la *uirtus* profonde d'un être : le nom sera un témoin — *testis erit nomen* (*A.*, p. 125). Mais il ne se contente pas de révéler une vérité actuellement cachée ; la lumière qu'il apporte éclaire l'avenir : il est un oracle, et l'interprète royal le dit à Charles IX :

> Oraculum de te tale repente dedit (*A.*, p. 133).

Nous avons vu précédemment que J.-C. Scaliger avait conclu à la perte, dans le monde contemporain, du caractère sacré et efficace du nom. Il en tirait la conséquence : ceux qui prétendent se fonder sur l'onomancie pour annoncer les victoires, les maladies, la mort, non seulement sont des imposteurs, mais des fous[301]. L'interprète royal, quant à lui, est doué d'un solide bon sens, mais il ne voit pas dans l'anagrammatisme un acte de folie. Bien au contraire, c'est une recherche fondée en raison, puisqu'il s'agit de faire apparaître, par une technique, par un art[302], un ordre voulu par une providence organisatrice qui a laissé dans ce domaine, comme dans bien d'autres, des signatures. Le sceptique devra s'incliner devant l'évidence : nous ne sommes plus dans le domaine des mots, mais dans celui des choses : *Res... probat* (Mss. Dupuy 810, f° 103 r°).

ERREUR DE DORAT   Pourtant Dorat s'est trompé : J.-A. de Chavigny qui fut son disciple — il donna aussi un commentaire des *Centuries* de Nostradamus[303] — affirme que son professeur était un interprète sérieux et remarquable, dans bien des domaines[304]. Aussi ne peut-il assez dire sa surprise en présence de l'erreur[305] : Miror *autem* uehementer *eundem Auratum, solertem alioqui et prudentem Poetam id asseruisse* (*Ian. Gal. facies*, p. 331).

---

300. Le poète lui donne le qualificatif de *paruus* (*op. cit.*, p. 126) : Guise avait dix-neuf ans.
301. *His ita compositis, Magos nostros, qui ex nominibus uictorias praedicunt, morbos, interitum quibus uelint, sese allaturos iactant, certe arbitror insanire.* (*De subtilitate*, f° 338 v°).
302. L'anagrammatisme est une *diuinatio artificiosa* ; elle s'appuie sur une expérience, mais l'interprète a besoin de dons naturels ; de même les Étrusques avaient une prédisposition particulière à la technique de l'haruspicine.
303. Cf. *Ian. Gal. facies*, p. 34.
304. *Fuit praesagiorum omnis generis studiosus et mirus interpres* (*Ian. Gal. facies*, p. 161).
305. Il s'agit de l'accession d'Henri III à l'Empire. Chavigny, qui publie son *Iani Gallici facies prior* en 1594, sait que la prédiction ne s'est pas réalisée (il la reporte, d'ailleurs, sur Henri IV), et il ressent un véritable chagrin : *At doleo, et uere doleo, perperam id tum intellectum, tum interpretatum fuisse ab diuino Poeta et Interprete Regio, Ioanne Aurato* (*op. cit.*, p. 327).

Aussi Chavigny cherche-t-il à expliquer cette erreur : Dorat, selon lui, a été abusé par l'anagrammatisme, auquel il attribuait une efficacité excessive[306] . Et de citer alors deux textes concernant la victoire sur les Turcs (*op. cit.*, p. 335-336), dont le second contient l'anagramme incriminée : *REX FORTIS SOLO DEI NVTV IMPERATOR REGNA THRACVM REVINCET*[307] .

Il faut remarquer, toutefois, le ménagement apporté par Chavigny lorsqu'il critique un homme mort depuis six ans : Dorat « semble » avoir trop attendu de l'anagrammatisme, et cette méthode n'est, d'ailleurs, que partiellement condamnée ici : vu le sens de *quidam*, seules sont mises en cause les anagrammes mentionnées dans le texte. Chavigny, au demeurant, avait d'avance excusé son vieux maître : quand un interprète a eu raison, comment ne serait-on pas amené à croire qu'il aura raison, encore et toujours[308] ?

Avec le goût pour Pindare et pour tous les textes obscurs, le professeur, on le voit, avait laissé dans l'esprit de son disciple celui du raisonnement par analogie.

3e MÉTHODE :   Sur la troisième méthode que Dorat
LA MÉTHODE CABBALISTIQUE   tenta d'utiliser pour percer le secret
des noms, son œuvre, à notre connaissance, ne nous a laissé que de minces indications. Pourtant le fait qu'il ait, un temps, fréquenté Postel, qu'il ait été longuement lié avec Guy Le Fèvre de La Boderie et Vigenère[309] , montre son durable intérêt pour les spéculations des cabbalistes. Deux témoignages viennent indiquer qu'il a dépassé dans ce domaine le stade de la simple curiosité.

VAN BUCHEL   Lorsque le voyageur Arnold Van Buchel[310] vint, le 1er décembre 1585, faire
visite au vieil humaniste, ce dernier lui fit part de ses préoccupations intellectuelles. Nous avons vu qu'on parla d'anagrammatisme[311] , mais

306. *Auratus delusus quibusdam anagrammatismis quibus nimium tribuisse uidetur* (*op. cit.*, p. 334).
307. Cette anagramme figure sans commentaire dans *A.*, p. 129 (=126). En outre Dorat aurait mal interprété la forme CHIREN — anagramme du nom HENRIC, forme provençale, toujours employée par Nostradamus — en attribuant à Henri III les destins attachés à ce nom (cf. ci dessous, p. 238).
308. *Qui si aliquando uera dixit, immo si ad hoc momentum uera dixit, cur non et uera putabimus quae restant et praedixit tanquam uentura?* (*op. cit.*, p. 33).
309. Il était également en rapports amicaux avec Nuysement, Toustain, F. du Monin ; Nuysement composa la traduction de l'*Églogue latine* de 1578, qui fut imprimée en même temps que le texte ; sur ce personnage, cf. F. Secret, *L'ésotérisme de Guy Le Fèvre de La Boderie*, Genève, 1969 (nous citerons *L'ésotérisme*) ; Toustain et F. du Monin reçurent des liminaires de Dorat (*Epgr.*, p. 48 ; 91) et E. du Monin en composa un pour l'édition de 1586. M. Secret note que, dans les études sur la descendance spirituelle de Postel, il faudrait « mettre en valeur » le nom de Dorat (*op. cit.*, p. 135).
310. Cf. n. 285.
311. Cf. ci-dessus, p. 219.

à propos d'un tableau[312] qui représentait le Christ, tenant d'une main le monde et de l'autre un triangle, Dorat expliqua longuement à son visiteur la signification de la lettre hébraïque *scin*. Van Buchel renvoie aux *Hieroglyphica* de Becanus (Jan Van Gorp) : le *scin* serait le symbole de la splendeur, traduite par l'hiéroglyphe de la lampe[313].

TABOUROT
DES ACCORDS

Un développement technique de Tabourot des Accords dans les *Bigarrures*[314] vient compléter la remarque incidente du voyageur, et permet d'expliquer un texte particulièrement obscur de Dorat, à propos du rapport des lettres et des nombres. En effet le poète royal, dans une élégie de 1572, déclare que la Sibylle, toujours véridique, a caractérisé le Christ par le nombre 888 ; quant au fait que 666 représente l'Antéchrist, il est garanti par l'Apocalypse[315] :

> Octo cui uerax terna Sibylla dedit,
> Sex Antichristo dat Ioannes tria, Christo
> Vates terna octo : nomen utrique suum   (*P.*, p. 94).

Il ne s'agit donc pas d'une symbolique du chiffre lui-même[316] : ce rapport entre le Christ ou l'Antéchrist, et tel ou tel nombre, tient à leur nom. Dorat présente ensuite les applications possibles à la mantique : de même qu'un nombre peut être supérieur à un autre, entre deux ennemis, celui dont le nom représente le nombre le plus élevé l'emportera sur l'autre :

> Et superat numerus maior uelut usque minorem,
> Sic maiori hostis cedit ubique minor *(ibid.)*[317].

Tabourot vient heureusement apporter quelques précisions. Comme on pouvait l'imaginer, les origines de ces procédés sont hébraïques et chaldéennes (*op. cit.*, f° 113 r°), mais le champ d'application s'est considérablement élargi. Tabourot rapporte, en effet, qu'on pouvait prévoir la victoire d'Achille sur Hector, car ΑΧΙΛΛΕΥΣ totalise 1501 et ΕΚΤΩΡ seulement 1225 (*op. cit.*, 114 v°). Le sr des Accords, qui a mentionné l'arithmomancie de Cornelius Agrippa, nous fait part aussi

---

312. Van Buchel ne parle pas de l'auteur mais jugea le tableau « assez beau » (*op. cit.* en n. 285, p. 143).

313. In *Opera*, Anvers, Plantin, 1580, p. 243-246. La forme de cette lettre incite aussi à y voir un symbole trinitaire. Sur cette autre interprétation, cf. V. Juřen, « Jean Dorat et les jetons des derniers Valois », in *Revue numismatique*, série 6, 21 (1979), p. 207, n. 16.

314. Nous citons l'édition de Rouen, J. Boucher, 1595.

315. Pour le nombre 888, cf. S. Castellion, *Sibyllina oracula*, Bâle, 1546, p. 13, *De Christo* : *Sed quae sit numeri totius summa docebo. / Namque octo monadas, totidem decadas super ista / Atque hecatontadas octo infidis significabit / Humanis nomen.* Pour 666, cf. *Apocalypse,* 13, 18. Le comput d'après la valeur des lettres en hébreu (666) donne César-Néron, en grec (616), César-Dieu (Bible de Jérusalem, n. *ad loc. cit.*).

316. Cf. ci-dessous, p. 227-229.

317. Il s'agit d'un texte sur la Saint-Barthélemy. Nous ne savons pas si l'Antéchrist désigne allégoriquement Coligny, ou si un comput du nom de ce dernier peut arriver au nombre 666.

du décryptage de ΝΕΙΛΟΣ par Héliodore :

N 50 + E 5 + I 10 + Λ 30 + O 70 + Σ 200 = 365 (*op. cit.*, 117).

On conçoit que ΝΕΙΛΟΣ est le symbole de l'année.

Tabourot reconnaît avoir bénéficié pour tout cela des bons offices d'un interprète : « Je tien l'interpretation... du scavant d'Aurat, Poëte Royal », qui a appliqué sa sagacité à un « excellent aenigme des Sibylles » (*op. cit.*, 117 r°) — et il rapporte aussitôt l'énigme en question, dont on peut apprécier le caractère sibyllin :

> Sunt elementa nouem mihi, sunt tetrasyllabus autem :
> Percipe me. Primae tres syllabae efficiuntur
> Ex binis omnes elementis, coetera restant
> In reliquis. Quorum sunt non uocalia quinque.
> Totius numeri sunt bis hecatontades octo
> Et ter tres decades. Cum binis finieris me,
> Non te, qua potior, sapientia dia latebit *(ibid.)*[318].

De tout cela, Dorat « a industrieusement colligé ces deux mots » ΘΕΟΣ ΣΩΤΗΡ (donc la Sibylle, une fois encore, annonce la venue du Christ). Ces noms se décomptent :

Θ 9 + E 5 + O 70 + Σ 200/Σ 200 + Ω 800 + T 300 + H 8 + P 100.

Et Tabourot conclut triomphalement : « lesquels nombres reviennent à 1692 qui sont justement les nombres requis esdits vers Sibylliques » (*op. cit.*, f° 118 r°)[319].

La méthode est bien celle du Tserouf, une sorte d'arithmétique des mots, précise et inexorable — dans la mesure où l'orthographe est fixée[320].

Or Dorat ne maîtrisait pas suffisamment l'hébreu pour s'abandonner totalement à des spéculations de ce genre. Il a donc utilisé une adaptation de cette méthode à l'alphabet grec. Nous n'avons retrouvé aucun témoignage concernant l'alphabet latin, et nous n'avons, du reste, pas rencontré d'autre œuvre de lui qui révèle une interprétation arithmétique des mots.

---

318. Il faut donc chercher en tout 9 lettres, en 4 syllabes (le nombre de mots n'est pas indiqué) ; les 3 premières syllabes ont chacune 2 lettres ; il en reste donc 3 ; 5 consonnes sont nécessaires. Quant au chiffre, il représente 2 fois 800 + 3 fois 30 + 2.

319. Ce texte n'a pas de rapport avec celui des *Sibyllarum duodecim oracula*, Paris, Rabel, 1586.

320. Pour Postel et ses disciples, il s'agissait de retrouver la correspondance entre la nature divine, la structure du cosmos et celle de la langue hébraïque, langue originelle, et qui, de ce fait, est seule capable de révéler la sagesse divine. Selon Cl. Duret, par exemple : « Par les lettres sont representees toutes les parties des composés, et sont comme la matiere d'iceux, par les poincts toutes les sortes des formes qui les vivifient, et par les accents, toutes les deues operations de la matiere et de la forme jointes ensemble à la constitution d'un corps correspondantes à leurs principes celestes, et à leurs divines idees »(*Thresor de l'histoire des langues*, p. 25).

III. 2 LES SECRETS
DU MONDE

III. 2. 1 L'ARITHMOMANCIE

Les amis cabbalistes de Dorat ont mis en œuvre toutes leurs capacités de syncrétisme pour faire entrer leurs spéculations dans la descendance platonicienne en jouant sur l'ambiguïté du mot *nombre*[321]. Telle n'était pas l'attitude de Dorat qui distingue de l'onomancie arithmétique les réflexions platoniciennes sur le *numerus* et sur la symbolique des chiffres de tendance pythagoricienne.

Nous avons étudié précédemment la valeur du *numerus*, principe de la création cosmique et de la Musique[322]. Dorat conclut alors à la précellence de l'idée de nombre — *quid est numeris praestantius* ? (*D. C.*, Aiij r°) — et aboutit à une remarque pythagoricienne sur la qualité de l'impair :

> Aut inter numeros quis sit praestantior alter
> Impar quam numerus? *(ibid.).*

C'est là un souvenir probable de Virgile ou de Plutarque[323].

VALEUR SYMBOLIQUE
DES NOMBRES

Le nombre 1 ayant un statut différent, car « la monade, principe des nombres, peut n'être pas comptée comme un *nombre*[324] », 3 est considéré comme le premier de la série impaire. Avec son seul concours (c'est-à-dire si on l'élève au carré), on obtient 9, nombre remarquable, qui fait que les Muses soient 9[325] :

> ... numeris qui tertius unus
> Principium imparibus, Musas facit ipse nouenas (*D. C.*, Aiij v°).

9 présente encore d'autres traits satisfaisants. En effet, pour l'humaniste, ce que nous nommons la « base 10 » est une donnée si fondamentale qu'il note que 9 est le chiffre :

> « Jusques auquel accroist tout ce qu'on nombre » —
> ... adusque Nouem, numero crescente, uenitur[326].

Cette idée d'accomplissement se manisfeste encore dans le fait que l'enfant est à terme au neuvième mois :

---

321. Cf. par ex. Vigenère : « Et selon l'unanime accord de tous les Platoniciens, dont la manière de philosopher, qui est principalement par les *nombres*, descend d'enhault du souverain Createur de toutes choses encontre bas, tout ainsi que les Sephiroths, pour le Ternaire, en premier lieu dedans les cieux, et de là aux quatre Elemens... » (*Traicté des chiffres*, p. 28).
322. Cf. ci-dessus, p. 68-75.
323. Pour Virgile, cf. *Buc.* 8, 75. Pour Plutarque, cf. *E apud Delphos*, 387 e et suiv.
324. Cf. F. Buffière, *Les mythes d'Homère...*, p. 564.
325. A propos du nombre des Muses, cf. *op. cit.*, p. 564 n. 25.
326. Sur l'ennéade qui met un terme aux nombres, cf. *op. cit.*, p. 578.

... sic foetus mense noueno
Perficitur, donec maturo prodeat ortu[327].

Mais aux leçons du pythagorisme sur l'impair, Dorat, comme ses amis, ajoute les méditations chrétiennes sur la Trinité. Dans l'*Exhortatio*, le poète royal précise d'abord à Henri III que le présage apporté par le chiffre 3 s'ajoute à celui qu'on peut tirer de l'anagrammatisme :

... numerus ipse tertius
[...]
Felicitatis innuit cumulum tibi (*op. cit.*, 353-355).

En effet, aucun autre chiffre n'est plus prestigieux, puisque le 3 définit l'essence divine :

(numerus ipse tertius)
Quo numerus alter nullus est praestantior
[...]
Diuinitatis est sacer Ternarius (*op. cit.*, 354-356).

Mais Dorat, à la suite de saint Jean[328], rappelle qu'ils sont trois dans le ciel à rendre témoignage, l'Esprit, le Christ, le Père, et trois sur terre, le Sang, l'Eau et l'Esprit :

Tria namque coelo testimonium triplex
Reddunt in ipso, Spiritus, Christus, Pater ;
Totidem terris clara testimonia
Diuinitatis, Sanguis, Vnda, Spiritus (*op. cit.*, 371-374).

Il est surprenant que Dorat, lorsqu'il commente les mythes grecs devant ses étudiants, ne fasse état d'aucune interprétation numérique. Éole[329], par exemple, était en rapport avec 4, chiffre de la Nature, chiffre de la sphère, et, pour cette raison, de l'astronomie[330].

Ses réflexions sur le 2, sont le fait du simple bon sens. Deux, on peut s'en douter, est le chiffre de l'hymen :

Faustum Bis omen nuptiarum
Est numerus (*Ode XXVI*, 3-4).

Mais dans un état déchiré par la guerre civile, 2 apparaît comme de

327. Le nom de ce chiffre même vient corroborer cette notion, « Car Grec, Latin, François, le nombre Neuf / Est ainsi dict par ce qu'il rend tout neuf » (*Praesagium...*, Bij r·), ou, comme on le dit plus simplement en latin : *Omnia namque Nouem nouat* (*op. cit.*, B v·). Sur les vertus du 9 selon Homère, cf. F. Buffière *op. cit.*, p. 564.
328. Cf. 1 *Epist.* 5, 7-8 (Dorat paraphrase le texte — glosé — de la *Vulgate*). Il n'est d'ailleurs pas exclu que l'ami des cabbalistes se souvienne aussi de leurs spéculations sur le Ternaire, qui se réalise aussi dans la nature de l'Homme : l'intellect (qui représente le Père), la parole (qui incarne l'idée, donc le Fils), et en dernier lieu le Spiritus (πνεῦμα ou en hébreu *Ruach* qui fait passer la parole) ; cf. Cl. Duret, *op. cit.*, en n. 320, p. 31.
329. Pour Éole, cf. Mss. Ambr. A 184, 2 r·-3 r· ; cf. ci-dessous, p. 249.
330. Cf. F. Buffière, *Les mythes d'Homère...*, p. 574-575. Dorat fait une rapide allusion à Éole/sphère — *(Aeolus) pro quolibet orbe et sphaera comparatur* (2 r·), mais il n'apporte aucun commentaire. S'il a bien reconnu dans le fils d'Hippotès un astronome, c'est par une voie différente qu'il est parvenu à cette opinion, et il ne s'appuie pas sur Nicomaque, ni sur le Pseudo-Jamblique (cf. Buffière, *Les mythes d'Homère...*, p. 574 n. 63).

mauvais présage, et l'humaniste peut citer sur ce point des garants notoires[331] :

> Dirus apud magnum numerus Duo semper Homerum,
> Naso Duo auspicii non putat esse boni (*P.*, p. 22).

Bien qu'il ait proclamé la précellence de l'impair et le caractère
divin de 3, Dorat déclare que l'on tient le 8 pour le chiffre du Christ :

> Octauus numerus Christi sacer unus habetur (*P.*, p. 94).

Sans doute, ce propos sert d'amorce à la déclaration concernant le
nombre 888 signalé par la Sibylle[332] , mais, quoi qu'il en soit, Dorat a
jugé bon de mentionner la valeur du chiffre 8. Or 8 est pour les Pythagoriciens, selon Cornelius Agrippa[333] , le chiffre qui est le symbole
de la Justice. C'est aussi celui de l'Éternité, puisqu'il vient après le 7,
symbole du Temps ; de la notion d'éternité, on passe à celle de béati-
tude — n'y a-t-il pas 8 béatitudes, selon l'*Évangile* de saint Mathieu[334] ?
8 est donc le nombre du salut[335] . Sans doute Agrippa ne dit pas expressément que le 8 soit le nombre du Christ, mais Dorat était fondé à
attribuer le 8 à celui qui a apporté le salut aux hommes : ce genre
d'extrapolation de type métonymique lui est familier[336] .

LES ANALOGIES
NUMÉRIQUES
Son arithmomancie est souvent fondée
sur les analogies numériques qu'il est
toujours prompt à saisir. Ainsi, comme
il vient de noter l'excellence des nombres impairs, il parle de Charles IX
et de son successeur Henri III, qui, en raison du numéral qui précise
leur nom, sont prédestinés à protéger les Muses, qui sont au nombre
de 9, chiffre impair lui aussi[337] . Ce tissu analogique, vite créé, est utilisé aux fins les plus variées. Ainsi Charles IX, vainqueur, devra consacrer 9 jours à l'action de grâces, car la neuvaine est une série habituelle
de prières, et un tel chiffre est en accord avec le nom du roi[338] :

> Perque dies sacris sint operata nouem.
> Namque nouem numerus festis est talibus aptus
> Qui numerum referat, Carole none, tuum (*P.*, p. 92).

---

331. Homère, en effet, avait dit que la dualité dans le pouvoir est mauvaise et que le
pouvoir ne doit pas être partagé (*Il.* 2, 204). Cf. F. Buffière, *op. cit.*, p. 561 et n. 7.
332. Cf. ci-dessus, n. 315, init.
333. *De occulta philosophia*, 2, 11.
334. Cf. *Matthieu*, 5, 3-10.
335. *Pertinet etiam hic numerus ad aeternitatem et mundi consumationem, quia subse-
quitur septenarium qui temporis symbolum est. Huic etiam hic numerus beatitudinis est. Tot
enim beatitudinis gradus docet Christus apud Matthaeum. Dicitur etiam numerus salutis et
conseruationis (De octonario et eius scala).*
336. Cf. ci-dessous, p. 248.
337. *(impar numerus) / Qui(que) uti iam Regem sacrauerat ante nouenum / Carolum, et
Henricum numero nunc sacrat eodem. / Impare quem numero sibi numen adoptat amicum / Vt
faueat Musis, numero quibus impare par est* (*D. C.*, Aiij v ʹ).
338. Henri III devra spécialement honorer la Sainte Trinité qui, d'ailleurs, lui promet

Dorat est attentif à tirer le maximum de toutes les coïncidences. Ainsi l'année 1569 est particulièrement fertile en 9 : le roi se nomme Charles IX, il a 19 ans, il en est à la neuvième année de son règne. De l'abondance des 9, on peut déduire une rénovation. Le poème est adressé au duc d'Anjou :

> Annus qui triplici renouabit regna noueno
> Fraterna aetatis, nominis, imperii (*P.*, p. 73).

Si le sceptique n'est pas convaincu par ce raisonnement, il devra se rendre au témoignage des faits, car l'année ne s'écoula pas sans que le poète eût à chanter la *triple* victoire du prince.

III. 2. 2 L'ASTROLOGIE — Dorat, comme beaucoup de ses contemporains — et l'entourage royal ne fait pas exception[339] — s'intéressait à l'astrologie, qu'il ne distingue pas, d'ailleurs, radicalement de l'astronomie. En effet, quand il loue Martin Basanerius, qui fut chargé de l'application de la réforme grégorienne du calendrier en France, il le nomme *perfectus astronoma* (*A.*, p. 127); pourtant, ce sont des « astrologues » qui, selon lui, étaient au service de Grégoire XIII pour établir les corrections nécessaires :

> Donec et Astrologi, quibus utitur ille ministris,
> Emendent tabulas per loca quaeque suas (*ibid.*)[340].

Dans son cours sur l'interprétation allégorique du chant 10 de l'*Odyssée*[341], le professeur renvoie ses étudiants à deux livres techniques.

LES DOCUMENTS CONSEILLÉS — Il faut remarquer aussitôt que le recours aux astrologues ne s'imposait pas à propos de ce texte. Dorat vient, en effet, de noter qu'Ulysse, chez Éole, fait un exposé en ordre : *(Vlysses) secundum ordinem progreditur* (*op. cit.*, 3 r°); ce disant, il explique le vers :

> καὶ μὲν ἐγὼ τῷ πάντα κατὰ μοῖραν κατέλεξα (*Od.* 10, 16).

C'est sûrement le terme de μοῖρα qui a fait dévier l'imagination du maître : si κατὰ μοῖραν signifie « comme il convient » (μοῖρα = la juste part), ce mot désigne aussi une partie du Zodiaque[342]. En tout cas,

---

trois couronnes : *(Sacer Ternarius)* / *Ternas coronas pollicetur hic tibi* / ... / *Fac Tertius tu Rex sacrum Ternarium* / *Colas* (*Exh.*, 357-367).

339. Cf. par ex. Brantôme, *Le grand Roy Henry II* (éd. Lalanne, t. 3, p. 280 et n. 1-281) à propos de l'horoscope qui avait révélé que le roi mourrait en duel; Henri, malgré le scepticisme de Montmorency, fit conserver cette prophétie (l'astrologue, Luca Gaurico, était napolitain).

340. Cf. aussi *P.*, p. 172; 299.

341. Ambr. A 184.

342. Cf. Aratos, 746; au pluriel, 560.

pour Dorat, la planification du récit[343] peut être comparée au soin des astrologues qui délimitent la demeure des planètes : Sic *Astrologi domiciliis planetarum recte dispositis... multum possunt, nec non futuras res praesentiunt* (*op. cit.*, 3 r°). C'est après avoir mentionné l'influence qui émane des astres et la sympathie qui les lie à la terre, que l'humaniste renvoie les curieux aux deux livres dont nous avons parlé.

Le plus ancien est le *De iudiciis astrorum* de Haly[344], imprimé à Venise en 1492, réimprimé en 1520[345].

Le second livre auquel Dorat s'est intéressé est le *Geniturarum exempla* de Cardan[346] : l'érudit milanais, grand maître du déterminisme astrologique, y présente une sélection de douze horoscopes, particulièrement dignes d'intérêt et très soignés, dont il a pu vérifier l'application en scrutant la vie des personnages qui en étaient l'objet[347].

Pourtant, malgré une science puisée à d'aussi bonnes sources, et qu'il invite si généreusement à acquérir, il ne semble pas que Dorat ait dépassé, sur ce chapitre, le stade de la curiosité. Sans doute, il compose des *Genethliaca*, mais ce ne sont ni des *Geneseis*, ni des *Geniturae* au sens où l'entendait Cardan, car la supputation astrale authentique en est absente[348], et l'astrolabe ne fait pas partie de sa panoplie. La Cour de France, du reste, ne manquait pas de spécialistes. Mais l'interprète considère que les astres — qui ont une influence importante — ne sont qu'un des facteurs qui déterminent l'existence d'un être ; il reconnaît aussi le rôle de l'argent, de l'amitié des princes, de l'éducation, surtout, et l'absence de ces composantes peut ruiner un bon horoscope — *felicia sidera* (*P.*, p. 107). En effet un esprit humaniste, qui croit à la grandeur et à la dignité du microcosme, ne saurait admettre que la vie de l'Homme soit aveuglément déterminée par son rapport avec le macrocosme.

III. 2. 3 L'ONIROMANCIE   Dans un cosmos organisé, où sont tissés des réseaux de correspondances, l'ignorance des hommes est parfois prise en pitié par l'omniscience de la divinité. Si Phébus fait de partielles révélations par l'intermédiaire des poètes inspirés[349], Mercure est le spécialiste des songes prophétiques

---

343. V. Bérard a traduit : « et moi, de bout en bout, point par point, je raconte ».
344. Haly est « Aboul Hasan Ali ibn Aboul Ridjal al Schaibani ».
345. B.N., Rés. V 291 : c'est l'édition que nous avons consultée : c'est un manuel d'astrologie en huit parties. Certains chapitres sont purement méthodologiques — *De naturis planetarum* (1re partie, chap. 4), *In hora accipiendi ascendens* (chap. 6) ; d'autres sont des applications pratiques et précisent l'utilisation qu'on peut faire de chaque *domus* — *Domus quinta* : *in sciendo de praegnante si est praegnans de masculo uel femina* (chap. 46).
346. Bâle, 1554, (B.N., R 778-779).
347. *Hic uero duodecim, ut polliciti sumus, geneses selegimus admiratione dignas, illustres euentibus et casibus, diligentissime supputatas, quorum uita nobis perspecta fuit* (*op. cit.*, p. 402).
348. Cf. *Ode* 1 ; Mss. Lat. 10327, f° 12 r°-v° ; 13 r°-v° ; *P.*, p. 105-107.
349. L'accès à la connaissance est parfaitement hiérarchisé : *Iuppiter est summus, scit Iuppiter omnia summus, / Praeterque Deum nullum, nisi siquibus ille / De superis uoluit*

qui ne se manifestent que pendant le sommeil des esprits pieux[350] :

> Fas quoque Mercurio, Ioui de genitore futura
> Discere si qua latent et mentibus illa piorum
> Tradere per somnum (*Ecl.*, p. 32).

LES SONGES-AVERTISSEMENTS

Ces songes sont comme une rencontre avec les dieux, et le sommeil, dispensé par la baguette d'or de Mercure, est le médiateur indispensable :

> ... nam sunt et somnia quidam
> Congressus superum, sacra quos interprete[351] somno
> Mittere uirga solet (*Ecl.*, p. 32-33).

Le dieu invite alors des ombres à aller visiter les hommes qui s'abandonnent à la paix du sommeil et à leur transmettre des révélations claires et sûres, qui n'ont pas besoin d'être interprétées :

> Hac tibi nunc uirga placidam faciente quietem,
> Somnia *certa* uides nostrae sub imagine[352] formae
> (*op. cit.*, p. 33).

C'est ici l'ombre de Pétrarque qui s'adresse au poète français pendant son sommeil[353]. Dorat sait bien, en effet, que rêver n'est pas se désintéresser, et que l'homme qui rêve ne fait que retrouver ses soucis sous une autre forme : aussi Jupiter et Mercure, son interprète, utilisent-ils le service d'ombres qui aient des goûts communs avec les esprits qu'elles visitent. C'est celui qui fut Hector[354] (ou Ajax, ou Achille), qui aura la charge de se présenter pendant le sommeil des guerriers :

> Namque alias aliis formas iubet ire ministras
> Visorum Deus interpres Iouis atque deorum :
> Militibus somnus simulachrum ostendit Achillis (*Ecl.*, p. 33).

Il n'est pas indifférent que Dorat ait choisi de rencontrer dans son rêve l'ombre de Pétrarque[355] : ce dernier le persuade de rechercher la faveur

sensus *aperire latentes,* / *Vt tibi, Phoebe, tuis qui uatibus illa renarras* (*Ecl.*, p. 32).

350. Ainsi donc Ronsard peut déduire : « si nous estions sages / Sages, non seulement, mais aussi gens de bien, / Rien ne nous aviendrait que nous ne sceussions bien / Lon tems devant le fait instruits par tes presages » (S.T.F.M., t. 7, p. 200).

351. Ronsard voit dans le songe un « ange divin », le « truchement et le heraut des dieux » (S.T.F.M., t. 4, p. 33) ; pour Dorat, c'est le Sommeil qui est « l'interprète ».

352. Ainsi lès dieux dépêchent une *imago*, mais Énée croyait voir un homme (*En.* 2, 280) ; le poète français ne sait trop, d'abord, à qui il a à faire : *Lenibam somno curas, cum uisa uideri / Non sat nota mihi facies pastoris* (*Ecl.*, p. 29 = 26). Dans le premier vers, la lourdeur du sommeil est rendue par la lourdeur des spondées.

353. Sans doute, dans l'imagination de Dorat, flotte le souvenir de la fin du chant 6 de l'*Énéide*, quand Virgile évoque les ombres franchissant les portes du sommeil, mais l'affabulation est différente, puisque, ici, des ombres toutes véridiques sont dépêchées par le dieu.

354. C'était le guerrier Hector qui était venu avertir Énée, dans la nuit tragique de la fin de Troie, et lui donner, bien clairement l'ordre fatal (*En.* 2, 270).

355. D'une part Pétrarque avait l'expérience des Cours (Avignon, Milan, Paris), mais il était, surtout, le premier à avoir voué un culte à l'antiquité. Sans doute la fiction est trans-

de Marguerite. Plus tard, quand il se décide à regret à travailler aux fêtes en l'honneur de Joyeuse, il prétend y avoir été invité, sans ménagement, par une « ombre » dont le nom n'est pas précisé :

> Dum fruerer studii tranquilla per alta quiete,
> Aduolat umbra, fero quae mox satis aspera uultu
> Aut dedit, aut uisa est tales dare gutture uoces (*P.*, p. 251).

Mais le fait qu'il ait choisi de présenter ses décisions comme la conséquence d'un songe montre l'importance que tenait l'oniromancie dans la vie de son temps[356].

LES SONGES À INTERPRÉTER — Mais si la divinité avertit les hommes pendant leur sommeil, il ne s'agit pas toujours d'un message immédiatement compréhensible, d'un conseil clairement donné. Le dieu, parfois, utilise un code qu'il faut traduire, et Dorat, en rappelant ces principes à Charles IX, mentionne sa compétence particulière :

> Carole, crede Deo per somnum uera monenti,
> Crede tui somni per mea uerba notis (*P.*, p. 4).

Ce deuxième type de songe nocturne[357] qui vient frapper l'imagination du dormeur, et qui peut être fort étrange, n'en est pas moins suscité, lui aussi, par une puissance divine :

> Non sine diuino quondam quasi numine noctu
> Miranda uidit somnia (*P.*, p. 214).

D'ailleurs le dieu répond parfois de cette manière à la demande de secours des hommes. Ainsi Catherine, anxieuse au sujet de Charles IX, refait à deux reprises le rêve qu'elle avait eu huit ans plus tôt et à propos duquel elle avait déjà consulté[358].

Étant donné l'excitation du rêveur et l'origine divine des rêves, Dorat

parente, et le poète présente ici comme lui ayant été donnés par un messager de l'au-delà des conseils qui, en fait, lui ont été dictés par la réflexion et le bon sens. C'est un procédé qu'il affectionne. Dans une atmosphère onirique de paysage brumeux — qui doit beaucoup à Pétrarque (cf. par ex. *Églogue*, 4, 13-16), Dorat rencontre Pan qui lui conseille de visiter... Auratus (*P.*, p. 142-144).

356. Aussi le personnage de l'*Ecloga laurea* que Dorat a nommé Mycon (cf. ci-dessus, p. 190) — fait-il une déclaration que son interlocuteur *Aurillus/Auratus* se garde bien de contredire : la manifestation de la volonté divine pendant le sommeil est une évidence — *liquet* (*Ecl.*, p. 20), et Mycon s'empresse de faire part de son expérience personnelle : *Saepe ego per somnum uidique, uidensque notaui / Atque mihi atque aliis casus monstrasse futuros (ibid.)*.

357. Dorat insiste beaucoup sur le fait que la vision se présente pendant le sommeil (cf. ci-dessus, p. 232), car l'esprit est alors dégagé partiellement des liens pesants du corps (cf. Cicéron, *Diu* 1, 29, 61). Aussi précise-t-il, par exemple, à la fin du poème *Auratus* : *Excutior somno* (*P.*, p. 144).

358. Elle avait vu trois ours entrer dans le palais et se précipiter sur elle : *Poscit opem superum : superi uenere uocati / Maternum ad thalamum, rursusque antiqua dederunt / Somnia clara oculis iterum iterumque uidenda / Annos ante octo quae iam prouiderat olim : / Tres ursos intrare ausos palatia Regis* (*P.*, p. 246).

n'hésite pas à nommer *furor*, comme s'il s'agissait d'un délire prophétique, l'état de transe, dans lequel Henri d'Angoulême, encore enfant,
s'est précipité vers lui pour lui raconter — alors qu'il venait un matin
lui donner sa leçon de grec — un songe particulièrement traumatisant[359] :

> Nescio quo mentem motus puer ille furore
> In uerba erupit numine plena Dei :
> Esse sibi uisum placida dum nocte quiescit... (*P.*, p. 303).

LE SONGE COMME
SUJET DE POÉSIE

Dorat a donc trouvé dans l'oniromancie
un sujet de poésie, mais sa technique
d'exposition varie selon la qualité du
récit des consultants.

Le songe du jeune Henri d'Angoulême a dû être présenté dans une
narration dramatique, dont les étapes successives sont nettement mar-
quées[360] : l'interprète, à son tour, reprend les différentes péripéties du
songe. L'enfant jouait dans le sable au bord de l'eau. Une belle dame
en noir arrive. Elle jette l'enfant au milieu du courant. Elle disparaît[361].
L'enfant appelle alors des bateliers à son aide. Trois d'entre eux se
portent aussitôt à son secours[362]. Ils cherchent tout de suite à repêcher
l'enfant qui se noie, mais il reste accroché à un tombeau de marbre[363].
Les bateliers ramènent alors l'enfant sain et sauf[364].

On sent le récit du consultant tout proche, et le poète a bien rendu
l'atmosphère onirique. D'une part, certaines découvertes sont retardées :
l'eau qui coule devient la Seine ; on apprend que le tombeau de marbre
est celui du roi ; mais, par ailleurs, les images se modifient instantanément : la femme disparaît comme par enchantement : le tombeau n'é-
tait pas là au début du rêve :

> Flumine nam medio *subitum* Regale sepulchrum (*P.*, p. 303).

L'interprète va rendre compte du songe dans le détail ; rien ne lui
échappe :

> Per(que) suas signans singula uerba notas (*P.*, p. 304).

---

359. Le jeune prince était un bâtard d'Henri II ; en outre son père était mort, et il est
assez naturel qu'il ait eu des perturbations psychologiques. Jean de Morel l'hébergeait dans
son accueillante demeure. Le récit de l'enfant devait avoir une telle intensité que son maître,
un instant, s'est cru en présence d'une *fictio*, d'une fable arrangée, mais le jeune âge de son élève
l'a fait conclure à la véracité de cet étrange récit : *Fingere norat adhuc nec rudis ille puer*
(*op. cit.*, p. 303).

360. Il en est de même du songe de Catherine et des ours (cf. *P.*, p. 246), narré avec soin,
bien qu'il ne soit qu'un propos incident.

361. *Dum forte uagi spatiatur ad amnis arenas, / Matrona in pulla ueste decora uenit. /
Cumque uagas puerum procul abiecisset in undas / Sequanae, et ex oculis rapta repente foret*
(*P.*, p. 303).

362. *Altius exclamasse : « pii succurrite nautae ». / Currit ad uocem nauta repente triplex (ibid.).*

363. *Naufraga qui subito puerilia membra sequuntur, / Sed puer in tumuli marmore fixus
erat (ibid.).*

364. *Huius ope incolumen puerum mox inde reportant (ibid.).*

D'autres fois le songe se réduit à une image unique, dont le consultant conserve une vive impression d'angoisse. Le poète peut la révéler tout de suite, pour frapper l'imagination du lecteur. Il en est ainsi de la « merveilleuse vision de la Royne Mere », qui flamboie dès le premier vers, sur un fond noir[365]. Catarina avait su, sans nul doute, traduire son cauchemar en images violentes.

Le rêve de Charles IX avait-il été narré de façon moins prenante? En tout cas l'interprète en présente les éléments — une tour, une femme, une autre femme — en les commentant au fur et à mesure, et c'est l'interprétation qui forme, en fin de compte, un tissu poétique cohérent. Il rapporte, du reste, son art au dieu de la lumière, c'est-à-dire à l'inspiration qui fait les poètes[366] :

> ... maiora instant, ueracibus ut mihi signis
> Monstrat diuina Delius arte Deus (*P.*, p. 215).

Ainsi Dorat a su faire de l'oniromancie une matière de poésie « intéressante », dans le goût de l'histoire hellénistique[367], mais ses interprétations habiles, toujours savantes, doivent plus aux livres des anciens[368] qu'aux grimoires des devins patentés.

III. 2. 4 LES PROPHÉTIES — Si des gens ordinaires sont gratifiés, pendant leur sommeil, d'images dont un interprète peut retrouver le sens, certains êtres ont reçu le don de prophétie : Dorat n'en doute pas, car « c'est un fait établi » :

> (Exemplis)
> Ex quibus euentus mirandos saepe profanos,
> Saepe uiros *constat* praecinuisse pios[369].

DEVINS ET INTERPRÈTES — Il fait très souvent allusion à des prophéties anciennes — *prisca oracula* (*Exh.*, 463), à des textes dont la langue vulgaire a permis la plus large

---

365. Le poète a souligné le rapport de cause à effet en jouant sur le double sens de *micare* (briller et battre rapidement) : *Visa columna micans flammis de nocte parenti / Regis, materno cor micuitque metu* (*P.*, p. 214).

366. Sur le rapport de la poésie et de la mantique, cf. J. Céard, *La nature et les prodiges*, p. 217, et n. 143 p. 218.

367. Tite-Live lui-même développe volontiers les explications de présage; cf. par ex. 1, 34, 8-9; 1, 39, 1-3. Et même parvenu à la période historique des guerres puniques, il rapporte tout au long le songe d'Hannibal (21, 22, 6-9), dont il donne une version légèrement différente de celle du *De diuinatione* (1, 24, 49).

368. Cf. ci-dessous, p. 247-248.

369. Sur les manifestations de l'Esprit antérieures à la Révélation, cf. *Ode* XXXVII, notamment 71-76. L'antiquité a connu des devins. Parmi eux, le professeur de grec s'est particulièrement intéressé à Cassandre, et il a diligemment expliqué, en s'appuyant sur le commentaire d'Isaac Tzetzès, l'*Alexandra* de Lycophron. Tirésias a retenu aussi son attention : son nom revient sous sa plume, avec celui de Melampus quand il s'agit de se référer à un devin compétent : *non Tiresias, non ipse Melampus / Veraciora dixerit* (*P.*, p. 214). Il rattachait le nom de Tirésias à τέρας (Mss. Ambr. A 184, 6 r·).

diffusion — *uulgata uerbis patriis oracula* (*op. cit.*, 418). Les *prisca oracula* doivent être les prophéties de sainte Brigitte : la deuxième expression désigne, à coup sûr, celles de Nostradamus, mais ni lui, ni sainte Brigitte ne sont jamais nommés[370].

Ce sont encore, probablement, les *Révélations* de la sainte suédoise[371] que Dorat a dans l'esprit quand il note, en 1567, qu'il va traiter de nouveaux signes, en laissant de côté « les oracles de saints prophètes » :

> ... uetera ut taceam sanctorum oracula uatum (*P.*, p. 191).

Il semble bien que l'interprète royal a consulté par prédilection les *Centuries* de Nostradamus. C'est en effet sur elles qu'il s'appuie, aussitôt après avoir renoncé à utiliser « les oracles de saints prophètes », en annonçant qu'il traite de présages récents — *omina... noua (ibid.)* : il met alors en rapport le texte de Nostradamus avec des événements contemporains dans lesquels il a reconnu le cas prévu par le prophète. Donc, ici encore, il joue le rôle d'interprète.

NOSTRADAMUS ET
CHAVIGNY

Les contemporains, à qui le texte du « prophète » était familier, n'avaient sans doute aucune peine à le reconnaître dans les vaticinations de l'interprète, mais J.-A. de Chavigny, qui avait fréquenté les deux hommes, nous a laissé un intéressant témoignage dans son *Iani Gallici facies prior* : la conversation qu'il aurait eue avec Dorat, peu avant la mort de ce dernier, nous est rapportée dans la lettre-préface qui lui est dédiée — *Ad Io. Auratum ... collectoris Epistola* (*op. cit.*, p. 31-34)[372]. Chavigny nous y fait connaître le jugement de Dorat sur les *Centuries*. On a bien souvent rapporté que, selon ce dernier, c'est un ange qui avait dicté les prophéties à Nostradamus[373]. Rien de tel n'est dit ici, car le caractère inspiré de la prophétie va de soi pour les deux interlocuteurs. Le poète ne parle que de la forme des *Centuries*. Ce qui le frappe, d'abord, c'est l'absence d'ordre — *tantum chaos* (*Ian. Gall. facies...*, p. 31). En outre, l'expression est « embrouillée, enchevêtrée, enveloppée, ténébreuse et les ténèbres cimmériennes ne sont pas plus noires » — *rem tam intricatam, perplexam, inuolutam, tenebricosam, ut ne tenebrae quidem ipsae Cimmeriae sunt atriores (ibid.).* On aurait tort de voir là un jugement péjoratif : Dorat aime les textes obscurs, puisque, précisément, il a vocation à les éclaircir[374], mais il note, non sans humour, que même après l'événement on n'est pas sûr

---

370. Pour sainte Brigitte, cf. par ex. Mss. Lat. 8138, f° 51 r° : *Mira canunt de te ueteres oracula uates.* Pour Nostradamus, cf. par ex. *P.*, p. 29 : *patrii per carmina uatis.*

371. Brigitte fut canonisée en 1391.

372. Cf. ci-dessous, p. 257 : Chavigny s'intéressait à l'application des *Centuries* aux guerres civiles.

373. Cette affirmation d'A. du Verdier est citée notamment par Marty-Laveaux, *Œuvres* de J. D., p. XLIII.

374. *Tenebricosus*, par exemple, est l'adjectif dont il qualifie Lycophron (*P.*, p. 282).

de reconnaître la véracité de la prophétie, car Nostradamus a obscurci son style à dessein — *de industria* (*op. cit.*, p. 31).

Dans son commentaire des *Centuries*, Chavigny n'a pas manqué de relever celles qui avaient été, si l'on peut dire, exploitées par son ami Dorat, et ses indications nous sont précieuses. Chavigny a noté les interprétations de Nostradamus par Dorat essentiellement pour les années 1567, 1570, 1581.

Dans la *Centurie* 3, quat. 33, Nostradamus avait écrit :

> « En la cité ou le loup entrera
> Bien prés de la les ennemis seront.
> Copie estrange grand pays gastera.
> Aux monts et Alpes les amis passeront »
>   (*Ian. Gall. facies...*, p. 160).

Chavigny, qui rapporte ce texte — au moins en partie[375] — à janvier 1567, commente : « Le cinq de ce mois, veille des Rois, un loup entra dans Paris par la porte S. Victor, sortant des prochaines saussayes, qui depuis ne fut veu ne aperceu en lieu de la ville. Ce qu'ayant entendu J. Dorat Poete du Roy, comme il estoit studieux et merveilleusement prompt et exercé à l'interpretation de tous presages, commença à s'escrier et dire le second vers de ce quatr. :

> Bien prés de la les ennemis seront ».

De fait, dans l'*Elegia prognostica* (*P.*, p. 191-193), l'arrivée du loup en ville est le premier des présages mentionnés par Dorat[376] :

> Portam Victoris quae nomine dicitur audax
> Irrumpens, media transiit urbe lupus (*op. cit.*, p. 191).

La prophétie de la *Centurie* 2, quat. 45, que Chavigny ne rapporte que partiellement[377] à juillet 1570, concerne le fameux Androgyne[378]. Chavigny commente : « ce quatrain est diligemment expliqué par J. Dorat au premier livre de ses Poëmes, disant[379] :

> Signa sed eventus monstri monstrosa praeibunt,
> Imbres immodici, fluuiisque tumentibus ingens
> Diluuies, coelo Androgynum (ut canit ille) creatum
> Plorante (*Ian. Gall. facies...*, p. 192-193).

375. Il disjoint le dernier vers qui « n'est de cest an » (*op. cit.*, p. 160).

376. Le poète compose plus tard, à la fin de 1567, après la mort du Connétable, et ne se soucie pas d'annoncer des faits connus de tous. Dans ce texte, il veut surtout frapper le lecteur par l'amoncellement de signes, tous défavorables pour l'instant ; cf. ci-dessous, p. 260.

377. Le reste du quatrain se rapporterait à la Saint-Barthélemy « sans doute » (*op. cit.*, p. 192).

378. « Trop le ciel pleure. Androgyn procrée. / Pres de ce ciel sang humain respandu. / Par mort trop tarde grand peuple recrée. / Tard et tost vient le secours attendu » (*Ian. Gall. facies...*, p. 192).

379. Chavigny donne aussi (*ibid.*) une version française qui n'est pas de lui. La version de *P.*, p. 31 est légèrement différente de celle que rapporte Chavigny.

Dorat ne revendique donc pas la paternité de la prophétie, mais ne croit pas nécessaire de mentionner le nom du prophète, connu de tous[380].

Les autres rapprochements opérés par Chavigny entre Dorat et Nostradamus ont trait aux tableaux prophétiques que le poète royal fit présenter aux fêtes de 1581 au moment du mariage de Joyeuse[381].

Parfois Dorat semble avoir traduit littéralement Nostradamus ; Chavigny le note à propos de *Centurie* 4, quat. 34 : *transtulit fere ad uerbum ex quaternione tricesimo quarto Centuriae 4. Autoris nostri (op. cit.*, p. 331). C'est encore chez Nostradamus que Dorat a trouvé le nom de CHIREN, anagramme d'HENRIC (qui est toujours la forme usitée par Nostradamus, natif de Salon-de-Provence). L'interprète royal rapportait la prédiction à Henri III : Chavigny rappelle ses propres doutes, qu'il avait fait connaître à Dorat[382]. Mais l'interprète défendait obstinément son opinion, comme son disciple en témoigne[383]. Il est extraordinaire que Dorat — qui savait s'exprimer avec précaution[384] — se soit montré aussi dogmatique sur ce point. Cette intransigeance a surpris Chavigny, qui s'interroge honnêtement sur ce qui pouvait motiver une telle attitude chez son maître révéré. Pas un instant il n'envisage l'hypothèse que la simple flagornerie aurait poussé le poète royal à faire miroiter un brillant avenir à son roi[385]. Par contre, Chavigny prend, un moment, en considération l'idée que Dorat a pu agir à des fins littéraires, pour orner sa poésie, et la rendre plus brillante, plus magnifique, càr les *uaticinia* sont, Ronsard en témoigne, un ornement de poésie[386]. En fin de compte, pourtant, Chavigny juge plus vraisemblable que Dorat ait cru fermement à une telle identification[387]. Cette conclusion d'un homme qui a bien connu le poète nous montre le sérieux avec lequel le vieil homme envisageait l'interprétation prophétique.

380. Mis à part la notoriété, le démonstratif *ille* renvoie à une autre époque, antérieure aux guerres civiles. Nostradamus avait dédié son livre à Henri II en 1555.

381. Chavigny cite (*Ian. Gall. facies...*, p. 332) le texte de Dorat concernant la victoire sous les murs de Milan (*P.*, p. 260), et note qu'il est inspiré de la *Centurie* 4, quat. 34. Pour le combat naval (*op. cit. ibid.*), Dorat, dit-il, a contaminé deux textes (*Centurie* 2, quat. 40 et 70) ; enfin la victoire sur les Turcs, annoncée dans le commentaire qu'il donne de l'anagramme : HENRICVS TERTIVS DEI GRATIA REX FRANCORVM ET POLONORVM / REX FORTIS SOLO DEI NVTV IMPERATOR REGNA THRACVM REVINCET (*A.*, p. 126 = 129) proviendrait, selon Chavigny (*Ian. Gall. facies...*, p. 336) de la *Centurie* 6, quat. 85.

382. *(Chiren) saepe usus est Vates noster, ... fuere enim multi apud nos huius nominis Reges* (*op. cit.*, p. 327).

383. *Id quod et mihi et multis persuasum esse uoluit, ex uersu ultimo quat. 11* (*op. cit.*, p. 331).

384. Cf. par ex. Mss. Lat. 8138, f ˙ 51 r˙.

385. L'attitude très ferme du poète en face du prince dans l'*Exhortatio*, particulièrement, détournait de formuler une telle hypothèse.

386. *Siue id prudens et consulto fecerit, ut ornaret poesin suam* et Amphitheatrum *illud speciosius ac magnificentius, ut ꞌsuapte natura auditores traducat ad magnam admirationem* (*Ian. Gall. facies...*, p. 334).

387. *Siue (quod magis uero simile est) crediderit ad eundem / Regem sine ulla dubitatione pertinere (ibid.).*

Techniquement, la principale qualité de Dorat est d'être « merveilleusement prompt ». Ainsi en 1567, il a instantanément trouvé le texte qui correspondait à l'événement prodigieux, et, bondissant à la conclusion, il a fait à la fois un travail de sémiologie (reconnaissance du signe) et d'herméneutique (explication du signe), mais en utilisant l'indication donnée par le « prophète ».

Le cas de l'Androgyne est différent. Dorat, ici encore, a explicité les dires du prophète qui annonçait la naissance d'un « monstre » à la suite de certains phénomènes météorologiques, mais il a complètement pris à son compte l'interprétation de l'Androgyne comme signe, donnant comme titre à son poème *Androgyni interpretatio* (*P.*, p. 228)[388].

III. 2. 5 *PORTENTA*   En effet, quelle que soit la manière de juger ce qu'on nomme presque indifféremment *portenta, monstra, ostenta, prodigia*[389], un point commun se dégage chez tous les penseurs anciens qui se sont intéressés à la tératologie : est « monstre » non pas ce qui est « contre nature » (puisque si un tel événement a eu lieu, si un tel être a vécu, c'est qu'il pouvait prendre place dans l'ordre naturel), mais ce qui est produit contrairement à l'ordre *habituel* de la nature et, de ce fait, suscite l'étonnement[390].

CHARLES IX ET   Le poète royal a narré de manière dra-
LE « SPECTRE »   matique la rencontre de Charles IX avec
un « spectre », plus grand qu'un homme,
et qui portait une torche :

Maiorem humana speciem cum lampadis igne
Ardentis (*P.*, p. 244).

Malheureusement, le jeune roi était seul à pouvoir porter témoignage[391].

388. Tandis que Chavigny interprète les deuxième et troisième vers du quatrain comme se rapportant plus particulièrement à la Saint-Barthélemy, Dorat offre une interprétation à plus court terme, en s'interrogeant sur les particularités de l'être monstrueux.

389. Cf. *Nat. deorum*, 2, 3, 7 et *Diu* 1, 42, 93. Sur quelques nuances, cf. J. Céard, *La nature et les prodiges*, p. 11-12.

390. Cf. par ex. Aristote, *De generatione animalium*, 4, 4, 770 b ; Cicéron, *Diu.* 1, 42, 93 ; 2, 22, 49 (d'accord sur le principe, les deux frères en tirent des conclusions différentes) ; Pline, 7, 3 (Pline met aussi l'accent sur la bizarrure des productions de la nature (18, 1) ; pour Augustin, le « monstre » c'est aussi l'insolite, mais il se situe du point de vue du sujet qui reconnaît un objet comme insolite, et non d'un objet qui serait insolite en lui-même (*De utilitate credendi*, 16, 34). Dorat avait pu compléter sa documentation dans le *Variarum historiarum lib.* de Jean Tzetzès, paru à la suite du *Lycophron* et de son commentaire.

391. Il s'était égaré à la brune en poursuivant un cerf, fort loin de son escorte. Il avait pourchassé avec ardeur cette apparition, l'épée haute, sans même se rendre compte qu'il avait reçu une blessure au niveau du cœur. Le poète emploie le terme de *Neustria* (*P.*, p. 243), probablement pour l'opposer à l'*Austrasia*, le royaume de l'Est, d'où viendra Élisabeth ; on se trouve dans un monde barbare de forêts impénétrables. Je remercie très cordialement M. J. Céard, professeur à l'Université de Parix XII, qui a bien voulu me communiquer les résultats de ses recherches au sujet de ce spectre qui apparut au roi dans la forêt de Lyons, en Normandie ; cf. Papire Masson, *Caroli Noni Francorum Regis uita*, s. 1., 1574, p. 19 (B.N., Lb 33.4).

Le poète royal rend compte de l'enquête qui fut menée sur cette étrange aventure — *mirandus casus* (*op. cit.*, p. 245). Les gens du pays racontèrent que, souvent, ils avaient vu de semblables apparitions :

> Indigenae nam saepe et ibi simulachra per umbras
> Hic uisa oculis narrasse (*P.*, p. 244).

Dorat nomme ces êtres *ostenta (ibid.)*, mais le choix du verbe *narrasse* (alors que la métrique permettait, par exemple, l'emploi de *dixisse*) laisse planer un doute sur la réalité de la vision, doute accentué par l'ambiguïté de *uisa* (ont-ils vu, ou cru voir ?). Ce n'est peut-être pas sans une ironie légère que le poète montre l'embarras des professionnels de la divination, qui, interrogés sans retard, n'ont pas su expliquer le prodige :

> ... Nec mora. Missi
> Qui scitarentur uatum responsa, sed omnes
> Hactenus incerti tentarunt omnia frustra (*P.*, p. 245).

Lui-même se targue d'avoir mieux réussi que les autres — des Italiens de l'entourage de la reine-mère, probablement — mais sa réponse, en fait, dissimule un refus de reconnaître dans l'apparition un authentique *ostentum*. Le poète, en effet, a recours à la fable pour expliquer la blessure du prince : ce dernier, qui chassait dans d'épaisses forêts, a été blessé par les flèches de l'Amour et, maintenant, il est en proie à une ardeur dévorante :

> ... cui mox rapidissimus ardor
> Arserit in mediis circum praecordia uenis (*P.*, p. 245)[392].

C'est donc la passion que le prince a conçue pour une princesse « arctéenne », Élisabeth d'Autriche, qui explique sa blessure et sa pâleur. L'interprétation n'est pas ici le sujet de l'œuvre, mais le poète royal a trouvé le moyen de l'insérer dans un long poème sur le mariage du roi — *In nuptias Caroli IX* (*P.*, p. 243-248) — où le rappel de cet épisode ne s'imposait pas. Dorat, certainement, avait été sollicité de donner son avis sur le prodige[393]. S'il n'a pas composé un texte traitant spécialement de ce sujet épineux, c'est qu'il était embarrassé. Or la croyance aux « démons » était très répandue, et nous n'avons aucune raison de penser que Dorat, sur ce sujet, ait été d'un avis fondamentalement différent de celui de Ronsard, par exemple[394]. S'il n'a pas rangé le spectre en question dans la catégorie des « démons », c'est que, très probablement, il pensait pouvoir l'expliquer rationnellement, mais,

---

392. Cette réponse avait été adroitement préparée dès le début du poème par une petite phrase prêtée à Cupidon : *(Rex) / ... sed ecce / Vincetur iam non a se, mea si mihi nota / Tela, quibus uici superos ego saepe Iouemque* (*P.*, p. 243).

393. Il rappelle que sa sagacité est reconnue : *diuina notis tibi solui aenigmata certis / Euentus sortita suos* (*op. cit.*, p. 247).

394. Cf. Ronsard, *Les Daimons*, S.T.F.M., t. 8, p. 115 et suiv. Dorat admet, d'ailleurs, l'existence de ces êtres (cf. *Ode XXXVII*, 69-70).

Pl. III, fig. 1. — Médaille. Le nouvel emblème de Charles IX : les colonnes redressées (cf. p.109 et 243).Voir V.Juřen, *Revue numismatique*, s. VI, t. 21, 1979, pl. 27.

Pl. III, fig.2. — Médaille frappée après la paix de la Saint-Rémy (1577). La réconciliation des frères (cf. p. 298). Voir V. Juřen, *Rev. num.*, ibid., pl. 27.

Pl. III, fig.3. — Médaille de 1579. *IN TE VERE CHRISTVS* anagramme d'*HENRICVS TERTIVS* (cf. p. 216, 316, 328). Voir V. Juřen, *Revue de l'art*, 50, 1980, p. 49.

Pl. III, fig. 4. — Minerve. Projet de médaille attribué à «d'aurat». Paris, Bibliothèque nationale, Mss. Fr. 894 f° 91 v° (Phot. Bibl. nat. Paris). Voir V. Juřen, *Rev. num.*, ibid. pl. 26.

en toute prudence, il a gardé son hypothèse pour lui, et s'est tiré de ce cas de conscience en prenant au pied de la lettre les termes d'une métaphore lexicalisée : le mythe antique, si bien reçu dans cette Cour, a servi à voiler les doutes de l'interprète[395].

L'ANDROGYNE   Par contre, dans le cas de l'Androgyne, on doit se rendre à l'évidence : la Nature a bel et bien produit cet être abominable — *partum(que) creauit/Infandum* (*P.*, p. 28). Si Dorat s'interroge sur l'origine d'un tel monstre — *Vnde noui genus hoc monstri (ibid.)* — il ne pourra donner de réponse sur ce point. Il se range, au reste, à l'opinion de Pline — il a sûrement dû relire à cette occasion le livre 7 de l'*Histoire naturelle* — lorsqu'il se demande par quelle fantaisie la nature s'est détournée de son cours habituel[396] :

> ... quae dira libido
> Naturae peruertit iter?

La description qu'il donne des Siamois qui naquirent à Paris en juillet 1570 est d'un réalisme méticuleux[397]. Pourtant cette description n'est pas objective : elle est déjà orientée vers l'interprétation qui va suivre. Ainsi, après avoir noté que les enfants sont soudés de telle sorte qu'ils sont face à face, qu'ils ont chacun des mains, des jambes et des pieds, le poète ajoute que, dirait-on, ils méditent de se battre[398]. Il s'est intéressé aux résultats de l'autopsie qui a permis d'établir le caractère absolument nouveau de ces Siamois[399]. Il faut remarquer, toutefois, qu'il prend bien soin de noter qu'il rapporte un témoignage oral — *dicitur* — qui fonde une opinion — *haberi* — et non une vérité inéluctablement établie : Dorat met ainsi en lumière l'importance de l'observateur, et le caractère tout relatif de ses conclusions[400]. Pourtant, il ne prétend nullement avoir une attitude scientifique. Il se cantonne dans son rôle d'interprète et rappelle, avec précaution, qu'il y a des chances pour que cet être abominable[401] soit celui dont le « devin national »

395. L'atmosphère de conte mythologique sauvage rappelle Ovide — Picus et Circé (*Met.* 14, 358-371).

396. *Videtur cuncta alia genuisse natura magna, saeua mercede contra tanta sua munera* (préface, 10).

397. *Haerentes genitali parte gemellos / ... / Vna alui cum se compages, unica rima / Subter, et e summa qui prominet unicus aluo / Vmbilicus, certe neque sunt discrimina sexus/ Vlla* (*op. cit.*, p. 28-29).

398. *Opposita oppositis spectantes oribus ora / Alternasque manus, alternaque crura pedesque, / Mutua* ut *inter se meditantes proelia uersos* (*op. cit.*, p. 28-29).

399. *Nisi secto quod corpore dicitur alter / Signa tulisse maris, faciesque uirilior illi / Fecit ut Androgyni species noua possit haberi* (*P.*, p. 29). Il nous apprend que les Siamois vécurent peu. Il tenait probablement ses renseignements d'Ambroise Paré.

400. Cette attitude peut rappeler le scepticisme de M. Cicéron (*Diu.* 2, 22, 49), mais Dorat ne met en cause que l'observation des faits, tandis que Cicéron récuse leur valeur comme signes, en faisant une critique de l'étonnement.

401. Dans un texte dédié à son ami Maledent, qui lui a écrit pour lui faire part de la

avait annoncé la venue :

> Coniectura procul nec abest quin ille nefandus
> Ille sit Androgynus patrii per carmina uatis
> Plus quam bis quinis et quinque prioribus annis
> Praedictus Gallis (*P.*, p. 29).

Les difficultés que traverse la France infléchissent toutes les interprétations de Dorat : l'*Elegia prognostica* s'applique au domaine politique, le poème adressé à Maledent et l'*Androgyni interpretatio* aussi. Il est admis que les êtres qui sont hors de l'ordre habituel de la nature sont signes d'un désordre dans l'État.

III. 3 MÉTHODE
DES MANTIQUES

Dorat qui fut *poeta, interpres Regius,* s'accorde volontiers un titre qu'il n'a pas porté officiellement, et pour cause, celui de *uates*[402]. Ce nom résume en effet parfaitement son activité intellectuelle dans le domaine de la mantique : il était naturellement porté à reconnaître les signes ; il savait aussi retrouver leur sens caché ; enfin, il a fait volontiers de tout cela le sujet, pas seulement l'ornement, de sa poésie.

Sans doute on naît interprète ; sans doute aussi on le devient : il est certain que le fait de vivre à une époque tragique, dans un État déchiré, au milieu d'un peuple à l'affût d'une raison d'espérer, a développé, si l'on peut dire, les tendances vaticinantes du professeur. Il n'est guère de domaine où sa sagacité ne se soit exercée[403]. Le monde, pour lui, est un tissu de signes, mais, c'est un fait constant, Dorat n'avance que des interprétations politiques : l'anecdote et la petite histoire n'intéressent pas en tant que telles cet esprit sérieux. Il ne s'attache à un événement mineur que s'il y reconnaît un signe[404].

OMNIPRÉSENCE
DES SIGNES

Or les signes sont partout, dans les mots, dans les choses, dans les hommes. Là où un observateur ordinaire verrait un beau visage au front haut, dégarni par l'âge, Dorat, regardant la médaille d'argent qui représente Michel de l'Hospital (en Aristote), repère des

---

naissance de divers êtres monstrueux, Dorat essaie d'exprimer aussi le sens qu'il croit pouvoir donner à ces prodiges : des Siamois — mais qui n'ont que deux mains en tout — un veau à deux têtes, un lièvre à six pattes (Mss. Lat. 10327, f ° 16 v °).

402. Cf. par ex. *me uate* (*P.*, p. 2 ; 71) ; *interprete uate* (*op. cit.*, p. 29) ; *sum uates ego* (*Od. lib. II*, p. 191 = 193).

403. Nous n'avons trouvé aucun témoignage concernant la chiromancie, ni la graphologie.

404. Dans ce domaine, en effet, le signifiant n'est pas forcément proportionnel au signifié : *Omina pondus habent ad maxima paruaque rerum, / Rebus et in paruis maxima saepe latent* (*P.*, p. 22). Il en est de même pour le langage ordinaire : *Nam parua quondam maximis uocabula / Imposita rebus* (*Exh.*, 246-247).

qualités éminemment politiques, une grande capacité de réflexion, une aptitude naturelle à la parole :

> Grande capaxque caput *docet* esse capacem
> Consilii in summa uerticis arce domum.
> Liberi frons libertatem facit esse loquendi
> (Mss. Lat. 8139, f° 97 v°).

Considérant les colonnes tordues de l'emblème du jeune Charles IX[405], Dorat a ressenti un malaise : les colonnes symbolisent la stabilité d'une demeure; qu'arrivera-t-il si le soutien naturel de l'État vient à fléchir?

> (columnas)
> ... flexuosas sed prius
> Mala et maligna sorte quadam conditas
> Certi extitere certus augur quae mali
> [...]
> Curuis duabus his columnis Regiis
> Curuata res uti labaret Gallica (*Exh.*, 18-23).

Non seulement le poète a vu dans ces colonnes un signe, mais encore un signe qu'il pouvait interpréter sans aucun risque d'erreur, et il a rendu cela bien clair par la répétition de l'adjectif *certus*. Pour sa part, l'historien qui enregistre le redressement des colonnes y voit le fait que Charles IX cherchait à faire ressembler davantage son emblème à celui de Charles Quint[406], et Dorat connaissait cette traduction, politique, elle aussi[407]. Ces colonnes étaient donc un *insigne signum* (*Exh.*, 18) dans tous les sens des termes, mais à chacun son interprétation[408].

Au début du liminaire qu'il offrit à Sorbin pour son *Tractatus de Monstris*, Dorat récapitule les signes de toute nature, qui, selon lui, révèlent, tous, les menaces de la divinité :

> Monstra, deique minas, diuinantum furores,
> Et dubios pueros, ambiguasque feras,
> Somnia, uisa, notas, miracula coetera rerum (*op. cit.*, sans sign.).

Cette accumulation, volontairement désordonnée, traduit bien l'état d'esprit de l'interprète qui se trouve harcelé par une infinité de signes, de tous ordres, tous perçus, déjà, comme hostiles[409].

---

405. Cf. F. Yates, *Astraea...*, p. 127 et planche 20 a ; pour les colonnes redressées, cf. planche 20 b. On dirait même que, pour lui, ces colonnes courbes sont une cause matérielle du fait que la France se courbe et chancelle. Mais aussi, quel soulagement quand le monarque, qui s'efforce d'assurer sa puissance, choisit d'avoir à l'avenir pour emblème des colonnes droites : *curuas columnas erigens / Regni erigendi certa signa praebuit* (*op. cit.*, 28-29).
406. Cf. *op. cit.*, en n. 405, *ibid.*
407. Sur le thème impérial de Charles IX héritier de Charlemagne, cf. par ex. Mss. Lat. 8139, f° 74 v°; *Epgr.*, p. 37.
408. Parfois, on sent bien la présence du signe : ainsi Dieu a envoyé au roi une colombe de bon augure, mais on ne sait plus si l'on est dans la réalité de l'auspicine, ou en présence d'une allégorie de l'Esprit : *(Rex) / Romuleus cui non uultur, sed fausta uolauit / Missa bis a summo sancta columba Deo* (*In Henrici III. foelicem reditum*, Aiij r°).
409. Même état d'esprit dans l'*Elegia prognostica* (*P.*, p. 191-193).

LES DEUX SORTES   On distinguait traditionnellement[410] la
DE DIVINATION   divination naturelle (représentée essen-
                   tiellement par le délire prophétique) et
la divination technique — *artificiosa* — qui met en œuvre une expérience
acquise de longue main grâce à une minutieuse observation[411].

Dorat qui, dans le texte cité plus haut, fait la part belle aux êtres
praeter naturam, a mêlé à son énumération le délire prophétique — *diui-nantum(que) furores* — et il mentionne aussi les songes — *somnia* —
dont le cas est complexe[412].

Si, dans le liminaire pour Sorbin, Dorat a mêlé les deux types de
divination, ce n'est pas seulement pour montrer la richesse et la diversité de ce domaine. A ses yeux, la part de la divination naturelle pure
est devenue très faible. Il est très révélateur que les deux seuls songes
prophétiques[413] dont Dorat prétende avoir été visité doivent être con-
sidérés comme des procédés littéraires de présentation[414], et non comme
d'authentiques révélations : l'intention est transparente, et l'interprète,
qui n'est pas un charlatan, ne prétend pas bénéficier d'une authentique
révélation naturelle.

Si le domaine en question se restreint, ce n'est pas, cependant, parce
qu'il ne naît plus de prophète (Nostradamus est mort sous Charles IX,
et sainte Brigitte avait été contemporaine de Pétrarque), mais la confusion du message délivré est telle, qu'elle oblige à avoir recours à un
interprète, car l'utilisateur, avide de connaître la vérité, est irrité ou
déçu par tout ce qui obscurcit la révélation. Plutarque, déjà, avait très
bien noté cet état d'esprit[415].

Ainsi Dorat s'est fait le serviteur des prophètes[416], se bornant parfois à reconnaître dans l'événement le signe annoncé par eux, mais,

410. Cf. Cicéron, *Diu* 1, 18, 34 .
411. Q. Cicéron revient volontiers sur la garantie qu'apporte l'ancienneté dans une telle
pratique (*Diu*. 1, 49, 109) ; cf. aussi *Diu*. 1, 7, 12 ; 1, 56, 127.
412. Certains d'entre eux sont bien de l'ordre de la divination naturelle, comme celui de
Simonide qui fut averti, très clairement, de ne pas s'embarquer (*Diu*. 1, 27, 56), ou celui
d'Hannibal à qui Junon vint dire de ne pas toucher à l'objet d'or qui lui avait été dédié (*op.
cit.*, 1, 24, 48) : ce sont là des songes « théorématiques », selon la terminologie d'Artémidore
d'Ephèse (*Onirocriticon lib. V*, 1, 2, init.). Mais le même Hannibal fut aussi visité par un songe
qui serait bien du ressort de la divination technique, car le conquérant ne put immédiatement
comprendre ce que représentait le monstre qu'il avait cru voir derrière lui ; pourtant, il n'eut
pas, pour ce songe « allégorique », recours à un interprète, puisque l'image lui fut expliquée,
à sa demande, dans le songe même, par la divinité (*Diu*. 1, 24, 49). On voit donc que la démar-
cation entre les deux types de songes est parfois difficile à établir.
413. Il faut réserver aussi le cas de la pièce intitulée *Auratus* (*P.*, p. 142-144), qui est une
plaisanterie.
414. Cf. ci-dessus, p. 232-233.
415. « On suspectait déjà les métaphores, les énigmes, les équivoques, d'être pour la
divination des échappatoires et des refuges, ménagés pour permettre au devin de s'y retirer
et de s'y cacher en cas d'erreur » (*De Pythiae oraculis*, 407 a-b).
416. De Nostradamus, essentiellement et, à un moindre degré, de sainte Brigitte.

pour ce faire, il ne s'appuie pas sur une intuition analogue aux leurs, mais sur une technique[417]. Comme toujours, il se tourne vers les témoignages anciens, et ils lui fournissent, sans cesse, des exemples manifestes — *assidue manifesta exempla*[418]. Il se sent donc habilité à reconnaître la valeur des signes envoyés par la divinité, dans la mesure où les autres l'ont fait avant lui :

> Fas mihi coelestium cognoscere signa notasque,
> Si modo quid uates uaticinantis habent
>
> (Mss. Lat. 10327, f ° 16 v °).

LES PROCÉDÉS DE   Les dieux (ou Dieu) envoient des signes,
LA *DIVINATIO ARTIFICIOSA*   et puisque ces derniers sont faits pour être interprétés, il faut qu'ils aient quelque similitude avec la chose qu'ils doivent faire entendre.

LA MÉTAPHORE   Ainsi la providence divine et le poète créateur d'allégories procèdent exactement de la même manière : la métaphore est le fondement même du code utilisé par les dieux pour nous avertir[419]. En conséquence le décrypteur du message divin, tout comme le lecteur de la poésie allégorique, doit se mettre diligemment à la recherche de la parenté analogique qui permettra de comprendre la métaphore, ou plutôt l'enchaînement des métaphores qui fait l'allégorie[420] ou forme l'objet de l'interprétation.

Dorat, bien sûr, a connu des clés de songe[421] et, à propos de la vision de la reine-mère, il s'y réfère, « comme tout le monde » :

> Nocturnae quisquis cognouit imaginis artem (*P.*, p. 215).

Il a lu des auteurs qui « pythagorisent »[422], ou qui s'adonnent au

Q. Cicéron avait montré la nécessité d'une telle tâche, afin que l'avertissement donné par les dieux fût totalement exploité (*Diu.* 1, 51, 116).

417. De ce fait, il est sujet à l'erreur : ainsi, note Chavigny, ce n'est pas Nostradamus qui s'est trompé, c'est son interprète : *Fallitur longe opinione sua hoc loco Auratus* (*Ian. Gall. facies...*, p. 329). Q. Cicéron montre que l'erreur technique ne change rien à la valeur du signe (*Diu.* 1, 52, 118).

418. Liminaire du *Tractatus de Monstris*, sans p., ni sign.

419. Tout langage est métaphorique, puisque le signe a pour fonction de remplacer l'objet (nous avons vu que, pour Dorat, les noms n'ont pas été donnés au hasard) ; à ce premier degré, pour les dieux, le rapport métaphorique est si transparent qu'il n'y a même plus de métaphore ; cf. ci-dessus, p. 202). Le code offert par les dieux à la divination est apparenté aux modes indirects du langage (cf. T. Todorov, *Théorie du symbole*, p. 29).

420. Selon la définition de Du Marsais : « l'allégorie n'est même qu'une métaphore continuée » (*Des Tropes*, Paris, Prault, 1785, p. 178). C'est bien ainsi que l'entendait Dorat (cf. *Ode* XVI, sous-titrée *Allegoria*). En effet, si la métaphore est bien l'unité minimale, elle n'aurait pas de sens si elle demeurait isolée, et ne fonderait pas plus une interprétation qu'un seul mot ne crée un langage. Ce qui permet de déchiffrer avec certitude, c'est la série des rapports de même type dans un monde, par hypothèse, cohérent.

421. Mais, à notre connaissance, il n'en cite aucune, tandis qu'il renvoie à Cardan et à Haly (cf. Mss. Ambr. A. 184, 3 r °) en ce qui concerne l'astrologie.

422. Cf. ci-dessus, p. 227-229.

Tserouf[423] , mais finalement, il doit peu de choses à ce qu'on pourrait
appeler des solutions toutes faites. Certes il ne rejette pas systématiquement ce qu'il a pu apprendre de la sorte, mais il s'est forgé une méthode personnelle. Il s'agit bien d'une *diuinatio artificiosa*, puisqu'elle
repose sur l'expérience : son grand livre de références est le corpus
littéraire antique, et l'étendue de ses connaissances rend la concurrence
difficile[424] .

Si absurde que soit la formule « il trouva la tablature des anagrammes dans Lycophron[425] », elle est révélatrice : c'est dans le monde
antique qu'il faut chercher l'autre face des signes que les dieux (ou
Dieu) nous adressent.

Parfois l'analogie fonctionne au seul niveau verbal, et l'interprétation est fondée sur le fait qu'un mot peut être pris en deux sens différents : de ces *ambigua* ou *ex ambiguo dicta* (*De or.*, 2, 66, 250),
l'un en effet, s'applique au prodige considéré, l'autre à son interprétation. Le cas de l'*Androgyni interpretatio* est particulièrement net,
car Dorat y a utilisé à deux reprises ce procédé. Il joue d'abord sur le
sens de l'adjectif *aduersus* : les partis vont s'unir dans une paix « qui
leur répugnera », parce que les dos des Siamois sont placés « au sens
opposé » l'un de l'autre :

> ... auerso coïturas foedere partes,
> Indicat auersa ut coeuntia terga duorum (*P.*, p. 30).

L'union, qui est le but recherché par tous les négociateurs d'un traité
de paix, prend ainsi une couleur malsaine de par son rapprochement
avec la soudure anormale de deux êtres humains.

En outre le fait que les enfants entremêlent leurs jambes, leurs pieds
et surtout leurs mains — *conserta* — laisse présager que l'idée d'avoir à
se battre encore est présente au moment où l'on mène les négociations
pour la paix :

> Crura sed alternis conserta, pedesque manusque
> Portendunt aliquid socia inter foedera pugnae
> Pugnandae *(ibid.).*

Le procédé est analogue à celui de l'exemple précédent, mais Dorat a
même fait l'économie de l'expression figurée *conserere manus*, « engager
le combat », qui fonde son interprétation. Ici encore le secret des choses
se trouve dans les mots.

---

423. Cf. ci-dessus, p. 225-226.
424. Plus tard, il eût souhaité que les auteurs sacrés vinssent prendre la relève, mais,
quelle que fût sa bonne volonté, il n'a réussi que très partiellement sa conversion culturelle.
425. Cité par Marty-Laveaux (*Œuvres* de J. D., p. XLIII, n. 2), d'après Niceron. En fait,
si Dorat s'est mis à l'anagrammatisme, c'est parce que Lycophron l'avait pratiqué. Au demeurant, l'interprète est beaucoup plus inspiré quand il « tourne » les noms latins, et lorsque le
poète français énonce des signes météorologiques, il ne se réfère pas à son expérience propre,
mais à Virgile et aux *Géorgiques* (cf. *P.*, p. 191).

Mais l'interprète utilise aussi le rapport analogique entre les choses. Celui qui relie le corps social au corps humain est fondamental[426] : ce que la tête est au corps, le prince l'est au peuple :

> Est caput in populo princeps ut corpore quondam
> (Mss. Lat. 10327, f° 16 v°).

L'ami Maledent pourra déduire lui-même la suite :

> ... scis possit quid sibi uelle caput,
> Quid caput et collum duplici cum corpore duplex *(ibid.)*.

L'analogie entre le microcosme et le macrocosme se réduit à une allusion[427]. Dorat a un goût plus marqué pour les analogies numériques, par exemple, la Trinité et les trois couronnes[428]. Parfois le rapport analogique est plus élaboré : des traits distinctifs d'un être, l'interprète abstrait une ou deux notions, qu'il pourra, dès lors, avancer comme résultat de l'interprétation[429]. Le lièvre à six pattes est, si l'on peut dire, traité selon cette méthode : l'animal étant couard et rapide (il s'agit là d'une évidence qu'il n'est pas nécessaire de rappeler), la présence remarquée d'un lièvre indique une fuite, et la fuite sera accélérée puisque l'animal a plus de pattes qu'un lièvre ordinaire :

> At leporis tibi forma fugam denunciat, idque
> Percelerem : pedibus pluribus omen inest
> (Mss. Lat. 10327, f° 26 r°).

C'est exactement la méthode utilisée par Tanaquil qui, selon Tite-Live, étant étrusque, s'y entendait en divination[430].

Le recours à l'antique n'a pas un moindre rôle en oniromancie. D'abord, l'antiquité fournit de sûrs garants. Ainsi, Dorat cite, pour l'édification de Charles IX, les expériences illustres de Scipion et d'Hannibal :

> Qualia Scipiades narratur et Hannibal olim
> Vidisse *(P.*, p. 4).

Ensuite, l'interprète cherche − et trouve − une analogie entre l'image décrite et une situation antique qui lui fournira une ligne directrice.

426. Sur ce sujet, cf. H. Weber, « L'analogie corps social-corps humain », in *Les hommes de la Renaissance et l'analogie (Actes* du colloque de l'Institut collégial européen, Loches, 1976, p. 60-65).
427. *Quatuor humores, elementa ut quatuor, artus / Vt magni Mundi, sic breuioris alunt (P.*, p. 156).
428. *Diuinitatis est sacer Ternarius : / Ternas coronas pollicetur hic tibi (Exh.*, 356-357).
429. L'art de saisir les ressemblances est celui du créateur de métaphores (cf. Aristote, *Poétique*, 1459 a), il est aussi celui de l'interprète des songes (*Diu. Somn.* 2, 464 b). Selon Artémidore d'Éphèse, l'interprétation des songes n'est rien d'autre que le rapprochement du semblable avec le semblable (*Onirocriticon lib.* V, 2, 25, fin).
430. Un aigle ayant soulevé le chapeau de Lucumon-Tarquin, et l'ayant reposé doucement sur sa tête, cet homme peut caresser de grandes espérances, en raison du dieu dont cet oiseau est le messager et parce que le présage a porté sur la partie la plus élevée du corps (1, 34, 9).

Ainsi, à propos des colonnes flamboyantes du rêve de Catherine, il mentionne le feu qui parut lécher les cheveux du petit Ascagne et ceux de Lavinie[431] :

> Ignis ut Ascanii crines, Lauinia, lambens
> Siue tuos, *solitus* grande notare decus (*P.*, p. 215).

Tout est dit quand on a réussi à faire entrer l'image dans une série, identifiant soit celui qui consulte, soit celui pour qui l'on consulte, avec un héros antique. Ainsi la reine-mère inquiète est rapprochée d'Alcmène :

> Quale quod Alcmenae turbauit pectora uisum (*P.*, p. 214).

Il faut d'ailleurs reconnaître que l'interprète manœuvre habilement pour trouver un précédent rassurant à une image terrifiante : ainsi Dorat est parvenu à détourner de la dame en noir l'attention du jeune Henri d'Angoulême[432]. Cette silhouette inquiétante n'aurait peut-être pas été trop difficile à nommer, mais la situation est complètement retournée à partir du moment où, par la magie des noms de Mélicerte et de Leucothoé, la tragique noyade tourne à l'apothéose :

> Naufragus hic puer est (dixi) modo iactus in amnem,
> Qui nunc hic alitur ceu Melicerta nouus (*P.*, p. 304).

Le mythe d'Atlas fournit un code complet qui permet de rendre compte de manière satisfaisante de la vision de la reine-mère :

> Carolus innuitur, nouus ipse columnifer Atlas,
> Cui suus Alcides frater et alter adest (*P.*, p. 216).

Or les colonnes d'Alcide sont deux... Le fait que la reine n'ait vu qu'une seule colonne est le symbole de l'amitié de ses deux fils[433] :

> (Columnas)
> Pro fesso Alcides quas et Atlante tulit,
> Illa columna duplex Reginae uisa parenti
> Vnica fraternam monstrat amicitiam (*op. cit.*, p. 215).

L'EXTENSION MÉTONYMIQUE   Parfois aussi l'interprète étend, en usant de la métonymie, le résultat précédemment acquis.

Le procédé, d'ailleurs, est reconnaissable dans différents types d'interprétation. Ainsi, grâce à l'allégorie du serpent qui mue et se mord la queue, Dorat tient pour acquis, dans son commentaire au

---

431. Cf. *En.* 2, 682-691 ; 7, 72-80.
432. Cf. ci-dessus, p. 234.
433. L'explication morale serait-elle jugée insuffisante ? L'interprète est en mesure de présenter une interprétation physique de rechange : l'œil humain ne peut saisir à la fois le ciel des deux hémisphères, et c'est pourquoi la reine n'a vu qu'une seule colonne : *Vel quia conspicuus polus est mortalibus unus, / Vnica pro duplici uisa columna poli (ibid.).*

chant 10 de l'*Odyssée*[434] , qu'Éole est l'année, dans sa diversité. De là, il glisse à l'idée générale de cercle et de sphère — *pro quolibet orbe et sphaera* (*op. cit.*, 2 r°). Glissant, encore, il note qu'on peut tenir Éole pour le Zodiaque — *hocque modo Aeolus pro Zodiaco, circulo obliquo (ibid.)*. Mais sa hardiesse métonymique le pousse à une dernière extrapolation : en conséquence, on pourra tenir Éole pour le contemplateur du Zodiaque — *et proinde pro contemplatore Zodiaci usurpabitur (ibid.)*. La méthode employée ici par le professeur l'a conduit au même résultat que les commentateurs évhéméristes, Éole astronome[435] .

En ce qui concerne plus particulièrement la mantique, un exemple emprunté à l'*Elegia prognostica* montre le procédé à l'état le plus simple. Avant le début des troubles civils, des enfants sont morts dans un éboulement, et, coïncidence signifiante, à la veille des Saints-Innocents. Théoriquement, donc, le présage ne devrait concerner que des enfants, mais l'interprète — qui d'ailleurs parle *post euentum*[436] , en toute sûreté — étend la «prédiction» à toutes les innocentes victimes des troubles civils qui commencèrent peu après :

> Nempe et festa dies pueris, puerilis et ipsa
> Strages, *simplicium* stragibus omen erat (*P.*, p. 192).

Le rapport *puerilis strages/simplicium strages* lui semble même une évidence, qu'il souligne par *nempe*[437] .

Enfin l'extrapolation que nous jugeons la plus douteuse est bien celle qui est le fait du raisonnement par analogie. Dorat aime à assurer les succès futurs annoncés par sa mantique sur les résultats heureux antérieurement acquis. Ainsi le fait d'avoir reçu deux couronnes est, pour Henri III, le gage de la troisième :

> Ternas coronas pollicetur hic tibi
> Duasque *pignus* obtines iam tertiae (*Exh.*, 357-358)[438] .

434. Mss. Ambr. A. 184.

435. Curieusement, la technique de la métonymie l'a fait passer par une proposition pythagoricienne — (Éole sphère, cf. F. Buffière, *Les mythes d'Homère et la pensée grecque*, p. 574-577) — dont il ne dit rien, et qui lui sert tout juste d'intermédiaire dans le transfert d'une notion à l'autre.

436. Ce texte fut composé fin novembre ou début décembre 1567, et Dorat a sans doute plus spécialement à l'esprit le massacre de la Saint-Michel à Nîmes. Par ces « apophéties », selon l'expression d'A. Aubigné, Dorat veut surtout attirer l'attention sur le nombre des signes fâcheux qui continuent à s'accumuler.

437. Le même type de figure aide aussi l'interprète à arranger, si l'on peut dire, des coïncidences signifiantes. Ainsi le roi — à qui l'on est autorisé à prédire trois couronnes — devrait avoir reçu les deux premières le jour de la Sainte Trinité. C'est réellement le cas pour l'une, mais l'autre lui est échue le jour de la Pentecôte. Dorat ne se laisse pas décourager, et précise le jour de la Pentecôte, c'est bien le Dieu trinitaire qu'on adore dans le seul Esprit (*Exh.*, 363-364).

438. A propos du même événement, Dorat disait encore à Henri III : *Si mea praecinuit populis te Musa Polonis / Regem, cur tibi non praecinet imperium ?* (cité par Chavigny, *Iani. Gall. facies...*, p. 335). On voit bien qu'ici la troisième couronne est la couronne impériale ; plus tard, viendra le thème : *manet ultima coelo* ; cf. par ex. la dédicace des *Poëmatia* en 1586 (*op. cit.*, Aij v°).

L'interprète a tiré le maximum de la notion d'*euentus* mise en avant par Q. Cicéron pour justifier la divination[439] : il fait jouer le raisonnement au niveau de son expérience propre, et les résultats qu'il a précédemment obtenus non seulement témoignent de la validité de la méthode, mais encore du bonheur des résultats à venir[440]. Pourtant, il n'a jamais cherché à passer pour un extra-lucide. Il est certain, en fait, que son excellente information politique, sa fine connaissance du cœur des hommes, acquise dans la vie aussi bien que les livres, devaient être d'utiles adjuvants pour ses pratiques divinatoires[441], et, du reste, il a toujours mis en lumière ce qu'il devait à sa réflexion sur le monde antique[442].

III. 4 MORALE ET MANTIQUE Le temps qui passe affermit Dorat dans sa vocation de vaticinateur, et son assurance s'accroît parallèlement à sa notoriété.

En 1559, alors qu'il faisait savoir à Madame Marguerite que son mariage, d'après lui, s'annonçait sous d'heureux auspices, il joignait à ce propos une déclaration passablement sceptique : que les dires des devins soient chose sérieuse ou non, les bonnes paroles ne font jamais de mal :

Exitus in diis est, sed seu praesagia uatum
Sunt aliquid, uel nil, quid bona uerba nocent ?[443]

Offrant à Henri de Mesmes ses étrennes anagrammatiques en 1563, Dorat admet que le dieu qui vaticine par sa bouche lui fait prononcer sinon la vérité, du moins quelque chose qui en diffère peu :

Quae deus in nobis tibi uaticinatur amicus
Si non uera, tamen quae sint uel *proxima ueris*
Accipe (Mss. Lat. 10327, f° 46 r°).

ASSURANCE DE   Il semble que c'est sous le règne de
L'INTERPRÈTE   Charles IX, et même plus particuliè-
                   rement après sa nomination comme
poète royal en janvier 1567, que Dorat s'est mis sérieusement à la vaticination, à tel point qu'on pourrait croire que son titre d'*interpres Regius* l'habilite comme devin officiel[444].

S'appuyant sur les *Révélations* de sainte Brigitte, il présente à Charles IX avant la troisième guerre civile, une vaticination en règle (Mss. Lat. 8138, f° 51 r°-v°)[445]. En 1569, il tire de l'anagramme un

439. Cf. *Diu.* 1, 19, 36 ; 1, 25, 52.
440. On a même l'impression, à la limite, que le fait d'avoir énoncé des prédictions favorables est un heureux présage pour la suite, peut-être parce que les mots possèdent une certaine puissance effective ; par ex. cf. *Od. lib. II*, p. 191 = 193.
441. Pour sa clairvoyance à propos d'Henri de Guise, cf. ci-dessus, p. 222.
442. Cf. épître liminaire du *Ian. Gall. facies...* de Chavigny, p. 31, et ci-dessous, p. 257.
443. In *Variorum poëmatum silua* (s. n. Buchanan), Bâle, 1568, p. 173.
444. Cf. par ex. *P.*, Aij v° (dédicace du recueil à Henri III) : *Sed maiora tuas seruo mysteria in aures, / Qualia es expertus me tibi uate prius.*
445. Il y annonce une double victoire avant que le prince ait atteint l'âge de vingt ans,

présage « certain » du triomphe d'Henri d'Anjou :

Nomini uenturi praesagia *certa* triumphi (*A.*, p. 134).

En 1576 la réalisation annoncée est une évidence — *aperte concidit* (*Exh.*, 346), et Dieu fournit par les noms des présages véridiques de l'avenir (d'ailleurs bon ou mauvais)[446]. Le sceptisime de 1559 est bien loin, mais l'interprète a une conscience aiguë de ses devoirs.

ÉTHIQUE DU DEVIN   Dès 1567, l'année où il fut nommé poète royal, Dorat note que c'est bien de la malchance d'avoir à jouer si vite l'oiseau de mauvais augure, mais il n'en énonce pas moins ses sinistres présages, au moment de la deuxième guerre civile[447]. S'il revendique pour le devin le droit de dire la vérité, c'est qu'il obéit alors non pas à la loi des hommes, mais à celle des dieux :

Fas ficta[448] est uati, *fas* quoque uera loqui (*P.*, p. 5).

Pourtant, en 1570, il a suffisamment l'expérience de la Cour pour savoir que les grands ne sont pas satisfaits d'un prophète de malheur. Dès lors, s'il prend sur lui d'annoncer ce qu'il croit voir, c'est qu'il compte sur la divinité qui protège les devins, les pousse à parler, et, dans l'immédiat, sur l'aide d'une autre faction de la noblesse, car il se réfère, comme toujours, à l'expérience d'Homère[449] :

... nunc tristia contra
Monstri euenta canens inuisus habebor et excors
Atridis Calchas, nisi quis me seruet Achilles (*P.*, p. 30).

Néanmoins quelques précautions s'imposent. Malgré sa confiance dans l'aide apollinienne, l'interprète prend bien soin de ne pas terminer son poème sur de sombres pronostics, et de montrer, malgré tout, une vague lueur d'espérance pour des temps lointains[450]. A défaut d'espoir, on peut toujours offrir des vœux. Le poème *Androgyni interpretatio* s'achève sur des souhaits adressés au prince, à sa famille, à son peuple[451]. Ce sont là des astuces de présentation, mais elles ont leur prix, surtout

mais il prend tout de même la précaution de préciser que la prédiction pourrait concerner un autre prince : *Si modo non alio quam de te haec rege canuntur* (*op. cit.*, f° 51 r°).
446. *(Deus) / dat nomina / Vel haec, uel illa*, uera *ceu praesagia / Sortis futurae, prosperae aut contrariae (op. cit.*, 349-351).
447. *Hei mihi ! qua fati nunc, Carole, lege sinistra / Sum meritus uates Regius esse tuus ? / Anne uti nunc canerem, patriis* auis atra *ruinis, / Tot clades miseras, tot miserasque neces?* (*P.*, p. 193).
448. Dorat joue sur les différents sens de *uates* : le poète est, par définition, l'homme de la *fictio* ; le devin dit la vérité.
449. Cf. *Il.* 1, 74-83 (demande de Calchas).
450. *Regius idem olim (nisi me praesagia fallunt) / Foelici foelix Rege poeta ferar* (*P.*, p. 193).
451. *Omina quae eueniant tibi, Carole, fausta tuaeque / Et matri, et fratri utrique, ipsorumque sorori, / Atque omni populo* (*P.*, p. 31).

si l'on compare ces textes officiels avec un poème envoyé à Maledent,
où Dorat peut laisser paraître son angoisse aux yeux d'un vieil ami[452] .
Il va en terminant — et l'intimité des deux hommes exclut l'idée que
ce ne soit là qu'une attitude littéraire — souhaiter s'être trompé, et
passer pour un sot et un songe-creux :

> Namque ego me uanum cupiam stolidumque uocari
> Posse dein, uersis ad meliora diis   (*op. cit.*, f° 17 v°).

Plus tard, dans la France de la Ligue, les pronostics ne pouvaient être
que très sombres. En tout cas, sur l'extrême fin de sa vie, Dorat va
jusqu'à conseiller à son ami Chavigny de montrer de la prudence dans
son commentaire de Nostradamus : quand il s'agit des grands, et surtout de la religion, il faut parler avec retenue :

> Parce de Principibus uiris loquere, parcius de religione
> (*Ian. Gall. facies...*, p. 33).

Il affirme sententieusement : *molesta ueritas est (ibid.)*. Bien sûr, il
est censé parler de l'édition de Nostradamus, mais il paraît à peu près
certain que ses dires étaient fondés sur l'expérience[453] . Il n'est sans
doute pas trop téméraire de conclure que l'interprète royal avait, ma-
lencontreusement, joué le rôle de Cassandre et que, incapable de chanter
sa palinodie, il préférait dès lors se replier, du moins officiellement,
derrière l'obscurité d'un monde sans signes[454] .

ÉTHIQUE DU CONSULTANT   Si c'est un devoir pour l'interprète de
                          révéler tout ce qu'il croit comprendre
dans les signes qu'il a reconnus, c'est un devoir aussi pour ceux qu'il
avertit, d'abord de l'écouter, ensuite de modifier leur conduite en
conséquence[455] .

Presque toujours, l'interprète réclame l'adhésion du consultant,
dont la démarche, pourtant, présuppose la conviction, comme c'est le
cas pour Charles IX :

> Crede tui somni per mea uerba notis   (*P.*, p. 4).

La construction du vers, la place des adjectifs possessifs soulignent la

---

452. Sûr de ne pas se tromper, il demande, en désespoir de cause, que ces signes funestes
menacent non pas la France, mais les ennemis : *Hostibus eueniant quae talia signa minantur*
(Mss. Lat. 10327, f° 16 v°).
453. Nous n'avons, en tout cas, aucune raison de douter du témoignage de Chavigny qui,
d'une part, n'avait aucun intérêt à mentir, et, d'autre part, publie son travail sous Henri IV,
six ans après la mort de Dorat.
454. Dorat, pourtant, ne désespère pas de la Providence, cf. ci-dessus, p. 150-151.
455. Telle était bien l'attitude préconisée par Cardan dans le livre auquel Dorat renvoyait
ses étudiants à propos des horoscopes. L'érudit milanais concluait, en effet, après avoir mentionné l'assassinat de Thomas More : *Discite, uos, Reges...* (*Geniturarum exempla*, p. 413;
cf. n. 346).
456. En présence d'un rêve trop bien raconté, la première réaction de l'interprète est la

nécessaire collaboration[456] du devin et de son « client », mais l'interprète réclame bien davantage, car, à ses yeux, l'interprétation n'est pas une fin, c'est un commencement, et toute interprétation doit comporter un conseil. Ainsi Dorat, en 1578, conclut son liminaire au *Traicté des cometes* de Vigenère — dans un esprit qui est bien aussi celui du dédicataire — en faisant de l'avertissement une raison de cultiver la justice[457] : *moniti, discite iustitiam* (*op. cit.*, p. 8). L'interprète, au demeurant, ne se contente pas de déclarations vagues. Ainsi, après avoir expliqué un songe à Charles IX, il lui donne un conseil précis, en lui rappelant que l'attitude vraiment royale consiste à apaiser les mouvements populaires par des paroles de paix :

> ... placidis populi motus compescere uerbis (*P.*, p. 5).

L'annonce d'un événement heureux n'est pas une occasion de flatter le prince. Ainsi, après avoir donné à Henri III l'espérance de l'Empire et de la victoire sur le Turc, il termine en le détournant de tout triomphalisme, car le plus grand triomphe consiste à libérer l'ennemi vaincu[458] :

> Alter et inde manet te maximus ille triumphus,
> Hostibus ut uictis compede crura leues (*P.*, p. 3).

Chavigny nous a conservé un autre texte de Dorat concernant l'accession du roi de France à l'Empire. L'interprète, après avoir affirmé la véracité des prédictions des devins, y lie leur réalisation à la valeur morale de l'impétrant :

> Irrita non Vatum sunt omina : tu modo cura
> Dignus ut imperio sis... uocante Deo
> (in *Ian. Gall. facies...*, p. 336).

Dorat a bien précisé sa position en face de son dernier maître, dans un poème qui lui fut dédié en 1576, *Ad Regem Exhortatio*[459]. Il souligne, en terminant, qu'il n'est pas un prophète, mais un poète accomplissant ce qu'il croit être son devoir, et il demande à Henri de prendre ses déclarations en bonne part, car tel est aussi son devoir :

> Haec si pia Poeta praedico tibi
> (Nec enim Propheta) mente, tu fac et pia
> Accepta mente interpreteris in bonam
> Partem uicissimim (*Exh.*, 466-469).

Il n'a cessé de rappeler au monarque qu'il y a bien loin de l'énoncé d'une prédiction à sa réalisation[460]. Renouvelant par une paronomase l'opposition *res/uerba*, il avertit son roi que les prédiction des

---

méfiance ; cf. ci-dessus, n. 359, fin.

457. Cf. *En.* 6, 620.

458. Cf. ci-dessous, p. 295.

459. Cf. G. D. « Le poète et le prince », in *Hum. Lov.* XXVI (1977), p. 162-203.

460. Aussi faut-il se garder de tout vouloir, tout de suite : *Nec quia tibi iam sub manum non omnia / Succedere experiris, idcirco putes / Ablata* (*op. cit.*, 56-58). Cf. encore *op. cit.*, 469-470.

devins ne sont rien, si, lui-même, il ne se rend par son énergie l'artisan de son propre destin :

> ... sed magis
> Praedicta de te ut, noueris cum talia,
> Tu *fata factis* ipse comprobes tuis (*Exh.*, fin).

Quel que soit le culte du vieil humaniste pour les mots, il sait bien qu'ils ne sont rien sans les actes.

*
* *

Nous avons tenté, dans ce chapitre, de faire une sorte de bilan de l'activité de Dorat. Pourtant, à travers les travaux si divers de ce professeur, qui fut aussi devin et poète, il semble qu'il est possible de retrouver une attitude intellectuelle constante.

H. Chamard — qui venait de porter un jugement cassant sur l'œuvre poétique de Dorat, mais prétendait sauver la réputation du maître de la « Pléiade » — déclarait : « Mais il était né philologue » (*Histoire de la Pléiade*, t. 1, p. 101). Ce terme, qui était bien une louange sous la plume du critique, ne nous paraît pas bien caractériser l'activité de l'humaniste, à moins qu'on ne se réfère, à la suite de Martianus Capella, à des noces de Mercure et de Philologie. Mais, au sens où l'entendait Chamard, au sens où on l'entend dans les pays germaniques — où Philologie s'oppose à Philosophie — Dorat ne fut pas un philologue. Si Chamard, à la suite de Nolhac[461], rend bien justice à l'activité « philologique » du principal de Coqueret, l'originalité de sa démarche lui a, en partie, échappé.

Ce n'est pas pour rien que Dorat a dédié un poème à Mercure[462], et que le dieu messager tient un rôle privilégié dans ses vers : le professeur a reçu de lui, avec la vocation d'intermédiaire, les ailes qui lui permettent d'aller rapidement de l'un à l'autre. Cherche-t-il à amender un texte ? Il trouve une solution immédiate, et il sait aussi, sur le champ, faire passer à ses auditeurs le message du texte expliqué. Sans doute son Pindare était-il moins parfait que celui de Croizet et son Eschyle que celui de Mazon, mais ce n'est pas pour rien que Canter avait osé qualifier son maître de *Logios*.

Chamard voit Dorat au travail comme une sorte de bûcheron limousin : ses leçons auraient « tant bien que mal, par des traductions et des gloses, introduit (Ronsard) au mystère de cette poésie » (*Histoire de la Pléiade*, t. 1, p. 343). Le critique a bien vu qu'il y avait

---

461. Il renvoie dans l'*Histoire de la Pléiade*, t. 1, p. 101 n. 2 à *R. et l'H.*, p. 75-81 (entre autres autorités).
462. *P.*, p. 314-315.

« mystère », donc initiation[463] et, s'il est douteux que Dorat ait toujours traduit, sans doute glosait-il. Mais aucun maître avisé ne laisse les arbres cacher la forêt aux yeux de ses étudiants, et il est certain que, dans un dernier temps, le public accédait à une lecture, synthèse épuisante, mais merveilleuse, quand on en arrivait à lire « de plein vol le Prométhée d'Eschyle »[464]. Dorat lui-même témoigne aussi de ce qu'il a cru apporter à ses auditeurs : la possibilité de jouir « de près » de la parole d'Homère :

> Maeonio *cominus* ore frui (*P.*, p. 101).

Si l'adverbe nous éclaire sur la démarche du maître, le verbe révèle qu'il prétendait offrir autre chose qu'une compréhension intellectuelle, car il savait éveiller, dans tous les domaines, « la curiosité d'entendre l'obscur », selon une formule de Julien[465].

Q. Cicéron avait bien noté que le devin, comme l'interprète des textes, donne accès à une connaissance intuitive de l'objet de leurs recherches : *Quorum omnium interpretes, ut grammatici poëtarum, proxime ad eorum, quos interpretantur, diuinationem uidentur accedere* (*Diu.* 1, 18, 34). Dans les deux cas, Dorat a été la voie, celui qui permet qu'on s'approche du but dans le voyage de la connaissance.

Qu'il commentât des allégories[466], ou qu'il s'efforçât d'expliquer des songes ou de rendre compte de « prodiges », Dorat mettait en œuvre la même aptitude à saisir des ressemblances, qui permet de *traduire* les signes qui forment le texte ou le grand livre du monde. On dit que c'est la capacité de créer des métaphores qui fait le poète : la nature n'avait pas refusé ce don au maître de la « Pléiade », mais, chez lui, l'énergie métaphorique ne s'est pas moins tournée vers la divination que vers la création poétique.

---

463. De même Laumonier dit que Dorat « interprétait » les textes (*Ronsard poète lyrique*, p. 379), mais, selon lui, une leçon se déroule selon le schéma : traduction, commentaire, rapprochements entre les auteurs grecs et latins (*op. cit.*, p. 48) ; il évoque le « soin pieux » des étudiants qui prennent des notes au cours, et nous possédons des témoins de cette piété, mais on ne peut prendre des notes qui rendent compte du moment privilégié où le texte s'ouvre.
464. *Discours de la vie de P. de Ronsard*, éd. Laumonier, p. 12.
465. Traduite par B. Aneau, dans sa préface aux *Trois premiers livres de la Metamorphose*, Paris, 1556.
466. La critique contemporaine s'est montrée moins cruelle que celle du début du siècle envers la lecture « morale » : M.J. Perret, par ex., présente une interprétation de ce type pour l'*Énéide* (*Virgile*, Paris, Hatier, 1965, p. 141).

Chapitre V
L'HUMANISTE DEVANT LES TROUBLES CIVILS

Alta sedent ciuilis uulnera dextrae

Lucain

I. ÉVOCATION DES TROUBLES CIVILS ET CULTURE ANTIQUE

J.-A. de Chavigny, lors d'une conversation qu'il eut avec Dorat dans le courant de l'année 1588, peu de temps avant la mort de l'humaniste, apprend à son vieil ami qu'il va écrire une histoire des guerres civiles : tout naturellement, Dorat demande alors à son disciple s'il s'agit de la lutte civile «à Rome ou à l'étranger» : *Romanamne an externam? (Iani Gallici facies prior*, p. 31).

La réplique du vieillard en dit long sur ce que pouvait représenter l'expérience des guerres civiles romaines pour un intellectuel humaniste[1] : par la lecture, il vit au cœur de ces troubles, à tel point que les autres guerres civiles — apparemment aussi, à cette date, celles de la France — finissent par lui paraître «étrangères». Il ne peut alors que déplorer le fait que les troubles aient rempli les trente dernières années et qu'il y doive user le reste de son âge : *Quid? uix trigesimum implent haec nostra ciuilia bella : estne nobis in iis tota terenda aetas*[2] *? (op. cit.*, p. 33).

PRÉSENCE PRIVILÉGIÉE DE LUCAIN

Confronté avec les troubles civils du royaume de France, Dorat, en bon humaniste, ressent donc une impression de déjà vu. Aussi les mots qui ont servi à évoquer les guerres civiles de Rome se présentent-ils tout naturellement sous sa plume. Quand il

---

1. Ainsi les troubles du royaume de France ont poussé Antoine Caron à peindre *Le massacre des triumvirs* (Paris, Musée du Louvre), et l'artiste projette sur sa toile en 1565-1566, les obsessions d'un sujet de Charles IX : au premier plan, une soldatesque déchaînée massacre, tranche des têtes ; le tableau ne recherche aucun réalisme historique : le décor représente la Rome du XVIe siècle, et l'on a l'impression que le peintre mêle volontairement les données concernant les deux époques.

2. Sans doute se souvenait-il alors du cri du désespoir d'Horace, quand la paix — qui sera signée à Brindes — n'est pas encore en vue : *Altera iam teritur bellis ciuilibus aetas (Ep.* 16, init.).

veut montrer, lui aussi, les «fureurs plus que civiles» des deux partis
— *amborum furiis plus quam ciuilibus* (*P.*, p. 66) — c'est le plus souvent
le texte de Lucain qui soutient son inspiration, qu'il en soit conscient
ou non. Pour ses lecteurs, le rapprochement s'imposait. Il lui arrive
même d'apostropher ses concitoyens dans les termes de la *Pharsale*
pour leur demander quelle fureur les pousse — *Quis furor, ô ciues*[3].

Lucain a bien montré qu'une guerre civile ne se déclare pas comme
une guerre extérieure : un temps d'indécision s'interpose, et le poète a
l'impression qu'un être humain peut alors, à lui seul, contrecarrer les
destins déjà prêts. Ainsi Crassus, le troisième homme, a pu retarder un
moment l'inévitable : *Crassus erat belli medius mora* (1, 100). Chez
Dorat, ce rôle dilatoire — *mora belli* (*P.*, p. 74) — est dévolu à la reine,
mère des frères ennemis, au moment où François d'Alençon se met à
la tête des « Mal-contents »[4].

Du prologue de la *Pharsale*, Dorat a retenu l'idée de *licentia* (1, 8),
mais il emploie ce mot en lui donnant un autre sens. Chez lui, à cause
de la longueur des guerres la « licence » est triomphante : — *longis
grassata licentia bellis* (*P.*, p. 19) — car il ne peut y avoir place à la fois
pour *ius* et pour *uis*[5]. Si l'anagramme est bien de Dorat, l'idée que, au
cours des guerres civiles, la violence a supplanté le droit est exprimée
par Lucain dès le début de son œuvre : *ius(que) datum sceleri* (1, 2)[6].

Le poète latin a tout de suite souligné la forfaiture : ce sont deux
adversaires tout semblables qui s'affrontent :

> ... infestis (que) obuia signis
> signa, pares aquilas et pila minantia pilis (1, 6-7).

Dorat ne pouvait manquer de reprendre ce thème[7] : la fureur civile
fait rage, opposant le bourg au bourg, la famille à la famille, la ville à
la ville :

> Hinc pago pagus, gens genti, urbs pugnat et urbi :
> Ciuilis toto hinc saeuit in orbe furor (*P.*, p. 75).

Quand un conflit prend une telle ampleur, les contemporains sont
fondés à croire que l'univers chancelle. Lucain voyait dans la guerre une

---

3. *Ad belli ciuilis auctores* à la suite de *Ad beatiss. Virginem Mariam*, Paris, F. Morel,
1576, Aiiij r°. Nous citerons désormais *B.C.A.* et *B.V.M.*

4. Il est très remarquable que le poète français n'a pas appliqué cette formule à la reine
au moment où, par sa politique, elle tentait d'éviter le pire, mais à la mère, prise entre ses deux
affections et s'efforçant, comme autrefois Julie, d'empêcher la rupture. Mais aux propos
relativement longs de Lucain sur Julie (1, 111-120), Dorat a préféré l'énoncé plus frappant
concernant Crassus.

5. *Ad Regem Exhortatio (Exh.)*, à la suite de *Martialis Campani... Monodia tragica*,
Paris, Bienné, 1576, p. 37-38. Cf. G. D., « Le poète et le prince », in *Hum. Lov.*, XXVI (1977),
p. 167-168.

6. On trouve la même idée chez Tacite : *continua per uiginti annos discordia, non mos,
non ius, deterrima quaeque impune* (*Ann.* 3, 28, 3).

7. L'année précédente, s'adressant aux fauteurs de guerre civile, il l'avait déjà traité :*axis
in axem / Vrbs urbi, populo congreditur populus* (*B.C.A.*, Aiiij r°).

image de l'*ekpyrosis* finale, du moment où les astres dans leur course se rencontreraient : *sidera sideribus concurrent* (1, 75). Alors Phébé marchera en sens inverse de son frère : *fratri contraria Phoebe / ibit* (1, 77-78). Dorat est inspiré par le thème propre de l'*ekpyrosis* : il se plaît à faire s'entrechoquer les noms des astres, à embraser les pôles :

(si)
Concurrat (que) suo Phoebo soror unica Phoebe,
Aegocero Taurus, Scorpius Hydrochoo,
Quis tandem ... exitus alter
Quam polus ut flammis ardeat ipse suis? (*B.C.A.*, Aiiij r°).

Mais si, après avoir évoqué cette apocalypse, il reprend la formule de Lucain, il la met au présent, car la fin d'un monde est arrivée :

Finis adest mundi
[...]
Sydera syderibus concurrunt *(ibid.).*

Dans de telles conditions, selon Lucain, tous peuvent lire avec certitude — *manifesta fides* (1, 524) — ce que l'avenir réserve, car, dans les périodes troublées, où chacun note avec anxiété les signes avant-coureurs des catastrophes, on peut voir naître une mantique « sauvage »[8]. Avant de faire connaître les signes — *notas* — qui, selon lui, annoncent les malheurs de son pays, le poète français consacre les quatre premiers distiques d'une *Elegia prognostica* à rappeler que les marins observent le vol des oiseaux pour obtenir de sûres prévisions météorologiques :

Aut fulicae ludunt in sicco, aut gurgite mergi
Tingunt se, aut rauco gutture coruus ouat (*P.*, p. 191).

Ses lecteurs voyaient sans peine que ce propos était soutenu par l'autorité de Virgile[9] :

... medio celeres reuolant ex aequore mergi
[...]
in sicco ludunt fulicae (*Georg.* 1, 361-363).

Comme ce dernier, il passe de la météorologie à la mantique[10], tout en soulignant la nouveauté de ses observations :

Nam uetera ut taceam sanctorum oracula uatum,
Omina de multis, sed noua, pauca loquar (*P.*, p. 191).

Sa liste de prodiges, en effet, ne doit pratiquement rien à Virgile, ni à Lucain, sauf la mention banale de la foudre : *porta... est medio fulmine tacta die (ibid.).*

---

8. Cf. n. 157, p. 150.
9. Le poète néo-latin a pris grand soin de se différencier de son garant dans les détails : *carinae / rates ; unda / freta ; leuis palea / stipulae atque leues pappi ; frondes / folia.*
10. Le chant 1 des *Géorgiques* se termine sur l'évocation des bouleversements cosmiques qui ont annoncé et accompagné la mort de César.

Les contemporains pouvaient reconnaître les faits qui les avaient récemment troublés : l'arrivée d'un loup en ville[11] , le passage d'une comète, la mort de six enfants dans un éboulement le jour des Saints-Innocents, les dévastations causées par une tornade (*op. cit.*, p. 191-192). Les latins savaient que la comète annonce la mort des princes[12] , et le poète français le rappelle :

> ... Cometa
> Crine suo in Regum stella timenda caput (*op. cit.*, p. 191).

Les autres faits inhabituels annoncent tous la tempête politique qui se prépare au moment où l'État se trouve privé de Montmorency, de Bourdin, de l'Aubépine et d'autres personnages influents.

Malgré sa nature optimiste, Dorat n'a pas encore trouvé de signes qui annoncent le retour au calme, et ne peut retenir une réflexion sur la tâche triste et ingrate que le sort lui a réservée :

> Ergo Regalem sibi sors me legit olorem
> Qui moduler patriae tristia fata meae (*P.*, p. 193).

Il se souvenait peut-être de la remarque désabusée de Tacite sur son sujet étriqué et sans gloire — *nobis in arto et inglorius labor* (*Ann.* 4, 32) — et il serait fondé, comme Tacite encore[13] , à se plaindre de la monotonie de son propos : quelle que soit la date, l'évocation du fléau civil est toujours la même : « les lieux de culte s'écroulent, les maisons brûlent, les hommes tombent » :

> Templa ruunt, ardent tecta, caduntque uiri (*P.*, p. 69)[14] .

La guerre sévit partout : les villes bouillonnent, les campagnes se vident :

> ... miseris trepidantibus intus
> Vrbibus et uacuis extra cessantibus agris (*P.*, p. 340).

Elle amène la mort, le viol, le pillage, l'incendie :

> Et inde caedes, inde tot ciuilia
> Sunt orta bella, stupra, praedae, incendia (*Exh.*, 336-337).

On croirait que toutes les horreurs que les Romains redoutaient de la part de Catilina[15] ont pris réalité.

Chez Lucain, le peuple a tourné son bras victorieux contre ses propres entrailles :

> (populum)
> in sua uictrici conuersum uiscera dextra (1, 3).

---

11. Cf. Nostradamus, centurie 3, quat. 33.
12. Cf. par ex. Tacite, *Ann.* 14, 22.
13. *Ann.* 6, 13.
14. Cf. encore : *Assiduas inter strages, incendia, praedas* (*P.*, p. 66) ; *Tot clades miseras, tot miserasque neces* (*P.*, p. 193).
15. Cf. par ex. Salluste, *Cat.*, 51, 9.

Chez Dorat, la France, divisée, a tiré son épée pour la retourner, aussi, contre ses propres entrailles :

> ... in sua uersum
> Viscera distrinxit male discors Gallia ferrum (*P.*, p. 340).

Le poète nomme ce fléau *pestis* (*P.*, p. 152), comme le faisait Lucain (1, 649) ; c'est un mal aveugle — *caeca pestis* (*Exh.*, 162), comme l'était la fureur des citoyens chez Horace[16] ; ce mal ravage les entrailles — *inter ipse uiscera | ... pestis* (*Exh.*, 161-162). Lucain savait que les bras des citoyens causaient des blessures profondes : *alta sedent ciuilis uulnera dextrae* (1, 32). Dorat montre les déchirures des différentes parties du royaume — *diuulsas regni partes* (*P.*, p. 66) — déchirures qui ont ruiné l'unité de ce dernier comme le note le pluriel : *diuulsa ... regna* (*P.*, p. 340)[17].

L'évocation des monceaux de cadavres qui, au lendemain de la Saint-Barthélemy, sont offerts en proie aux oiseaux et aux poissons déjà repus —

> Pars etiam alitibus uel *fastidita* marinis
> Piscibus (*P.*, p. 293)[18] —

rappelle celle du champ de bataille thessalien[19]. L'idée que ces corps dérivent le long des fleuves, jusqu'à la mer —

> Pars fluuiis, nudi... uagantur...
> [...]
> Ipse uel Oceanus... *(ibid.)* —

est aussi exprimée dans la *Pharsale* (2, 209-214). Mais le poète français délaisse plus rapidement que son modèle cette veine «naturaliste», et c'est au Styx qu'il appartient d'engloutir définitivement tous ces morts — *Tartareis ... in undis* (*P.*, p. 293)[20].

Cette lutte civile, selon lui, est tellement contre nature que même les animaux sauvages n'en connaissent pas de semblable :

> In sua cum rabido corpora dente ruunt,
> Quae non ira lupos, quae non agit ira leones :
> Corpora cognatae dilacerare ferae (*B. C. A.*, Aiiij v°).

Cicéron se demandait déjà si des êtres aussi barbares méritent encore le nom de citoyens : *ciues, ciues inquam, si eos hoc nomine appellari fas est* (*Pro Murena*, 80). Dorat suit son exemple :

> ... ciues si dicere fas est
> Hos qui infesta suis ciuibus arma ferunt (*B. C. A.*, Aiiij v°).

---

16. *Caecus furor, Ep.* 7, 13.
17. Chez Lucain, le monde se disloque dans l'*ekpyrosis* (1, 80) : *diuulsi... foedera mundi.*
18. Cf. aussi l'évocation des charniers de Moncontour (*P.*, p. 258) : le poète traite là un thème littéraire, douze ans après l'événement ; on ne trouve rien de semblable dans les textes de 1569.
19. Là, les combattants des guerres civiles sont poursuivis par des oiseaux dont les serres se lassent : *uolucres ciuilia castra secutae | lassis unguibus* (7, 831-840). Cf. aussi 2, 135.
20. Cf. ci-dessous, p. 293.

Il est amené aussitôt à forcer ce trait, et à affirmer que ce ne sont pas
là des créatures humaines :

> Non homines : hominum nec enim sunt nomine digni *(ibid.)*.

INFLUENCE
DES SCHÉMAS HISTORIQUES
Mais le poète néo-latin doit plus que des
expressions aux auteurs latins qui ont
traité des troubles civils. Certains sché-
mas de pensée se sont imposés à lui alors que la réalité historique ne le
contraignait pas : si les Français, selon lui, ont négligé de marcher
contre l'Infidèle pour mieux s'entredéchirer[21], c'est probablement
parce que les Romains, déjà, ont délaissé leur devoir historique, et que
l'ombre de Crassus erre, privée de vengeance, au début de la *Pharsale* : on
n'imagine pas, en effet, une escadre française à la bataille de Lépante[22].

Au moment où Dorat célèbre la naissance du fils de Philippe
Hurault, alors qu'un espoir de paix se dessine, il pense tout naturellement à l'enfant de la *Bucolique* 4, et se réfère explicitement à ce
texte :

> Felix ille puer, felici natus in anno,
> Pollio *ut* Augusti claudentis limina Iani,
> Post tot ciuiles sedatos pace tumultus.
> *Sic* tuus est paruus modo Pollio natus *(P.*, p. 107).

En outre l'attitude qu'il conseille à Hurault est proche de celle
qui, selon Virgile, a fait la grandeur du peuple romain :

> parcere subiectis et debellare superbos *(En.* 6, 853).

Mais l'ennemi est évoqué avec plus de violence que chez le poète latin,
car, ici, la paix n'est pas encore acquise :

> ... fera debellanda ad monstra ultricibus armis
> [...]
> Subiectis parcendo, et mitibus otia dando *(P.*, p. 108).

Un peu plus tard, le temple de marbre voué à Dieu par le vainqueur de
Moncontour —

> Grande tibi surget Pario de marmore templum *(P.*, p. 352) —

rappelle celui qu'Énée promet à Apollon et à sœur quand il a, enfin,
abordé aux rivages italiens :

> Tum Phoebo et Triuiae solido de marmore templum
> Instituam *(En.* 6, 69-70).

---

21. *Si saperes... | In Turcam rueres (B.C.A.*, Aiiij v°).

22. Ce mythe de l'union contre le Turc est ancien et solide ; Jean Du Bellay invitait les
princes chrétiens à s'unir contre l'Infidèle (à la suite des *Odarum lib. III* de Salmon Macrin,
Paris, 1546, p. 118-119). Ronsard utilise les Turcs dans une intention toute différente : quelles
raisons un Turc aurait-il de se convertir quand il voit des Chrétiens plus barbares que lui?
(S.T.F.M., t. 11, p. 65).

La dédicace peut bien être authentique : la mention du marbre de Paros fait de l'église un édifice plus hellénisé même que ne l'était le temple de l'*Énéide*, alors que le poète français n'avait, sans doute, que l'intention d'exprimer l'excellence[23].

Pour les humanistes, un prince qui met fin aux guerres civiles est, tout naturellement, assimilé à Octavien-Auguste, dédiant sur le Palatin un temple à l'Apollon d'Actium, que célèbre Properce[24]. Quelques décennies après, l'assimilation du prince avec le soleil est acquise, et Lucain, au début de la *Pharsale*, montre Néron, nouveau Soleil, parcourant le ciel sur le char de Phébus :

> seu te flammigeros Phoebi conscendere currus,
> telluremque nihil, mutato sole, timentem
> igne uago lustrare iuuet (1, 48-50).

L'ascension du prince est liée explicitement à la fin des guerres civiles (1, 44). Aussi le thème du roi-soleil semble-t-il avoir connu un grand succès en 1570 après la signature de l'édit de Saint-Germain qui rétablissait la paix par la clémence[25]. En septembre , à l'occasion du mariage d'Henri de Guise et de Catherine de Clèves, Dorat assimile les princes lorrains à l'astre du matin, qui donne aux voyageurs l'espoir du retour du soleil royal :

> Dum rediens micet ipse Phoebus (*Ode* XXIX, 28).

Par contre, c'est l'image traditionnelle de Néron-bourreau qui inspire l'anonyme[26] de Mss. Lat. 8139 lorsqu'il évoque les cruautés du soldat pendant la troisième guerre civile, les jugements honteux, les exécutions sommaires par l'épée, le gibet, par la flamme surtout (et c'est cette dernière remarque qui appelle le nom de l'auteur du supplice des Chrétiens) :

> ... omnia legum
> Iuraque naturae confundit miles iniquus.
> Quid uero memorem turpi crudelis more
> Iudicia in miseros homines exercita ? sectas

---

23. Cf. Horace, *Carm.* 1, 19, 6.

24. *Musa, Palatini referemus Apollonis aedem* (4, 6, 11). Le vainqueur d'Antoine et de Cléopâtre-Séléné ne prétendait pas s'assimiler au dieu solaire, mais s'était mis sous sa protection et bénéficiait de son éclat. Le nom de Phébus ouvre le *Carmen Saeculare* et la prière de *Carm.* 1, 21 s'adresse à lui.

25. Ronsard dans la *Chanson récitée par les chantres qui estoient dans le chariot de sa Majesté...* voit son prince : « Comme un clair Soleil nouveau / Qui va prendre sa carrière » (S.T.F.M., t. 15, p. 348). Le poème suivant est une *Comparaison du Soleil et du Roy* (p. 349-352) ; suit un *Cartel pour le Roy habillé en forme de Soleil* (p. 352-353). Cf. J. Hall, « Ronsard et les fêtes de cour en 1570 », in *B.H.R.*, XXXV (1973), p. 73-77.

26. Ce texte est inachevé ; le copiste précise : *Caetera desunt, auctorem et carmen / Et carminis argumentum satis indicat* (f° 85 v°). L'*argumentum* manque, mais les textes qui précèdent et suivent celui-ci sont de Dorat. Les réflexions sur la cruauté des soldats, la sévérité contre ceux qui s'efforcent d'empêcher la paix (f° 85 v°) sont tout à fait conformes à l'esprit du poète royal à cette date ; cf. ci-dessous, p. 281-283.

> Ceruices aliis, alios ex arbore celsa
> Pendentes, flammis alios crudelibus ustos ?
> Quae non ante alias passi grauiora Neronis
> Imperio (le vers est inachevé) (f° 85 r°).

**UTILISATION
DES MYTHES**   Outre les rapprochements historiques, la littérature antique a fourni à Dorat, comme à tous les poètes humanistes, les mythes dont les troubles civils sont l'image.

La révolte de la noblesse passée à la Réforme est parente de celle des Géants — *ferocia monstra Gigantum* (*P.*, p. 108)[27]. Le jeune Charles IX est une représentation d'Hercule au berceau étouffant les serpents :

> Infestos manibus pressit puerilibus angues (*Epgr.*, p. 149)[28].

Le roi se doit d'être un héros destructeur de monstres, comme Thésée ou Hercule, et par là de mériter le ciel. Ainsi dans l'ode composée après la mort de Charles IX, le poète montre le roi accédant au divin séjour — *in coetum Deorum es* (*Ode* XXXVI, 59), car l'humaniste a trouvé une parenté entre les épreuves qu'a traversées le prince et les travaux d'Hercule[29]. Si ce dernier n'avait tué qu'un lion à Némée, le roi en a abattu trois :

> Maior leonem tu Nemeeïum
> Non sternis unum, sed simul asperos
> Claua trinodi tres leones (*op. cit.*, 29-31).

Il est venu, lui aussi, à bout des oiseaux du lac Stymphale, grâce à ses flèches précises :

> Stymphalidas tu strenuus alites
> Figis sagittis arcipotentibus (*op. cit.*, 37-38).

Enfin les fièvres qui l'emportèrent sont comparées au feu de l'Œta :

> ... Œtae mox uelut ignibus
> Erectus (*op. cit.*, 58-59).

On voit combien la résolution — prise au temps de l'ode *Ad Deum* (1571) — de ne plus utiliser de mythes était fragile.

Henri III, en 1576, reçoit à son tour de son poète le conseil de purger la France des brigands qui sont devenus très nombreux à l'occasion des troubles civils, et d'être ainsi un autre Thésée, un autre Alcide :

> Monstra doma : fies alter sic denique Theseus
> Alter et Alcides, factisque merebere coelum (*Monodia*, dédicace).

---

27. Chez Ronsard, les théologiens protestants sont accusés « d'avoir eschellé comme Geants les cieux » (S.T.F.M., t. 11, p. 27).

28. Cf. aussi : *Dicam ego deuictos, bellum puerile, dracones* (*P.*, p. 193).

29. Cf. M.-R. Jung, *Hercule dans la littérature française du XVIe siècle*, Genève, 1966, p. 164-169, et G.D., *Les Odes Latines*, p. 366-369, pour les rapprochements particuliers.

Dans la lutte qui oppose le roi à son frère et héritier François d'A-
lençon, c'est naturellement[30] l'image des fils d'Œdipe et de Jocaste
qui s'est présentée à l'esprit de Dorat — *altera Iocasta parens* (*P.*, p. 74),
mais leur réconciliation fait des deux frères les émules d'Amphion et
Zéthus — *Qualis et Amphion, Zetus et ille fuit* (*P.*, p. 75).

Le poète forme aussi le vœu que, plus heureux que les Dioscures,
ils brillent constamment de leur mutuel éclat :

> Non uice ut alterna uobis sit orsus et ortus,
> Vestra sed aeterno stella nitore micet (*P.*, p. 207).

Mais le monde réel n'est pas seulement un reflet du monde mythique : les héros du mythe sont des exemples. Ainsi les Tyndarides
exerçant leur vengeance à Athènes sur les seuls coupables avaient déjà
été proposés comme modèles à Charles IX et au duc d'Anjou en 1569 :

> (Tyndaridae fratres)
> ... ius ui repetunt iusta per arma suum,
> Sed tamen appositis non noxia ad ostia ceris,
> Ante cauent urbis ne qua rapina foret
> [...]
> *Sic...* (*P.*, p. 67)[31].

EXPÉRIENCE PERSONNELLE   Pourtant l'image antique à laquelle se
réfère constamment le poète français
ne l'a pas empêché de prendre conscience des réalités de son temps,
et c'est souvent son expérience personnelle qui apparaît, mais son
témoignage ne concerne que le Limousin et Paris.

Parfois, il est vrai, il se borne à accentuer une remarque faite par
un auteur ancien. Ainsi les guerres civiles de Rome ont bien mis aux
prises des contingents étrangers : il y avait des Gaulois dans l'armée de
César, des Orientaux dans celle de Pompée ; pourtant Rome n'a vu ni
ces troupes efféminées, ni ces hordes barbares, bien que Lucain s'efforce d'agiter l'épouvantail gaulois en montrant l'arrivée de César en
Italie[32] ; le thème des troupes étrangères revient, sans doute, à des
fins de propagande ou de « couleur locale »[33], mais la bataille a lieu,
bien loin de la ville, en Thessalie.

Dorat nous montre aussi les manœuvres des soldats étrangers,

---

30. Mais Birague-Nestor avait su apaiser « la querelle d'Achille et d'Agamemnon » :
... dum Atridem his esset et inter Achillem / Consilio pacans Nestor utrumque ducem (*R. Bi-
gari... cancellarii Tumulus*, Aij v'). Le chancelier mourut en 1583, et le *Tumulus* parut chez
F. Morel l'année suivante.
31. Dorat a une affection particulière pour ce mythe, cf. *P.*, p. 67.
32. 1, 395-465 ; 481-484.
33. 7, 224-234 ; 509-514, par ex.

allemands et suisses, surtout (*P.*, p. 340-352), mais c'est à Moncontour, en plein cœur de la France[34].

S'il est vrai que la transposition du *Psaume* 74/73 (*Ode* XXXVIII) appelle la vengeance de Dieu sur les meurtriers de Ses serviteurs, les atrocités huguenotes ne font pas l'objet de développements à part, et Dorat les évoque rapidement dans les poèmes consacrés à la Saint-Barthélemy : elles paraissent ainsi présentées comme sa justification. Les actions de Marius et de Sylla dans la *Pharsale* sont aussi horribles, sans doute, mais les textes de Dorat prennent une couleur particulière lorsqu'ils montrent la guerre civile comme guerre religieuse : Coligny n'est pas regardé alors comme un rebelle, mais comme le chef des pilleurs d'églises : *caput ante fuit populantum templa latronum* (*P.*, p. 291). Dorat a évoqué aussi les bris de croix dans les campagnes autour de Paris et, dans ce texte, les faits politiques et religieux semblent profondément liés : *In rebelles qui Parisinum agrum deuastantes, ne crucibus quidem lapideis pepercere* (*Epgr.*, p. 40).

Pendant la campagne de 1569, le poète a craint pour sa famille restée à Limoges. Les étrangers, cependant, n'ont pas pénétré dans cette ville, et Dorat remercie, en humaniste, le duc d'Anjou qui, pour avoir sauvé deux fois sa petite patrie, mérite deux « couronnes civiques » :

> ... Lemouicum mea debet
> Patria, bis seruata, duo tibi Ciuica serta (*P.*, p. 360).

Le poète est pourtant tout prêt à reconnaître qu'une armée, quelle qu'elle soit, est une calamité quand elle s'abat sur un pays :

> Nec modus alternis erat inter bella rapinis (*P.*, p. 69).

De fait, une première fois, à Limoges, ce sont des troupes royales qui ont saccagé sa demeure ; le roi a fait réparation, mais il est bon de prendre, maintenant encore, toutes précautions, et Dorat présente sa requête par l'intermédiaire de Carnavalet :

> Sed frustra mihi Rex aedes reparare dedisset
> Quas iterum miles diruiturus erat (*P.*, p. 318).

C'est aussi à propos de Limoges que Dorat nous rend sensible l'atmosphère de méfiance qui règne pendant les troubles civils, quand les plus innocents des citoyens redoutent que la prime offerte ne les fassent dénoncer :.

> (patria mea)
> Nullius iniusti quae nunc sibi conscia facti,
> Quadruplatorum fraude perire timent (*P.*, p. 72).

Et encore, officiellement catholique et vivant à Paris, il est du côté

---

34. Le duc de Deux-Ponts qui avait conduit les reîtres, à travers la Lorraine et la Champagne, passé la Loire à Pouilly, est mort à Nexon, village situé sur la Vienne, tout près de Limoges. Cf. F. Schoell, *Histoire des états européens*, Paris, 1831, t. 16, p. 341.

du plus fort. Ses vers nous ont pourtant laissé un témoignage des angoisses de Ramus : ce dernier avait pris la décision de s'enfuir, quand un messager de la Cour lui apporte quelque espoir, et il rentre :

> Sed dum forte fugit, uenit diuersus ab Aula
> Nuntius, et Ramus protinus ecce redit (*Epgr.*, p. 35).

Or précisément ce retour cause sa perte, et l'épigramme va à l'encontre de son propos.

Dans les guerres entre citoyens, il n'y a aucun répit, jamais, nulle part : Dorat en a fait l'expérience. Il doit s'excuser auprès de Pastoureau, membre du conseil privé du roi, de ne pas prendre les armes : il a soixante-neuf ans, et, de surcroît, aucune vocation militaire :

> ... natus ineptus ad arma,
> Sexaginta annos ter tribus adiiciens (*P.*, p. 225).

Pourtant, dans un texte postérieur à 1583, bien que le goût ne lui en soit pas venu — et qu'il ait au moins soixante-quinze ans — il a dû prendre les armes : *imbellis bellica tela fero* (*op. cit.*, p. 226). Paris nous est présenté comme un vaste camp retranché où sonne la trompette, où l'on entend siffler les balles jour et nuit :

> ... cornua classica...
> Bellantum, quibus (heu!) nunc strepit omnis ager.
> [...]
> Perque dies magis et per noctes mille tumultus
> Horresco caua quos bellica canna facit *(ibid.)*.

Triste journal d'un bourgeois de Paris sous Henri III.

D'autre part, la guerre civile, en se pérennisant, a livré le royaume entier aux bandits. Dorat nous a raconté en détail les malheurs d'un de ses amis, le médecin bordelais Martial Deschamps[35], mais son cas n'est pas isolé. On n'est pas plus en sûreté en ville qu'au milieu des bois :

> Non per uias qui (latrones) ubique grassantur modo
> Saltusque reddunt atque syluas inuias,
> Medias sed ipsas inter urbes, urbium
> Per et plateas saeuior crudelitas
> Latrocinandi regnat (*Exh.*, 387-391).

La magistrature[36], cupide, a perdu toute dignité, toute efficacité :

> Nocet sed aurum, quod foro nunc imperat (*Exh.*, 239).

Dans ce règne de la violence, il y a beau temps que l'esprit n'a plus sa place. La poésie, en particulier, n'est pas de saison :

> Ecce recrudescit... pestis,
> Phoebe, tibi et lauris pernicissima tuis (*P.*, p. 152).

---

35. Cf. *Monodia* (cf. n. 5).
36. Cf. ci-dessous, p. 338.

Seule la force apporte quelque considération :

Excellunt solo ualidi qui corporis usu (*P.*, p. 123).

Cette réflexion désabusée est peut-être la plus personnelle que nous ait laissée le professeur royal.

Quand il s'agit d'évoquer les troubles du royaume de France, de toute évidence, la culture humaniste a fourni au poète néo-latin une formulation dont il ne se dégage jamais tout à fait, même dans les affaires qui le touchent de plus près, surtout dans ces affaires, car on peut dire que cette culture fait partie de son « moi profond ». Pourtant la littérature antique, si elle a orienté les remarques du poète, n'a pas véritablement déformé les images du monde où il vit. Elle ne lui a pas non plus offert un refuge contre les agressions de ce monde. Surtout, cette culture a conduit Dorat à constater douloureusement que l'humanité « moderne », sauvée par Dieu, peut tomber dans les mêmes égarements que la république romaine agonisante : dans la dureté des temps, elle a forcé l'humaniste à remettre encore et toujours à l'épreuve le schéma optimiste qui devrait être celui d'un Chrétien.

*
* *

II. DIVERSITÉ DES RÉACTIONS DEVANT LES TROUBLES CIVILS Pour qui cherche à connaître les jugements de Dorat sur les troubles du royaume, deux difficultés se présentent. D'abord ses témoignages à propos des différentes époques ne sont pas également abondants. Ensuite, et surtout, comme il s'est rarement donné la peine de faire imprimer à leur heure les poèmes qu'il composait, on est réduit aux seules allusions pour dater les textes qui ne nous sont connus que par l'édition de 1586 : la tâche est particulièrement délicate en ce qui concerne les différentes « paix » qui se sont succédé.

Quoi qu'il en soit, il nous a paru que son attitude est loin d'être toujours la même pendant cette longue période qui recouvre les vingt-huit dernières années de sa vie (1560-1588). Nous avons cru pouvoir distinguer les étapes suivantes :

— avant septembre 1567 : attitude « humaniste » ;
— fin 1567-1569 : hostilité aux « rebelles » (deuxième et troisième guerres civiles) ;
— 1570-1571 : attitude « politique » (Édit de Saint-Germain) ;
— 1572 : exultation devant la Saint-Barthélemy ;
— après 1572 : retour à l'attitude « politique ».

AVANT SEPTEMBRE 1567   A propos de la première guerre civile et de ses conséquences, Dorat nous a laissé bien peu de réflexions. Sa charge de professeur royal mobilise toute son attention, et le fait proprement religieux l'intéresse médiocrement ; à cette époque le catholicisme n'était pour lui, selon nous, qu'une habitude sociale.

LES RESPONSABLES   Quand il réfléchit, rétrospectivement, en 1570, sur les événements de cette période, les causes de la première guerre civile lui semblent essentiellement morales (l'humeur changeante d'une populace inconstante), et politiques (le délire des deux factions de la noblesse) :

> ... diuersi fremit inconstantia uulgi
> Primum, nobilitas dum furit ipsa duplex (*P.*, p. 69).

Sans doute peut-on voir là le mépris d'un aristocrate de l'esprit envers le peuple, mais ce dernier se borne à gronder — *fremit*. La responsabilité de la noblesse qui se déchaîne — *furit* — est regardée comme beaucoup plus lourde. Quels que soient, d'autre part, les liens qui l'attachent aux Guises, ses mécènes[37], le professeur royal met ici les deux partis sur le même plan. Une telle analyse, on le voit, ne donne pas de place au fait religieux.

SOUTIEN   Aussi, pendant tout le temps que M. de
À M. DE L'HOSPITAL   l'Hospital resta chancelier, le professeur royal semble-t-il avoir approuvé sa politique de tolérance, sans doute par sympathie envers l'homme d'État humaniste, avec lequel il semble avoir été assez intimement lié[38], au moins depuis l'époque où le chancelier de Madame Marguerite soutenait Ronsard et ses amis. La tolérance qu'il préconise alors n'est pas un choix définitif[39], mais une attitude qui permettra de ramener les

---

37. Mais Dorat, tout comme Ronsard, était aussi protégé par les Coligny, en particulier par le cardinal de Châtillon ; cf. ci-dessus, n. 152, p. 194, et ci-dessous, n. 136, p. 349.

38. Cf. Mss. Dupuy 810, f ˙ 103 r˙ : (Musas) / *Quas olim memini domi frequentare / Exceptas tibi musicas ad illas / Cenas et lepidas et eruditas.* C'est sûrement M. de l'Hospital qui avait fait connaître à Le Duaren, qui enseignait à Bourges, les poésies de Dorat (cf. *Ode XXI*, 13-16). Dorat participa avec d'autres professeurs royaux (Lambin, Léger du Chesne, Turnèbe) et des magistrats humanistes (H. de Mesmes, Nicolas Perrot), sans parler de Th. de Bèze, à un hommage collectif au chancelier (B.N., Mss. lat. 8139, f ˙ 96 r˙ - 97 r˙) : une médaille frappée à Lyon en 1564 représentant Aristote sous les traits de l'Hospital. C'est probablement par l'intermédiaire des Morel (cf. *Ode XXIV*, 69-71), que Dorat avait été admis aux réceptions du chancelier.
Comme ce dernier a échappé de justesse à un accident, Dorat note que le royaume entier, la dignité et le salut de la royauté dépendent de cette tête : *caput unde pendet omne / Regnum et regia dignitas salusque* (Mss. Lat. 8138, f ˙ 20 v˙).

39. Cf. J. Lecler, *Histoire de la tolérance au siècle de la Réforme*, Paris, 1955, t. 2, p. 40-41. Nous citerons désormais ce volume s.v. *Tolérance*.

mal-pensants, tandis que la persécution ne fait que les durcir : Dorat oppose ainsi, dans un court poème adressé précisément à M. de l'Hospital, gardien de la légalité — *Nomophylax* — la puissance du fer et celle de la parole — *uis ferri* / *uis fori*[40], qui a sa préférence.

Mais en face des Réformés qui cherchent à se faire reconnaître comme différents, ceux qu'on a appelés les « humanistes érasmiens » veulent à tout prix préserver l'unité de l'Église, en accordant les réformes nécessaires, et en tentant de rapprocher les points de vue par la libre discussion. C'est le sens qu'on peut donner, selon nous, à un poème que Dorat dédia au roi Charles IX, et qui utilise de manière allégorique le jugement de Salomon — *De Solomonis inter duas mulieres Iudicio* (*P.*, p. 369-371).

Salomon, c'est le petit roi Charles, qui accorderait de couper la religion en deux : il faut entendre, selon toute vraisemblance, qu'il envisagerait de signer un édit accordant une si grande liberté de culte aux Réformés que, ce faisant, il paraîtrait sanctionner l'existence de deux religions. Dans la Bible (1 *Reg.*, 3, 26-27), la prétendue mère admet le partage contre nature, et peu lui importe de ne tenir qu'un cadavre, puisque, extérieurement, justice lui est rendue ; la vraie mère récuse un tel acte, et se fait reconnaître, précisément, par son renoncement. Une telle attitude serait celle des Catholiques irénistes : pour préserver l'unité, ils sont capables de sacrifices, conscients du fait que, s'ils se raidissent en exigeant leurs droits traditionnels, l'Église de France est morte. Dorat, que le point de vue dogmatique n'intéresse guère à cette date, ne peut voir que des avantages dans une telle attitude. Bien sûr, la religion établie est nommée *Relligio pia* et l'autre *impia* (*op. cit.*, p. 370), mais Dorat reconnaît l'apparence séduisante que peut représenter la Réforme, impiété cachée sous l'image de la piété :

> (quae)
> Impietas pietatis imagine tecta lateret (*op. cit.*, p. 371).

L'allégorie du jugement de Salomon fait donc entendre que la vraie mère, l'Église, est capable de concessions[41]. Au moment des États-Généraux, qui ouvrirent le règne de Charles IX, le chancelier est encore fermement attaché à l'unité religieuse du royaume, et il pourrait avouer les paroles que Dorat met dans la bouche de la « vraie mère » : c'est un crime d'écarteler le Christ :

> Clamitat esse nefas Christum in diuersa secari (*ibid.*).

---

40. *Fori* est le texte des *Delit Poët. Gall.*, Francfort, 1609, t. 1, p. 278. Le texte des *Epgr.*, p. 34 donne *feri* : une main ancienne, annotant l'exemplaire de la Bibliothèque Mazarine explique que cet animal est le cheval de Troie, ce qui paraît difficilement intelligible. L'opposition *ferrum* / *forum* est familière à Dorat ; cf. par ex., *Monodia*, p. 9.
41. Déjà sous François II, Charles de Marillac, le cardinal de Lorraine lui-même, avaient souhaité qu'on n'agît plus par voie de justice contre les Réformés. Cf. J. Lecler, *Tolérance*, p. 39.

Mais la dernière tentative de conciliation religieuse, le colloque de Poissy (9 septembre - 14 octobre 1561), échoue en raison de l'intransigeance doctrinale des deux partis[42].

L'allégorie du jugement de Salomon fait état d'une sorte d'espoir : elle est certainement antérieure aux dernières séances du colloque où certains tenants de la « vraie mère » semblent avoir fait preuve d'acharnement plutôt que d'esprit de concession. Cela dit, il paraît légitime à Dorat que le roi, comme le fit Salomon, donne finalement raison à la « vraie mère », mais il continue de penser que celle-ci doit toujours œuvrer pour l'unité par la conciliation.

CONDÉ — Dans un distique qu'on peut dater de la fin de l'année 1562, Dorat exprime le souhait que la patrie ne tombe pas sous les coups de Condé, alors que son frère, Antoine de Bourbon, vient de tomber pour elle :

> Ne, Condaee, tuis tua patria concidat armis,
> Pro qua olim frater concidit tuus (Mss. Lat. 8138, f° 63 v°)[43].

Le poète évoque la patrie, car Condé et Coligny avaient permis que Rouen, Dieppe et le Havre fussent livrés aux Anglais (le traité d'Hampton-Court fut signé le 20 septembre). Longtemps après, Dorat ne manque pas de rappeler qu'Élisabeth n'intervint pas, alors, de sa propre volonté — *numine non suo* (*Ode* XXXVI, 34), ce qui rend plus lourde la responsabilité du prince et de l'amiral[44].

RÉTABLIR LA PAIX — Dans un poème (*Ecl.*, p. 63-64) postérieur au 25 juillet 1564, date à laquelle mourut l'empereur Ferdinand Ier, et adressé à Martin Berzeviczy qui lui avait demandé de célébrer son maître, Dorat oppose l'attitude des fauteurs de troubles, qui naguère méritaient ses louanges, à celle du défunt :

> Et turbant turbis otia nostra suis,
> Quod non ille tuus coelesti pectore princeps (*Ecl.*, p. 63).

Ferdinand, en effet, avait rapidement renoncé à maintenir par la force l'unité de la foi, et s'était efforcé de la rétablir en obtenant que l'église catholique se réformât elle-même. Au début de son règne, cependant, il avait tenté d'arrêter l'hérésie : Dorat juge cette attitude légitime, comme l'était l'effort de François Ier — voire d'Henri II — dans ce sens[45].

---

42. *Op. cit.*, p. 52.
43. Antoine fut blessé devant Rouen le 15 octobre, et mourut le 17 novembre 1562.
44. Cf. aussi Ronsard, S.T.F.M., t. 11, p. 54 et n. 1.
45. En 1558, Dorat met dans la bouche du cardinal de Lorraine une louange d'Henri II, défenseur de l'orthodoxie : *(Rex) / Cuius primus honor, quod reuerentia / Diis templisque deum salua sua est adhuc (Ode* XVI, 41-42). Il est difficile de préciser dans quelle mesure il est vraiment intéressé par une telle déclaration qu'il rapporte objectivement.

Mais ces temps ne sont plus, et l'homme que Berzeviczy demande à Dorat de louer ne contraignait pas ses sujets par l'épée[46]. Les efforts du chancelier français s'apparentaient donc à ceux de ce Habsbourg qui, aux yeux de Dorat, mérite d'être loué comme tous les puissants qui cultivent la justice en même temps que la piété :

> Et quicumque potens iusque piumque colit   (*Ecl.*, p. 63).

La formule est suffisamment générale pour s'appliquer aussi à la nouvelle voie de pacification que M. de l'Hospital tenta de suivre après l'échec de la conciliation au colloque de Poissy : il s'agit de la tolérance civile des Réformés[47].

On sait avec quelle énergie, en 1565, le professeur royal attaqua les deux camps qui s'efforçaient de tirer chacun à soi la mémoire de Turnèbe[48]. Il apparaît alors irrité contre le fanatisme des deux adversaires, et plus brutal que son ami Lambin, car ce dernier se contente de composer alors une célébration « humaniste »[49], qui ne le compromet ni avec la Réforme, ni avec la religion établie. Peu après Dorat déplore que la gloire — qui oublie les savants[50] — aille aux Hectors aussi bien qu'aux Achilles :

> Fama sed Hectoribus uel cessit Achillibus una   (*P.*, p. 123).

Une telle situation révèle un scandaleux renversement des valeurs, et les chefs militaires des *deux* factions, traités sans aucune révérence, lui apparaissent loués de façon abusive. A cette date, Montmorency protège encore ses neveux passés à la Réforme[51], et dans le camp catholique, aucun général n'est venu remplir la place laissée vide dans le cœur de Dorat par la mort de François de Guise[52].

Beaucoup plus tard encore, Jean Bodin, dans la *République* (1576), admet que sévir contre une secte naissante est justifié (cf. J. Lecler, *Tolérance*, p. 92, et n. 36). Mais quand la secte s'est développée au point de former une partie du corps politique, c'est folie de vouloir l'amputer.

46. L'empereur, en effet, n'avait pas l'orthodoxie tranchante de son frère Charles Quint : il avait vécu longtemps dans les Flandres et restait imprégné de l'influence des humanistes, notamment de celle d'Érasme. Cf. Schoell, *Histoire des états européens*, t. 15, p. 193, 197.

47. Cf. J. Lecler, *Tolérance*, p. 58.

48. Cf. G.D., *Polémiques autour de la mort de Turnèbe*, Clermont-Ferrand, 1975, p. XXII-XXIII, 100-105.

49. *In Adr. Turnebi... Obitum, Naenia*, Paris, F. Morel, 1565 ; cf. *op. cit.*, en n. 48, p. 86-93.

50. Il défend alors les droits de la veuve de Turnèbe.

51. Cf. F. Decrue, *Anne de Montmorency*, Paris, 1885, p. 376-381.

52. Nous ne croyons pas, cependant, que le long poème *Ad Franciscum Carnaualeum*, qui a été relevé dans l'édition de 1586 (*P.*, p. 55-58) puisse être attribué à Dorat, bien que son auteur se dise sans parti et amoureux de la paix — *Pacis amans* (*op. cit.*, p. 58). La chronologie rend, en effet, l'attribution à Dorat difficile : l'auteur de ce texte déclare avoir quitté la Cour depuis peu (il n'a pas encore réussi à se réinsérer dans le monde universitaire), alors qu'on est en pleine guerre civile : *ciuili fremeret cum tota Lutetia bello* (*ibid.*). Or Dorat a séjourné à la Cour beaucoup plus tôt ; quand éclate la première guerre de religion, il est professeur royal depuis quatre ans. Marty-Laveaux, qui a tiré de ce texte plusieurs éléments de sa notice biographique sur Dorat (*Œuvres*, p. XXI-XXIII), n'a pas utilisé la déclaration pacifiste qui cadre mal avec l'idée qu'il se fait de son auteur.

En tout cas, dans un poème demeuré manuscrit, après avoir évoqué avec regret l'époque où M. de l'Hospital pouvait, avec ses amis, donner du temps aux Muses, Dorat le loue d'avoir totalement consacré sa vieillesse au soin de l'État. Selon le poète, c'est grâce au chancelier que la France, qui avait failli mourir des troubles provoqués par l'un et l'autre parti, a recouvré la vie :

> (curas)
> Per quas Gallica restituta nuper
> Est respublica, paene cum perisset
> A ciuilibus *hinc* et *inde* bellis (Mss. Dupuy 810, f° 103 r°).

Le poème se termine par un jeu de mots comme Dorat les aime[53] :

> Iam non te sibi dicet Hospitalem
> A te Gallia tota sospita :
> Dicet te sibi iure Sospitalem *(ibid.)*.

Ce texte fut probablement composé dans le courant de l'été 1567, mais il est difficile de préciser davantage. Le titre annonce que Dorat est *poetu regius* et M. de l'Hospital *Franciae cancellarius*. La première formule interdit une datation antérieure à janvier 1567[54], la seconde permet de descendre jusqu'en septembre 1568, mais les événements de l'automne 1567 (affaire de Meaux, « Michelade » de Nîmes)[55] avaient gravement compromis l'œuvre de l'homme d'État humaniste, et la paix de Longjumeau (27 mars 1568) ne fut qu'une trêve aux yeux des deux partis[56]. Dans ces conditions, la louange du « sauveur » n'eût pas été fort opportune. Mais si ce texte avait été — inopportunément — composé après la « paix » de Longjumeau, il serait un témoignage obstiné d'idéalisme humaniste, ce qui n'est pas totalement exclu[57].

Il n'est pas indifférent d'observer que dans ce manuscrit Dupuy, sur le même feuillet que le poème de Dorat, dans une seconde colonne, figurent treize distiques par lesquels son collègue et ami Lambin félicite le chancelier qui, par sa clairvoyance, a fait cesser les troubles civils. Or Lambin est étiqueté, sans hésitation, comme « politique »[58], mais l'attitude de Dorat par la suite a empêché d'admettre qu'il eût pu partager, à cette date, les opinions de son collègue. M. de l'Hospital, on le voit, pouvait compter sur l'appui du monde des humanistes, même s'il n'avait plus le loisir de les rencontrer, comme naguère, dans la maison de Jean de Morel, ancien élève d'Érasme à Bâle, avec lequel Dorat était très familièrement lié, lui aussi[59].

---

53. Cf. ci-dessus, p. 212.
54. Cf. Buchanan, *Opera omnia*, Leyde, 1725, t. 2, p. 726.
55. Cf. ci-dessous, p. 275.
56. Cf. J. Lecler, *Tolérance*, p. 73.
57. Cf. ci-dessous, p. 276-277.
58. Cf. Waddington, *Ramus, sa vie, ses écrits et ses opinions*, Paris, Meyrueis, 1855, p. 236.
59. Cf. Nolhac, *R. et l'H.*, p. 174 et n. 3.

1567-1569   Mais la violence se déchaîna à nouveau à l'automne 1567[60], après la paix relative qui avait suivi le deuxième édit d'Amboise[61].

LA MALADRESSE DE CONDÉ :
SES CONSÉQUENCES   Certainement, dans cette période, la maladresse de Condé, qui sut mal cacher son ambition, aggrava la situation : le bruit courut qu'il s'était fait saluer comme roi dans la basilique de Saint-Denis où sont enterrés les rois de France[62]. Dorat s'en fait l'écho :

> In Dionisiaca est (ubi Regum busta piorum)
> Aede salutatus Rex modo Borbonius (*Epgr.*, p. 40).

La mention du nom de Bourbon ne pouvait que raviver le souvenir, pas tellement ancien, de la trahison du connétable, et montrer la révolte de Condé contre un Valois comme une sorte de fatalité familiale.

Si la nomination de Dorat comme poète royal[63] a pu être une cause du durcissement de son attitude, elle ne peut en en être qu'une parmi d'autres : il se trouve pris dans un fort courant d'opinion. Cette rebellion politique des grands apparaît maintenant comme liée à la guerre religieuse. Pour la première fois Dorat s'adresse aux Réformés en les nommant « Huguenots » — *in Huguenothos*[64] — « secte impie » :

> Vosne pudet facti, magis an piget, impia secta,
> Vanos in Regem composuisse dolos? (*Epgr.*, p. 39).

Ce texte fait état de l'étonnement de la Cour devant les procédés sournois de ces nobles qui ont rompu la paix précédemment signée :

---

60. Nous ne pensons pas que le *Decanatus* (*P.*, p. 275-291), composé contre Ramus et daté du mois d'août 1567, soit autre chose qu'une manifestation d'antipathie intellectuelle : même les corréligionnaires de Ramus n'avaient pas toujours envers lui des dispositions « entièrement cordiales » ; cf. Ch. Waddington, *Ramus...*, p. 213 — sur l'attitude de Th. de Bèze ; cf. G. D., « Contestation au Collège royal » in *Vita Latina*, 65 (mars 1977), p. 20-22.

61. La reine-mère, jusque-là, avait suivi la politique de conciliation religieuse, puis de tolérance civile préconisée par le chancelier. Or, le 25 septembre 1567, Condé et ses amis tentaient d'enlever le jeune roi : la « surprise de Meaux », à laquelle succéda le siège de Paris, fut, comme le rappelle J. Lecler « à l'origine d'un dangereux revirement de Catherine vis-à-vis des protestants » (*Tolérance*, p. 72). C'est aussi à cette époque que le connétable de Montmorency, pour des raisons complexes, se détache de ses neveux passés à la Réforme et en arrive à s'opposer à eux, les armes à la main. Cf. F. Decrue, *Anne de Montmorency*, p. 455 et suiv.

62. Cf. *op. cit.*, p. 463.

63. Laumonier rappelle l'intérêt matériel que, de son côté, Ronsard a pu trouver à choisir le parti catholique ; cf. S.T.F.M., t. 11, p. VII-VIII. Sans méconnaître ce genre de causes, il est difficile de les croire déterminantes. Au demeurant la politique de la Cour fut loin d'être toujours cohérente. Dorat, en tout cas, gardait la tête froide après la mort du connétable ; cf. ci-dessous, p. 276.

64. Si l'orthographe n'est pas due à une coquille de l'imprimerie Linocier, elle est infamante, et insinue l'idée de bâtardise.

> Credere non poterat Rex, nec Regina, nec Aula
> Nobilibus tantum fraudis inesse uiris
> ... rupta... fide *(ibid.).*

Il souligne le caractère irréfléchi de cette prise d'armes — *temere sumptis... armis (ibid.).* Mais le plus surprenant est que le savant, qui ne pouvait se défendre d'un certain mépris pour la foule[65], a dû être impressionné par la légion des volontaires parisiens et par l'attitude du peuple qui réclamait impatiemment que l'armée royale marchât contre les Huguenots. Toujours est-il qu'il menace les aristocrates rebelles de la fureur populaire :

> ... tunc ciuica pubes
> Vos saxis, saxis rustica turba petet *(Epgr.,* p. 39).

La violence de ce texte a pu faire croire qu'il avait été composé après la Saint-Barthélemy[66]. Nous pensons cependant qu'il remonte bien à 1567. Certes les ruses vaines — *uanos dolos* — peuvent s'appliquer au prétendu complot de Coligny aussi bien qu'à la « surprise de Meaux ». Mais, dans le cas de la Saint-Barthélemy, Dorat met en cause personnellement l'amiral plutôt que son parti dans son ensemble[67], au contraire de ce qu'il fait ici, où son nom n'est pas prononcé. La version officielle, dans le cas du 24 août 1572, montre le roi *prévenant* le crime perpétré contre lui :

> ... ante diem periisset fraude suorum
> Si non deprensos perderet ante diem *(Epgr.,* p. 147).

Ici, au contraire, le poète parle clairement, à deux reprises, de prise d'armes effective — *sumptis armis, sumpta arma.* Il paraît peu vraisemblable, encore, que la puissance des Huguenots ait pu, en 1572, être considérée comme secrète — *occulta,* et manifeste seulement après le coup de main.

Ces vers ont dû être composés à la fin de septembre 1567, très tôt après l'événement, ce qui explique leur violence, mais sans doute avant que la nouvelle du massacre des quatre vingts religieux dans la cour de l'évêché de Nîmes le 30 septembre — la « Michelade » — fût parvenue à Paris, sinon le poète n'aurait pas manqué d'y faire allusion[68]. Mais le poème *In Huguenothos* suffit à montrer combien l'action de Condé a pu transformer l'attitude d'un homme qu'on pouvait ranger, naguère, parmi les « politiques ».

---

65. Cf. ci-dessus, p. 269 ; sur l'attitude du peuple de Paris, cf. F. Decrue, *Anne de Montmorency,* p. 464-465.

66. Cf. par ex., Marty-Laveaux, *Œuvres* de J. D., p. XXXI-XXXII.

67. Cf. ci-dessous, p. 292.

68. C'est peut-être après avoir appris ce drame que Dorat transposa en strophes sapphiques le *Psaume* 74/73 sur le massacre des serviteurs de Dieu dans son temple ; on peut cependant, pour des raisons d'ordre littéraire — et compte tenu du fait que les massacres ne manquent pas — supposer pour ce texte une datation plus basse, vers 1575, au moment de la transposition des *Psaumes* en divers mètres latins par J.-M. Toscano ; cf. *Ode* XXXVII.

ESPOIR HUMANISTE   Pourtant, il ne pouvait se résigner à la
guerre. Après la mort du connétable
(12 novembre 1567), le nouveau poète royal dut prendre la plume
pour célébrer ce haut personnage, qui lui inspirait une médiocre sympathie[69]. Néanmoins, dans l'action passée de Montmorency, Dorat
trouve à exalter quelque chose de plus que ses douteuses qualités de
stratège : il a honnêtement essayé de faire la paix — la bonne paix[70] :

> Tentauit bona si fieri pax posset honeste (*In tumulum*..., Cjv°).

Il serait, en effet, déraisonnable de faire grief de cela au mort puisque,
semble-t-il, les négociations — qui devaient aboutir à la paix « deux
fois martiale » signée à Longjumeau — étaient déjà conduites par des
hommes des deux bords attachés à leur patrie :

> Tentat idem patriae nunc quoque quisquis amans
> (*op. cit.*, *ibid.*).

Dorat adresse ce texte *In inuidos*, sans autre précision, et répond, il le
dit, à l'objection faite par d'aucuns à l'encontre du connétable : *At
pacem tentaret* (*op. cit.*, *ibid.*). Appelant Homère à garantir son témoignage, l'humaniste note que celui qui se complaît dans les troubles
causés partout par la guerre civile n'a aucun souci de sa famille, aucune
affection pour ses concitoyens, aucun amour pour les lois, ni pour la
cité :

> Huic non cura domus, pietas nulla propinquum
> In genus, huic legum nullus et urbis amor,
> Quem turbata iuuat ciuili cernere bello
> Omnia, credendum si quid, Homere, tibi (*op. cit.*, *ibid.*).

Le mieux, sans doute, serait de maintenir la concorde, mais quand on
a dû renoncer à cet espoir, la paix, même si elle n'est pas glorieuse,
est, tout de même, réellement conforme à l'honneur[71] :

> Postquam desperata semel concordia, paxque
> Si non pulchra quidem, non inhonesta tamen (*op. cit.*, Cij r°).

Il ne fait pas de doute que, pour un humaniste, la guerre soit chose
honteuse, contraire à la nature même de l'Homme[72]. Certainement,

---

69. *Épitaphes sur le tombeau de haut et puissant seigneur Anne duc de Montmorency
pair et connestable de France*, par J. Dorat poète grec et latin du Roy, Paris, Ph.-G. de Roville,
1567 (B.N., 40 Ln[27] 14677). Par contre Dorat, comme Ronsard, était, naguère, lié avec Odet
de Coligny ; cf. ci-dessus, n. 37.

70. Nous pensons que *bona* est une sorte d'épithète de nature de *pax* (cf. *Ode XXV, Ad
Pacem*) ; d'ailleurs la paix en question n'était pas, en elle-même, belle, mais honorable, cf.
ci-dessous.

71. La litote rejette énergiquement l'opinion opposée.

72. Cf. par ex., *Lettre d'Érasme à Antoine de Berghes* (éd. Allen, t. 1, *Epist.* 288).

que ce soit chez les « Hectors » ou chez les « Achilles », tous n'avaient pas de pieuses motivations.

En face d'eux, pourtant, l'espoir humaniste est tenace, en dépit de la colère, puis de la tristesse, exprimées par Dorat. Dans un texte (*P.*, p. 152-153) qu'on peut dater de septembre 1568[73], le poète nous présente une situation douloureuse : Mars a bien fait déposer les armes (la paix de Longjumeau mettant fin à la deuxième guerre civile fut conclue le 27 mars 1568), mais la « Paix » brûle de les reprendre : *quae Mars posuit, Pax cupit arma* (*P.*, p. 153). Ce vers termine le poème.

Dorat a pris conscience que le climat moral s'est détérioré : naguère, témoigne-t-il, il restait encore de l'amour au milieu des flambées de colère, et de la confiance cachée sous les reproches que les deux partis s'adressaient :

> ... Amor accensas stetit inter mutuus iras,
> Alternisque fides dissimulata notis *(ibid.).*

Maintenant le fléau reprend —*Ecce recrudescit ... pestis* (*op. cit.*, p. 152), et tout va s'effondrer... à moins que n'intervienne un traité, conçu dans un esprit de justice plus qu'humaine ; c'est bien le dernier espoir :

> ... nisi Creteo iungantur foedera pacto,
> Omnia, iam nullo subueniente, ruent *(ibid.).*

En effet, sous l'expression mythologique — *Creteum pactum* — un pacte crétois, c'est-à-dire digne du Crétois Minos, se cache, pour l'humaniste, l'œuvre conciliatrice de M. de l'Hospital[74].

Mais l'homme d'État humaniste qui, selon Dorat, était désormais seul en mesure de redresser la situation — *iam nullo subueniente* — demandait au roi son congé le 27 septembre 1568 ; le 8 octobre, il rendait les sceaux. La troisième guerre civile commençait avec l'hiver : il ne restait plus rien du fragile printemps de Longjumeau.

LE TEMPS DES HAINES AMÈRES — C'est maintenant le temps des haines amères — *nunc inimicitias... amaras* (*P.*, p. 153), mais les grandes opérations militaires ne commencent qu'en mars 1569.

Des célébrations que le poète officiel composa à l'occasion des victoires de l'armée royale, deux idées se dégagent : le roi, en face de

---

73. A la fin de l'été, Condé et Coligny s'organisaient militairement à La Rochelle : c'est le début de la troisième guerre civile. Plus précisément, le *terminus ante quem* pour le texte est le 27 septembre, date à laquelle le chancelier demanda son congé. Le lendemain, un édit interdisait la célébration du culte réformé ; cf. J. Lecler, *Tolérance*, p. 73.

74. Dès 1559, alors que ce dernier était encore chancelier de Madame Marguerite, Dorat n'hésitait pas à le comparer à l'incorruptible juge des enfers : *Quamlibet Cres, in tua facta quaestor / Acer inquirat, tu iam seuero / Non minus censore sub Hospitali / Vita probata est* (*Ode* XXI, 125-128).

lui, a des sujets rebelles ; ils ont transformé la guerre civile en guerre étrangère.

LES « REBELLES » Le duc d'Anjou, nommé lieutenant-général du royaume, a écrasé la sédition
— *seditio* (*P.*, p. 232)[75] .

L'idée d'hétérodoxie est loin d'être aussi énergiquement exprimée ; d'ailleurs, dans le camp royal, on ne trouve pas le Dieu des armées, mais les dieux :

Causa Ducum fuerat coniuncta causa deorum (*op. cit.* p. 233).

Les coupables ont senti leur colère vengeresse : ... *superum uindex de sontibus ira (ibid.)*. Tel est le langage du poète. Celui qu'il prête à ses héros est différent. Le duc de Montpensier pense vaincre avec l'aide de Dieu — *Deo ... secundo* (*op. cit.*, p. 347) ; le duc d'Anjou fait de pieuses déclarations à la fin du poème, rendant grâce à Dieu, le Père, qui détient le commandement, la puissance suprêmes :

Alme Pater...
[...]
Gratiaque a nobis ob tanta trophaea refertur,
Quem penes imperium est, et summa potentia rerum (*P.*, p. 351).

Dorat cependant emploie en son nom personnel *pia bella* (*op. cit.*, p. 359), mais il est difficile de traduire cette expression par « la guerre de religion » ou « la guerre sainte » dans un contexte résolument mythologique[76]. Le mythe ne révèle pas l'insincérité du poète, bien au contraire : c'est à ce genre d'expression qu'il a recours spontanément, et, si l'on peut dire, lorsqu'il ne se surveille pas. Il est curieux de noter que la version française met en cause

« ... de Dieu, des Saincts la faveur debonnaire,
Soustenans le party de l'host plus Catholicq'
Et defavorisans l'ennemy heretiq' » (*op. cit.*, p. 363),

pour traduire la seule expression *auspicibus superis... fouentibus* (*op. cit.*, p. 359)[77] .

75. Cf. aussi *rebelles, gens... rebellis* (*op. cit.*, p. 342, 343) ; ce sont des nobles — *nobilitas rebellis* (*op. cit.*, p. 232) ; ils se sont mis eux-mêmes hors la loi — *exlex / Gallus*, (*op. cit.*, p. 348).
76. Le vainqueur — qu'on nous a montré priant Dieu (*op. cit.*, p. 351-352) — est maintenant comparé à Persée, à Bellérophon : *Scilicet alter eris tu Perseus... / ... alter eris tu Bellerophon* (*op. cit.*, p. 359).
77. Or l'éditeur a présenté successivement le texte grec, puis le latin, et enfin le français. Il est impossible de dire si le grec fut composé avant le latin, ou vice versa, mais il est bien probable que le français est une « version » des poèmes précédents, quoique l'indication ne soit pas donnée ici. La traduction, ou plutôt la glose, révèle l'effort accompli par le poète à des fins politiques : tous les lecteurs de la version française n'étaient peut-être pas versés dans la mythologie classique, mais ils devaient aimer qu'on leur présentât le combat comme un jugement de Dieu.

LA GUERRE ÉTRANGÈRE Ce qui a, d'autre part, frappé le poète
royal, c'est que la troisième guerre
civile s'est transformée en guerre *étrangère*. Moncontour peut bien être
une victoire de la foi, pour Dorat, c'est là une victoire française : le roi
et le duc ont vengé les dieux et la patrie :

> ... ultor uterque
> Et superum et patriae (*P.*, p. 341).

Parfois même, si Dieu est oublié, la France, elle, est sauvée — *Gallia
seruata* (*op. cit.*, p. 232). Elle avait fourni le champ de bataille, mais
l'Allemagne, par exemple, a déversé ses forces dans les deux armées :

> ... Germania tota
> Quum diuulsa suas partes in regna profudit
> Gallica, cum Rege *hinc* sociata, rebellibus *illinc* (*P.*, p. 340).

Le choix du verbe *profundo* montre bien que le poète ne voit d'un
bon œil aucune de ces deux invasions, et il prie sans cérémonie, à la
fin du texte, l'Allemand de rester désormais au-delà de la barrière du
Rhin — *Rheni intra claustra* (*op. cit.*, p. 362).

Cela dit, il va de soi que les Suisses de l'armée royale sont des
héros — *generosa propago, Heluetii* (*op. cit.*, p. 348), les Allemands
réformés des sauvages — *trux Germanus* (*ibid.*), les Orangistes des ours
— *Aurangi(que) ursos* (*ibid.*) et les rebelles des loups — *lupi* (*op. cit.*,
p. 233). Néanmoins Dorat est prêt à reconnaître le courage et la valeur
militaire de tous les adversaires du roi, étrangers ou rebelles[78] :

> (Impetus)
> *Fortiter* excepit quem trux Germanus et exlex
> Gallus (*P.*, p. 348) ;
> Tres acies, totidemque Duces, et uiribus *acres*
> Et *belli expertos* (*op. cit.*, p. 359).

Mais Dorat n'oublie pas que certains de ces ennemis sont des rebelles et, de ce fait, l'action de guerre est qualifiée de juste châtiment,
comme le serait une opération de police :

> (Rex fraterque)
> Qui iustas poenas sumpturi ex hoste rebelli (*P.*, p. 67).

Dans ces conditions, il dénombre froidement les morts du camp adverse à Moncontour :

> ... Aquitanis Henricus uictor in agris
> Sex mille strauit seditionis equos.

---

78. Il n'y a rien là de la manière méprisante dont César parle de ses adversaires politiques
dans le *Bellum ciuile*.

> Sex mille is strauit de nobilitate rebelli,
>   At peditum numerus uix numerandus erat   (*P.*, p. 232).

L'armée royale ne fit pas, alors, plus de prisonniers que les « rebelles » n'en avaient fait le 25 juin précédent au combat de La Roche l'Abeille[79]. Le poète n'a pas évoqué ce massacre, mais il l'a sans doute dans l'esprit lorsqu'il dit, après Moncontour, que le bourreau achèvera la vengeance :

> Nunc manet *ultoris* dextera carnificis   (*P.*, p. 233).

Alors que le souvenir du danger couru par les siens est encore proche[80], il déclare à Philippe Hurault que le sang ennemi versé a scellé la paix :

> (Rex et frater)
> Aeternam hostili sanxerunt sanguine pacem   (*P.*, p. 107).

Mais, à la fin de ce poème, il est question d'épargner ceux qui se soumettent — *Subiectis parcendo* (*op. cit.*, p. 108)[81].

Il admet certes que la douleur est un juste motif de vengeance[82], mais il est bon que le roi et son frère ne touchent pas aux innocents :

> Fiat ut insonti non ulla iniuria cuiquam   (*P.*, p. 67).

C'est la seule attitude digne du roi des dieux et de ses fils :

> Res Ioue, uel natis non nisi digna Iouis   *(ibid.).*

Le roi doit donc punir, par nécessité, mais réserver le châtiment aux seuls coupables, c'est-à-dire ne pas se comporter en tyran[83]. Il n'est pas encore question, toutefois, de remettre la peine.

1570-1571 LE DÉSIR DE PAIX	La France, « croulant sous la fatigue de trois guerres civiles » désirait la paix, « la paix bienfaisante, douceur, gloire, plaisir

et des dieux et des hommes » —

> Pax alma Diuum, pax hominum decus
> Dulce et uoluptas, respice Galliam
>   Longis fatigatam ruynis
>   Per triplicem populi tumultum   (*Ode* XXV, init.)[84].

---

79. Cf. F. Schoell, *Histoire des états européens*, Paris, 1831, t. 16, p. 342.

80. Pendant la troisième guerre civile, toute sa famille se trouve à Limoges : *Nam mihi quid prodest seruata Lutetia per te* / [...] / *Si pereat mater, fratres, pariterque sorores,* / *Quos mihi Lemouicum moenia parua tenent?* (*P.*, p. 319) — *te* représente M. de Carnavalet.

81. Cf. ci-dessus, p. 262.

82. Comme lors de l'expédition des Tyndarides contre Athènes : *(Tyndaridae)* / *Vlturi, iustus qua dolor urget, eunt.* (*P.*, p. 67).

83. C'est la distinction que Sénèque rappelait à son impérial élève : *Quid interest inter tyrannum ac regem... nisi quod tyranni in uoluptatem saeuiunt, reges non nisi ex causa ac necessitate* (*De clementia*, 1, 11).

84. Cf. aussi *De Pace carmen* (Mss. fr. 1663, f˙ 6 r˙) et *Pacis encomium* (f˙ 6 v˙).

Le poète met alors dans la bouche du clergé — *pius* / *Coetus sacerdotum* (*op. cit.*, 22-23) — une ardente prière à Dieu : le pays ne veut plus d'une paix prostituée et fourbe — *prostituta* ... / *Et fraudulenta pace* (*op. cit.*, 53-54) — comme celles qui ont précédé ; que Dieu lui accorde Sa paix, qui n'est pas celle que peut donner le monde, mais celle que le Christ a laissée à son peuple en se rendant auprès du Père :

> ... da placidam... pacem,
> Pacem sed illam quam dare non potest
> Mundus, tuae quam regna patris petens
> Turbae reliquisti (*op. cit.*, 32-35)[85].

L'ÉDIT DE SAINT-GERMAIN — Dorat n'avait pas tardé à se mettre à l'ouvrage. Écrivant à l'érudit néerlandais Gérard Falkenburg — l'éditeur des *Dionysiaques* de Nonnos — avant le mois d'août 1570[86], il déclare avoir dans ses dossiers des textes sur la paix, qui ne sont pas connus de la Cour, car la paix n'est pas encore proclamée : *Habeo de pace multa nondum aulae nostrae cognita, quia nondum pax proclamata.* Finalement, cette paix fut conclue à Saint-Germain le 8 août 1570. Dans l'*Epithalame*[87] composé en septembre à l'occasion du mariage d'Henri de Guise et de Mme de Porcien, à la veille de celui du roi et d'Élisabeth d'Autriche, Dorat célèbre gaiement, en français, l'accord conclu :

> « C'est en ce temps qu'il fault que chacun danse,
> Puisque le Roy de France faict garder
> Un bon accord, pour son peuple alleger,
> Tournant de guerre en bonne Paix la chance » (Aij r°).

En signe d'allégresse, il se remet à composer des odes[88].

« L'édit était plus libéral que celui d'Amboise ou de Longjumeau... L'amnistie était générale »[89] : Dorat l'a rappelé dans un poème adressé « au roi des Français » — *Ad Carolum IX Regem Francorum* : *amissa(que) praemia reddis* (*P.*, p. 27). Parmi les négociateurs se trouvait Henri de Mesmes, juriste averti et bon humaniste : Dorat, qui avait été prié jadis de lui choisir un précepteur, était resté l'ami intime du magistrat, comme il avait été celui de son père[90].

---

85. Cf. *Jean*, 14, 27.
86. Cf. M.-J. Durry, « Une lettre inédite de Dorat », in *Mélanges Chamard*, Paris, Nizet, 1951, p. 63.
87. *Epithalame... sur le mariage de tres-illustres prince et princesse, Henry de Lorraine duc de Guyse, et Catarine de Cleves contesse d'Eu*, Paris, 1570 (le poète a été son propre éditeur).
88. Depuis 1560, il n'avait utilisé qu'une fois une strophe éolienne : pour célébrer brièvement le connétable défunt (*Ode XXIV bis*). Les quatre *carmina* (*Odes XXVI à XXIX*) qui suivent, louent les époux, mais ne traitent pas de la paix.
89. Cf. J. Lecler, *Tolérance*, p. 75. Cette paix, selon F. Decrue était « l'œuvre du parti politique et plus spécialement de Montmorency, avec la collaboration de Cossé et de Biron » (cité par J. Lecler, *op. cit.*, p. 75 et n. 60). C'était la réalisation du plan que M. de l'Hospital, de sa retraite, proposait encore au roi (*op. cit.*, p. 73-74).
90. Trois odes (I, II, XXIII) sont dédiées à Henri de Mesmes ; cf. aussi *P.*, p. 219.

Alors que la paix de Longjumeau (mars 1568) avait paru à tous « deux fois martiale », selon une formule de Passerat, on espérait beaucoup de l'édit de Saint-Germain, peut-être précisément parce qu'il avait été difficile de se mettre d'accord après tant de sang versé. Dorat ne minimise pas la difficulté. Après sa victoire par les armes, le roi a dû en obtenir une autre, sur la juste colère de ses partisans : *uincens animos irasque ob crimina iustas (P.*, p. 65). Mais, selon le poète, c'est dans ce pardon offert que réside la piété : *ultro ignouisti cunctis pius (ibid.).*

ESPRIT DE L'ÉDIT   Le mot s'entend aussi bien au sens « humaniste » du latin *pius* qu'au sens religieux étroit. Le Christ est, en effet, le garant de l'attitude clémente : celui dont le roi est l'image terrestre accorda son pardon à ceux qui venaient le lui demander :

> ... illius usus
> Cuius es exemplum, Rex, exemplo : obuia pandit
> Brachia qui ueniam poscentibus omnibus ultro (*P.*, p. 65).

Dans un autre texte, le poète rappelle au roi l'esprit du *Notre Père* : Dieu nous pardonne et nous appelle au ciel dans la mesure où, sur terre, nous avons pardonné :

> Dignus qui, cuius mores imitaris amicos
> In terris, eius tandem sed serus in arcem
> Tollaris (*P.*, p. 27).

Mais toute une tradition humaniste soutient aussi le propos de Dorat. D'une part, le pardon n'est pas présenté ici comme un acte d'amour, mais comme un choix réaliste. Ainsi les dissidents ont fini par s'incliner devant la pratique pacifique de leur roi plutôt que devant sa victoire par les armes : c'est précisément cet acte de clémence qui a fait de lui, à nouveau, leur roi, alors que la dureté n'avait fait naître que haine et sédition :

> ... partes
> Victae non Regis Marte, sed arte sui (*P.*, p. 69)[91].

C'est sur l'expérience, en effet, que se fonde le conseil de Livie à Auguste dans l'anecdote du pardon de Cinna, rapportée par Sénèque : il faut changer un remède qui se révèle inopérant : *Seueritate nihil adhuc profecisti ... Nunc tempta quomodo tibi cedat clementia (De clementia*, 1, 9, 6).

D'autre part, toute une tradition latine exalte l'orgueil de l'homme qui pardonne. Cicéron met ainsi les victoires militaires de César au-dessous de celle qu'il peut obtenir sur lui-même en permettant le retour

---

91. Il n'est pas question de rapprochement dogmatique, mais de soumission. Le poète oppose *Mars/ars*, comme il fait de *ferrum/forum*, cf. ci-dessus, p. 270 et n. 40 ; mais ici il ne s'agit pas de discussion : le roi a utilisé une autre « technique ».

de Marcellus, et qui le rend semblable à la divinité : *Animum uincere,
iracundiam cohibere, uictoriae temperare... haec qui facit, non ego
eum cum summis uiris comparo, sed simillimum deo iudico* (*Pro Marcello*, 8). Dorat s'en est souvenu : il met la victoire non sanglante de
son roi au-dessus des trois succès militaires de l'année précédente :

> Quae fuit una tibi Victoria, Carole, maior
> Partis ante tribus (*P.*, p. 65).

La victoire de la Clémence, enfin, est une victoire pure[92]. L'humaniste,
dès lors, est fondé à dire à Charles IX :

> (Victoria)
> Cuius tota tua est et laus et gloria tota,
> Qui te uicisti, te milite, te duce solo *(ibid.).*

Sénèque rappelait aussi à Néron que maîtriser sa puissance fait
la plus grande gloire d'un roi : *regi gloria ... maxima si uim suam continet* (*De clementia*, 1, 17).

Rien n'est moins chrétien que cette exaltation de la « gloire » qui
récompense la clémence, et c'est bien cette notion qui s'impose à Dorat,
plus que celle du pardon des offenses. Quelques semaines plus tard, en
effet, composant un *Hymnus Heroicus* à l'occasion du mariage de
Charles IX, il rappelait que le roi avait pardonné *afin* de se vaincre lui-
même : *his ueniam dedit, ut se uinceret ipsum* (*P.*, p. 243). Allant plus
loin que Cicéron et que Sénèque, il faisait dire — par le roi lui-même —
qu'il était seul à pouvoir se vaincre :

> ... se uinci posse nisi a se
> Dixit *(ibid.)*[93].

Une telle formule révèle une sensibilité résolument païenne.

**LA PAIX « BANCALE
ET MAL ASSISE »** Quand Dorat vante la paix et la clémence, est-ce seulement pour s'être
laissé emporter par le vent du moment ?
Ce vent, à vrai dire, était assez incertain. S'il fut difficile, pour le roi,
d'imposer un tel choix à ses propres instincts, il fallait bien s'attendre
à ce que l'attitude dite « politique » suscitât des oppositions, et le poète
royal s'en prend à tous les irresponsables qui, trop attentifs aux murmures populaires, voudraient remettre en question l'arrêt de la justice
royale :

> ... si sint Regia iura
> Qui reuocare uelint priuati ad murmura uulgi (*P.*, p. 68).

92. Celui qui l'a remportée ne la doit ni à la fortune, ni à ses troupes, mais à lui-même :
*At uero huius gloriae, C. Caesar, quam es paulo ante adeptus, socium habes neminem : totum
hoc... totum est, inquam, tuum* (*Pro Marcello*, 7).

93. Le poète avait déjà dit : *Cum posset nisi tu te, Carole, uincere nemo* (*P.*, p. 65). Il
semble avoir recherché une formulation sententieuse et frappante : l'édition de 1586 nous a
conservé deux essais, sous les titres de *Victoria* et de *Mars* (*Epgr.*, p. 33).

Il va jusqu'à faire entendre que le roi saura imposer sa politique si le peuple s'acharnait dans son attitude déraisonnable :

> Si non ad sanam redeat plebs improba mentem (*P.*, p. 66).

L'avertissement est présenté avec solennité, sous forme d'une proso-popée de Dieu lui-même[94].

Très vite pourtant on dut se rendre à l'évidence : ce n'était pas encore la Paix, mais une paix de plus. Elle fut bientôt la cible de la fameuse plaisanterie — « boiteuse et mal assise » — qu'Henri de Mesmes rapporte dans ses *Mémoires,* tout en mesurant à leur prix l'effort des négociateurs et le résultat obtenu par eux[95].

Dorat, toujours à l'affût d'un mot — et d'un signe à interpréter — a pris soin de nous expliquer qu'on pouvait prédire cet échec :

> Hoc iam pacifices portendunt omine prauo,
> Hic pedibus claudis, ille sedendo male (*Epgr.*, p. 41).

En fait ce texte fut probablement composé beaucoup plus tôt, à l'é-poque où l'on n'entrevoyait pas encore le succès des négociations en-gagées. Nous croyons, en effet, que c'est à cette épigramme que fait allusion une phrase de la lettre à Gérard Falkenburg, publiée par M.-J. Durry : *Mitto ad te epigramma de pace, sed risum abstine*[96]. M.-J. Durry pense que le poète « ironise... un peu sur ses hâtives pro-ductions et jusque sur certains des thèmes qu'il est appelé à traiter[97]. En fait il paraît exclu qu'un homme dont la maison de famille vient d'être détruite, dont la mère, les frères et les sœurs ont été gravement exposés lors des combats de la troisième guerre civile[98], qui a vu lui-même Paris assiégé par les « rebelles », puisse faire de l'ironie sur le thème de la paix. Quant à l'épigramme et au jeu de mots sur « boiteuse et mal assise », elle devrait, c'est vrai, susciter le rire, et c'est ce que prévoit Dorat, porté plus que personne à jouer sur les mots, mais, compte tenu des circonstances, il prie, sérieusement, son correspondant

---

94. Ronsard (S.T.F.M., t. 11, p. 60) présente une prosopopée de la France.

95. Éd. Frémy, Paris, 1886, p. 178-181 (il composait vers 1585) : « On la disoit boiteuse et mal assise et ne n'en ay point veu, depuis vingt-cinq ans qui ayt guière duré... Quoique ce soyt, je puis bien jurer y avoir procédé sincèrement et dire que je deslivray, pour ma part, à ceste fois, la France d'une très-sanglante et très-périlleuse guerre ; dont j'espère que les gens de bien me sçauront toujours gré ». La plaisanterie tirait son origine du fait que Biron était bancal et qu'Henri de Mesmes était seigneur de la terre de Malassise.

96. Cf. ci-dessus, n. 86.

97. A l'appui de sa thèse, elle cite la déclaration que Nolhac (*R. et l'H.*, p. 81, n. 3) jugeait quelque peu sceptique : *Multa rogant multi me carmina, do quoque multis. / Officium nam cui carminis ipse negem ?* En fait, dans ce dernier texte, le poète royal ne veut pas dire qu'il écrit des vers pour n'importe qui, mais le contexte montre qu'il veut encourager par ses liminaires des débutants de bonne volonté et les aider à se « lancer », si l'on peut dire, même si leurs premiers essais ne sont pas des chefs-d'œuvre — *plaudo, non laudo (ibid.).*

98. *P.*, p. 318-319.

étranger de ne pas rire : *sed risum abstine*. Le jeu de mots ou calembour, du reste, n'est pas forcément gai[99], mais l'épigramme fournit une explication : Dorat, dont on connaît la grande capacité à interpréter les divers signes, a tiré des noms des négociateurs un *portentum*. Ce disant, il est donc plus sérieux qu'on ne pourrait le croire, et il note que la France va, prochainement, tomber dans un malheur pire que celui qu'elle a connu :

> Quis dubitat quin pax tam longo tempore tracta
> Sit maiore breui corruitura malo ? *(ibid.)*.

La prédiction était correcte.

PERSISTANCE DE L'IRÉNISME HUMANISTE — Même après l'échec d'une paix négociée, pourtant, avec tant de soin, l'ami d'Henri de Mesmes et de M. de l'Hospital, alors que l'irénisme humaniste est totalement hors de saison, ne manque pas de célébrer la mémoire de ceux qui en ont été les champions, en tout premier lieu de Claude d'Espence, qui mourut le 4 octobre 1571[100]. La sympathie avec laquelle sont évoqués le caractère et la vie quotidienne du théologien solitaire, modeste, mais obstiné, par ailleurs excellent humaniste, révèle une certaine intimité[101]. Or Cl. d'Espence avait été l'un des interlocuteurs du colloque de Poissy, où son exposé avait, un moment, ramené quelque sérénité après l'orageux débat sur la présence réelle[102]. Quoique son activité ecclésiastique fût bien antérieure à 1561, c'est à cette date précisément que son panégyriste fait commencer son « labeur » :

> « Dieu l'a voulu enfin du labeur dispenser
> Qu'il avoit ja porté dix ans pour son église »[103],

écrit-il en 1571. Cl. d'Espence mourut en bon catholique : Dorat le rappelle, tout en insistant sur le fait que sa mort est un reflet fidèle de sa vie :

99. En témoignent les *Allusiones* de Joachim Du Bellay, à la suite de *Joachim du Bellay's veiled victim*, éd. Malcolm Smith, Genève, 1974, et plus encore un jeu de mots qui nous paraît particulièrement pénible et d'un triste mauvais goût : celui que Dorat lui-même a fait sur le nom de M. de Bonœil, fils aîné du président Christophe de Thou, qui vient de mourir et qui, partant, n'aura plus de bons yeux : « De Bonneil, le bon œil gist obscur » (*Tombeau de Jean de Thou*, Paris, Patisson, 1580, Aiij r°) ; B. N., Rés. mYc 925 (13). Or il est évident que le poète n'avait nullement l'intention de faire rire aux dépens d'un homme dont il connaît intimement la famille et dont il déplore très sincèrement la mort prématurée.
100. Cf. E. Balmas, *Un poeta del Rinascimento francese, Etienne Jodelle*, Florence, 1962, p. 67.
101. *Otia grata tenens studiisque nouisque libellis, / Priuatusque magis Rege beatus erat. / Conuictu facilis, mensa sine sordibus, artis / Nullius ignarus, scripta quod ipsa probant, / Ludere quinetiam qui posset amabile carmen* (*P.*, p. 211).
102. Cf. J. Lecler, *Tolérance*, p. 53.
103. *Tumulus reuerendis. D. Claudii Espencaei*, Paris, Bienné, 1571, p. 7. Trois textes du *Tumulus* sont relevés dans les *Poëmatia* de 1586, *Fun. Lib. I*, sans indication de p. (=6 pages) ; l'un figure aussi dans *P.*, p. 211.

Sed uiuentis erat quem lingua professa fidelis
Hunc Dominum moriens lingua professa tua est
(*F.*, sans p.)[104].

Or Cl. d'Espence a pratiquement consacré ces dix années à la publication de ses conférences avec les Réformés pour se défendre des attaques des deux bords : 1566, 1568, 1570 virent se succéder ces scrupuleuses mises au point[105]. Dorat était fondé à qualifier de *tenax, studio indefessus* (*P.*, p. 211) celui en qui il voyait l'honneur du chapitre de Paris — *honor Parrisiae cathedrae*, un insigne théologien — *insignis theologus*[106], « ce candélabre d'or, ce flambeau d'excellence »[107].

Dorat mentionne bien le nom de l'exécuteur testamentaire de Cl. d'Espence (le président Christophe de Thou), mais pas ceux des collègues qui l'entouraient à son lit de mort — *collegis cinctus amicis* (*P.*, p. 211) — et ce fut lui qui prit l'initiative de rassembler les pièces du « tombeau » — *Tumulus reuerendiss. domini Claudii Espencaei Io. Aurato auctore*[108]. La plaquette est mince : aux côtés des poèmes de Dorat, on en trouve, bien sûr, un de Lambin[109], et un de Nicolas Goulu, en grec, avec la mention ΑΥΡ. ΓΑΜΒ.[110]. Or ce dernier était professeur royal depuis quatre ans et, de ce fait, n'avait pas besoin de la garantie de son beau-père : il faut peut-être voir là une trace des efforts que déploya le poète royal pour célébrer dignement le défunt. La participation de Jodelle qui offrit un sonnet *A l'âme*[111] paraît d'abord surprenante ; en fait Claude d'Espence et lui avaient des relations communes : des documents qu'a découverts M. E. Balmas le montrent[112]. Ce texte ne présente pas le caractère extrémiste qu'on pourrait attendre à cette date, selon M.E. Balmas, du futur panégyriste de la Saint-Barthélemy[113]. C'est précisément l'aspect conciliateur et patient de l'œuvre du théologien qui est mis en lumière :

« Long tems tu as presché, tu as maint livre ecrit,
Où l'effort de *Raison* l'effort d'*Erreur* ruine » (A v°).

---

104. Nous renvoyons ici et en n. 101 aux *Poëmatia*, car ce recueil est plus accessible que le *Tumulus*, mais ce n'est pas toujours possible.
105. Sur Cl. d'Espence, cf. H.O. Evennett, in *Revue Historique*, CLXIV (1930), p. 40-78, « Claude d'Espence et son discours du colloque de Poissy », en particulier p. 54.
106. *Tumulus... Cl. Espencaei*, p. 3 ; p. 5.
107. *Op. cit.*, p. 7.
108. Sous ce titre se regroupe l'ensemble des textes des différents auteurs.
109. *In Claudii Spencaei uiri clariss. Theologiq. doctissimi obitum... carmen*, in *Tumulus... Cl. Espencaei*, Sign. A (sic) r° (la pagination est très négligée).
110. *Op. cit.*, p. 7.
111. *Op. cit.*, A v°.
112. Cf. E. Balmas, *Jodelle*, p. 659-664. Mais selon ce dernier, le petit nombre de collaborateurs du « tombeau » s'explique par le fait que Dorat, laissant de côté Ronsard, Baïf, Pasquier, n'a voulu faire appel qu'à des amis intimes du défunt (*op. cit.*, p. 664). Dans cette optique, Dorat s'est adjugé « la part du lion » — *la parte del leone (ibid.).* Nous pensons plutôt qu'il a fait de son mieux pour étoffer le recueil, car on peut encore objecter que, si Jodelle fut un intime, sa participation est bien pauvre.
113. *Op. cit.*, p. 669.

Pourtant, selon M.E. Balmas, Cl. d'Espence, sur ses vieux jours, aurait durci son attitude, ce qui aurait permis à un « intransigeant » comme Dorat, ou à un « ligueur » comme Génébrard de former autour de lui un cercle « ultra »[114]. Génébrard, en tout cas, ne participa pas au « tombeau ». Lambin, qui y contribua, n'avait rien d'un factieux, non plus que Cl. d'Espence lui-même : M.E. Balmas le reconnaît[115]. C'est naturellement le caractère iréniste du défunt que Lambin, fidèle à l'esprit du colloque de Poissy, souligne lui aussi :

> Non...
> Vt plerique solent, nugas iactabat inaneis,
> Aut turbam ad caedem et pugnas stimulabat atroceis,
> Verum id agens ipsum, quod agebat, nunc populum atris
> Demersum in tenebris, ad clari luminis oras
> Tollebat (A (sic) r°).

C'est bien ce que Cl. d'Espence lui-même, souhaitant que les choses fussent enfin réglées par la raison, non par la violence, avait écrit : *Res ratione tamen, non ui, uel sero gerenda est*[116]. Le fait que Génébrard, après la mort de Cl. d'Espence, ait publié son ouvrage *De Eucharistia...*[117] en 1573, prouve que Cl. d'Espence avait fait œuvre de théologien catholique, ce qu'il avait toujours proclamé, non qu'il ait jamais partagé les idées extrémistes du professeur royal d'hébreu. Comme le remarque J. Lecler, à la suite d'H.O. Evenett, « il avait encouru la suspicion de tous les intransigeants pour sa politique de conciliation[118] ». Même les « Politiques », décidés à traiter avec les Réformés, ont, à cette date, renoncé aux illusions « irénistes » qui caractérisent une génération vieillissante : en 1571 Cl. d'Espence a soixante ans, Dorat soixante-trois.

Cl. d'Espence, qui avait œuvré dix ans de sa vie pour cet idéal, savait qu'une telle attitude n'est pas facile à tenir. Ses amis en firent, eux aussi, l'expérience.

IN BILINGUES   En effet ce sont peut-être Dorat et Lambin qui, selon nous, sont visés dans une épigramme composée par un certain Denys Lebey contre les « bilingues » — *In Bilingues*[119] — puisque tous deux étaient traducteurs officiels du roi de France :

> Altera fert undam, gestat manus altera flammas.
> Quid nisi uel fraudes illa uel illa parat...

114. *Ibid.*
115. *Ibid.*
116. *Super hodierno Schismate sermo*, Paris, N. Chesneau, 1568, p. 21.
117. La préface de Génébrard aux *Opera Omnia, quae superstes adhuc edidit, quibus accesserunt posthuma a D. Gilberto Genebrardo in lucem edita*, ne pouvait engager le défunt; cf. E. Balmas, *Jodelle*, p. 669.
118. Cf. *op. cit.* en n. 105, p. 58.
119. Dans *Delit. Poët. Gall.*, Francfort, 1609, t. 2, p. 391-392.

« Une main porte l'eau, l'autre le feu. L'une et l'autre, aussi bien, ne méditent que tromperie » ; l'autre distique insiste sur la feinte. Sans doute la formulation n'a rien d'original, et le terme de *bilinguis* peut s'entendre dans le seul sens de « trompeur ». Il reste que le sous-entendu est un procédé fréquent dans l'épigramme et que, par ailleurs, dans un poème où il s'en prend à un détracteur − *In detractorem (P.*, p. 309-310), Dorat se défend de porter le feu d'une main, l'eau de l'autre, et prend son correspondant à témoin de son naturel doux :

> Non manus una facem, nec aquam gerit altera.
> Ingenium nosti mitius esse meum (*op. cit.*, p. 310).

Au début de ce texte, le poète se plaint, du reste, d'avoir été attaqué des deux bords : hinc inde *agitabar ab hoste (op. cit.*, p. 309). Certes il est aisé de comprendre que les Réformés lui aient reproché d'avoir célébré « la triple victoire » du duc d'Anjou et des troupes royales. A l'autre extrémité, les Catholiques « ultra » ne pouvaient admettre sans aigreur la politique de clémence du jeune roi − politique dont la cheville ouvrière était, précisément, le magistrat humaniste Henri de Mesmes, ami de Dorat. Ce dernier, malheureusement, ne nomme pas le « détracteur », facile à reconnaître pour les contemporains dans le cercle des humanistes parisiens. Il nous semble sinon certain, du moins probable, que ce personnage soit bien Denys Lebey. En effet en 1571, ce jeune humaniste calviniste − il était né à Troyes dans une famille de Robe en 1551 − qui avait étudié jusqu'alors à Genève, arrivait à Paris pour y faire son droit : il avait vingt ans, l'âge où l'on vomit les tièdes et les « Politiques »[120]. En outre le titre d'une autre épigramme de Lebey, *Speculum clementiae Regiae*[121], fait songer à la politique des années 70-71.

Quand le poème de Dorat *In detractorem* fut-il composé? La mort de Lambin après la Saint-Barthélemy pourrait fournir un *terminus ante quem*, si les « bilingues » sont bien les deux humanistes. D'autre part ce texte fait montre d'une attitude nettement chrétienne : il use de formules telles que « mets ton espoir et ton cœur dans le seigneur »[122] :

> In domino mentem spemque repone tuam (*P.*, p. 309).

Cela semble indiquer une époque postérieure à sa maladie et à sa conversion, c'est-à-dire à la fin de l'automne 1571. De fait, le poète précise que, s'il n'a pu contenir les fureurs inopinées de son adversaire, c'est qu'il se rétablissait difficilement :

---

120. Le fait qu'on le dise lié avec Ramus pourrait expliquer que Dorat le range dans la secte livide − *liuida secta (P.,*-p. 310) − des Zoïles. Dès 1567, l'antipathie intellectuelle de Dorat envers Ramus s'était énergiquement manifestée ; cf. ci-dessus, n. 60.
121. *Delit. Poët. Gall.*, t. 2, p. 392. L'auteur évoque un roi plus cruel que la Justice ne le permet : *saeuior aequo.*
122. Cf. aussi : *Ad uerum medicum confuge : tutus eris (op. cit.*, p. 310).

Non inopinatos licuit cohibere furores ;
Nam uix dimidia parte superstes eram
[...]
... ego pene iacens *(op. cit.*, p. 309)[123].

Quant à la formule

(Deus)
Imbelles (que) tibi diriget ille pedes *(ibid.)*

elle est riche de sens, puisque l'adjectif *imbellis* signifie à la fois « pacifique » et « sans force ». Ce texte pourrait donc avoir été composé à la
fin de 1571 ou au début de 1572[124]. Ce qu'il y a de certain c'est que
Dorat, en dépit des attaques, semble sûr du témoignage que lui a
fourni sa conscience dans le combat qui a été le sien jusque là :

Adde quod et nostras mens recti conscia partes
Sustinet, in pugna quae fuit usque comes *(op. cit.*, p. 310).

Que lui reprochaient donc ses adversaires ? Les uns, d'avoir glorifié la
victoire du duc d'Anjou, les autres, la « victoire non sanglante » du roi
l'année suivante, le « détracteur » d'avoir loué l'une *et* l'autre − « le
feu et l'eau ». Dans ce texte, Dorat ne répond pas aux attaques de
chacun des deux partis, mais seulement à celle du « détracteur » qui
lui en veut de ne point avoir affiché une conviction monolithique,
mais d'avoir loué, successivement, deux politiques différentes. Le
caractère intransigeant de Lebey[125] rend, du reste, l'attribution encore
plus vraisemblable.

On a donc reproché à Dorat d'avoir changé et, quatre siècles plus
tard, le poète royal peut sembler avoir écrit à la légère, viré au vent de
la politique royale. Nous pensons cependant que rien ne l'obligeait à
louer Cl. d'Espence, à se donner la peine de rassembler les pièces de
son *Tumulus*, si ce n'est la certitude intérieure que ce dernier avait
mené le bon combat.

123. Quand Dorat annonce qu'il a été attaqué dans le dos − *a tergo* (*P.*, p. 309), il veut
peut-être dire qu'il n'était pas alors en mesure de répondre : ce pourrait donc être au moment
de sa grave maladie. De toute manière, il semble avoir pris la plume peu de temps après avoir
eu connaissance de l'attaque − *cum modo sensissem... (ibid.).*
124. Le destinataire du poème, le jeune Jean Dormy, parisien, est malheureusement
moins connu que ne l'annonce la dédicace − *Ad nobilem adolescentem Io. Dormy Parisiens.* −
et son patronyme fournit peu de renseignements. M. F. Secret fait mention d'un Claude Dormy,
alchimiste, in *Australiam Journal of French Studies*, 1972, p. 217-236.
125. L'âge ne devait pas, en effet, ralentir l'ardeur de Lebey. En 1585, ses convictions
religieuses le firent quitter la France et s'installer à Montbéliard. Il ne devait pas y rester longtemps : Calviniste convaincu, il dut quitter cette ville qui était luthérienne. Les épîtres qu'il
échange avec son demi-frère, Pierre Névelet, révèlent une âme meurtrie (dans l'exil, le destin
semblait s'acharner contre lui), généreuse, absolument incapable de compromission. Il ne publia
ses *Emblemata* qu'en 1594 à Heidelberg, où il avait séjourné pendant son exil. Henri IV le
nomma président à Metz, où il mourut en 1607. Cf. E. Haag, *La France Protestante*, Paris,
1886, t. 6, p. 447-451.

1572 Il eut à répondre de sa sympathie pour
le théologien iréniste au moment où lui-
même venait, précisément, de traverser une crise grave, qui avait ébranlé
sa robuste nature, et profondément modifié sa spiritualité. Cette année
1572 allait voir l'humaniste se renier, abandonner tout esprit critique,
et devenir la proie d'un fanatisme difficilement explicable.

LE TOMBEAU DE PIE V Au mois de juin 1572, Dorat compose
une épitaphe en l'honneur de Pie V.
Selon lui, le défunt fut une solide colonne, donnée par le ciel pour
étayer la vraie religion chancelante :

> Relligio dum uera labat, fultura ruinam
> Ille Pius Quintus firma columna datur (*F.*, p. 160).

Il a droit à une triple couronne : son premier mérite est d'avoir réformé
les scandaleux abus dont souffrait Rome, puis d'avoir mené la recon-
quête, sur le plan intérieur contre les hérétiques, à l'extérieur contre
le Turc :

> A Roma pulsis omnibus opprobriis[126],
> Dein res qua Romana patet sub nomine Christi
> Intus compressis hostibus atque foris,
> Haereticis intus, Turca foris *(ibid.).*

La première constatation n'est pas d'un fanatique[127], mais le parallèle
entre l'Hérétique et le Turc est assez inquiétant : Pie V reste, aux yeux
de l'Histoire, un pape dur[128] qui avait toujours été hostile à une solution négociée avec les hétérodoxes. Pourtant on est encore loin de la
glorification de la tuerie du 24 août.

LA SAINT-BARTHÉLEMY Dans le recueil de 1586[129], les textes
latins concernant la Saint-Barthélemy
sont dispersés. A l'exception de l'*Elegia* (*P.*, p. 92-95) qui comporte
cinquante-et-un distiques élégiaques et se veut une action de grâces,
ces textes sont brefs. Ils présentent l'extrême violence des pamphlets.
Les injures se succèdent : on a abattu des monstres barbares — *barbara
monstra* —, des bêtes sauvages innommables — *infandas... feras* (*op. cit.*,
p. 93). Le supplice de Coligny est évoqué avec un jeu de mots sinistre :

> Qui caput ante fuit populantum templa latronum,
> Gaspar habet nullum mortuus ipse caput (*P.*, p. 291).

126. Dorat avait attaqué le pape Jules III (Mss. Lat. 8138, f° 74 r°) : le pape eut en commun avec Jules César des mœurs contre nature et le goût des bouleversements politiques.
127. Sous le pontificat de Pie V, les réformes élaborées au concile de Trente commencèrent à être appliquées.
128. Cf. J. Lecler, *Tolérance*, p. 81.
129. *P.*, p. 70-71 ; 92-95 ; 291-292 ; 292-293 (« version ») ; 293-294.

Les partisans de l'amiral ont été justement éliminés, comme le furent les prétendants de Pénélope, et abattus comme des porcs (le jeu de mots est intraduisible) :

> Omnes, ut porci, sic cecidere proci (P., p. 70).

Dans l'invective latine *In Gasparem Colineum dum uiueret Galliae thalassarchiam* et dans sa « version » française, le corps du supplicié est évoqué avec un luxe de précisions grossières ou cruelles :

> Pendet ab infami, crucis hostis, nunc cruce loris
> Traiectus plantas...
> [...]
> Mortuus in coelum terga supina tenet (P., p. 292).

La réception d'aucun salaire, d'aucun cachet extraordinaire[130] ne peut suffire à rendre compte du ton de ces écrits : le plus sauvage tyran n'en eût pas tant demandé.

THÈSE DE MARTY-LAVEAUX — Marty-Laveaux relève, en particulier, une moquerie à l'endroit de Ramus assassiné : selon lui, Dorat, écrivant à Siméon de Malmédy, successeur de Ramus, « plaisante élégamment sur son infortuné prédécesseur, privé de la lumière du jour et que les dieux eux-mêmes ne sauraient guérir » : *Ramus semper luminis orbus erit (P., p. 200).* Or ce texte, relevé dans l'édition de 1586, n'a rien à voir avec la Saint-Barthélemy : il fut composé beaucoup plus tôt, et dans des circonstances bien différentes. On le trouve déjà, en effet, avec d'autres pièces de Dorat, dans un opuscule qu'Antoine Valet, un jeune médecin limousin, publia en 1570[131].

Quoi qu'il en soit, le critique fut justement choqué par le fait « qu'aucun capitaine enivré de carnage, aucun moine aveuglé par ses préjugés n'a vanté la Saint-Barthélemy avec autant d'enthousiasme et de

---

130. Cf. Marty-Laveaux, *Œuvres* de J. D., p. XXXIJ-XXXIIJ et n. 1 : on a dit que Charles IX avait fait une gratification spéciale pour le payer de ces productions. Voici le texte, extrait des « Comptes des dépenses de Charles IX », in *Archives curieuses de l'Histoire de France*, publiées par L. Cimber et F. Danjou (1ʳᵉ série, t. 8), Paris, 1836, p. 359 : « A Jehan Daurat, poette et interprete dudict sieur en langue grecque et latine, la somme de 250 liv. tourn., dont sa Majesté luy a faict don en consideration des services et bon debvoir qu'il luy a faict cy-devant en sondict estat, faict et continue chacun jour en ce qu'il plaist à Sa Majesté luy commander » (27 octobre 1572). Or le même registre relève en date du 10 octobre 1572 un don de « sept vingt six livres tourn. » aux messagers qui avaient amené à Charles IX des dogues « dont ils ont fait présent à Sa Majesté de la part de la Royne d'Angleterre, qui les luy a envoyez » (*op. cit.*, p. 356) : si le roi paie son poète, la reine protestante fait un cadeau au bourreau de ses corréligionnaires.

131. *Oratio in scholis medicorum habita*, Paris, J. de Bordeaux, 1570, f° 25 v° - 26 r° : il ne s'agit pas de la nuit de la mort, mais de l'aveuglement de Ramus comparé par Dorat au Plutus d'Aristophane : moins chanceux que le dieu, il ne recouvre pas la vue, car il n'est pas l'ami des médecins. La plaisanterie n'est peut-être pas très fine, elle est, en tout cas, innocente.

conviction que ce savant[132] ». Marty-Laveaux a cru trouver à une telle attitude une justification psychologique : « c'est précisément son amour du calme, des joies de famille, des beaux livres, de l'existence facile, qui lui faisait perdre toute modération à l'égard de ceux qui troublaient le genre de vie que sa prévoyance avait préparé » *(ibid.)*. Même si l'on tient compte, en outre, de l'évolution spirituelle de Dorat[133], nous ne pensons pas que l'explication psychologique soit suffisante.

EXPLICATION SOCIOLOGIQUE   La célébration n'a de sens que si on la replace dans la société pour laquelle elle a été faite et qui l'a reçue. Nous avons vu Dorat une première fois, en 1567[134], se laisser prendre aux sentiments de la foule, mais lui qui, en 1570, conseillait au roi de se méfier des murmures du vulgaire[135], chante maintenant l'unité de ce peuple quand il se rue au massacre : *urbs omnis in iras / Cum ruit (P.*, p. 93). Il souhaite le voir défiler dans les rues de Paris à la suite des bannières :

> Mixta patrum matrumque, senum iuuenumque ferantur
> Agmina, signiferos quaeque secuta suos *(P.*, p. 92).

La conversion de ce vieil homme à une religion naïve l'a rapproché de ce peuple. Or, comme le fait remarquer J. Lecler, « pour la grande majorité des Français, à cette époque, la tolérance des Huguenots était un défi au bon sens et à la religion... Comme en outre aucun État passé à la Réforme ne pratiquait la tolérance civile ni à l'égard des catholiques, ni à l'égard des autres dissidents, la cause paraissait entendue[136] ».

CARACTÈRES DE CES TEXTES   Nous avons vu que Dorat fut toujours sensible au caractère séditieux des grands du royaume passés à la Réforme ; à cette date il les nomme des « suppôts de Satan » — *satanicolae (P.*, p. 93) —, des larrons — *latrones (op. cit.*, p. 71) —, des pilleurs d'église — *populantum templa latronum (op. cit.*, p. 291). Il les voit comme une minorité armée, un « escadron nuisible » — *noxia turma (op. cit.*, p. 93)[137]. Le poète se fait l'écho des bruits qui couraient dans le peuple, et qui attribuaient des exploits analogues à ceux du baron des Adrets à l'amiral lui-même, qui en aurait été justement puni :

> (Gaspar)
> Qui mergebat aquis, urebat et ignibus olim
> Innocuos, et aqua est tortus et igne nocens *(P.*, p. 292).

---

132. Marty-Laveaux, *Œuvres* de J. D., p. XXX.
133. Cf. *Ode* XXX.
134. Cf. ci-dessus, p. 275.
135. Cf. ci-dessus, p. 284.
136. *Tolérance*, p. 79-80 et n. 77, 78.
137. Il écrit *turma* (à l'origine, une trentaine de soldats), non *turba*, et surtout, dans ces textes, il met en cause Coligny en personne.

Pour lui, ces morts sont des Brise-croix[138]. Aussi une exultation fanatique, élémentaire, le fait-elle, à propos de la nuit tragique, évoquer la nuit de Noël où le salut a été donné aux croyants, où le Mal a été vaincu, et la nuit de Pâques, où le Christ est ressuscité :

> Nocte piis est nata salus : nunc rursus eisdem
> Hoste piis domito nocte renata salus,
> Nocte resurrexit Christus (*P.*, p. 93).

Il faut donc chercher aussi bien à l'extension du massacre qu'à son odieuse célébration des causes sociologiques[139].

Mais Dorat semble véritablement obsédé par la souillure que ces monceaux de cadavres apportent à l'Océan lui-même : le lieu où, d'ordinaire, disparaissent les êtres souillés, devra, cette fois, renvoyer les corps dans les noirs tourbillons de Carybde, d'où ne ressortent jamais ceux qui y sont engloutis, ou dans les fleuves des enfers :

> Ipse uel Oceanus qui cuncta piacula purgat
> Horum cum nequeat triste piare nefas
> [...]
> Aut inferna etiam uada merget in atra Caribdis,
> In summas rursus ne reuocentur aquas,
> Tartareis sed ibi sine fine pientur in undis (*P.*, p. 293)[140].

Un tel texte trahit, selon nous, une angoisse, une culpabilité enfouies : on est loin de la nuit de Noël où de Pâques. Le poète, dont la sensibilité est restée profondément païenne, a recours aux vieux mythes païens de l'éternité et de l'au-delà pour tenter de régler définitivement leur compte à ceux contre qui a sévi le couteau de saint Barthélemy, et sur qui, le lendemain encore, saint Louis a vengé l'autorité royale :

> Bartholomaeae cum saeuiit ira machaerae,
> Lodoicus regnum est ultus et ipse suum (*P.*, p. 93)[141].

Dans ces deux vers, au contraire, on est au niveau de la conscience claire, et le poète exploite un thème officiel.

---

138. *Tombeaux des Brise-Croix, Mesmes de Gaspard de Colligni, jadis admiral de France*, Lyon, 1573.
139. Sur la joie des Catholiques, cf. M. Soulié, « La poésie inspirée par la mort de Coligny », dans *Actes* du colloque « L'amiral de Coligny et son temps », Paris, 1974, p. 393. Mme Soulié pense que la violence de ces textes s'explique par le désir « d'anéantir tout ce qui peut rester d'honneur au héros mort... parce que les gens de ce temps pensent que la parole poétique recèle une force quasi magique », capable « de le priver de toute espérance de vie éternelle. La même volonté d'anéantissement faisait qu'on dispersait au vent ou dans le cours des rivières les cendres des hérétiques brûlés pendant tout le Moyen Age et au XVIe siècle ».
140. Chez Agrippa d'Aubigné, l'Océan, vieillard aux cheveux blancs, reçoit pieusement le corps des martyrs qu'il avait rejetés d'abord, par ignorance, et des Anges vont porter à Dieu le sang des suppliciés (*Les Tragiques, Les Fers*, S.T.F.M., t. 3, p. 217-225).
141. Le rapprochement avec le massacre de la dernière nuit de Troie traduit involontairement la culpabilité ; l'analogie des prétendants de Pénélope est plus sûre (*P.*, p. 70-71).

LA VERSION OFFICIELLE   La propagande royale, en effet, mobilisa l'opinion catholique en invoquant un complot ourdi contre le prince et sa famille[142] : Gaspar et les siens cherchaient à s'emparer du trône après avoir tué le roi, le duc d'Anjou et tous ceux de leur race :

> ... captantes...
> ... Regni sellam, te, Carole, teque perempto,
> Henrice, et uestro e sanguine quisquis erat (*P.*, p. 70)[143].

Le peuple n'a donc fait que suivre la juste colère du roi :

> Regis ad exemplum iustas urbs omnis in iras
> Cum ruit (*P.*, p. 93).

Le poète — qui se livre par ailleurs à une vaticination numérique étonnante[144] — trouve dans le fonds humaniste des analogies justificatrices ; le roi et son frère sont assimilés à Ulysse et à Télémaque :

> Detectae insidiae, deprensa et furta *procorum* (*P.*, p. 70).

Du reste, comme Ulysse, le roi avait agi avec l'aide de Pallas, c'est-à-dire qu'il a suivi le conseil de sa mère[145] :

> Palladis et uestrae matris ab admonitu *(ibid.)*.

Ce n'est pas qu'il cherchât à enlever ainsi au jeune roi une responsabilité tragique. En effet, comme beaucoup de ses contemporains, Dorat a cru, dans l'immédiat, que la Saint-Barthélemy achevait les guerres civiles :

> (Bella)
> ... non gemina tu claudis, at illa quaterna (*P.*, p. 95)[146].

Il ne fallut pas beaucoup de temps pour comprendre que la « quatrième guerre civile » n'était pas achevée.

APRÈS 1572   Laissant au second plan la révolte persistante de ceux qui avaient échappé au massacre, la reine-mère menait d'actives négociations en vue de l'élection de son fils cadet Henri, duc d'Anjou, au trône de Pologne[147].

---

142. « Ce thème apologétique est celui de tous les documents français et des représentants de la France au Vatican » ; cf. J. Lecler, *Tolérance*, p. 82, et M. Soulié, *op. cit.*, en n. 139, p. 394.

143. Deux ans plus tard, quand Charles IX est mort, Dorat reprend encore ce thème, cf. *F.*, p. 147. Même thème encore en 1576 (*Exh.*, 69-70). Cf. ci-dessous, p. 296.

144. *P.*, p. 92 ; cf. ci-dessus p. 225 et n. 317.

145. Donc le poète royal n'a pas hésité à rapporter l'action à Catherine, caractérisée ici par son intelligence et ses tendances protectrices : il n'est, du reste, pas faux de voir dans la reine une mère abusive, en même temps qu'une disciple spontanée de Machiavel.

146. Cf. J. Lecler, *Tolérance*, p. 83, et M. Soulié, *op. cit.* en n. 139, p. 393.

147. Cf. Varillas, *Histoire de Charles IX*, Cologne, P. Marteau, 1686, t. 2, p. 337.

La diète qui se tint au début de mai 1573 le choisit dans l'espoir qu'il octroierait à ses futurs sujets la liberté religieuse[148]. Dans ces conditions, un édit rendait aux Réformés français la liberté de conscience en juillet 1573[149].

RETOUR À
L'ATTITUDE « POLITIQUE »

Les préparatifs du départ pour la Pologne et la venue à Paris des ambassadeurs de ce pays avaient mis en vue un jurisconsulte humaniste et conciliant, homme de la vieille génération, François Baudouin, pèlerin malchanceux du Colloque de Poissy[150]. Il allait partir pour la Pologne quand il mourut à Paris. Dorat et Ch. de Marillac apportèrent leur collaboration à Papire Masson. Dans ce « tombeau » le poète royal célèbre la science juridique et l'éloquence éclatante qui avaient fait choisir Baudouin pour accompagner le roi. S'il ne fait aucune allusion à ce qu'avait été son attitude religieuse, il est bien certain que l'ouverture d'esprit de l'humaniste[151], l'habilitait à travailler dans un royaume où des confessions différentes cohabitaient dans une relative tolérance, rare à l'époque[152]. La page sanglante était tournée.

Cependant la tranquillité n'était pas rétablie dans l'ensemble du royaume, même si le duc d'Anjou avait traité à tout prix avec les Rochellais en juillet 1573[153]. Quand il partit en novembre, la Cour l'accompagna jusqu'à Metz. Dans un poème à la louange du gouverneur de cette place (*P.*, p. 322-323), Dorat témoigne que la tempête s'est apaisée plus tôt aux frontières de la France qu'en son centre : selon lui, la conduite politique — *moderamen* — du gouverneur en est la cause ; sa *pietas* a su retenir les armes victorieuses, il révère Dieu et une justice sereine :

> In primis (que) Dei reuerentia, iuris et aequi,
> Scilicet ut pietas uictricia temperet arma (*op. cit.*, p. 322).

On est tout près des formules de 1570.

Charles IX préparait-il de nouvelles mesures de pacification quand

148. Cf. *op. cit.*, p. 360.
149. Cf. J. Lecler, *Tolérance*, p. 83.
150. *Op. cit.*, p. 55-57. Sur l'œuvre de Baudoin, cf. J. Heveling, *De Francisco Balduino eiusque studiis irenicis atque politicis*, diss. Bonn, 1871 ; G. D., « F. Baudouin et l'idée d'Europe », in *Actes* du colloque « La conscience européenne aux XVe et XVIe siècle », Paris, 1980 (sous presse).
151. Cf. *Elogium Francisci Balduini... cum epitaphio*, Paris, Denys du Pré, 1573, (B.N., Ln27 1148) : *Quorum opinionem non probans, Bucerum tamen et Melanchtonem aiebat sibi ob modestiam placuisse ; Caluinum displicuisse propter nimiam uindictae et sanguinis sitim quam in eo deprehendisset* (a ij v').
152. Cf. J. Lecler, *Tolérance*, p. 62 et n. 129. Selon Dorat, Henri fut choisi en raison de sa *pietas* et du bonheur de ses armes (*F.*, p. 149) : le terme de *pietas* est ambigu. Sur les motivations des électeurs polonais, cf. Varillas, *Histoire de Charles IX*, t. 2, p. 357.
153. *Op. cit.*, p. 361.

la mort le saisit ? La déclaration du poète royal sur ce point n'est pas
explicite :

> ... Regnum pacare *omni arte* parabat
> Et faceret, raptus ni foret ante diem   (*F.*, p. 147).

Il semble, cependant, que Dorat veuille dire que le roi travaillait diplo-
matiquement, et non par les armes — *arte* étant, pour lui, opposé à
Marte, comme dans le texte de 1570[154]. Ce qu'il y a de plus frappant,
c'est que, deux ans après le massacre, Dorat tient ferme à la version
qui le justifia officiellement : le roi dut tuer ses amis pour ne point
être tué :

> Proh dolor! ante diem periisset fraude suorum,
> Si non deprensos perderet ante diem   *(ibid.).*

Mais à deux ans de distance, l'action n'apparaît plus comme un triomphe;
elle est l'objet d'un commentaire attristé.

Cependant les rancunes s'apaisaient en France : en 1575 Dorat peut
offrir à Ambroise Paré — un rescapé de la Saint-Barthélemy, dit-on —
un liminaire admiratif que le chirurgien accepte[155]. Mais avec les Réformés de Genève il n'y a point d'entente possible et, cette même
année, le poète accable sous une volée de mythes la *Franco-Gallia*
que François Hotman avait publié en 1573, et à laquelle Antoine Matharel venait de répondre[156].

Au centre de la polémique se trouvait la loi salique[157] : Dieu, rappelle Dorat, a prouvé la légitimité de la descendance par les mâles en
accomplissant un miracle[158] : les adversaires rejettent ce miracle et, ce
faisant, rejettent le roi, et Dieu son garant :

> Sed qui uera negant miracula, posse negare
> Non mirum est Regem, posse negare Deum   (*P.*, p. 373).

La théologie du poète royal est, on le voit, peu exigeante, mais, malgré
sa fidélité, il est capable de reconnaître la faiblesse, la négligence du
pouvoir royal et montre l'insécurité d'un royaume où l'épée du soldat
fait la loi :

---

154. Cf. ci-dessus, p. 282 ; cf. aussi *P.*, p. 374.

155. *P.*, p. 42 : Dorat y avoue son désespoir devant la persistance des troubles civils.

156. *Op. cit.*, p. 372-374.

157. Après la mort du duc d'Alençon, ce sont les Ligueurs qui prétendaient à leur tour
rejeter la loi salique, afin de mettre sur le trône de France la princesse catholique espagnole,
fille de Philippe II et d'Élisabeth de France, la plus proche parente d'Henri III. Sur l'approbation
de la loi salique, cf. *P.*, p. 74.

158. On sait que le roi de France avait le « don » de guérir les écrouelles par l'imposition
des mains : sur ce miracle, accompli sur un seigneur réformé, M. de Sasse Tillon qui, de ce fait,
abjura et persuada ou ordonna à ses sujets d'en faire autant, cf. « Histoire contenant un abrégé
de la vie... du Roy très Chrestien Charles IX », par Sorbin dit de Saincte-Foy, son prédicateur,
in *Archives curieuses de l'Histoire de France*, L. Cimber et F. Danjou, 1re série, t. 8, Paris,
1836, p. 328. Le livre des *Heures* d'Henri II contient l'oraison que doit prononcer le roi en
présence des malades et une vignette illustrant une telle scène (B.N., Mss. Lat. 1429, f·107 v·).

... ut nullus iuris respectus et aequi
Atque domi atque foris per saeuos militis enses
Extet, et intra ipsos fiant scelera hostica muros   (*P.*, p. 19).

De fait, si l'armée royale n'eut alors qu'une activité médiocre, Condé recrutait des forces en Alsace en vue d'une nouvelle invasion. Cette armée entra en France au début de 1576[159], et le poète, s'adressant aux fauteurs de guerre civile, le déplore :

Quis furor externis adducere finibus hostes,
Finibus a patriis pellere quos decuit ? (*B.C.A.*, sans sign.).

A la suite d'un engagement local qui lui fut favorable, du côté de Château-Thierry, le roi fit grâce à un contingent qui s'était rendu, et l'on retrouve l'esprit de 1570 :

Caetera damnato clementia marte remisit
Regia   (*B. V.M.*, Aij v°).

Il est difficile de dater avec certitude un texte dont le *terminus post quem* est l'ouverture de la succession impériale en octobre 1576 : le poète royal y déclare au roi qu'enlever les fers à ses ennemis vaincus représente le plus grand des triomphes :

Alter et inde manet te maximus ille triumphus
Hostibus ut uictis compede crura leues   (*P.*, p. 3)[160].

La clémence, triomphe remporté sur soi-même, est regardée ici comme supérieure à toutes choses : la louange voile un judicieux conseil.

LES FRÈRES ENNEMIS   On conçoit que la présence du frère du roi parmi ses adversaires ait rendu la tâche du poète royal délicate[161]. Dorat, à notre connaissance, ne dit rien, sur le moment, à ce propos. Il n'évoquera cette situation qu'après la solution de la crise et la signature de la paix « de la Saint-Rémy » (début d'octobre 1577). On voit alors que cette lutte furieuse et acharnée − *furor improbus* (*P.*, p. 75) − lui était apparue, en son temps, comme une image de la fatalité qui opposa les fils d'Oedipe[162]. Le poète évite d'insister sur les causes politiques, et met au contraire en avant les causes religieuses, pour minimiser la responsabilité de François d'Alençon :

Multaque diuisis proelia nata sacris
[...]
Ciuilis toto hinc saeuit in orbe furor   (*op. cit.*, p. 75-76).

159. Cf. J. Lecler, *Tolérance*, p. 87-88.
160. Le texte a une portée générale : le poète traite alors d'une éventuelle victoire sur les Turcs.
161. On sait qu'Henri III avait toléré avec peine l'application de la « paix de Monsieur » (6 mai 1576) et de l'édit de Beaulieu qui la confirmait, car c'est la nécessité qui les lui avait arrachés.
162. Cf. ci-dessus, p. 265.

Dans sa déclaration du 18 septembre 1575, après sa fuite de la Cour, le dernier frère du roi souhaitait que les problèmes pendants fussent discutés par « les états-généraux et assemblées d'un saint concile[163] ». Le roi, de fait, se décida le 16 août 1576, à convoquer les États-Généraux. L'événement prouva qu'il souhaitait surtout obtenir d'eux les crédits nécessaires à la continuation de la lutte.

VERTU DES DISCOURS DÉLIBÉRATIFS   Telle n'était pas, tant s'en faut, l'intention que lui prêtait son poète. Dans un texte qu'on peut dater de la fin d'octobre ou du début de novembre 1576[164], Dorat affirme que le roi ne médite rien d'autre, ne s'applique à rien d'autre qu'à réunir les sages des deux partis pour rétablir la situation chancelante, et retrouver l'ordre dont il est le garant :

> Et nunc nil studet ille cogitatque
> Quam, prudentibus *hinc* et *hinc* uocatis,
> Res lapsas statum ut in suum reponat (*P.*, p. 298).

C'était bien là l'espoir de Damville et des autres « Politiques »[165] ; c'est l'illusion que le poète royal fait alors connaître dans un billet personnel adressé à un homme qui a l'oreille du prince, Philippe Hurault de Cheverny.

LA PAIX DE LA SAINT-RÉMY   Les États n'apportèrent pas les subsides espérés[166], mais, en fin de compte, le roi se déclara satisfait de la paix « de la Saint-Rémy ». Son poète la nomme *bona pax* (*P.*, p. 76) et transpose en distiques le *Psaume* 133/132 sur la concorde fraternelle (*P.*, p. 74). Parlant des conditions de l'accord, il rappelle qu'il ne peut être question de tout partager entre tous, ce que ne permet ni la loi des hommes, ni celle de Dieu :

> Non sint communes ut opes simul omnibus omnes,
> Quod non lex patitur, nec sacra iura sinunt (*op. cit.*, p. 75).

Une telle formule est obscure. Quelques vers plus haut, le poète a montré que la délimitation des propriétés est génératrice de violence :

> Nam simul ac « meus est ager hic, tuus ille » per orbem
> Audiri coepit, coepit in arma rui *(ibid.).*

---

163. Cf. J. Lecler, *Tolérance*, p. 87 et n. 11.
164. Le poète déclare avoir soixante-huit ans. D'autre part, le texte fait état de l'espérance de voir le roi recevoir la couronne impériale : Maximilien II mourut le 12 octobre 1576. Les États-Généraux devaient s'ouvrir fin novembre à Blois ; cf. J. Lecler, *Tolérance*, p. 94 et n. 46.
165. Cf. *op. cit.*, p. 86 et n. 6 : « Le différend qui est en ce royaume pour le fait de la religion ne doit pas être déterminé par les armes, ains par un saint et libre concile général ou national ». Cette déclaration remonte au 13 novembre 1574.
166. *Op. cit.*, p. 94-95.

Sa pensée se précise, comme c'est souvent le cas, dans un jeu de mots *limes / miles*, suivi d'une cascade d'autres[167]. On peut voir ici une généralisation que Dorat applique avec tact au cas des « frères ennemis » qui ne savent pas partager. Il paraît peu probable, en effet, qu'il y ait là une prise de position sur les théories qui exaltent le droit populaire contre la royauté absolue : à cette date l'esprit « républicain » des Ligueurs ne s'est pas encore affirmé[168]. En 1577, le poète met l'accent sur l'amour qui doit faire renoncer les citoyens à se battre entre eux :

> Sed communis amor, positis ciuilibus armis,
> Tantus apud Gallos ... sit ubique pios (*P.*, p. 76).

C'est là, pour lui, le fondement du pacte social dans un état chrétien[169].

SES CONSÉQUENCES   L'espoir de Dorat était fondé. Après la paix « de la Saint-Rémy » la tranquillité régna en France[170]. Cependant, dix-sept ans de guerre civile ne pouvaient s'oublier rapidement.

En 1581, au moment du mariage de Joyeuse, Dorat se réjouit de la bonne volonté des citoyens et des résultats obtenus. Qui l'aurait cru ?

> ... quis enim tam paruo tempore credat,
> Gallia, te bellis ciuilibus undique motam
> Tam cito iussa tui sub Regis sponte redactam? (*P.*, p. 262).

Même si les termes *tam paruo tempore*, *tam cito* — pour désigner une période de près de quatre ans — peuvent apparaître comme justifiés seulement par l'âge d'un homme pour qui le temps passe vite, c'était la Paix. Dans ce même texte, la majesté du roi des dieux est parée de l'épithète de *clemens* (*op. cit.*, p. 255) : judicieux exemple.

VERS LA   La mort de François d'Alençon et l'é-
CULTURE-REFUGE   ventualité d'un roi protestant allaient rallumer la discorde dès le début de juin 1584. Dorat a soixante-seize ans. Il accomplit encore ses devoirs à la Cour. Il nous l'apprend dans un billet adressé à Claude Gauchet, alors qu'il a failli abandonner Paris, tant il a été séduit par les *Plaisirs des Champs* de son ami : *aulae atque urbis transfuga pene fui* (*P.*, p. 226). Il n'en a rien fait, pourtant, car les sonneries qu'il a entendues n'étaient pas celles des chasseurs, mais celles des soldats, et car il a dû

---

167. Cf. ci-dessus, p. 220 et n. 290.

168. Cf. J. Lecler, *Tolérance*, p. 101-102 et n. 78 ; ce texte fut composé à l'automne de 1577 et il se rattache plutôt à la continuation de la polémique contre F. Hotman, cf. ci-dessous, p. 310 et n. 11.

169. Le poète avait noté en 1568 l'ouverture de l'ère des « haines amères », cf. ci-dessus, p. 277.

170. Les ligues avaient été dissoutes. Même l'édit de Saint-Germain n'avait pas apporté de résultats aussi durables. Cf. J. Lecler, *Tolérance*, p. 96.

répondre, cette fois, à l'appel de Pastoureau : *imbellis, bellica tela fero (ibid.).* Mais le vieillard ne se sent plus concerné ; désormais, le seul refuge qui lui reste, ce sont les vers. C'est là son acte de « désengagement » :

> Nos tamen interea solemur carmine curas,
> Tu, Gauchete, meis cantibus, ipse tuis *(ibid.)*[171].

Sa dernière déclaration maudit les méchants de tous bords, qui, troublant le repos de la paix, appellent les citoyens à s'armer les uns contre les autres :

> ... male dispereat *quisquis* malus otia pacis
> Disturbans populos ciuica ad arma uocat *(ibid.).*

*
* *

III. RÉFLEXIONS POLITIQUES Le « détracteur » de Dorat lui reprochait d'avoir porté le feu et l'eau[172]. L'« équitable avenir » l'a accusé d'intransigeance[173] ; ce dernier jugement semble né d'une généralisation hâtive : l'image de la Saint-Barthélemy a effacé toutes les autres. Le contemporain du poète, inspiré par la haine, ou seulement par la hargne, était néanmoins plus proche de la vérité : les textes que nous avons examinés traduisent bien une évolution, une rupture, un retour vers un équilibre précaire.

VARIÉTÉ DES ATTITUDES Il n'est pas facile d'échapper à la loi de Solon[174] : le professeur, le poète royal, a pris parti par sa plume[175] sur les événements qui se déroulaient autour de lui. Telle quelle, son œuvre peut être utile à un historien de l'opinion travaillant « à court terme » : elle reflète une grande variété d'attitudes, nuancées ou brutales, changeantes, comme il est naturel dans un monde en crise, où la Loi n'a aucune stabilité, où un amiral de France passe du conseil privé au gibet, où il est bien rare qu'une étiquette adhère longtemps au personnage qu'elle définit[176].

---

171. C'est la tentation de l'*Épode* 16 d'Horace ; cf. J. Perret, *Horace*, Paris, 1959, p. 113-114.

172. Cf. ci-dessus, p. 287-289.

173. Cf. notamment E. Balmas, *Jodelle*, p. 669.

174. Cf. P. Jal, *La guerre civile à Rome*, Paris, 1963, p. 431-433 (l'auteur rappelle les réflexions de Montaigne à propos d'Atticus). Nous ne pensons pas que le texte où il est fait mention de la « loi de Solon » soit de Dorat (*P.*, p. 58) ; cf. ci-dessus, n. 52.

175. Même s'il dut porter les armes (cf. *P.*, p. 226), sa participation — à la différence de celle de Ronsard (cf. par ex. S.T.F.M., t. 11, p. IX) — fut sans doute seulement symbolique.

176. Pour ne parler ni d'Antoine de Bourbon, ni de son illustre fils, Catherine de Clèves, qui brisait les statues de saints quand elle était Mme de Porcien, se montra d'un égal fanatisme contre la Réforme après qu'elle fut devenue duchesse de Guise (cf. E. Jolibois, *La Haute-Marne ancienne et moderne*, 1957, p. 173). A. d'Aubigné a composé une satire contre les revirements successifs de Nicolas Harlay, *La confession catholique du sieur de Sancy...*, s. l., 1600 ?

En fait, l'humaniste a été pris dans les événements, et il ne lui a pas toujours été possible de parvenir à une véritable analyse politique, qui impliquerait plus de sérénité. Sa culture classique, en tout cas, parce qu'elle lui offre des possibilités de comparaison, l'a souvent obligé à prendre ses distances par rapport aux faits quotidiens.

Mais, aux yeux d'un historien travaillant « à moyen terme », certaines constantes se révèlent dans des réflexions échelonnées sur plus d'un quart de siècle.

« RELIGION » ET POLITIQUE   Les guerres de « religion » sont toujours apparues à Dorat comme des luttes politiques. Nous avons vu, par exemple, qu'en recherchant les causes de la première guerre de religion, il a jugé qu'en présence d'un pouvoir royal représenté par des enfants — *Reges aetate tenellos* (*P.*, p. 69) — la responsabilité des deux factions de la noblesse est engagée — *nobilitas dum furit ipsa duplex (ibid.)*. En 1570, dans la prosopopée de Dieu, il n'est pas demandé aux partis de rapprocher leurs points de vue dogmatiques, mais d'obéir, de bon gré, au roi :

> Quod superest, date utrimque manus, Regique uolentes
> *Parete* (*P.*, p. 66).

Plus tard, quand le fait religieux s'est imposé comme tel à ses yeux, il proclame encore l'indissoluble lien de la religion et de l'autorité royale :

> Religio regno, de religioneque regnum
> Pendet, et alterno robore nixa uigent (*P.*, p. 94).

Il a l'illusion que la Saint-Barthélemy a sauvé l'unité du royaume. En 1581, il note qu'après la paix « de la Saint-Rémy » la France s'est rangée de bon gré aux ordres de son roi :

> (Galliam)
> ... *iussa* sui sub Regis sponte redactam (*P.*, p. 262).

L'ENCHAÎNEMENT   Mais la guerre civile entraîne la guerre ex-
DES GUERRES   térieure, car les deux partis se cherchent des alliés. Dorat le disait à Martin Berzeviczy après la mort de Ferdinand Ier :

> Semper ciuilis peperit bella extera motus (*Ecl.*, p. 64).

Il note qu'en 1570 il était temps de faire la paix, car les alliés des deux factions attendaient le moment propice pour tomber sur la France affaiblie par la guerre civile :

> Iamque suo Gallos hostis ratus ense subactos
> Coeperat ad praedas quisque parare manus (*P.*, p. 69)[177].

177. Même si Ronsard s'est rangé plus tôt que son maître dans le parti catholique, leurs réactions sur ce point sont semblables (S.T.F.M., t. 11, p. X).

La division des citoyens lui est toujours apparue comme génératrice de malheurs :

> Certe si nullas fecisset Gallia partes,
> Gallica gens felix esset, ut ante fuit (*P.*, p. 22).

Très tôt, après la mort de Turnèbe en 1565, Dorat a pris conscience qu'il appartenait à une génération misérable ; il le dit au président Christophe de Thou :

> Nos infelices, nati infelicibus annis (*P.*, p. 123)[178].

Le vers, avec ses lourds spondées, accentue cette impression d'accablement. En 1575, Dorat affirme à Ambroise Paré que leur époque est pire que l'âge de fer :

> At nunc deterior quam ferrea cum uiget aetas (*P.*, p. 42).

La remarque est d'autant plus frappante que le poète, d'ordinaire plus optimiste, s'adresse ici à un homme qui a fait progresser la science et la technique.

LES CAUSES « MORALES »   Ainsi, mis en présence du mal et de la mort, Dorat n'a pas pu ne pas réfléchir sur les causes de ce scandale politique. Bien entendu, il a cherché d'abord la réponse dans son savoir humaniste : comment les Romains ont-ils expliqué leurs troubles civils[179] ? Il y a deux réponses, sans doute, mais elles dérivent du même esprit : Rome expie un forfait troyen, ou le crime de Romulus[180].

A l'origine se trouve donc la faute morale des hommes, et sa conséquence est le châtiment, infligé par les dieux, inéluctable. Au moment de la deuxième guerre civile, avant sa conversion, le poète juge que son époque est « impie » — *haec impia secla* (*P.*, p. 308), c'est-à-dire qu'elle a perdu le sens des valeurs morales ; les malheurs du temps ne sont donc pas un hasard ; ils sont intégrés dans un plan, un destin assuré — *certo fato (ibid.)*. En 1570, Dorat fait dire éloquemment à Dieu, dans une prosopopée, qu'il a tiré son épée en raison des crimes du peuple :

> ... meus hactenus ensis
> Ob scelera exertus populi fuit (*P.*, p. 66).

Les troubles civils sont donc un châtiment infligé à bon droit — *merito* (*P.*, p. 76). Cette idée de culpabilité collective est toujours présente, mais quand Charles IX a accédé au trône, il était un enfant innocent

---

178. Tel est le texte de 1586 ; la lecture *in felicibus annis*, opposerait les misères de la minorité de Charles IX au règne de François Ier.

179. Cf. ci-dessus, p. 257.

180. Ce dernier, en particulier, fait figure de « péché original » et Lucain le rappelle : *Fraterno primi maduerunt sanguine muri* (1, 95) ; cf. P. Jal, *La guerre civile à Rome*, p. 406-411.

— *labe carens puer* (*Ode* XXV, 41)[181] ; les accusations pour lesquelles il paie ne peuvent donc lui être imputées — *luenti crimina non sua* (*op. cit.*, 46). Aussi Dieu affirme-t-Il que ce sont les délits d'un peuple orgueilleux qu'Il a voulu frapper : *plecti uolui populi delicta superbi* (*P.*, p. 66).

Mais, plus tard, devant l'ampleur du châtiment, le poète chrétien s'interroge : quel est donc ce crime ? Il ne peut trouver de réponse, mais affirme cependant l'existence du dessein punitif de la divinité :

> Nescio quod scelus est, et nescio quae ira Deorum
> Quae luitur tantis per fera bella malis (*B.C.A.*, Aiiij r°).

LE REMÈDE :
RÉFORME MORALE

S'appuyant donc sur la vieille analyse « morale » des Romains ausi bien que sur la notion chrétienne de péché, le poète tire la conclusion que le seul remède possible passe par la réformation de la moralité publique : Dieu ne se laissera pas fléchir par les prières, écrit Dorat en 1577, si elles ne s'accompagnent d'une conversion morale :

> ... uotis placare nec ullis
> Fas, nisi mutatis moribus in melius (*P.*, p. 76).

En 1586[182] le poète rappelle que tel était l'avertissement d'Isaïe et qu'il est toujours valable : si les rois, si le peuple ne gardent pas la loi de leur Dieu, ils seront châtiés lourdement, tout aussitôt, et plus tard encore :

> Si Christianus populus et Reges sui
> Praecepta non seruent Dei,
> Futurum in hoc in posteroque seculo
> Poenas luent grauissimas (*P.*, p. 295).

Le roi, le peuple : telles sont les deux forces morales que l'humaniste vieillissant se soucie d'améliorer dans la nation[183].

Dans le peuple de cette époque troublée, il a vu d'abord la foule ondoyante de la tradition historique ancienne : *(uulgus) uolitat sententia cuius* (*op. cit.*, p. 123). Elle a sa responsabilité propre dans la naissance des troubles, ou peut-être considérée comme l'outil des aristocrates fauteurs de guerre, alors que lui-même et ses amis intellectuels sont des hommes de paix :

> Et turbant *turbis* otia nostra *suis* (*Ecl.*, p. 63).

Plus tard, Dorat, partisan aveugle, constate que cette foule a été

---

181. Cf. aussi *P.*, p. 66.
182. C'est un des derniers textes composés par Dorat, à l'occasion de la transposition latine d'Isaïe par Jean *Carpentaeius*.
183. Cf. ci-dessous, p. 340.

mobilisée au profit de sa cause[184], et, inversement, il montre dans le parti adverse l'instrument de Coligny, toujours mis en vedette. Finalement, les peuples — et non plus seulement la populace — restent pour lui, dans la guerre civile, une masse de manœuvre aux mains du méchant, quel qu'il soit : quisquis *malus... / ... populos ciuica ad arma uocat* (*P.*, p. 226). C'est maintenant le règne de la folie —

> Possidet affectos homines tunc dira phrenetis (*B.C.A.*, Aiiij r°) —

et la pensée n'a plus de rôle à jouer. « Ceux qui naguère méritaient ses louanges » sont tout juste capables de faire que les guerres naissent des guerres, l'incendie de l'incendie :

> Ex bellis dum bella serunt, ex ignibus ignes (*Ecl.*, p. 63).

Le salut implique une réforme morale profonde : il engage profondément la responsabilité du roi. Nous étudions au chapitre suivant la pensée politique de Dorat. Remarquons seulement ici que, dans les troubles civils, le poète demande à son prince de garantir par des mesures convenables le retour de son peuple à la loi morale : quelle gloire y a-t-il pour un roi à vivre dans la justice s'il ne conduit ni ne corrige ses sujets :

> Quae Regis, inquam, laus sit ipse qui regat
> Bene se, suosque nec regat, nec corrigat,
> Iustissimus Rex plebis iniustissimae ? (*Exh.*, 135-137).

Le poète ne cherche plus ici quel est le crime que la France expie : il est assuré que c'est la violence, définie comme le rejet du droit, qui est cause des guerres civiles ; en conséquence toute réforme passe par son expulsion :

> Regnare VIS pro IVRE coepit, ut prius,
> Et inde caedes, inde tot ciuilia
> Sunt orta bella...
>   [...]
> ... nec ullus est reformandi modus
> Nisi pulsa uis sit (*op. cit.*, 335-341).

Dorat, sans doute, rappelle à la fin du texte qu'il n'est que poète, et non pas prophète, au sens de l'Ancien Testament (*op. cit.*, 367), mais ses paroles étaient dures à entendre. On ne sait pas si, pour cette année-là, la pension de Dorat vint rémunérer ses conseils.

*
* *

---

184. A propos de la Saint-Barthélemy (*P.*, p. 92).

Si, dans les temps heureux, la vision d'un monde grec lumineux faisait paraître plus terne la grisaille quotidienne, quand furent venues les « misères de ce temps », l'humaniste s'est tourné vers les mythes angoissants de la tragédie grecque, et surtout vers les plus sombres pages de l'histoire de Rome. Dans la *Pharsale*, en particulier, il a trouvé de quoi peindre la sanglante déchirure d'un peuple. Il s'est appuyé sur l'expérience des Romains pour justifier tel choix politique, exaltant, avec Cicéron, la gloire de vaincre par la parole, avec Sénèque, la grandeur du pardon. Secrètement, il espérait trouver des remèdes dans le trésor antique : les historiens anciens n'avaient-ils pas proclamé, tous, que leur but était de faire une œuvre belle et vraie, mais, surtout, une œuvre utile[185] ? Si l'humaniste a espéré trouver la sérénité de Virgile, il a été surtout tenté de partager le désespoir de Lucain et celui de Tacite. Son horizon, comme le leur, s'assombrissait toujours davantage. Dorat devait mourir au moment où les États-Généraux se tenaient à Blois[186] et où son roi, déjà, machinait l'assassinat d'Henri de Guise : la France de 1588 en était arrivée, elle aussi[187], à ne pouvoir supporter ni ses maux, ni leurs remèdes.

---

185. Cf. par ex. Salluste (*Iug.* 4, 1) ; Tite-Live, (*Praef.*, 10).
    186. *Cum regni comitia Blesis haberentur*, dit Papire Masson (*Elogia*, 2, Paris, Huré, 1638, p. 290). Même localisation temporelle chez Scévole de Sainte-Marthe : *qua tempestate Henricus tertius afflictae Galliae consulens publicos regni conuentus apud Blaesos iterum agebat* (*Virorum doctrina illustrium... elogia*, Poitiers, Blanchet, 1598, p. 88).
    187. Cf. Tite-Live, *Praef.* 9.

Chapitre VI

L'HUMANISTE JUGE DE SON TEMPS :
CULTURE ET RÉALITÉS POLITIQUES

Omnia tuta,
Omnia laeta piis et iustis gentibus...

Jean Dorat

Dans le cours de sa longue vie (1508-1588), Dorat connut la province et la capitale, fréquenta les gens de Robe, le monde des intellectuels et celui des artistes, fut admis dans l'intimité des princes, fit à maintes reprises l'expérience de la noire pauvreté. Notre propos n'est pas de développer ici le roman de cette existence pittoresque, mais de chercher à connaître les jugements que l'humaniste porta sur la société de son temps, ses splendeurs et ses misères.

Il ne nous a laissé aucun traité en forme. La seule œuvre qui présente, à tout le moins, un titre politique est *Ad Regem Exhortatio* (1576), mais, ce qui est plus surprenant, elle est en vers[1]. Il nous faut chercher l'énoncé de son mépris, de ses regrets, de ses espoirs et de ses sympathies à travers une œuvre poétique semée à tous les vents pendant plus de quarante années.

Dans un État fortement centralisé, comme celui qu'Henri II hérita de son père, il est légitime de rendre à tout seigneur tout honneur, et d'étudier d'abord le jugement porté sur la royauté par un homme qui vécut à la Cour, et vit accoler à son nom l'épithète de *regius* pendant plus de trente ans[2].

On pourrait être tenté de prendre pour cadre de la suite de cette étude la structure politique officielle de la France, telle qu'elle se reflète dans les États-Généraux ou les assemblées de notables. Dorat, il est vrai, a consacré une ode (XVI) à la réunion de janvier 1558, et il

---

1. A la suite de *Monodia tragica*, Paris, Bienné, 1576, (B.N., Yc 8027), et notre rééd. in *Hum. Lov.* XXVI (1977), p. 178-203 : ce texte est composé de trimètres iambiques.
   2. *Professor regius* de 1556 à 1567 ; *poeta regius* de 1567 à sa mort en 1588 ; Dorat était aussi *interpres regius*. Ce sont là de douteux avantages, si l'on en croit le bénéficiaire lui-même : *Qualis, qualis sum, Regis tamen esse Poeta/Dicor et a Graecis et a Latiis :/Hunc mihi sed titulum res quaedam aduersa refutat* (*Epgr.*, p. 64). Son ami Turnèbe, *professor regius*, était du même avis : cf. par ex., L. Clément, *De A. Turnebi poematis*, Paris, 1899, p. 90.

y donne la parole successivement aux représentants des quatre « Etats » :
le clergé, la noblesse d'épée, les gens de justice et les bourgeois marchands. Le poète, du reste, est issu de cette dernière catégorie[3] . Mais,
bien qu'il nomme les représentants de celle-ci « les principaux chefs du
menu peuple » — *infimae/Plebis praecipuos duces* (*Ode* XVI, 15-16) —
la représentation aux assemblées ne reflète pas l'absence de pouvoir
légal, non plus que la puissance de fait que peut avoir la foule dans une
situation politique troublée, voire trouble. C'est la vision que l'humaniste a de ce peuple — peuple du roi, toujours, peuple de Dieu, parfois —
que nous étudierons dans un deuxième temps[4] , avant d'en venir à son
jugement sur ce que nous appelons d'une manière générale le « corps
intermédiaire », les hommes sur qui reposent, en fait, la défense du
pays et sa gestion : la noblesse d'épée qui entoure le roi, et les « grands
bourgeois », ses serviteurs[5] .

LE ROI   Dorat est natif d'une province de langue
                    d'oc, que plus de cent lieues séparent
du cœur du royaume, et qui ne fut rattachée à la couronne qu'à là fin
du XIVe siècle. Pourtant dès 1370, le sac de Limoges par le Prince Noir
donnait le Limousin au roi de France, et Charles VII, aux moments les
plus sombres de son règne, n'eut pas à se plaindre de sa bonne ville[6] .

UNITÉ TERRITORIALE   Dorat, parisien d'adoption, est resté
DE LA NATION   profondément attaché à sa terre natale[7] ,
                         mais il a parfaitement conscience de
l'unité territoriale de la nation, symbolisée, du reste, par la royauté[8] .
On ne trouve pas chez lui d'analogie en forme, corps politique/corps
humain[9] , mais, évoquant en 1550 le retour de Boulogne à la France,
il note que ces membres avaient été arrachés à la France mutilée :

Auulsa... membra...
Regno resectae brachia Galliae (*Ode* V, 29-30).

3. *Nobilitas a patre mihi est : a matre proborum/Me mercatorum gignit auita fides* (*P.*,
p. 96). Par *nobilitas* le poète doit entendre que sa famille avait fourni des magistrats municipaux.
4. Sur la responsabilité du peuple dans les troubles civils, cf. ci-dessus, p. 269.
5. Le personnel dirigeant, la *nobilitas* de la république romaine, qu'elle soit d'origine
patricienne ou plébéienne. Ainsi, évoquant la régence de Catherine, après la mort de Charles IX,
Dorat note que les affaires royales se traitent grâce à la réflexion des Parlementaires et au
courage de ceux à qui est confiée la garde de l'État : *Regia munera tractans,/Consilio Senum,
summa et uirtute uirorum/Haec quorum commissa fuit Respublica curae* (*In Henrici III...
foelicem reditum*, Aij r ʼ). Quant au peuple, il aide la reine par ses prières incessantes — *assiduis
precibus (ibid.).*
6. La haine de Dorat contre l'Anglais (cf. *Odes* X-XVIII) est un héritage limousin.
7. Cf. notre communication au colloque *Le limousin et son patrimoine culturel*, « Jean
Dorat, de Limoges » (*Actes* sous presse).
8. Cf. Myriam Yardeni, *La conscience nationale en France pendant les guerres de
religion (1559-1598)*, Paris-Louvain, 1974, p. 15-16 : « Cette patrie politique est le Royaume
de France, incarné par le roi ».
9. Cf. H. Weber, communication au colloque de l'Institut collégial, Loches, juillet 1976 ;
cf. ci-dessus n. 426, p. 247.

APANAGES — Nous n'avons pas de témoignage direct sur la manière dont Dorat a pu juger, en 1540, l'aliénation par François Ier d'une partie du domaine royal, par la constitution d'un apanage au profit de Charles, son fils cadet[10]. Du reste, la mort de ce prince rendit vaine cette procédure. On peut être assuré de la méfiance avec laquelle le professeur royal jugea l'édit que le jeune Charles IX signa à Moulins, en février 1566, et qui réglementait les apanages : ce n'est pas une déclaration contemporaine des faits qui nous renseigne, mais le soulagement manifesté par le poète, lorsque, plus tard, les dispositions prises furent devenues en partie inutiles. Cet édit avait constitué, en effet, des apanages en faveur du duc d'Anjou et du benjamin, François, duc d'Alençon. Plus tard, en 1573, au moment où la diète polonaise a déjà choisi Henri pour son roi, le poète dans une ode à la France — Ad Galliam (XXXII) — déclare que ce pays ne peut contenir trois royaumes, quelle que soit la valeur des princes qui pourraient avoir des prétentions sur eux :

> Fratres... tres
> Regale sceptrum ferre dignos
> Gallia si tria regna haberet (op. cit., 3-4).

Aussi la providence de Dieu n'a-t-elle pas admis ce partage contre nature :

> ... prouida...
> Mens cum benigni prospiceret Dei,
> Non Galliam diuisit in tres (op. cit., 13-15).

Cependant le problème n'est qu'à demi résolu, et le poète officiel recommande, bien précisément, de chercher un royaume pour le benjamin. Il redoute, en effet, la dénaturation du caractère royal dans l'oisiveté —

> (Ne)
> ... uirtus otioso
> Tabida concideret ueterno (op. cit., 11-12).

Le caractère intrigant du dernier frère du roi était connu, mais ce qui préoccupe le plus Dorat, c'est la nécessité de maintenir, contre le plus dangereux des grands féodaux, l'unité du royaume.

---

10. Nous ne croyons pas que le texte adressé Ad Franciscum Carnaualeum (P., p. 55-58) puisse contenir une allusion à l'opposition du dauphin Henri et du duc d'Orléans, comme le dit Marty-Laveaux (Œuvres de J. D., p. XVJ) ; en particulier, l'expression ciuili fremeret cum tota Lutetia bello ne peut se rapporter qu'à l'une des vraies guerres civiles. Au demeurant, nous ne pensons pas que ce texte doive être attribué à Dorat ; cf. ci-dessus, p. 272, n. 52.

DROIT D'AÎNESSE   Aussi le droit d'aînesse est-il vigoureu-
                    sement affirmé : Charles a la pleine
possession du royaume :

> Primum (que) regnum Carolus obtinet,
> Cum prima natu gloria maximo (*op. cit.*, 17-18).

Or en cette même année 1573, F. Hotman n'avait pas craint d'envisager un choix parmi les héritiers du roi : en s'en prenant au droit d'aînesse, il mettait en danger aussi l'unité du royaume. Dorat devait accorder une préface (*P.*, p. 372-374) à Antoine Matharel, qui fit imprimer chez F. Morel, en 1575, un ouvrage intitulé *Ad Franc. Hotomani Franco-Galliam... Responsio*[11], qui s'efforçait de ruiner les thèses du juriste réformé.

Si, d'un point de vue humain, Dorat s'est efforcé d'atténuer l'amertume des fils puînés[12], il n'en rappelle pas moins la nécessité politique d'un usage qui garantit, sans discussion, ni réserve, l'intégralité de l'héritage.

Le poète est tout dévoué à la dynastie des Valois-Angoulême et peut se flatter, au soir de sa vie, dans l'épître dédicatoire des *Poëmatia* de 1586, d'avoir honoré successivement cinq rois :

> (Regum)
> Quinque quos colui tempore quemque suo (Aij r°).

Les crises lui ont donné souvent l'occasion de réfléchir sur la nature même de leur pouvoir : si un échec extérieur (comme Pavie) n'a pas ébranlé la royauté, la définition qu'on pouvait en donner sous François Ier doit être considérablement modifiée par suite des troubles civils du royaume.

NATURE DU   Nous possédons, malheureusement, peu
POUVOIR ROYAL   de textes se rapportant au règne de
                   François Ier. L'un d'eux — intitulé à
tort par les éditeurs de 1586 *Tumulus Francisci primi Gallorum Regis*[13] — est en fait consacré à la régence énergique de Louise de Savoie, et le *terminus post quem* pour sa composition est 1531, date de la mort

---

11. B.N., 8° Le⁴ 12. Matharel juge que les théories d'Hotman sont tout juste destinées à endommager l'État en rallumant les séditions assoupies : *nempe dum talia* (l'ordre de succession) *in dubium uocat, nihil aliud uult quam toties Reipublicae incommodis expertas seditiones, et sopitas, adhuc rediuiuas facere et renouare* (p. 43).

12. A l'époque, on négociait le mariage du duc d'Alençon avec Élisabeth d'Angleterre, et le poète voit déjà le projet réalisé : *At tertium te tertia sors manet,/Francisce* (Ode XXXII, 21-22).

13. In *Poëmatia*, 1586, *F.*, p. 146.

de cette princesse, mentionnée au dernier vers[14]. Le poète y évoque la crise de 1525 et la délégation de pouvoirs, rendue nécessaire par la captivité du roi à Madrid :

> Regia Franciscus primus cum sceptra teneret
> Matri permisit Regnum, se Rege, regendum,
> ... captus sua matri Regia iura
> Cuncta dedit (F., p. 146).

Dorat a bien pressenti ce que la situation avait de paradoxal, puisqu'il insiste sur le fait que le roi est toujours le roi, alors qu'il a « confié » son royaume et « donné » toutes ses prérogatives royales[15]. Mais son esprit mobile, peu dogmatique, n'a pas poussé plus loin la réflexion : il a voulu surtout, semble-t-il, souligner l'habileté du roi[16], puisque cette délégation est mise en parallèle avec l'adroite clairvoyance de la régente :

> Sicut matris prudentia solers
> ... seruauit regnum (ibid.).

Il reste que l'ablatif absolu se Rege, véritable défi à la syntaxe, traduit plus encore que ne le fait l'accumulation Rex, regnum etc. cet étrange dédoublement de la puissance royale.

A la mort de François II en décembre 1560, Catherine de Médicis obtint à la fois la tutelle de son fils et la régence du royaume[17]. A notre connaissance, aucun texte de Dorat ne vint commenter ce succès de l'adroite Florentine. On n'en peut pas déduire que le professeur royal ménageât une puissance de fait : d'une manière générale, peu de textes concernant cette période nous sont parvenus[18].

Il n'en est pas de même pour la régence qui suivit la mort de Charles IX. Il s'agissait là d'une situation très provisoire : le mythe d'Hercule aidant Atlas à supporter le fardeau du monde prêt à tomber traduit le rôle de relais qui fut celui de la vieille reine :

> Viribus Herculeis Regni Catharina labantis
>   Fortiter excipiens non leue fulsit onus (Epgr., p. 58)[19].

Le choix de ce mythe montre que le poète royal est conscient du fait que le roi ne meurt pas. Aussi avait-il, auparavant, envisagé avec sérénité le temps où le roi Charles IX — alors âgé de vingt ans — aurait accompli sa

---

14. Sur la possibilité d'une composition plus tardive, cf. ci-dessous, p. 329-330.

15. C'est que les lettres patentes de Melun (1374) prévoyaient la « garde, défense et gouvernement » du royaume, c'est-à-dire une régence, en présence d'un roi mineur à la mort de son père, mais non à l'abdication de ce dernier : une telle renonciation, en effet, n'est pas possible puisque « la royauté est la dignité, non la propriété du prince », cf. R. Doucet, Les institutions de la France au XVIe siècle, Paris, 1948, t. 1, p. 81-82.

16. De fait, il s'agissait bien d'un artifice diplomatique destiné à rendre Charles Quint plus conciliant dans les négociations qui allaient s'ouvrir.

17. Cf. R. Doucet, Institutions, t. 1, p. 86.

18. Ce sont essentiellement des odes d'inspiration personnelle (XXIII, XXIV).

19. Quand il s'agit du règne de Charles IX, ce mythe est utilisé pour traduire l'aide apportée au roi par son frère, le duc d'Anjou ; cf. par ex. Exh., 31 ; cf. aussi P., p. 78.

destinée : à ce moment-là un héritier semblable à son père prendrait
à son tour les rênes, dans l'assentiment général :

> ... Similisque tui tibi creuerit haeres
> Qui patris excipiat gratus successor habenas (*P.*, p. 27).

En 1573, c'est à la *royauté* chancelante que la régente apporte son secours. Sans Catherine, la France serait dans la nuit, en attendant le
retour du soleil royal[20] :

> Nox grauis hinc premeret Gallos, Catharina sed una
> Lux micat ut Lunae (*P.*, p. 7).

Une autre image météorologique traduit l'angoisse du poète, qui était
alors celle de tous les Français : Charles mourut en juin, et à leurs
yeux, pourtant, c'est l'hiver :

> Nunc licet aestiuos anni terat orbita menses,
> Atra tamen Gallis esse uidetur hyems *(ibid.).*

Car, ce que le soleil est au monde, le roi l'était pour son royaume :

> Quod sol est mundo, tuus est, ô Carole, regno
> Splendor (*Epgr.*, p. 132).

Tout au moins, il devrait s'efforcer d'assurer la renaissance printanière
de son peuple : *per te tua Gallia uernet/Effice* (*op. cit.*, p. 134).
Mais la lumière métaphorique que dispense Catherine peut rassurer,
elle ne réchauffe pas.

Une femme, en effet, quelles que soient les qualités que le poète
reconnaisse à la reine-mère[21], ne saurait réellement assumer la fonction
royale dans un pays où la loi salique est devenue une « loi fondamentale » du royaume[22]. Dorat, pour éviter toute erreur d'interprétation,
le fait déclarer par la reine elle-même :

> Si castitate sum Diana sanctior,
> Grauitate Iuno regia cedit mihi,
> Si Pallade sapientior et audacior,
> Sum mulier... (*A.*, p. 135).

---

20. Sur le thème du roi-soleil symbolisant le retour à la paix civile, cf. ci-dessus, p. 263.
L'image solaire apparaît dérisoire, voire monstrueuse, quand, en 1574, le poète évoque les
trois soleils — les trois jeunes princes — qui, naguère, brillaient sur la France : cet éclat contre
nature ne pouvait que faire présager le malheur qui suivit : *Prodigium fuerat tres olim cernere
soles/.../Tres quoque iam uidit laeto non omine soles/Gallia* (*P.*, p. 7). Cette image
justifiait, en 1570, l'espoir du renouveau, n'est plus qu'un cliché quand, en 1575, le poète
royal prie la reine-mère de quitter le deuil et de rentrer à Paris, car la ville s'afflige en dépit de
la présence du roi, soleil étincelant : *Non quia non et Rex sol fulgentissimus ipse/Nostra suis
radiis possit satis arua beare* (*P.*, p. 159). La double négation traduit la gêne profonde du poète.
21. Dans sa polémique avec Hotman, Matharel consacre le chapitre 19 (cf. n. 11) à la
régence des femmes.
22. Cf. R. Doucet, *Institutions*, t. 1, p. 84 ; sur l'opinion personnelle du poète au sujet de
la loi salique, cf. *P.*, p. 373 : puisque Dieu a donné aux seuls rois le don de guérir les écrouelles
(cf. B.N., Mss. Lat. 1429, f ˙107 v ˙), c'est qu'il valide le choix des seuls mâles pour assumer la
fonction royale.

Il ne s'agit pas là d'une réaction de misogynie, mais bien d'une constatation politique.

En effet, dans un pays qui ne connaît pas la loi salique, le choix d'une femme peut même être une bonne chose. Ainsi le peuple anglais a bien fait de choisir pour « roi » la jeune Elisabeth : elle saura le gouverner, le préserver, lui donner ses soins, puisqu'elle est douée d'une intelligence pénétrante :

> (Britannorum)
> Gens bellicosa, *regem*
> Sibi nec hunc, nec illum
> Optauit imperare,
> Sed unicam puellam
> Elegit atque regnum
> Ei dedit regendum,
> Tanta quod administrat,
> Seruat, regit, procurat
> Sagacitate mentis,
> Nil ut supra requiri
> Possitque cogitari (*A.*, p. 140).

La jeune femme sera un souverain à part entière — *rex* — et non pas *regina*. Ce qui lui permet de dépasser son sexe, ce sont, précisément, ses qualités intellectuelles supérieures[23].

CARACTÈRE DIVIN DU POUVOIR ROYAL — Un roi en jupon est donc bien admissible en Angleterre (tout au moins au jugement d'un étranger), mais en France, « le roi était un personnage marqué du caractère sacré » — et ce, depuis des temps très anciens ; il « représentait sur terre l'autorité divine »[24].

C'est Dieu qui donne les rois aux nations : *(Deus) / Reges... unus qui dat ipse gentibus* (*Exh.*, 348). C'est Dieu seul, de même, qui donne leur nom aux rois[25]. *Numen, nomen, omen : unus ipsa Regibus dat nomina* (*Exh.*, 349).

Aussi dans un État chrétien, l'Écriture Sainte offre-t-elle, d'ordinaire, des précédents satisfaisants. Dorat, par exemple, souligne que le roi Henri III se doit de glorifier Dieu, à l'image de David :

> Regia res Psalmi, quos Rex Dauid ille solebat
> Regali cithara rite sonare Deo.
> Regia res laudare Deum... (*P.*, p. 3).

Cependant, au cours de la première partie de son existence, et même encore après sa « conversion »[26], le poète humaniste a préféré

---

23. Dorat a toujours montré une grande admiration pour les femmes qui en sont douées, et il souhaite que sa propre fille ait une mâle intelligence (*Ode* I, 61-72).
24. Cf. *R. Doucet, op. cit.*, p. 72.
25. Cf. G. D., « Le poète et le prince », in *Hum. Lov.* XXVI (1977), p. 174-175.
26. Cf. *Ode* XXX.

chercher dans le mythe antique la garantie du prestige religieux du roi. De même que, pour Horace, les rois étaient le sang des dieux — *deorum / sanguinem* (*Carm.* 4, 2, 13-14) — Dorat, en 1550, voit en eux « le sang de Jupiter olympien » — *Iouis Olympici sanguinem* (*Ode* IV, ép. 3); en 1567, bien que la puissance du petit roi soit instable, ils sont « les rejetons des puissants dieux » et « leur pouvoir est tout proche de celui des dieux »\:

> Reges potentum sunt soboles Deum :
> Regum potestas proxima diis (*Ode* XXIV bis, 5-6).

Sous les règnes d'Henri II et de Charles IX, les Olympes de Cour ont fait les beaux jours de la poésie encomiastique, mais il serait sans doute simpliste de ne voir là qu'un langage académique conventionnel et sclérosé. Bourciez a bien noté qu'il s'agissait là d'un mythe véritablement politique : « il y eut dans l'apothéose de la Cour d'Henri II plus qu'un caprice ou une fantaisie passagère »[27].

Avant 1571 le système d'analogies, chez Dorat, a pour premier terme le mythe classique, et la réalité contemporaine n'en est qu'une fade copie[28]. Aussi, dans le lyrisme de louange, le poète rapproche-t-il un homme d'un dieu en évoquant, à propos de ses vertus, des parangons surnaturels et, certes, « la forme la plus achevée de la référence louangeuse à la légende est l'assimilation »[29].

Ainsi, dans le *carmen pindaricum* offert en 1558 au cardinal de Lorraine, ce sont les foudres du « Jupiter français » qui ébranlent les murailles de Calais :

> Galli Iouis hinc quatiebant
> Saeua muros fulmina (*Ode*, XVIII, antistr. 14).

Mais Dorat s'est aussi exprimé de manière plus élaborée par le truchement de la fable — c'est ce qu'il nomme *allegoria*[30] — mais il utilise ce procédé moins généreusement que ne le fait Ronsard[31]. Ainsi, pour louer Henri II et la réunion des notables de janvier 1558, le poète transpose une assemblée des dieux, que Jupiter aurait convoquée après le désastre de Phaéton. Ici aussi l'assimilation est complète : sans le soustitre, on pourrait croire qu'il s'agit d'un récit purement mythologique. Les personnages allégoriques sont judicieusement choisis : le roi, bien

---

27. *Les Mœurs polies et la littérature de cour sous Henri II*, Paris, 1886, p. 180.
28. Cf. ci-dessus, p. 129-131.
29. Cf. Guy Demerson, *La Mythologie classique dans l'œuvre lyrique de la « Pléiade »*, Genève, 1972, p. 155-156.
30. Pour cette définition de l'allégorie, cf. Du Marsais, *Des tropes*, Paris, Prault, 1775, p. 178.
31. Cf. cependant *In Conuentus* (XVI), *Ode allegorica* (XXXIII). Pour Ronsard, cf. *op. cit.* en n. 29, p. 155-159 : Ronsard est un véritable mythographe ; Joachim Du Bellay a plutôt utilisé la première technique.

sûr, est Jupiter, le cardinal de Lorraine, comme d'ordinaire, Hermès[32] .
Les représentants des autres catégories de notables sont Mars, pour la
noblesse d'épée, Thémis, pour la Robe, Neptune, pour le prévôt des
marchands. Mais dans la transposition allégorique de la situation, il
faut se garder de chercher trop loin la parenté analogique : sans doute
la situation est grave, catastrophique même dans les deux cas, mais le
téméraire jeune homme responsable du désastre représente le connétable de Montmorency, âgé de soixante-quatre ans au moment de la
défaite à Saint-Quentin.

Parfois l'identification allégorique des personnages n'est pas parfaite : il s'agit plutôt de ressemblance. Ainsi, dans l'un des poèmes
composés en 1570 à l'occasion du mariage d'Henri de Guise et de
Catherine de Clèves, le roi Charles IX resplendit « à l'image » du roi de
l'Olympe :

> Est hic, Iouis qui regis Olympici
> Rex summus *instar* Carolus enitet (*Ode* XXVIII, 9-10).

La même année, le poète royal présente à son prince « l'exemple » de
Jupiter qui se contente, pour effrayer les superbes, de montrer sa force
sans l'utiliser :

> ... Iouis *exemplo* tonitru terrere superbos
> Contenti (*P.*, p. 27).

Parfois, enfin, l'analogie s'affaiblit en une simple comparaison : par
exemple, si ses deux frères occupent respectivement les trônes d'Angleterre et de Pologne, Charles IX exercera son pouvoir entre ces deux
mondes, comme le fait Jupiter : *ceu Iupiter* (*op. cit.*, p. 80).

Ainsi quelle que soit sa technique — louange ou fable — sans détails
inutiles, puisqu'on doit se référer à un corpus légendaire connu de
tous ses lecteurs, le poète humaniste fait entendre ce qu'est pour lui,
selon le temps, la nature du pouvoir royal : si Henri est un Jupiter[33] ,
l'assimilation n'est déjà plus toujours possible quand il s'agit de son
second fils[34]. Après la mort de ce dernier, la persistance de la crise
religieuse et politique ne permet plus d'apporter une réponse aussi
simple.

En 1576, Dorat demande à Pibrac de présenter à Henri III une
plaquette qui comprend la *Monodia tragica*[35] et *Ad Regem Exhortatio*.

32. Son chapeau de cardinal est nommé ailleurs *galerus* (*Ode* XIV, 10), mot qui désigne,
à l'origine, une coiffure sacerdotale (cf. Varron, *apud Gell.*, 10, 15, 32), mais, aussi bien, le
couvre-chef de Mercure (cf. Stace, *Theb.* 1, 305).

33. Ce jugement implique, du reste, des réserves de la part du poète : à ses yeux, si Jupiter est le roi, le maître du foudre, la véritable puissance revient à Apollon, le dieu du Nombre,
qui ordonne les sphères et garantit l'Harmonie ; cf. *Ode* IV.

34. Dans l'euphorie de l'élection de 1573, Dorat déclarait cependant, lors de la réception
des ambassadeurs polonais à Paris : « Une Junon d'Autriche au Juppiter de France / Doit,
heureuse, enfanter une race de Dieux » (*P.*, p. 81).

35. Cf. ci-dessus, n. 1.

Alors qu'en cette année, François d'Alençon, le frère cadet du roi, multiplie les intrigues[36], le poète royal rappelle, bien opportunément, que les Français ont une certitude : c'est la naissance qui fait leurs rois :

> Nasci non fieri credit sibi Gallia Reges (*P.*, p. 128).

Le verbe *fieri* implique un devenir imprécis : le poète a dans l'esprit l'installation d'un prince qui aurait évincé le souverain légitime, et il a disjoint, de façon explicite, le cas d'une monarchie légalement élective, comme celle de la Pologne[37]. Le poète royal ne se fait pourtant pas d'illusion sur ce roi choisi par les hommes, et élu de Dieu : si l'*Exhortatio* est respectueuse, elle est dépourvue d'indulgence[38]. Quant à l'épître adressée à Pibrac, elle contient une déclaration apparemment ambiguë : celui qui a donné le royaume au prince lui a donné les qualités royales, et aucune pratique ne saurait le rendre meilleur :

> Qui dedit huic regnum, mores regno dedit aptos,
> Nec melior fieri qualibet arte potest (*P.*, p. 128).

On pourrait être tenté de voir là une remarque digne de Panglosse, l'expression d'un providentialisme béat, ou d'un fatalisme désabusé, qui aurait pour corollaire le refus de conseiller le prince. Tel n'est pas le cas, cependant, puisque, précisément, ce texte demande à Pibrac de présenter au roi l'*Exhortatio* :

> ... mi Faure...
> Ne pigeat paucis hunc commendare libellum
> Henrici placidas Regis ad auriculas
> [...]
> Digna rei causa est quam rude carmen agit (*op. cit.*, p. 130).

L'intention profonde du poète est bien de mettre l'accent sur le caractère divin de la personne du prince. En effet, si tout être humain racheté par le Christ est bien fils de Dieu, le poète rappelle, après la paix de la Saint-Rémy, que les rois sont « enfans aynez » (*P.*, p. 77).

L'année précédente[39], il a composé une nouvelle anagramme du nom du souverain : *HENRICVS TERTIVS/VERE IN TE CHRISTVS* (*P.*, p. 2). On mesure le chemin parcouru depuis la première anagramme établie l'année de Moncontour : *HENRICVS VALESIVS/LA VREVS HVIC ENSIS* (*A.*, p. 134). Henri, alors, n'était que le duc d'Anjou. Devenu roi, il est la représentation en petit de l'immensité de Dieu :

> Henrice, ingentis parua figura Dei (*P.*, p. 3),

---

36. Cf. par ex. J. Lecler, *Tolérance*, t. 2, p. 87.

37. En effet, selon lui, dans un cas de ce genre, ce n'est pas seulement le peuple qui appelle alors son prince, c'est Dieu lui-même qui parle par sa bouche : *ad regna Polonica non gens / Sola Polona uocat, uocat et Deus ipse* (*P.*, p. 79).

38. Cf. *op. cit.* en n. 25, p. 171-172.

39. On peut dater le texte par l'ouverture de la succession impériale à la mort de Maximilien II.

la véritable image de Dieu —*uera Dei effigies* (*Eglogue latine*..., Biij v˙)[40].
A cette époque, Dorat tient ferme aux conclusions tirées par anagrammatisme[41] : le nom ne fournit pas seulement un présage (*nomen/
omen*), mais un témoignage : *nomine/teste* (*P.*, 2). Dans l'*Exhortatio*
une telle conclusion se tire bien clairement — *aperte* (346). Aussi le
poète royal ne craint-il pas de se répéter[42].

Les disciples n'avaient peut-être qu'une intention flagorneuse en
plaçant ces textes en tête de l'édition de 1586, mais, ce faisant, ils ont
tiré du fatras cet avertissement politique, ainsi mis en lumière. Les Ligueurs, s'ils l'ont lu, n'y ont sans doute vu qu'une flatterie stipendiée :
à ce compte, il aurait fallu beaucoup d'imagination au poète royal
pour percevoir le Christ sous les traits du dernier des Valois.

LES DEVOIRS DES SUJETS :   Parmi les devoirs des sujets envers leur
L'HONNEUR   roi de droit divin, le plus aisé à rendre,
                           quand le prince est digne, est bien celui
de l'honneur. Si Dorat ne juge pas, quant à lui, qu'Henri II soit à la
hauteur de son père[43], il ne manque pas de rapporter le témoignage du
respect et de la fidélité des Français, exprimé par les délégués à l'assemblée des notables lors de la crise de l'hiver 1557-1558, et il souscrit
lui-même pleinement à ces déclarations :

> Quis non... tam placido et bono
> Regi praestiterit quam *meruit* fidem
> Tot tantisque suis ille laboribus
> In communis opes boni (*Ode* XVI, 37-40).

Quand la gloire du roi pourrait être offusquée par celle de son lieutenant-
général, François de Guise, vainqueur à Calais et à Guines, le professeur
royal rappelle que le soldat heureux n'est que l'exécutant des volontés
du prince, qui fut bien l'instigateur du projet :

> Henricus *author* tam subiti boni,
> Qui Guisium cum fulminibus suis
> Misit Caletes territurum
> Igne suo (*Ode* XII, 37-40).

Le poète précise bien que le roi ne possède pas seulement « le foudre »,
mais la puissance de feu *(igne suo)*. En 1567, une formule païenne traduit sa révérence, et ménage la susceptibilité du prince-enfant étouffé
sous la tutelle de sa mère et celle d'un connétable influent jusqu'à sa
mort : à la bataille de Saint-Denis, Montmorency se battait « sous les

---

40. Parfois même une expression d'un autre temps échappe à la plume de l'humaniste
repenti : *Hos imitans quorum.Rex es imago Deos* (*op. cit.*, Aij v˙).
41. Cf. *op. cit.* en n. 25, p. 175.
42. Il en est conscient, et souligne dans un billet au roi ce « leitmotiv » de propagande
— *Dei cum sis rex regis imago* (*P.*, p. 18).
43. Sur François Ier roi idéal, cf. ci-dessous, p. 329-333.

auspices » du petit roi :

> Carole Rex...
> Ad Dionysiacum tuus hostis concidit alter,
> *Auspiciis tuis*, Momoranci et fortibus armis (*P.*, p. 330).

Un peu plus tard encore, en 1569, à l'occasion de la victoire de contour, la même expression rappelle qu'Henri, le cadet brillant, de sa mère, est au service du roi son aîné :

> ... Fatri tria proelia in anno
> *Auspicio* pugnata *tuo* (*P.*, p. 341)[44].

En 1570, alors que Charles IX a bien du mal à imposer l'idée d'une paix fondée sur la tolérance, une ode (XXV) nomme le prince *praeses*[45] : flatterie peut-être, mais rien ne pouvait mieux rassurer le jeune homme que de s'entendre nommer le champion, le protecteur de son peuple.

Enfin, quel que soit le jugement du poète royal sur son dernier maître, il n'a jamais manqué de lui rendre honneur. En 1575, il se plaît à évoquer l'armée portant au ciel la gloire des deux Henri, bien que le roi n'ait plus, à cette date, sa combativité de la troisième guerre civile :

> ... cohortem
> Cantantem Henricos ipsa sub astra duos,
> Henricum Regem, quo Dux fuit auspice uictor,
> Henricum, uictrix quo Duce turma fuit (*B. V.M.*, Aiij v°).

Enfin Henri, « roi de France et de Pologne, très chrétien et absolument invincible » est le dédicataire de ce recueil des *Poëmatia*, imprimé en 1586, que les disciples ont rassemblé à l'insu de leur maître[46] : l'épître qui le lui offre est l'un des derniers textes composés par Dorat, qui nous soit parvenu (le poète avait alors soixante-dix-huit ans).

LES DEVOIRS DES SUJETS : L'OBÉISSANCE

Dans une période aussi troublée, la faiblesse, péché suprême des rois, se révèle aussi bien dans leurs actions que par leurs omissions. En face d'elle, leur serviteur, quant à lui, ne pouvait manquer de mettre l'accent sur le devoir d'obéissance des sujets, et de blâmer lourdement tous ceux qui ont trahi le roi. Nous avons étudié précédemment le jugement de Dorat à l'égard de l'aristocratie rebelle et du peuple séditieux, en particulier pendant les premières années du règne personnel de Charles IX : nous n'y reviendrons pas ici[47].

---

44. Cf. aussi *auspice Rege* (*P.*, p. 71), et, s'adressant au duc d'Anjou, *auspice fratre* (*op. cit.*, p. 72). Après Moncontour, Charles IX avait demandé à Dorat de réserver ses louanges à son frère ; cf. P. Champion, *Ronsard et son temps*, p. 332-333.

45. La phrase est mise dans la bouche du bas-clergé priant Dieu.

46. Dédicace en tête des *Poëmatia*, A ij v°.

47. Cf. ci-dessus, p. 269.

En 1570, le poète pouvait encore mettre dans la bouche de Dieu un avertissement solennel adressé aux Français qui, dans les deux camps, n'admettaient pas la politique de tolérance du prince :

> ... date utrinque manus, Regique uolentes
> *Parete* (*P.*, p. 66).

REX / LEX   Une telle adjuration, il est vrai, pourrait paraître déplacée lorsque l'autorité royale est en pleine crise. Toutefois en 1576, alors que la France est la proie des soudards et des bandits de grand chemin, le poète royal rappelle que « le roi est la Loi vivante » : *Rex uiua Lex est* (*Exh.*, 187). Ainsi, lorsque la Loi est violée (*op. cit.*, 200-201), c'est le roi qu'on bafoue.

Il ne faut pas s'attendre à ce que Dorat définisse abstraitement la Loi et présente un contrat social. Du reste il considère essentiellement la loi d'un point de vue judiciaire et, si l'on peut dire, négatif, mais il est certain que, pour lui, la Loi est au service du peuple et qu'elle doit le venger :

> Nam plebis ultrix ipsa debet esse Lex (*Exh.*, 179).

Elle n'est pas l'expression du bon plaisir du prince : la personne privée du roi n'est pas privilégiée ; le roi n'est qu'un de ses sujets, et il doit obéir aux impératifs qui émanent de la fonction royale :

> Ergo tuus tu Rex tibi, primum rege
> ... te (*op. cit.* 147-148).

Il est bien vrai que la Loi est souveraine, car absolument personne n'a le droit de s'élever contre elle : quand elle parle, il faut lui obéir en silence : *mutis imperet sed Lex loquax* (*op. cit.*, 181). Le roi, en effet, n'est pas au-dessus de la loi, il est « son frère » : *frater est Rex Legis* (*op. cit.*, 210). Mais la loi est une abstraction, une image (*op. cit.*, 187). Le roi est celui qui la fait parler : *lingua Legis ipse Rex* (*op. cit.*, 189). Si elle vient à pâtir, c'est au roi de la défendre (*op. cit.*, 180). Ce faisant, ce n'est pas seulement le salut de son peuple qu'il défend, c'est le sien propre, car la Loi le garantit, au même titre que ses autres sujets :

> Lex ipsa, salua, salua regna continet,
> Reges et ipsos (*op. cit.*, 183-184).

Le roi veille donc à l'exécution de la loi, et l'on conçoit qu'il ne puisse le faire seul. Or Dorat a toujours entretenu avec la bureaucratie royale — qu'il s'agisse de finances ou de justice[48] — des rapports acides. Aussi rappelle-t-il à son maître qu'il ne doit pas déléguer ses pouvoirs à des

---

48. Conscient du fait qu'un simple citoyen n'a aucun poids auprès d'une administration qui se soucie peu des administrés, il essaie d'obtenir justice en faisant jouer — pour lui-même et pour les autres — les protections qu'il a en très haut lieu ; cf. ci-dessous, p. 337 et n. 108.

serviteurs qui ont vite fait de devenir des tyrans[49] :

> Rex ipse legis administris imperet (*Exh.*, 182).

On voit que le poète royal considère que sa fonction ne consiste pas seulement à faire des vers à la louange de son maître[50].

LES DEVOIRS DES SUJETS : LE CONSEIL   En effet, les meilleurs des sujets du roi se doivent de le conseiller. Cette tâche demande parfois de l'audace et de la persévérance : la prière doit se joindre au conseil, et il faut agir aussi sur l'entourage du monarque. Dorat loue Pierrre Séguier d'avoir ainsi procédé :

> Et Regem, et Regis non es cunctatus amicos
> Assiduis monitis precibusque incessere (*P.*, p. 37).

En 1573, le poète royal insiste auprès de Ph. Hurault pour qu'il continue, maintenant encore, à assister de ses conseils le nouveau roi de Pologne, bien que ce dernier ait depuis longtemps atteint l'âge d'homme :

> Tu nunc et idem, tu quoque nunc *mone*
> Quamuis adultum (*Ode* XXXV, 53-54).

C'est là le devoir d'État des hommes qui font partie des différents conseils, aristocrates ou gens de Robe ; c'est aussi, aux yeux de l'humaniste, celui des délégués aux assemblées de notables et aux États-Généraux[51]. Dans l'ode consacrée à la réunion de janvier 1558 — *In Conuentus* — Dorat fait dire au roi : *Vos ergo in medium consulite* (*Ode* XVI, 26). Le professeur royal se faisait probablement des illusions : de telles assemblées n'avaient guère que « l'apparence d'une consultation nationale »[52]. Cependant ce vieil homme espère encore que les délégués aux États de Blois seront « des sages des deux partis », qui aideront le prince à redresser la situation chancelante :

> ... prudentibus hinc et hinc uocatis,
> Res lapsas statum ut in suum reponat (*P.*, p. 298).

C'est que l'humaniste, indéfectiblement, croit à l'efficacité politique du discours délibératif.

Jamais, pour sa part, il n'aurait eu la témérité, sous Henri II, de conseiller son roi (comme il l'a fait, plus tard, pour Henri III) —

---

49. C'est ainsi que le « questeur » Leroy, au nom prédestiné, ne tient pas compte des recommandations royales, même quand elles concernent un ami du prince, et, bientôt, il se fera appeler « roi » : *Quantus apud Regem quaestorem Regis amicus | ... | Quaestorem « regem », regalia iussa negantem* (*Epgr.*, p. 65). Cf. aussi *P.*, p. 221.

50. Sur le difficile « dosage » de la critique, de la louange et du conseil, cf. G. D., *Le poète et le prince*, (cf. n. 25), p. 169-172.

51. Sur la difficulté à caractériser ces deux types d'assemblées, cf. R. Doucet, *Institutions*, t. 1, p. 312-335.

52. *Op. cit.*, p. 332.

longtemps après, en 1576, il déclare à ce dernier que la gloire de son père est d'avoir assuré la paix extérieure :

> Iamdudum at extra nullus hostis imminet :
> Quae magna laus est patris et uirtus tui (*Exh.*, 159-160).

Sur le moment, il s'était contenté d'approuver les initiatives qui lui paraissaient heureuses, ou même de rapporter un jugement public favorable sur lequel il n'émettait aucun avis. Ainsi dans l'ode *In Conuentus*[53], Dorat met dans la bouche du cardinal de Lorraine-Hermès un double éloge du roi : d'abord il est le défenseur de l'orthodoxie, et en second lieu celui de la Culture :

> Cuius primus honor, quod reuerentia
> Diis templisque deum salua sua est adhuc
> [...]
> Alter proximus illi hic Iouis est honor
> Non siuisse rudi secla silentio
> Torpere (*Ode* XVI, 41-47).

A supposer qu'à cette date l'humaniste se soucie de l'orthodoxie, il est bien évident que, pour lui, l'autre tâche est primordiale. Mais certainement il approuve l'attitude royale lors de cette séance, comme l'ont fait, il le rappelle, les délégués :

> ... Cuncta fremit murmure plausuum
> Intus Regia Coelitum (*op. cit.*, 71-72).

LES DEVOIRS DU ROI   Or le prince a fait appel à la solidarité nationale, montrant l'union indissoluble du pays et de la royauté sur laquelle il s'appuie devant le danger :

> Res magna, ô Proceres, nunc agitur : salus
> Omnis uestra meis nixa palatiis (*op. cit.*, 21-22).

Ces termes sont comme un écho de l'avertissement du premier Africain à Scipion Émilien dans le fameux songe : « tu seras le seul appui sur lequel peut reposer le salut de la cité » : *tu eris unus in quo* nitatur *ciuitatis* salus (*Rsp.* 6, 12). Et l'Africain de conclure aussitôt : *ac ne multa dictator rempublicam constituas oportet, si impias propinquorum manus effugeris*[54].

Tout comme le dictateur à Rome, le roi, pour « organiser » l'État, est seul, et il peut s'attendre à payer de sa vie ses efforts, victime des siens. Donc, selon cette métaphore, le prince est le fondement de tout

---

53. Et même, alors, il rappelle à l'ordre sa Muse « effrontée » : *Sed quo iam ulterius, quo ruis, o procax / Musa, augusta deum consiliantium / Paruis dicta modis attenuare ? age, / Adduc interius rotas* (*Ode* XVI, 53-56).

54. Quant au fait que le roi peut être victime des siens, la version de Dorat sur la Saint-Barthélemy n'a jamais varié ; cf. ci-dessus, p. 296.

l'édifice politique, mais selon « l'allégorie », il est aussi celui qui protège son peuple : *seruantia uos tecta Iouis* (*Ode* XVI, 25).

LA PROTECTION DU PEUPLE   Le plus beau titre qu'on puisse lui donner, en effet, est celui de père de son peuple, comme le mérita Louis XII[55]. L'humaniste voit le roi comme tout proche de ses sujets. Ainsi, quand Henri quitte sa capitale pour se rendre à Calais et à Guines, il visite les blessés, félicite les braves :

> Absens recognoscit suorum
> Vulnera, facta, trophaea, praedas (*Ode* XVII, 15-16).

Aussi ce roi fut-il cher au menu peuple aussi bien qu'aux notables :

> Ergo nobilibus charus, et omnibus
> E uulgo tenui (*Ode* XXI bis, 33-34)[56].

Un engagement personnel attache chacun au souverain et le souverain à chacun : les Français agiront fidèlement — *pro se quisque fideliter* (*Ode* XVI, 28) et le Roi fera de même :

> Certe summa fides ac pietas[57] mea
> In uos semper erit (*Ode* XVI, 29-30)..

L'OFFRANDE DE LA   Le dauphin François, qui assistait à
FAMILLE ROYALE   l'assemblée, est nommé l'otage — *obses* (*op. cit.*, 30) — que son père donne à l'ensemble des représentants. Le mot est brutal. Aussi le poète met-il aussitôt dans la bouche du roi une phrase justificative qui attire l'attention sur ce terme, et lui donne un caractère religieux : *Si* fas *dicere, sed* fas *mihi* (*op. cit.*, 31).

Pour un homme qui, comme Dorat, a cinquante ans en 1558, c'est sans doute le souvenir de la captivité des deux fils de François Ier à Madrid, qui a motivé le choix de ce terme d'*obses*. Aux yeux du poète (qui à l'époque de Pavie avait dix-sept ans), la famille royale est donc solidairement responsable devant le peuple[58], comme devant l'ennemi.

LA RAISON D'ÉTAT   Parfois, cependant, l'offrande paraît si cruelle que le poète ne peut en parler ouvertement : ainsi le joyeux épithalame composé à l'occasion des noces de la princesse Claude, seconde fille d'Henri II, avec le duc de

---

55. Dorat rappelle que la gloire a rejailli sur sa fille, la reine Claude : *Patris laude, suaque tulit uirtutis honores / Qui pater est patriae patrio uocitatus honore* (*F.*, p. 144).

56. Il est certain, en effet, que la ferme dignité d'Henri II pendant les rudes épreuves de 1557-1558 lui avait valu un regain de popularité.

57. Le poète n'entre pas dans le détail de l'offre que le roi présenta aux délégués. En fait sa *pietas* consistait dans le don de sa personne et de ses biens. Cf. Rabutin, *Mémoires*, t. 32, p. 166-167.

58. Les paroles prêtées au roi — *Sed fas mihi* — pourrait même être une allusion précise : on sait combien le jeune Henri avait souffert de cet exil.

Lorraine, son ami d'enfance (*Ode* XX), s'oppose à la célébration ambiguë des noces de Philippe II avec Élisabeth de France (B.N., Mss. Lat. 10327, f° 48 r°-55 r°)[59]. Carylus (Lancelot de Carles) et Dorylas (Dorat lui-même) dialoguent au sujet de cette union dans une églogue où les personnages sont allégoriquement représentés par des oiseaux : le roi d'Espagne est un perroquet, la jeune princesse est une tourterelle. Le poète doit, sans nul doute, son inspiration à Jean Lemaire, et à ses épîtres de l'*Amant vert* auquel il fait d'ailleurs allusion (f° 52 v°)[60].

Dans l'églogue latine, c'est Carylus qui est porteur de l'information, Dorylas, lui, voudrait voir « l'oiseau rare » — *raram uolucrem* (f° 50 r°) : l'expression n'est peut-être pas exempte d'humour[61]. Quant à la présentation de Carylus, elle ne fait pas montre d'une joie exubérante. On vante la naissance du Perroquet, la proximité de son séjour, la beauté de son plumage[62]. La tentative de séduction est, apparemment, sans effet, car on en arrive aussitôt à l'argument déterminant : si la Tourterelle se décide, elle assurera de la sorte une paix solide entre les oiseaux des deux pays — et même de tous les autres — et sera honorée pour sa *pietas* :

> Sin te haud ista mouent, moueat quod foedere ab isto
> Inter aues geminas reliquas *Pax* inter et omnes
> Firma coibit aues : te circum densa uolucrum
> Gallica turba uolat, castamque *piam*que uolucrem (f° 51 v°).

Pour faire pression sur la jeune Tourterelle, on évoque aussi les massacres qu'elle seule a pouvoir de faire cesser :

> Nec pugnare uolent ultra et lacerare uicissim.
> ... omnia tristia damna
> *Sola* tuis poteris, Turtur, prohibere hymenaeis *(ibid.)*.

Et Dorat met alors dans la bouche de Carylus le commentaire qui

---

59. Cf. A. Hulubei, *L'Églogue en France au XVIᵉ siècle*, Paris, 1938, p. 476-477, et ci-dessus, p. 195-197.

60. C'est Dorylas qui fait lui-même le rapprochement : une tourterelle, naguère, a été aimée par un vrai perroquet, c'est-à-dire un perroquet des Indes, et elle l'aimait aussi, dit-on : *Audiui, et fama est, Turtur quod ametur ab Indo / Psittaco, ametque suum* uiridem *nigra Turtur amantem* (f° 52 r°). Carylus précise que l'histoire est vraie et qu'il faut en croire le poète.

Le destin d'Élisabeth, du reste, n'est pas sans rappeler celui de Marguerite d'Autriche : la raison d'État, dans les deux cas, a réglé le sort des jeunes filles, qui devront quitter le lieu de leur enfance pour la Cour d'Espagne.

61. Philippe II est brocardé par la « plèbe française » dans l'*Ode* XIII. Dans le blason de la Maison d'Autriche, Dorat voyait des « aigles déplumées » — *deplumes aquilas* (*Ode* VIII, 66) ; quant à Charles Quint, il était peint comme un oiseau vorace, bec ouvert — *larus / ... hians* (*op. cit.*, 83-84).

62. *Si genus, o generosa, rogas, de sanguine primo est, / Non Indae terrae, sed iuncta huic quae sit Iberae, / Et color est qui te capiat, flauoque rubroque / Suauiter admixtis, reliqua uiridante uolucri* (f° 51 r°).

s'impose sur le poids de la raison d'État :

> ... Priuatam publica uicit
> Causa : probat legem tori *(ibid.)*.

Là-dessus, Dorylas ne dit rien[63]. La jeune reine, de santé délicate, mourut en Espagne à l'âge de vingt-quatre ans. Dans le *Tumulus* qu'il composa avec Étienne Pasquier[64], le vieux poète s'attendrit sur le sort de son ancienne élève qui, de ses toutes petites mains avait su cueillir la fleur du courage, et avait fait cesser le fléau qui déchirait deux grandes nations :

> ... uirtutis et omnis
> Quae teneris flores carpserat unguiculis,
> Quae regna Europes duo longe maxima quondam
> Semper in alternam belligerata luem
> Tam firmo nubens modo coniunxit... (col. 935).

Pourtant, bien que l'attitude d'Élisabeth soit qualifiée de généreuse — *generosa* — l'accent n'est pas « cornélien », et Dorat souligne la tristesse d'une telle destinée — *infoelix (ibid.)*. Il note que les deux petites princesses ont le devoir de rappeler le souvenir de leur mère et de continuer son rôle apaisant — *Vt pax pacta diu duret (ibid.)*. Un peu plus tard, le poète royal composa pour les deux infantes que Philippe II conservait près de lui cette « devise » amère :

> *Infantes Hispaniae.*
> Pignora bina sumus, patri pro matre relicta *(P.,* p. 238).

On retrouve toujours le même thème de l'otage, de l'être dont on ignore les aspirations propres, qui se sait abandonné pour remplacer quelqu'un d'autre, dans une situation d'autant plus pathétique qu'il s'agit, ici encore, d'un enfant.

Par contre le protégé de Madame Marguerite pouvait glorifier sans arrière-pensée l'union de celle-ci avec Emmanuel-Philibert[65]. Dès lors,

---

63. Le poète, en son nom personnel, ne fait, par ailleurs, qu'une allusion au départ de la petite Élisabeth pour l'Espagne : c'est le comte de Retz qui l'a conduite : *Ad terras olim cum missus Iberas / Auspiciis ducta est Elisabeta tuis (P.,* p. 104-105).

64. *In tumulum D. Elisabethae Philippi Hispaniarum Regis uxoris* : ce texte a été traduit par E. Pasquier et figure dans l'édition collective de ses *Œuvres,* Amsterdam, Libraires associez, 1723, t. 2 ; Pasquier composa aussi un poème latin qui fut traduit par Dorat : il note avec amertume que, de nouveau, Espagnols et Français vont se battre (col. 936). L'Histoire semble porter sur ce mariage d'une fillette de quatorze ans avec un prince de dix-huit ans son aîné, deux fois veuf, un jugement moins affligé que celui de l'opinion contemporaine ; cf. L. Romier, *Le royaume de Catherine de Médicis,* t. 1, p. 151-153. Sur le bonheur de Claude, duchesse de Lorraine, cf. *op. cit.,* p. 94-97. Dorat avait noté aussi à propos de la reine Éléonore, seconde épouse de François Ier, que la raison d'État dispose des princesses : *Caesaris ipsa soror Regi data foedere coniux (P.,* p. 238). Il s'agit d'une déclaration objective : le sort d'une inconnue ne le touchait pas comme celui de la jeune Élisabeth.

65. La sœur du roi avait conçu pour le duc de Savoie, sans le connaître, une passion romanesque. Aussi, dans l'églogue du Perroquet et de la Tourterelle, Dorylas fait-il promptement dévier la conversation sur ces deux oiseaux qui vieillissaient chacun dans l'attente d'un

l'esprit tourné vers des événements plus heureux, Dorylas peut se laisser aller à célébrer la paix[66]. Un nouvel âge d'or va naître : Henri sera le Saturne de ce temps, et il jugera bon de transformer l'épée porteuse de mort en faucille[67] pour la moisson :

> ... Henricus nam nostri falcifer aeui
> Iam Saturnus erit, nec tu tibi turpe putaris
> Ensem fatiferum falcis messoriae in usum
> Curuari... (f° 55 r°).

Délibérément, le poète veut oublier le sacrifice imposé à Élisabeth, et ne parle plus que de Madame Marguerite :

> ... Virgo
> Sera sed humanae causa nuptura salutis
> Margaris *(ibid.)*.

Quelle que soit l'anxiété des poètes au départ de leur princesse (*Ode* XXI, 63-64 ; XXII, str. 3), ils continuent à voir en elle, Dorat en particulier, celle qui a fait naître la paix pour la France :

> Nupsit haec, nubens peperitque pacem
> Galliae (*Ode* XXI, 45-46).

DE VOTIO D'HENRI II   Dans une ode, imprimée en 1560, mais qui fut sans doute composée plus tôt, le professeur célèbre les vertus guerrières d'Henri II défunt, mais surtout il déclare que le roi mourut heureux parce qu'il laissait, après lui, la paix :

> Hinc uisus moriens pace superstite
> Laeta fronte mori est (*Ode* XXI bis, 57-58).

Mieux même : c'est en affrontant la mort que le roi a rendu irrévocable le traité de paix :

> ... oppetens
> Sanxit funere foedera (*op. cit.*, 63-64).

Moins de deux ans plus tard, dans une autre ode (XXII) adressée à M.-Cl. Buttet[68], Dorat revient sur les festivités des noces de Marguerite, qui aboutirent à la fin tragique d'Henri II. Plus que le mariage de la princesse, c'est la mort du roi qui retient désormais son attention. Le

---

partenaire approprié, et qui voient leur patience récompensée, enfin : *Grata mora est pretium cui sors tam laeta paratum est* (f° 54 r°).

66. La vie, naguère haïssable au milieu des « tumultes » de la déroute, vaut maintenant la peine d'être vécue, et le plus longtemps possible : *O Dii, quae nuper fuit inuisissima uita / Assiduos inter belli peragenda tumultus, / Iam grata optatos mihi producatur in annos* (f° 54 v°).

67. Dans le croissant de la faucille A. Hulubei voit, peut-être, une allusion à Diane de Poitiers (*op. cit.* en n. 59, p. 477) : en fait, le poète français retourne le vers de Virgile évoquant l'arrivée de l'âge de fer : *curuae rigidum falces conflantur in ensem* (*Georg.* 1, 508).

68. Poète qui avait regagné sa ville de Chambéry à la suite de la nouvelle duchesse de Savoie.

professeur royal déclare qu'il n'y eut jamais de roi, d'hôte plus fidèle
que ce prince, ni qui aimât davantage son peuple : dans sa générosité,
il s'est offert, spontanément, comme victime pour la conclusion de
la paix :

> Nam Rex, nec illo Rege fidelior
> Hospes, magis nec plebis amans fuit,
> Qui pacis *ultro* sanciendae
> Victima sit generosa factus (*Ode* XXII, 21-24).

Peu à peu, en effet, l'idée que le souverain se doit tout entier à son
peuple est venue se greffer, dans l'esprit de l'humaniste, sur la notion
romaine de *deuotio*[69]. Mais des siècles de christianisme ont façonné,
malgré tout, même s'il n'en est pas conscient, la sensibilité du poète
français : chez Tite-Live, le consul romain qui se dévoue « parut plus
auguste qu'un homme et comme envoyé du ciel pour expier la colère
des dieux » — *aliquanto augustior humano uisus, sicut caelo missus
piaculum omnis deorum irae* (8, 9, 10). Envers les Français, aussi, les
dieux étaient irrités puisque, même après le sacrifice du roi, ils le sont
encore : *Non leuis inuidia deorum* (*Ode* XXII, 20). Mais, dans la
deuotio d'Henri II, l'accent n'est pas mis sur la gloire. Ce que le poète
souligne, c'est la fidélité dans l'amour, l'humilité — *fidelis* (*op. cit.*, 21),
plebis amans (22), *uictima* (24).

De l'autre récit livien de *deuotio*, Dorat a retenu l'idée que la victime
s'offre elle-même aux traits mortels — *inferensque se ipse infestis telis*
(10, 28, 18) — mais il l'a énergiquement condensée dans l'adverbe
ultro (*Ode* XXII, 23). Ainsi, par la grâce de la culture humaniste, l'obstination du roi à se battre contre Montgoméry dans la lice des Tournelles
faisait de lui un Decius.

OBLATION DE CHARLES IX Dans l'ode *Ad Pacem*, composée en
1570, le poète introduit, dans une prière
du clergé, l'idée que le roi, qui personnellement n'est pas coupable, se
trouve, parce qu'il est le roi, subir le châtiment des fautes qui sont celles
de son peuple[70] :

> Delicta quod sunt si sua uulgi
> Digna prius Tibi uisa plecti,
> At parce tandem, parce, Deus, tuo
> Regi, *luenti crimina non sua* (*Ode* XXV, 43-46).

Même si le mot n'est pas prononcé, Charles IX est bien, comme les
deux Décius, la victime expiatoire —*piaculum*, disait Tite-Live (8, 9, 10 ;
10, 28, 13) — et, pour noter ce fatal devoir familial, l'historien romain

---

69. Alors que, dans le songe, Scipion l'Africain avertissait Émilien qu'il existait un risque,
mais qu'on pouvait peut-être y échapper — *si impias propinquorum manibus effugeris* (*Rsp.* 6,
12) — il n'y a plus ici de chance à courir, et la mort est certaine.
70. Cf. *Isaïe*, 53, 11-12.

avait employé le verbe *luere* (10, 28, 13) : le poète français s'en est souvenu.

En 1574, dans une *Naenia* (*F.*, p. 146-148) qui déplore la mort prématurée de Charles IX, Dorat note que la *pietas* du roi fut cause des maux qui l'accablèrent :

> ... tantis
> Vixerat afflictus pro *pietate* malis (*F.*, p. 147).

Bien que le roi ait été un défenseur de la foi, il semble plus probable que le mot n'est pas pris ici dans son acception restreinte de « piété », mais dans son sens latin[71]. Or, le sentiment qui convient à un roi, c'est l'amour total envers ses sujets[72].

Dans la *Naenia*, le poète prend la France à témoin ; il rappelle que la vie du roi Charles IX ne lui appartenait pas en propre, mais que — quels que fussent ses sentiments personnels — il la devait à la France :

> Cum satis ipse sibi, si non tibi, Gallia...
> Vixerat[73] (*F.*, p. 147).

Il ne s'agit pas ici, comme dans le cas d'Henri II, d'une véritable *deuotio*, d'un acte volontaire : le jeune prince, pitoyable, lassé de la vie, est une victime, mais une victime passive[74]. Si le poète royal a multiplié au bénéfice de Charles IX les encouragements et les conseils, au nombre de ceux-ci ne figure jamais la nécessité de s'offrir pour le salut commun, comme si cette oblation existait de fait.

CONSEILS À HENRI III Bien que Dorat, dans l'*Exhortatio*, prétende ne pas être un prophète — *nec enim Propheta* (467) — chargé de redresser les torts des rois et du peuple, il est certain que cette œuvre est bien parénétique (comme l'indique le sous-titre), et que les termes exprimant la notion de « conseil » — *decet, oportet, debere, non satis est* — et toutes les formes de l'injonction y sont nombreux[75]. L'attitude de Dorat envers

---

71. Sur la devise de Charles IX *Pietate et Iustutia*, cf. F. Yates, *Astraea*, Londres, 1975, p. 127.

72. En effet, *pietas* est un des termes de la promesse que Dorat avait fait prononcer par Henri II en présence des représentants des quatre « États », dans l'Ode *In Conuentus* : *Certe summa fides ac pietas mea / In uos semper erit* (*Ode*, XVI, 29-30) : ce que le roi avait offert alors, c'était ses biens, sa personne, sa famille.

73. Cf. la prosopopée de César, *Pro Marcello*, 25.

74. Il semble que Dorat ait été très proche du prince (qui avait aussi une grande affection pour Ronsard). L'*interpres regius* le rassure en lui expliquant un songe (*P.*, p. 5) ; il l'encourage à imposer une politique de clémence en 1570 (*op. cit.*, p. 27, par ex.) ; il lui rappelle que c'est de son énergie que dépend le bonheur de ses sujets : *Perge modo, et quo fata uocant, sequere impiger ultro / Ferrea ut e terris nobis iam secla repellas* (in *Bref et Sommaire recueil*... de Simon Bouquet, Paris, 1572, *Entrée du Roy*, Fiij r°) ; enfin, pour lui, la Saint-Barthélemy est constamment justifiée par le danger couru par le prince (*P.*, p. 66, 68 ; *F.*, p. 147).

75. Cf. G.D., « Le poète et le prince » (cf. n. 25), p. 171-172. La mesure pratique préconisée par Dorat est encore d'ordre moral : c'est une épuration de la magistrature, à la base, car

Henri III est toute différente de celle qu'il avait en face de Charles IX :
le roi défunt expiait des crimes qui n'étaient pas les siens ; il faut
maintenant amener Henri à comprendre que les péchés de son peuple
sont ses propres péchés, qu'il doit en répondre et que, s'il n'assume pas
cette charge[76], il méritera un châtiment :

> Quod quisque peccat, esse peccatum tuum
> Ducas et in te puniendum, punias
> Nisi tute in illis (*Exh.*, 151-153).

Sans doute, le poète dénonce-t-il ici la faiblesse du monarque qui a
laissé gangrener son royaume, mais il a préalablement lancé un avertissement prophétique : Henri, le Très-Chrétien, doit suivre le chemin qu'a
suivi le Christ — roi lui aussi — et souffrir ce qu'il lui a fallu souffrir :

> ... Si Gallicus
> Rex Christianus, ire te Christi *decet*
> Laborioso calle : quem pati oportuit
> [...]
> Patiaris et tu *oportet* (*op. cit.*, 73-78).

Le roi, comme le Christ, est celui qui porte les péchés des autres : Henri
est ainsi appelé à une manière chrétienne de la *deuotio* de son père[77].
Or, quand Henri se prit sérieusement pour le Très-Chrétien, il se présenta au peuple de Paris en pénitent, conduisant les processions des
confréries. Miss Yates, qui a étudié ce genre de dévotion, relève les
critiques des Réformés, comme celles des Ligueurs[78]. Si Baïf collabora
à ces cortèges, Dorat ne le fit pas. Les Pénitents ne devaient pas le
convaincre : ils étaient des courtisans, non des gens du peuple. Or, dès
1576, Dorat avait rappelé au roi que le médecin qui se soigne en né-
gligeant l'ensemble des malades est coupable :

> Quae laus medentis, si medens solus ualet? (*Exh.*, 132).

L'idée politique profonde est bien toujours la même : la *pietas* d'un
roi est de se sacrifier totalement pour son peuple, et sans même se
soucier du résultat, car, si le courage et la peine sont le fait des hommes,
le succès est dans la main de Dieu :

> Humana uirtus bellica, humanus labor,
> Coeleste tota munus est felicitas (*Exh.*, 441-442).

---

dans les tribunaux l'or fait la loi, et les crimes demeurent impunis : *quod duobus maxime / Modis
cauebis, si magistratus bonis / Mandes ministris, improbos his abdices : / Res tota per quos
nunc laborat Gallica (Exh.*, 153-158).

76. Ce qui implique le devoir social de punir avec justice. Il ne s'agit pas d'un conseil
vague : cf. n. précédente.

77. Charles était accablé par les crimes — *crimina* ; Henri doit porter le péché — *peccatum* —
de chacun de ses sujets. Bien que *peccatum* appartienne au vocabulaire classique, le mot a été
considérablement enrichi par l'usage qu'en ont fait les Chrétiens.

78. *Astraea* (cf. n. 71), p. 173-207 et planches 24-34, et p. 186-187.

Il faudra donc aller jusqu'à la mort, inclusivement, et, comme si l'image du Christ ne devait pas être suffisamment convaincante, l'humaniste appelle à la rescousse, au profit de l'ancien élève d'Amyot, les *exempla* antiques : mourir pour les siens est bien la plus grande « gloire » :

> Laudetur ille iustius si, cum Hectore,
> Periisset, aut cum Achille, seruatis suis (*Exh.*, 145-146).

Le vieux poète avait peut-être l'intuition que, pour la France, le chemin du salut passerait par la mort violente de son roi.

LE MYTHE DE FRANÇOIS Ier OU LES DEVOIRS D'UN ROI HUMANISTE

S'il se trouve que peu de textes contemporains du règne de François Ier (1515-1547) ont été conservés[79], ce prince tient dans la pensée de Dorat une place à part : il est le plus grand des rois de France :

> ... maxime Regum
> Francorum, Francisce (*F.*, p. 144).

La louange peut être tenue pour authentique, puisque, au moment de la composition de ce poème, ce roi est mort.

Il est difficile de dater les différents *tumuli* — de François Ier, de Claude de France et de leurs fils, François et Charles — qui ouvrent le *Funerum lib. I* dans les *Poëmatia* de 1586[80]. En tout cas, ceux qui les lurent à cette date durent avoir l'impression d'une « descente aux enfers » : l'empoisonnement du dauphin, la mort du jeune Charles, le vainqueur de Luxembourg, devaient bien apparaître alors comme de l'histoire ancienne.

La plupart de ces textes pourraient avoir été composés peu après la mort de ceux qu'ils célèbrent, mais ce n'est pas le cas du *tumulus* de la reine Claude de France (morte en 1524) : une allusion au « roi Henri II », une autre au mariage de Marguerite avec le duc de Savoie, révèlent une rédaction bien plus récente, 1559 étant le *terminus post quem*, et la datation de tous les autres textes devient douteuse de ce fait[81]. Si donc les poèmes qui traitent du roi François ne sont pas contemporains de sa mort, nous croyons plutôt qu'ils ont été composés

---

79. Dans la commémoration de la victoire de Cerizoles (*P.*, p. 83-89), composée d'après le compte rendu de Martin Du Bellay, l'intérêt se concentre sur le duc d'Enghien, mais le nom du roi tient tout le premier vers — *Gallorum Regis Francisci nomine primi* — et il est encore mentionné au dernier.

80. Deuxième partie, p. 143-146.

81. Il paraît exclu, en effet, que Dorat, qui a toujours négligé de prendre soin de ses œuvres et de se corriger, ait « replâtré » tardivement un *tumulus* contemporain de la mort de la reine. Quant aux disciples éditeurs de 1586, ils n'avaient aucun intérêt à remanier le texte en faveur de princes qui avaient depuis longtemps accompli leur destinée.

beaucoup plus tard par le vieux poète à la recherche du temps perdu[82] .
En effet, si ce n'est pas l'idéalisation toujours de mise dans ce genre de
littérature, ce sont les années qui ont modelé l'image de ce prince.
Pourtant, le plaisir nostalgique que Dorat pouvait éprouver en évoquant
le roi de sa jeunesse n'est sûrement pas la seule raison qui ait guidé sa
plume.

François apparaît ici comme doué de toutes les qualités : il est
beau, il a la *pietas*[83] , il aime les arts, il a judicieusement réformé sa justice, il défend bravement son royaume, il est un conquérant inlassable :

> Francisco Rex in terris non pulchrior alter,
> Nec maior pietate fuit, nec amantior artium,
> ... non nisi iusta
> iura dedit cuiquam, Regnum uirtute tueri
> Augere inque dies satagens foelicibus armis (*F.*, p. 143-144).

Le texte se termine sur une allusion à la bataille de Marignan, « l'image
d'Épinal » du règne[84] . Nous croyons que Dorat a voulu présenter ici
les traits du prince exemplaire dans un moment où la royauté avait
singulièrement besoin d'un phare, et où il n'était pas mauvais que la
famille des Valois-Angoulême se souvînt de son brillant fondateur[85] .

En tout cas, lorsqu'il est question des devoirs culturels du roi, Dorat
ne manque pas de rappeler l'exemple de l'ancêtre. Écrivant à Buttet,
sous le bref règne de François II, en 1560, le poète regrette le départ
de la duchesse de Savoie, mais se rassure à la pensée que les Muses
auront, malgré tout, un protecteur dans la personne du roi : à l'égard

---

82. Le premier texte est intitulé *In tumulum Francisci I Francorum Regis* et doit être
mis à part : il ne célèbre pas la mémoire du roi, mais au sens propre son tombeau ; les travaux,
commencés par Philibert Delorme et P. Bontemps dès 1548, ne se terminèrent qu'après la
mort d'Henri II.

83. Au sens le plus général du terme, car le roi, qui avait traité avec le Turc et laissé longtemps l'hérésie se développer dans son royaume, ne saurait passer pour « pieux ».

84. Cf. aussi, *La guerre*, de Clément Janequin, œuvre plus connue sous le nom de *La
Bataille de Marignan*. On pourrait imaginer que le texte a été composé très tôt (après 1515) et
réutilisé par les disciples dans l'édition de 1586 avec le titre de *Tumulus*, mais l'ordonnance de
Villers-Cotterets, qui réforma la justice, date de 1535. Le témoignage anachronique de cette
admiration pour le vainqueur de Marignan permettrait, peut-être, d'attribuer à Dorat un texte
anonyme de B.N., Mss. Lat. 8139, composé en 1575 : *Talis in Heluetios tua, Rex, clementia
nuper / Emicuit... / Exemplum uictoris aui famamque secutus / Qui Marignanis bellator strenuus
armis / ... inuictis contudit armis / Heluetios* (f° 83 v°-84 r°). Évoquant, cette même année, la
gloire d'Henri de Guise, Dorat rappelle la blessure que son père reçut dans sa jeunesse, sous le
règne de François Ier : *Auspice Francisco, Franciscus, Rege, per annos / Miles adhuc teneros
uulnus in ore tulit* (*B.V.M.*, Aij v°).

85. Cf. par ex. une remarque amère, de 1570, alors que, cependant, la situation commence à s'éclairer : *Gallica non poterat sit quanta potentia nosci / Dum Reges habuit uique
animoque graues* (*P.*, p. 69). Cet « imparfait » *poterat* se rapporte à des temps révolus. En
1570, au moment du mariage du roi, François d'Alençon est invité à ressembler à son grand-
père dont la bravoure ne le cédait à personne : *Francisci instar aui, nulli uirtute secundi*
(*Ecl.*, p. 11).

des arts, François est fidèle à l'esprit de son grand-père et à celui de son père :

> Visum sed illis praesidii satis
> In rege, et eius principibus situm,
> Francisco, *auiti* non in artes
> Degenere, aut animi paterni (*Ode* XXII, 53-56).

Le père et le grand-père ne peuvent pas, cependant, être mis sur le même plan : en effet pour Dorat, si les Muses veulent survivre sous le règne d'Henri II, et même sous celui de son fils aîné, elles ont besoin d'intercesseurs auprès du roi. En 1558, ce rôle est clairement indiqué comme celui des princes lorrains qui savent redorer la lyre d'Apollon :

> Aurea fila chelynque
> Noster habere superbit nunc Apollo,
> Hos (= gens Lotharinga) dulces apud Regem patronos
> (*Ode* XVIII, str. 7).

Au contraire, l'image de François Ier apparaît dès qu'il s'agit de la politique culturelle de ses petits-fils. En effet, si François fut grand par son courage, il le fut plus encore par son amour des arts, lui qui fonda le Collège « des Trois langues » :

> ... magnus et armis,
> Artibus et maior Franciscus praestat auitum
> Exemplum ad uirtutis et omnis et artis amorem
> Cui tribus haec linguis celeberrima condita sedes[86].

Dorat rappelle aussi à Charles IX que la bibliothèque de Fontainebleau est devenue le « Phare » des hommes de lettres, et qu'elle succède dignement à la collection rassemblée à Alexandrie sous les Ptolémées :

> Sed pia Regis aui Francisci, Carole, cura
> Conquirens doctae diruta saxa Phari,
> Musaeumque nouum Musis sacrauit, et illis
> Fontis Aquae bellae rite dicauit aquam (*P.*, p. 6).

Les termes de *pia... cura* montrent bien qu'il s'agit d'un devoir accompli dans l'effort, non d'une fantaisie de dilettante. On sait les soins que la reine Catherine apportait à l'enrichissement de cette bibliothèque, et Dorat les connaissait mieux que personne puisqu'on le consultait à propos des achats de manuscrits grecs[87] : pourtant, c'est sur la louange du roi François que se termine ce poème dédié à Charles IX :

> Cedat Alexandrina Pharo Pharos inclyta Gallae :
> Cedat *Francisco* uis, Ptolemeaee, tua *(ibid.)*.

Selon le poète royal, François mérite d'être comparé au prince qui

---

86. In *Bref et sommaire recueil... (Entrée du Roy)* de Simon Bouquet, Paris, D. du Pré pour Codoré, 1572, Fij v (B.N., 4 · Lb³³ 297).

87. Cf. Nolhac, *R. et l'H.*, p. 75 et n. 2.

fit le siècle d'or de Rome. Demandant à Pibrac de présenter à Henri III
l'*Exhortatio*, Dorat, après avoir évoqué les divertissements stupides des
grands de ce monde, conclut en les opposant à Auguste qui avait su
attirer à sa cour nombre de poètes savants :

> Non sic Augustus quondam augustissimus ille
> Cuius erat doctis uatibus aula frequens (*P.*, p. 129).

Cet amour de la culture rend le prince qui en a fait preuve particulièrement vénérable : il a fait sa grandeur. Or immédiatement, sur les pas
de l'ami de Mécène, on pourrait même dire parallèlement à lui[88], c'est
encore le roi François qui apparaît, lui qui savait ouvrir sa maison aux
professeurs et aux Muses *(ibid.)*. Sans doute Dorat évoque-t-il encore
les rois Henri II et Charles IX, mais il conclut en disant que, lorsqu'Henri III cultive, sans qu'on ait à le conseiller, les Muses et l'amitié
des savants, c'est à son grand-père qu'il s'efforce de ressembler :

> Nunc et ab *exemplo* ne degeneraret *auito*
> Henricus doctos ambit amatque uiros,
> Cum colat Musas per se, nulloque monente[89] (*op. cit.*, p. 130).

Quant à Charles IX, il était, selon son poète, sincèrement désireux de
protéger les Muses en France, et l'on pouvait voir en lui un soleil
parce qu'il leur avait restitué la gloire :

> Vt sol Oceani fluctibus exoriens,
> [...]
> Talis Rex nuper Carolus emicuit
> [...]
> ... suis Musis restituitque decus (*P.*, p. 302).

Le verbe *restituit* implique bien, d'ailleurs, que cette gloire a précédemment subi une éclipse[90].

Quel que soit le sujet que traite le poète, la louange de François,
père des arts et de l'étude des langues, se présente toujours sous sa
plume. Ainsi, il interrompt la déploration — *Epicedium* — du conseiller Arnauld Desbaldit pour un premier panégyrique de ce prince :

> Francisci uarias cui linguas debet et artes
> Gallia nunc Regis docta fauore sui (*V.R.*, Eee ijv°).

En outre, après une brève mention des successeurs (aussi braves et
aussi favorables aux savants), et malgré une apostrophe à sa Muse vaga-
bonde — *Ad rem sed mea Musa redi* (Eee iij r°) — le vieil homme ne peut
s'empêcher de reparler aussitôt de son prince que, selon lui, la France

---

88. Les deux comparaisons sont parallèles : *non sic Augustus/non sic Franciscus*.

89. Cette formulation, insistante, montre que Dorat oppose implicitement le roi à son
père, auprès de qui les Muses avaient besoin de « patrons » (Marguerite, Charles de Lorraine,
par exemple).

90. Le dédicataire de ce poème est le cardinal de Lorraine, qui a été l'astre du matin
— *Lucifer* — grâce auquel la France a pu attendre le soleil.

pleure encore : *Franciscus, Gallia quem flet* adhuc *(ibid.)*. Or François
était mort depuis une trentaine d'années, puisque *adhuc* vise le règne
d'Henri III[91] .

Pour Dorat, François Ier est encore celui qui a donné le branle à la
réforme judiciaire. Sans doute Henri III sut-il s'entourer, un temps du
moins[92] , de juristes capables de continuer l'œuvre de Christophe de
Thou, vétéran du règne de François Ier, qui mourut en 1582. Malgré
cela, Dorat déplore qu'Arnauld Desbaldit, un homme qu'illustraient sa
science juridique et sa culture, ne fût pas aussi bien en Cour[93] qu'il
l'aurait été... sous François Ier :

> ... nisi funere functus
> Esset Franciscus...
> Ob leges notus, multas iam notus ob artes
> Ipsi iam Regi, Regis et aulicolis
> Vsurus fuerat magno Regisque fauore
> Quorum et apud Reges gratia magna uiget (*V.R.*, Eee iij r °).

Le fait qu'Henri n'ait pas hésité, en 1588, à retirer les Sceaux à l'un de
ses plus anciens et fidèles serviteurs, Ph. Hurault — qu'Henri IV jugera
digne de sa confiance — montre qu'on ne saurait mettre cette remarque
désabusée sur le compte de la seule humeur chagrine d'un vieillard.

Quand, en 1573, Henri d'Anjou, roi élu de Pologne, quittait Paris,
porteur de tous les espoirs des humanistes des deux nations[94] , Dorat
lui déclarait que Dieu l'avait choisi pour s'opposer à la Barbarie qui
entourait son royaume :

> (Deus)
> Opponens te Barbariae circum undique fusae (*P.*, p. 79).

C'eût été une tâche digne du petit-fils du fondateur du Collège Royal[95] .
Comme son premier maître, Dorat fut toujours assuré que c'est la
vocation de la France d'être la mère des arts, et que les cultiver est une
tâche qui sied aux rois : *artes/Regibus*... decoras (*Ode* XXXV, 23-24)[96] .

91. Décernant sa louange à Louis de Tournon, protecteur du naturaliste Geoffroy Linocier, il rappelle que le cardinal François de Tournon aimait aussi les savants, et, bien qu'il
fût mort en 1562, Dorat mentionne l'époque de François Ier, et son témoignage exemplaire :
Testis erit primi Francisci tempore Regis / Franciscus doctos suetus amare uiros (*P.*, p. 15).
92. Cf. R. Doucet, *Institutions*, t. 1, p. 60, 68.
93. Son frère Gérard, cependant, occupait une fonction en vue ; c'est lui qui a signé le
Privilège de l'édition des *Poëmatia* de 1586 ; l'anagramme de son nom figure dans le *Variarum
rerum lib. I.*, Eee iij v °.
94. Cf. par ex. Nolhac, *R. et l'H.*, p. 209, et *Ode* XXXV.
95. Amyot, qui avait été le précepteur d'Henri, rapprochait le jeune prince de son grand-
père : « Il tient la capacité d'entendement du roi François, son grand-père... oultre les parties
de l'entendement qu'il a telles qu'on les sçauroit desirer, il a la patience d'ouyr, de lire, d'escrire,
ce que son grand-pere n'avoit pas » (cité par L. Romier, *Le royaume de Catherine de Médicis*,
t. 1, p. 31).
96. Après l'élection d'Henri, il invite le jeune prince belliqueux à manier aussi la cithare,
attribut d'Apollon tout comme l'arc : *Nunc cape post arcum citharam, Rex lecte Polonis, /
Dignus Apollinea neruus uterque manu* (*Epgr.*, p. 59).

LE PEUPLE	Nous avons vu auparavant comment Dorat juge que le peuple, par son inconstance, ou par son obstination, son humeur frondeuse, son absence de réflexion, peut être considéré comme partiellement responsable des troubles civils, soit qu'il agisse de sa propre initiative, soit qu'il se laisse manœuvrer[97]. Pourtant l'orgueil de l'homme cultivé ne suffit pas à rendre compte du jugement de Dorat sur le peuple.

SYMPATHIE DU POÈTE	Avant les troubles civils — et avant sa « conversion » — le *uulgus* même peut lui paraître sympathique. Ainsi le professeur royal nous présente le *uulgus Gallicum*, dialoguant avec le messager venu annoncer la victoire de Calais, dans l'ode *De Caletum urbe nuper... recepta* (XII). De la sorte, il rend sensible l'unanimité de la réaction des Français. Paradoxalement, cette communauté populaire exprime son exultation dans des termes empruntés à Horace — *io triumphe*, mais il n'est pas indifférent que l'humaniste ait choisi précisément les mots qui ont salué, chez le poète latin, la victoire d'Actium[98]. Si Actium marque, pour la génération qui en fut contemporaine, la fin des guerres civiles, pour les Français — pour les Parisiens, en particulier — le succès de Calais retournait véritablement la situation[99], mettait un terme à leurs angoisses dans cette lutte qui, depuis François Ier, les opposait aux Impériaux ; il liquidait en outre les humiliations de la Guerre de Cent ans[100].

Il n'y a donc pas à s'étonner que ce peuple soit chauvin : il est sensible à la revanche attendue depuis plus de deux siècles[101] ;

> ... Est nepos, est
> Vltus auos (*Ode* XII, 19-20).

Dans l'*Ode* XIII, deux hommes de la « plèbe française » — *duo de plebe Gallica* — ne manquent pas de brocarder Philippe II, responsable de la guerre, et atteint par la défaite qu'a subie son épouse anglaise (paradoxalement, ce peuple a lu l'*Iliade*!). Les deux voyageurs de l'ode *De Rege Henrico... ad Caletes uecto* (XIV), qui commentent avec sympathie le voyage du roi à Calais, sont bien des hommes du peuple, peut-être

---

97. Cf. ci-dessus, p. 283-284. Il notait que la « plèbe » est obtinée — *plebs improba* (*P.*, p. 66), et que le vulgaire est changeant — *inconstantia uulgi* (*op. cit.*, p. 69) ; l'adjectif *improbus* peut être pris dans une acception plus défavorable encore.

98. Cf. *Ep.* 9, 21 ; 23 (pour célébrer Actium) ; cf. aussi *Carm.* 4, 2, 49-50, à l'occasion du retour d'Auguste, vainqueur des Sicambres.

99. Cf. par ex. La Chastre, *Mémoires*, t. 32, p. 491.

100. Cf. *op. cit.*, *ibid.*, et Dorat, *Ode* XII.

101. Édouard III avait pris Calais en 1347. Le peuple prie sans façon l'Anglais de retourner chez lui : *Migrate iam prisci coloni* (*Ode* XII, 11) ; cf. Virgile, *Buc.* 9, 4. Quel que soit, aux yeux des Parisiens, le prestige du « grand Monsieur de Guise », pour eux, si l'on en croit Dorat, la victoire de Calais est celle du roi : c'est lui qui avait été provoqué, c'est lui qui a vengé ses aïeux.

même des provinciaux, puisque l'un d'eux ne connaît pas les traits du cardinal de Lorraine[102].

Ainsi le professeur royal, à qui la vie bouleversée de Paris a donné des loisirs forcés, a pu regarder vivre ces petites gens : il a été impressionné par l'union de ce peuple et de son roi, et il s'est plu à en témoigner. Mais s'il est vrai que le salut de tous dépend du roi (*Ode* XVI), ce dernier n'a pas le droit de se sauver seul, en laissant souffrir son pauvre peuple : le poète le rappelle à Henri III :

> ... satis non esse tibi
> Sano esse soli, si laboret aegra plebs (*Exh.*, 130-131).

Aussi les vœux de Dorat s'adressent-ils dans le même temps au roi et à « ses peuples » dans leur diversité :

> (Rex)
> ... saluus populis sit opto saluis (*P.*, p. 298).

POPVLI   En choisissant d'employer un pluriel — que la métrique n'exigeait pas — le poète rend compte d'un jugement complexe. Ce texte fut composé au moment où le roi, à l'automne de 1576, avait pris la décision de convoquer les États-Généraux. Dans ce cas précis, le pluriel peut noter les individualités des différents ordres. Mais quand le méchant, quel qu'il soit, s'efforce de troubler les peuples — *disturbans populos* (*op. cit.*, p. 226), ce pluriel signifie bien distinctement la faiblesse de l'émiettement[103]. En effet l'humaniste, lecteur des historiens romains, sait bien qu'un *populus* est une construction sociale et politique élaborée[104]. Pour un Français de cette époque, le sentiment de l'unité nationale — qui fait qu'un peuple est différent d'une foule — se matérialise encore dans la personne du souverain[105], mais il existe des fêlures : en tout cas, on ne trouve le pluriel *populi* dans aucun texte se rapportant au règne d'Henri II.

MISÉRABLE DIVERSITÉ   Ces peuples, qui sont-ils ? Après trois guerres civiles, le poète les présente avec toute leur misérable diversité dans l'ode *Ad Pacem* (1570). Ce sont les paysans, leurs femmes et leurs enfants que la famine épuise[106] :

> ... pauperes
> Ruris coloni, cum lachrimabili

---

102. *Quis iunctus illi* (= Regi) *purpureo uolat / Fulgens galero, et purpurea stola?* (*Ode* XIV, 9-10).

103. Ce texte est postérieur à la publication des *Plaisirs des champs* par Claude Gauchet, en 1583.

104. Cf. par ex. Tite-Live, 1, 8, 1.

105. Cf. ci-dessus, n. 8.

106. La pitié du poète s'étend même aux animaux : *equi... et ruricolae boues / Foedis rapinis iam nimium diu / Vexati* (*Ode* XXV, 17-19).

> Matrum, et fame dira sitique
> Semineci grege liberorum (*Ode* XXV, 5-8).

C'est à eux que le poète pense d'abord, parce que ce sont les plus pauvres ; d'ailleurs la France est alors une nation essentiellement agricole. Le paysan berrichon chez qui arrivent Deschamps et son compagnon de voyage, après leur aventure en 1573, habite dans une chaumière sans feu, et ne peut donner à ses hôtes pour se préserver du froid qu'un peu de foin :

> ... in pauperrimi
> Casam coloni...
> Non luculento qui foueret nos foco
> Hospes, recente sed operiret stramine (*Monodia*, p. 21).

C'est là, sans doute, la limite de la survie, mais, en 1570, toute la France est malade. Les artisans, les marchands sont tristes et inoccupés — *Tristi ... pallidus otio/Mercator* (*Ode* XXV, 9-10) ; la noblesse est, exsangue, et sur elle pleurent des mères et des veuves — *fessa... sanguinis/Iam saepe fusi nobilitas* (*op. cit.*, 13-14) ; le bas-clergé, qui n'a aucune responsabilité dans ces troubles, subit des attaques à main armée :

> ... pius
> Coetus sacerdotum...
>   [...]
> Et tot sua ipsa innoxia corpora
> Ferro atque flammis perdita (*op. cit.*, 22-26).

DEVOIRS ENVERS LES PAUVRES   Tous n'ont pas le même besoin de protection. Plus tard, en 1576, quand les choses vont de mal en pis, c'est pour les plus pauvres que le poète réclame justice :

> Nam plebis[107] ultrix ipsa debet esse Lex (*Exh.*, 178).

C'est unç vertu de les aimer, d'avoir pour eux des égards : le défunt duc de Longueville avait ce mérite :

> ... respectus egentum
> Atque fauor summus (*P.*, p. 99).

Mais souvent les avocats eux-mêmes sont trop intéressés pour défendre des gens sans le sou, et la Muse du poète est leur seul recours :

> Pauperibus desunt homines plerumque patroni,
> Qui nil causidicis quod numeretur habent.
>   [...]
> Praesidio una quibus Musa patrona mea est (*P.*, p. 34).

Ainsi, Dorat parle avec sympathie d'une pauvre paysanne, devenue

---

107. Il se peut que par *plebs* le poète désigne l'ensemble du peuple, mais le choix de ce mot implique la pitié (cf. *aegra plebs*, *Exh.* 131).

meurtrière pour avoir voulu défendre sa fille contre les assiduités d'un don Juan de village : ce hobereau est présenté comme un roitelet — *regulus* — et un très méchant homme, véritable ennemi public :

> Quo non in populum saeuior hostis erat (*P.*, p. 30).

La femme, malgré sa faiblesse, ou plutôt à cause d'elle, est considérée comme l'instrument de la vengeance divine :

> Est Deus, est grauis infirmis de fortibus ultor,
> Si non per fortes, at muliebre manu (*op. cit.*, p. 32).

En faveur de ces humbles, Dorat use souvent de son influence auprès des magistrats lettrés[108], non sans avoir préalablement invoqué le secours divin :

> Auxilium quoties humanum deficit illis,
> Diuinum toties subuenit auxilium (*op. cit.*, p. 34).

Quand il accomplit ce devoir, rien ne le rebute : bien qu'il soit convalescent, il est allé frapper trois fois dans la même journée chez Matthieu de Longueil, alors que le valet — qui devait dédaigner la chétive apparence de ce solliciteur importun — lui répétait que son maître était absent :

> Ipse ter una luce tuas me contuli ad aedes,
> [...]
> Et ter pulsanti ter dixit abesse minister (*P.*, p. 229).

Son obstination vient de ce qu'il défend des orphelins et, si le magistrat l'écoute, celui qui est leur tuteur — et leur vengeur — lui en saura gré :

> Sic pupillorum faueat tibi tutor et ultor (*op. cit.*, p. 230).

Il se porte aussi comme témoin de moralité en faveur d'un colporteur de livres, qui a volé pour nourrir un père octogénaire :

> Testor eum non assuetum committere furta
> Noctis, sed libris uenalibus ire per urbem.
> Viuit adhucque pater octogenarius eius (*P.*, p. 306).

Attentif aux misères des humbles, l'humaniste sait reconnaître l'Homme sous les loques des plus méprisés, de ceux que la société rejette, méfiante. Il n'hésite pas à solliciter son puissant ami Hurault en faveur de Gitans qui ont été molestés, bien qu'ils eussent l'autorisation royale de circuler à travers le pays : on leur a volé leurs seules richesses, leurs chevaux et leurs hardes. Dans ces miséreux, c'est le droit des gens qui a été violé, mais si l'autorité royale n'a pas suffi à les protéger, la justice immanente de Dieu a vengé le forfait : *Facinus Deus sed ultus est* (*Epgr.*, p. 20).

---

108. Il défend ainsi, non sans humour, un cabaretier victime de six fonctionnaires municipaux peu scrupuleux, avertit le président Ch. de Thou et Barnabé Brisson de tous les détails de cette crapuleuse affaire, et conclut : *Asserite innocuum, mulcta damnate nocentem* (*op. cit.*, p. 36).

Quoi qu'il en soit, le roi ferait bien de prendre les mesures qui s'imposent pour faire cesser les plaintes du Pauvre[109], qui gémit en vain, affalé devant la porte du riche juge pourri par l'argent, et qui n'apparaît même pas :

> ... pauperis querimonias, qui nunc iacet
> Ad surda surdi iudicis flens atria (*Exh.*, 406-407).

Le temps qui passe affermit l'affection de l'humaniste envers ce menu peuple à l'esprit campagnard — *rusticae mentis popellus* (*Ode* XXXVII, 115) — en qui il reconnaît aussi bien le peuple de Dieu que le peuple du roi. Après la mort de Charles IX, le poète met les prières du peuple sur le même plan que celles de la régente Catherine :

> ... Reginae cura parentis
> Assiduis precibus *pariter populique* suisque
> Numina sollicitans, et Regia munera tractans
> (*In Henrici III... foelicem reditum*, Aij r°).

TÉMOIGNAGE POPULAIRE   Il a conscience, d'autre part, que les petites gens sont les témoins des grands événements nationaux. Peu touché lui-même par la mort du connétable après la bataille de Saint-Denis, il décrit le triste et somptueux cortège qui se déroule dans les rues de Paris : c'est avec les yeux du peuple qu'il voit les escadrons passer, les étendards inclinés, le talon de la lance en l'air — *euersas hastas, uexilla euersa* ; le peuple a vu pleurer les chevaux lamentables :

> Quinetiam ipsorum lachrymas plebs uidit equorum[110].

Lui qui fut un des artisans des grandes festivités royales, l'« entrée » de Charles IX et d'Élisabeth (1571), l'avènement d'Henri au trône de Pologne (1573), par exemple, il ne manque pas, dans les textes qui gardent le souvenir de ces fastes, de mentionner la présence du peuple qui, en quelque sorte, donne son sens à la fête : *populus spectauit*[111]. Aussi la curiosité enthousiaste de la foule est-elle notée avec vivacité, et même dès le premier vers : *Ecce ruit iam turba* (*P.*, p. 320).

Parfois cette masse est mobilisée au profit de causes douteuses. Pour rendre grâce à Dieu qui a, selon lui, sauvé le royaume à la Saint-Barthélemy, le poète souhaite que le petit peuple de Paris se porte au

---

109. Dorat ne manque pas non plus de louer le président Séguier de ne pas se faire le complice de ceux qui écrasent « la plèbe » de nouveaux tributs : *Plebem onerare nouis non conscius ille tributis* (*P.*, p. 165). Sans doute entend-il par là la taille, impôt des roturiers : elle n'est pas nouvelle, certes, mais n'a cessé d'augmenter dans le cours du XVIe siècle, avec ses « crues » devenues « ordinaires », sans parler des « extraodinaires » ; cf. R. Doucet, *Institutions*, t. 2, Paris, 1948, p. 562-577.

110. *Épitaphes sur le Tombeau de ... Anne de Montmorency*, Paris, P.G. de Roville, 1567, Aij v°.

111. In S. Bouquet, *Bref et sommaire recueil...*, *Entrée du Roy*, Aij r°.

Te Deum et participe à la cérémonie :

> Plenis plebsque fluat non capienda uiis
> [...]
> Et... turba recantet Amen (*P.*, p. 92).

Puis il note que c'est bien ce qui s'est produit : *urbs omnis... ruit* (*op. cit.*, p. 93).

Quant aux grandes fêtes qui ont marqué les noces de Joyeuse avec la sœur de la reine (1581), Dorat les décrit diligemment[112], mais ni le texte latin, ni la version française ne mentionne une participation populaire. Dès lors, la fête perd sa finalité profonde : elle n'est plus qu'un coûteux divertissement. Cela explique peut-être qu'il ait fallu relancer vigoureusement le poète royal pour qu'il vienne travailler avec les autres : il l'a noté avec simplicité[113]. On est loin de l'enthousiasme populaire manifesté en 1573 lors de la réception des ambassadeurs polonais :

> Gallia laeta tuis tunc successibus ibat (*P.*, p.297).

HERCULE GAULOIS — L'utilisation du mythe de l'Hercule gaulois dans les célébrations de la royauté montre le prix que les Valois et leurs conseillers attachaient à l'adhésion populaire. En juillet 1549, Dorat garde en mémoire l'« entrée » d'Henri II à Paris quelqus semaines plus tôt : Hercule avait alors les traits du défunt roi François I[er][114]. Cet Hercule éloquent attirait à lui son peuple par une chaînette allant — souplement — de sa langue aux oreilles de ses sujets, car il ne contraint pas, il convainc :

> ... Hercules
> ... cuius erat forma *catenula*
> Aures quae traheret *pensilis* aurea
> Vulgi orator et eloquens (*Ode* III, 25-28).

Plus tard, le poète royal a conseillé à Charles IX de parler à son peuple pour l'apaiser : *placidis populi motus compescere uerbis* (*P.*, p. 5). Après la mort de ce roi, il le célèbre encore comme l'Hercule gaulois qui tire à lui les foules :

> Tu ceu catenas auribus aureas
> Ex te loquente pensilis inserens

---

112. *P.*, p. 251-274.

113. L'expression « française » est plus truculente : « Et toy, Dorat, qui fais, paresseux, la couvade » (*op. cit.*, p. 264). M.A. Chastel, précisément à propos des fêtes de 1581, s'interroge sur la finalité de tels fastes : « Il n'est plus question d'y entraîner les foules. Les créations nouvelles sont destinées au cercle des courtisans et au milieu aristocratique seul, mais en y associant adversaires et amis politiques, ambassadeurs et observateurs, en cherchant toujours on ne sait quel bénéfice de l'éclat étourdissant du spectacle » (*La crise de la Renaissance, 1520-1600*, Genève, 1968, p. 164).

114. Cf. V.-L. Saulnier, « L'entrée d'Henri II à Paris »... in *Les fêtes de la Renaissance*, t. 1, Paris, 1956, notamment p. 46-47, et M.-R. Jung, *Hercule dans la littérature française du XVIᵉ siècle*, Genève, 1966, notamment, p. 88.

> *Turbae*, tuae linguae disertae
> Eloquio *populum*[115] trahebas (*Ode* XXXVI, 49-52).

Évidemment, en dehors d'une représentation — peu représenta-tive[116] — aux États-Généraux et aux assemblées de notables, le petit peuple compte bien peu dans la vie politique officielle de la France. Ainsi, comme la « plèbe » a manifesté son mécontentement devant la promotion de Birague — par une injustifiable xénophobie, d'après le poète royal — il rappelle énergiquement que le roi est le maître :

> (Rex)
> ... cui summa potestas
> Res tractare suas, tractandas aut dare cui uult (*P.*, p. 321).

En effet, c'est l'esprit de Dieu qui dirige le cœur du roi :

> Non sine mente Dei, Regis pia corda regentis (*ibid.*).

Pourtant ce texte n'est pas sans nuances, bien que l'énoncé n'en soit pas évident[117]. Cette plèbe « n'a pas encore été éclairée », elle a besoin de « lumière » :

> Haec obscura tenus plebs, et sine luce propago (*ibid.*).

Cette déclaration est faite dès le premier vers. Le poète s'efforce ensuite, non pas de justifier le choix royal, mais de montrer au peuple son erreur.

ÉCLAIRER LE PEUPLE   C'est là, en effet, un devoir pour tous les intellectuels, et Dorat saisit toujours l'occasion de le rappeler. Ainsi, en 1567, le nouveau poète royal juge presque déplacées les manifestations populaires de deuil à l'occasion de la mort du connétable. Qui se chargera de montrer que la mort ne saurait être prématurée pour un consulaire, puisque, à tout prendre, ce vieillard est mort pour son roi ? Ce devoir politique et moral incombe aux poètes qui loueront le mort comme il le mérite :

> Sed quis profanum luctibus arceat
> Vulgus molestis ? nos, quibus ingeni
> Diuinior uis est, Poetae :
> Hunc meritis celebremus hymnis
> (*Ode* XXIV bis, 13-16).

115. Dans la traduction latine que Giraldi avait donnée (*Historia deorum*, syntagma X) du *Bacchus, Hercules* de Lucien (concernant l'Hercule Ogmios des Celtes), le terme de πλῆθος est rendu par *multitudo*, qui n'attire l'attention que sur le nombre ; Dorat a préféré des mots plus politiques : si *uulgus* peut impliquer une nuance plus dédaigneuse, il n'en est pas de même pour *populus*. Quoi qu'il en soit, ce mythe ne semble pas avoir rencontré le même succès sous le dernier des Valois. Sur le nouvel Hercule *Victor*, cf. *Exh.*, 410-415.

116. Cf. R. Doucet, *Institutions*, t. 1, notamment p. 326.

117. L'emploi de *tenus* pour signifier *hactenus* (à moins qu'on ne corrige *haec* en *hac*, et qu'on n'admette une tmèse), le sens d'*obscurus*, qui noterait l'absence des lumières de l'es-prit, ne sont pas attestés en latin classique, et, si l'on peut dire, le sens de *lux* n'est pas clair.

Mais Dorat loue aussi l'œuvre, si l'on peut dire, de « formation permanente » accomplie par Laurent Joubert qui, non content d'enseigner à l'école de médecine, part en guerre contre les préjugés nuisibles qu'entraîne l'ignorance d'un peuple au bagage intellectuel insuffisant :

> Qui non contentus praecepta docere medendi
> [...]
> Errores etiam quos ignorantia uanis
> Inuexit populis in sua damna doces (*Epgr.*, p. 69).

De la part de Joubert, c'est là un acte de *pietas (ibid.)*[118]. L'humaniste, sans doute, ne se dissimule pas l'inconsistance de ce peuple, mais, loin de susciter son mépris, elle le fait prendre conscience d'un devoir.

VALEUR DE L'ADHÉSION POPULAIRE   Si Dieu, en effet, tient le cœur des rois entre ses mains puissantes, le peuple est dépositaire de certaines valeurs, et il est souhaitable de susciter son adhésion. Il y a lieu de se réjouir de l'avoir obtenue, comme ce fut le cas au lendemain d'une réforme judiciaire, quand « Paris s'en félicitait en applaudissant plus qu'à l'ordinaire » : *insolito gratata Lutetia plausu* (*P.*, p. 121). A la mort du duc de Longueville, Dorat précise que sa plus grande gloire est d'être pleuré aussi bien par des soldats et des gens du peuple très divers, que par les siens, car ses prévenances avaient su se les attacher tous :

> Nobilitate omni cum militibus *populis*que
> *Omnibus* : officiis sibi nam deuinxerat omnes (*P.*, p. 99).

La noblesse de Robe n'a pas moins besoin de l'accord populaire. Écrivant à Pibrac, Dorat note que ce dernier a été appelé comme troisième président aux applaudissements du Parlement, mais aussi de l'ensemble des peuples de France :

> (senatu)
> Plaudente et *populis* habuit quos Gallia *cunctis* (*P.*, p. 126).

Coquetterie dans la louange à l'égard du Gascon cicéronien[119] qui croit à la toute-puissance de la parole sur les foules ? C'est bien certain : en tout cas le fait est révélateur de la manière dont le magistrat humaniste entendait être flatté. Son maître eût mieux fait de ne pas laisser les tacticiens de la Ligue enfoncer le coin entre lui et « ses peuples ».

VISIONS VARIÉES   *Populus, populi, plebs, turba, uulgus, popellus*, tous ces termes rendent sensible la complexité de l'idée de peuple chez le poète humaniste. Il

---

118. *Erreurs populaires au fait de la medecine et regime de santé...*, Bordeaux, 1578. Joubert enseignait à Montpellier.
119. Cf. ci-dessus, p. 48.

serait même plus exact de parler de contradiction entre ses visions successives. En effet il est possible de trouver pour presque tous ces mots[120] une acception laudative, ou neutre, et une autre, nettement péjorative. Ainsi le poète fait des vœux pour l'ensemble du peuple — *omnis populus* (*P.*, p. 31), mais ce peuple orgueilleux — *superbus populus* (*op. cit.*, p. 66) — est justement châtié par Dieu. La plèbe obstinée — *plebs improba (ibid.)*, qu'il faut ramener à la raison, est celle qui se félicitait de la déconfiture du roi d'Espagne (*Ode* XIII). La foule inoffensive qui flâne en sûreté dans les rues — *turba uaga per uias* (*P.*, p. 26) — grâce aux mesures prises par Villeclair, peut être aussi une dangereuse masse de manœuvre aux mains des coteries politiques :

> Et turbant turbis otia nostra suis (*Ecl.*, p. 63).

Si le terme *uulgus* est pris le plus souvent en mauvaise part, ce « bas peuple » est le premier à se réjouir de la victoire de son roi (*Ode* XII). Ce sont là de braves gens dont le plus lourd défaut est l'inconstance — *(uulgus) uolitat sententia cuius* (*P.*, p. 123). Pour le roi, pour sa Justice, pour la noblesse, c'est un devoir de les défendre ; l'humaniste témoigne aussi de ce que ce peuple doit être non pas endoctriné, mais éclairé. Ainsi, chez Dorat, l'humanisme et la foi chrétienne ont fini par s'unir, pour le rendre sensible à l'éminente dignité des pauvres[121].

LES ABSENTS   Il ne semble pas que Dorat ait vraiment regardé le clergé comme une catégorie distincte des autres citoyens. Un seul texte le présente comme un « État », et, du reste, le premier d'entre eux, l'ode *In Conuentus* (XVI), consacrée à l'assemblée de notables réunie à Paris en janvier 1558 : il ne pouvait en être autrement.

Les hauts dignitaires de l'Église n'apparaissent pas, dans ses œuvres, parce qu'ils sont cardinaux ou évêques, mais plus souvent parce qu'ils jouent un rôle politique ou intellectuel dans la nation. En dehors de son chapeau et de son vêtement rouges (*Ode* XIV), le cardinal de Lorraine n'a rien d'un prince de l'Église, c'est un aristocrate français[122].

Célébrant la mémoire de Lancelot de Carles, le poète, qui a beaucoup d'affection pour lui, voit dans cet évêque de Riez un mécène — *fauens doctis* — et un homme cultivé :

> Doctus enim, et doctis uiuus amicus erat (*F.*, p. 154).

---

120. Seul *popellus* n'est pas péjoratif chez Dorat. Chez Horace (*Epist.* 1, 7, 65) l'acception est neutre ; chez Perse (4, 15), péjorative. Chez Dorat, il s'ajoute une nuance d'affection quand il parle du menu peuple de Limoges — *popellus Lemouicum* (*P.*, p. 73).

121. Cf. *P.*, p. 25.

122. Il en est de même du cardinal de Birague, puisque cet Italien — qui ne l'est pas vraiment puisque sa province était française lorsqu'il est né (*P.*, p. 321) — a été au service du roi de France (*F.*, p. 152).

Il est vrai que la piété n'était peut-être pas la vertu dominante de ces prélats.

Les exceptions sont rares. Toscano, évêque de Cahors — l'oncle du dédicataire de l'*Ode* XXXVII — s'est fait adopter dans son diocèse, mais l'humaniste note, aussitôt après, que ce savant aime s'entourer de savants : *doctus doctos amat* (*Epgr.*, p. 93). Dorat regarde davantage à la piété du pasteur quand il préside aux destinées des Chrétiens de Limoges : il rappelle à L'Aubépine, nouvellement installé, qu'il n'est pas seulement le successeur de son oncle, mais celui de saint Martial : la résidence est un mérite pour un prélat, et la piété de L'Aubépine a su ramener au bercail nombre de brebis égarées :

> Multas pastor oues ad Christi pascis ouile,
> Multas reducis transfugas (*P.*, p. 329).

Le bas-clergé est évoqué dans l'ode *Ad Pacem* (XXV), parce que ses membres sont, comme tous les autres Français, des victimes des guerres civiles, et c'est dans sa bouche que le poète met la prière pour la paix.

Le fait que peu de textes postérieurs à 1586 nous aient été transmis explique, sans doute, que la figure du moine ligueur soit absente de l'œuvre du poète royal.

Issu d'une famille bourgeoise de Limoges (*P.*, p. 96), il a passé presque toute sa vie à Paris, et n'a pas eu l'occasion de fréquenter et de juger la petite noblesse de province. Il n'en connaît que les déracinés, Ronsard, Joachim Du Bellay — qui n'appartient pas à la branche la plus célèbre de la famille. Nous savons que des provinciaux illustres, les Chasteigner de La Rochepozay[123], en Poitou, les Balsac[124], en Rouergue, n'ont pas dédaigné de faire faire l'éducation de leur fils par Dorat. Dans le cas des Chasteigner, du fait de son préceptorat, Dorat séjourna quelque temps au château familial, mais, si ces familles demeurent sentimentalement attachées à leurs terres, leurs brillants représentants font carrière auprès du roi, et l'on ne peut dire que Dorat, par elles, ait pu connaître de véritables hobereaux. Toutefois, deux silhouettes, qui ne font qu'apparaître dans son œuvre, sont inquiétantes : un séducteur (*P.*, p. 31-32)[125] et un chef de bande, pour

---

123. Cf. André du Chesne, *Histoire genealogique de la Maison des Chasteigners...*, Paris, S. Cramoisy, 1634, p. 305. Dorat, rappelé à Paris par ses fonctions, se fit remplacer par Joseph « de la Scale » (Scaliger). A. du Chesne a conservé le texte d'une lettre de remerciement adressée par Dorat à l'un des La Rochepozay, l'abbé de La Granetière (Documents, in *op. cit.*, p. 124-125) : on peut la dater de 1565.

124. Louis de Balsac publia, en 1578, deux odes pindariques qui attestent l'influence de Dorat ; le jeune homme fait même figurer le nom de son maître dans le titre de son recueil : *Ludouici Balsaci Ruthenensis nobilis, Ioann. Aurati Poëtae Regii alumni Operum Poëticorum lib. III*, Paris, 1578.

125. Cf. ci-dessus, p. 337.

qui la raison du plus fort est toujours la meilleure :

> Agenda ferro res tibi, non est foro,
> Discas docendus ut tuo tandem malo
> Qua fas nefasque potentiori cedere (*Monodia*, p. 9).

Un jugement sévère sur la dureté des riches propriétaires campagnards
— *Per rusticorum ditium inclementiam* (*op. cit.*, p. 21) — n'habilite
pourtant pas à conclure que Dorat tienne toute cette catégorie sociale
sous le coup de la même réprobation.

LA COUR L'humaniste, devenu parisien, a l'expérience de la Cour : le menu fretin qui
la compose est jugé avec sévérité, et un poème en phaléciens traite des
misères de la vie de Cour — *De aulici uictus miseriis* (*P.*, p. 240-242). Il
ne s'agit pas des malheurs des courtisans, mais de ceux d'un humaniste
égaré parmi eux. Dorat met ainsi dans la bouche d'Amyot un pamphlet
en règle contre les courtisans, qui l'aurait, lui, dégoûté de la Cour :

> Sic inuectus in Aulicos et Aulam est,
> Vt iam uel mihi taedium sit Aulae (*op. cit.*, p. 240).

Amyot prêchait un converti : Dorat avait lui-même connu cette existence avilissante, et il serait prêt à souscrire à la formule qu'il prête à
son collègue : qui refuse le joug quotidien de la servitude n'a rien à
faire à la Cour :

> Hoc seruile iugum quotidianum,
> Si quis ferre negat, recedat Aula (*op. cit.*, p. 242).

Lui-même a supporté pendant toute une année les mille vexations
qu'infligent les courtisans :

> Aulica... passus fastidia mille per annum (*Epgr.*, p. 15).

DÉFAUTS C'est que, si l'on en croit les propos
DES COURTISANS d'Amyot rapportés par Dorat, il est
impossible de s'entendre avec ces êtres
incultes — *ineruditi* (*P.*, p. 241)[126]. Il faut supporter les outrages, les
affronts de ces parasites :

> ... Gnatonum
> Haec opprobria contumeliasque (*P.*, p. 241-242).

Ces gens-là sont voraces au sens propre, et l'intellectuel trop timide,
affamé, en est réduit à ronger son pain dur — *premit canino/Panem
dente diu* (*P.*, p. 240)... à la fumée du rôt :

> (Lances)
> Quarum pasceris aut odore solo,
> Aut spectaculo (*op. cit.*, p. 241).

---

126. On pense à la formule de Budé, *mater Ignorantiae*, qui justifie toutes ses autres
accusations (*De Asse*, Paris, Josse Bade, éd. 1516, f˚ 83 v˚-87 r˚).

Les laquais, insolents, ne sont pas moins gloutons : il faut trois fois leur demander à boire, et se garder de vider la coupe qu'ils vous présentent :

> ... nefas nisi ter dari petenti
> Vinum, nec nisi parte derelicta
> Stanti reddere poculum ministro *(ibid.).*

Mais l'homme de Cour, en dehors des repas, est aussi un loup dévorant — *aulicola... lupus (op. cit.,* p. 96) — dont il faut se défendre, et Dorat doit demander à M. de Marillac, maître des requêtes, de soutenir la famille de sa mère : malheureusement les « loups » ne sont pas nommés. Aussi l'humaniste ne laisse-t-il passer aucune occasion de dire du mal de la Cour. Ainsi Lancelot de Carles sut mener une existence sans heurt, « ce qui est rarement le cas des courtisans » :

> Semper inoffensae cursum decurrere uitae
> Sciuit, quod paucis aulica uita dedit *(F.,* p. 154).

DORAT À LA COUR   Si la vie quotidienne à la Cour laisse parfois à désirer[127], Dorat ne semble pas avoir gardé un mauvais souvenir de l'étroit logement qu'il occupait dans une tourelle du palais en compagnie du médecin Jérôme de Varade qui s'était chargé de son « éducation » :

> Cum breuis una duos turricula regia cepit
> Te ceu Phylliriden, me uelut Aeaciden *(Epgr.,* p. 53).

C'est sur un ton dégagé et plaisant qu'il adresse à celui qui fut autrefois[128] son « Chiron », une requête en faveur d'un de ses compatriotes, après avoir humoristiquement rapproché la dite tour et l'antre du Pélion, rappel probable d'une plaisanterie passée :

> Paruaque turris erat tibi Peliacum uelut antrum *(ibid.).*

Toute sa vie Dorat a supporté avec peine les contraintes sociales : celles de la Cour devaient être particulièrement pesantes. En y arrivant, le professeur était libre :

> Liber eram, ueniens nuper nouus hospes in Aula *(Epgr.,* p. 24).

Mais tous les protecteurs n'ont pas forcément la discrétion de « Chiron » ; aussi bien peuvent-ils pécher par excès de bonnes intentions. Dorat pouvait se nourrir des réflexions d'Horace qui revendiquait la liberté de demeurer loin de la ville *(Epist.* 1, 7), car l'hospitalité qu'il a reçue

---

127. Vin trouble ou piquette — *uappa merumue feculentum (P.,* p. 241), repas faméliques — *famelicas caenas (op. cit.,* p. 242).
128. Le poète rappelle le bon vieux temps ; le texte commence par les mots *Si memor es.*

lui pèse : aussi prie-t-il son protecteur, Nicolas Baufremont, baron
Senesca (qui protégeait aussi Louis Le Roy) de l'excuser, et de lui permettre de ne pas vivre sous son toit :

> ... tua... si non... frequento
> Tecta,...
> Da ueniam (*Epgr.*, p. 24).

Dans le cas contraire, le malheureux verrait la demeure amie se transformer en prison : *tua sit carcer amica domus (ibid.)*. Le ton est, on
le voit, plus énergique que celui d'Horace envers Mécène, mais, en fin
de compte, c'est bien le conseil du poète latin (*Epist.* 1, 7, 96-97) qu'a
suivi l'humaniste : quand on a reconnu combien ce qu'on a délaissé
vaut mieux que ce qu'on recherche, il faut se hâter d'aller retrouver ce
qu'on avait quitté. Récemment revenu aux Muses et à ses chères études,
Dorat déclare qu'il a quitté la Cour comme un fugitif[129] :

> ... migraui tanquam fugitiuus ab Aula
> Cum Musis studiisque in gratiam ut inde redirem (*Epgr.*, p. 15).

Cette confidence s'adresse à M. de Thermes, un homme de l'entourage
du roi, qui vient de confier son fils à l'humaniste.

Dorat, en effet, ne manque jamais de faire la distinction entre la
Cour et les grands. Ainsi quand il célèbre la mémoire du théologien
Claude d'Espence, il déclare que, s'il fut cher aux princes, il méprisa
l'ambition et la Cour :

> Principibus charus, tamen ambitionis et aulae
> Contemptor (*P.*, p. 211).

Aussi le judicieux conseil que, sous les couleurs de l'églogue, *Petreolus*
(Pétrarque) donne au poète français, est-il de chanter la Cour, certes,
mais en vivant librement dans la nature, paissant ses troupeaux. Venant
d'un homme qui, de sa retraite des bords de la Sorgue, se disait incom-
modé par l'odeur pestilentielle de la Cour d'Avignon, l'idée a son prix :

> (ut)
> ... suas pecudes
> Baccis pasceret atque comis umbraret opacis,
> Si simul ut caulas, regum celebraret et aulas (*Ecl.*, p. 29).

En effet, le terme d'*aula* est presque toujours chargé de mépris.
Quand Dorat évoque les festivités royales du mariage d'Henri de Guise
et de Catherine de Clèves, il nomme la Cour *Regalis coetus* (*Ode* XXVI,
27), et précise bien qu'il entend par là des princes et des ducs; si, dans
l'*Ode* XXVIII, il emploie bien le terme *aula* (7), cette « Cour » de
Charles IX est aussitôt rapprochée de celle de Jupiter, pour qu'aucune

---

129. Amyot était un transfuge de la cour : le poème *De aulici uictus miseriis* s'ouvre sur
les mots *Aulae transfuga* (*P.*, p. 240).

erreur d'interprétation ne soit possible, et nous apprenons en outre
que le poète nous présente là un cortège de dieux et de demi-dieux,
une procession de déesses encore plus gracieuses :

> Est hic Deorum, et Semi-deum chorus ;
> Est et Dearum pompa decentior (*op. cit.*, 25-26).

Si le professeur a tôt fait d'abandonner une carrière aulique, on peut
dire qu'il a presque toujours été bien en Cour.

LA NOBLESSE D'ÉPÉE   Notre propos n'est pas de détailler ici
les relations de Dorat avec l'aristocratie
de haut vol, y compris la famille royale[130], mais de mettre en lumière
quelles sont, d'après lui, les qualités d'un aristocrate exemplaire.

Du reste, il trouve légitime de lui demander beaucoup, car, grâce
aux richesses des ancêtres, le mérite de ce privilégié a bien des occasions
de se faire connaître[131] :

> Diuitiis proauitis
> Iuncta faciles occasiones
> Gloriae uirtus habet sibi parandae (*Ode* XVIII, antistr. 9).

L'INDIVIDU EN FACE   On connaît la « recette » pindarique de
DE SES ANCÊTRES   la louange, reprise par Ronsard[132]. Les
princes auxquels s'adresse Dorat ont,
sans doute, suffisamment de mérites personnels pour qu'il n'ait pas
besoin d'avoir recours à ce pis-aller. Ce bourgeois, d'ailleurs, n'oublie
pas plus les leçons de Salluste, de Sénèque ou de Juvénal[133] que celle
de son maître thébain. Ainsi, s'adressant au cardinal de Lorraine, il lui
dit que, s'il est illustre par son sang, il l'est plus encore par son génie
propre :

> ... Lothareno Carole sanguine clare,
> Clarior ingenio (*Epth.*, p. 242)[134].

130. Jusqu'à son départ pour Chambéry, Marguerite fut la protectrice officielle de Ronsard et de ses amis : Dorat lui a dédié une ode (XVII), et en a composé deux à sa demande (VI et XXI) ; il déplore son départ (XXII). Il semble, cependant, qu'il n'a rien composé pour son « tombeau ».

131. La remarque est destinée aux princes lorrains : c'est une simple constatation, sans acrimonie.

132. « Et s'il ne connoist en lui chose qui soit dinne de grande recommandation, il doit entrer dans sa race, et là chercher quelqu'un de ses aieus, jadis braves, et vaillans » (*Au lecteur*, S.T.F.M., t. 1, p. 48).

133. Salluste, *Iug.*, 85 ; Sénèque, *Ad Luc.*, 44 ; Juvénal, 8.

134. Le poète reprend le même thème à propos du cardinal de Châtillon : *lux Castalionis Odetus, / Clarus Odetus, clarior... (ibid.).* Plus précisément, l'arbre généalogique de François de Foix-Candalle œuvre moins pour sa gloire que ne le fait sa science, qui le met plus en vue que n'importe quel prince, ou peu s'en faut : *uetusto / Clarum stemmate Principum, sed arte / Quouis Principe pene clariorem (P.*, p. 283).

GLORIFICATION PINDARIQUE   Cependant Dorat mentionne volontiers
le grand ancêtre, celui qui a commencé
à donner la notoriété à la famille. Ainsi les princes lorrains peuvent se
flatter de descendre du « bon roi » René d'Anjou, roi « titulaire » de
Naples :

> Sicut et nunc gens Lotharinga probat
> Se Siciliae Rege natam (*Ode* XVIII, ép. 6).

La mention du royaume de Sicile permet, du reste, de fructueux rapprochements avec les Dinoménides, protecteurs de Pindare.

L'éloge du duc de Longueville, mort en 1573, est encadré par une
allusion à son ancêtre Dunois (*P.*, p. 96), et un développement consacré
au rôle de ce dernier devant Orléans (*op. cit.*, p. 100). Le poète voit là
une magnifique illustration de l'optimisme aristocratique, cher à Pindare : un tel courage, un tel amour de la gloire et de la vertu ne peuvent
échoir qu'à l'homme issu de grands aïeux :

> Haec uirtus, et tantus amor laudisque bonique
> Non nisi magnorum descendit origine patrum (*op. cit.*, p. 99).

Après avoir énuméré les glorieux ancêtres d'Henri de Guise et de
Catherine, sa jeune épouse, fille du duc de Nevers, le poète conclut à
la pérennité de cette race aristocratique :

> Natosque natorumque natos
> Progenerant similes auorum (*Ode* XXVI, 31-32).

Ainsi Henri de Guise est le portrait moral de son père ; quand il se bat,
on croirait voir ce père :

> Guisius Henricus patriae pietatis imago,
> Guisius Henricus alter ad arma pater (*B. V. M.*, Aij r °).

C'est en étant fidèle aux vertus de ce dernier qu'Henri a pu chasser les
étrangers du sol de la patrie :

> ... patriis uirtutibus usus
> Finibus externos extulit a patriis (*ibid.*).

ÉMULATION   L'aristocrate, en effet, a le devoir de se
montrer à la hauteur de ses ancêtres,
et s'il y réussit, il s'offrira à l'imitation de ceux qui dépendent de lui.
Ainsi Enghien à Cerizoles encouragea les siens plus par son exemple
constant que par ses discours, et cette attitude était bien digne de la
race des Bourbons : ·

> ... animosque suis hortatibus auget,
> Exemplis magis, quae multa dat indole digna
> Borbonii generis (*P.*, p. 87).

Il s'agit là d'un commentaire personnel du poète : Martin Du Bellay, dont il démarque fidèlement le récit, ne dit rien de tel[135].

Dorat aime à reconnaître dans les princes qu'il chante les traits héréditaires d'une beauté aristocratique, car cette harmonie est en rapport avec l'« honnêteté » du cœur, comme par tradition familiale : tel est le cas chez les Guises et chez les Nevers :

> Nil est decenti fronte decentius,
> Nil est honesto pectore honestius :
> Hoc est utrumque Guisianum,
> Hoc est utrumque Niuernianum (*Ode* XXVII, 17-20).

De fait, avant sa blessure, Henri de Guise passe aux yeux de tous pour un bel homme, mais le « Balafré » sera plus beau encore, car son visage porte maintenant la marque qui témoigne de son courage, comme il sied aux braves :

> Pulcher erat quondam, se nunc est pulchrior ipso,
> Ipsa *decet* fortes fortis in ore nota (*B. V.M.*, Aiij r°).

Le poète, naturellement, est en relation constante avec cette vraie noblesse : ainsi François de Lorraine lui fournit, par ses hauts faits, la matière de ses hymnes, Charles, par ses largesses, lui donne la possibilité de les composer à loisir :

> ... haud minor
> Semper cura... fuit
> Largis muneribus carmina prosequi
> Vatum quam dare uatibus
> Clari materiem carminis uberem (*Ode* VIII, 30-34)[136].

LES DEVOIRS DE L'ARISTOCRATIE Tout le recueil des *Triumphales Odae* est une glorification du triple service que les Lorrains rendent à la France : le mécénat, le devoir des armes, et celui du conseil. A la disposition du roi, François a mis son épée, Charles ses avis :

> ... dedit sed fratris ensem
> Ipse (le cardinal) suos monitus salubres
> (*Ode* XIV, 15-16)[137].

Dorat, toujours réaliste (str. 8), ne manque pas de rappeler aussi

---

135. *Mémoires*, éd. Petitot (collection complète de Mémoires relatifs à l'histoire de France, t. 19), Paris, Foucault, 1821, p. 485 et suiv.

136. Dorat sait apprécier l'affabilité d'Odet de Coligny envers les doctes, et le soin particulier dont il les entoure : *lux Castalionis Odetus / Comis et accessu facilis, ... sed erga / Doctos praecipue, quos praecipue colit unus* (*Epth.*, p. 242). Le cardinal, du reste, est le dédicataire de la traduction latine de l'*Hymne de Bacus* (*P.*, p. 375-384) aussi bien que du texte composé par Ronsard.

137. Cf. aussi *Ode* VIII, 44-47. Dans l'ode pindarique (XVIII), après avoir loué le mécénat des Guises (str. 7), le poète évoque l'action diplomatique et militaire des deux frères dans le fameux « voyage d'Allemagne » : *o Carole docte, tua / Non sine toga, et fratris armis* (ép. 9).

que l'aristocratie se doit d'offrir au roi le nerf de la guerre, ses ressources, au sens le plus large du mot :

> Saepe suis opibus
> Gens auxit opes Lotharinga Gallicas (*Ode* XVIII, ép. 9).

Ce genre d'éloge est décerné également à Léonor de Longueville : le duc a fidèlement donné au roi sa vie, passée dans les camps et aussi, puisqu'il est riche, un énorme secours financier, dans l'évocation duquel les chiffres s'affolent :

> Plus deciesque decem decies, et millia quinque
> Aurea continuis consumpsit, diues, in armis (*P.*, p. 98).

Le jeune duc occupe, à côté de François de Guise — mort dix ans plus tôt — une place privilégiée parmi les hommes de guerre : il avait un caractère aimable, il était juste, savait reconnaître le Bien, respectait les pauvres (*op. cit.*, p. 99), mais toutes ces qualités ne sont mentionnées qu'après la longue énumération de ses services à l'armée :

> Non tamen expertis semel euasisque periclis
> Abstinuit, Regi quaecumque sequentibus annis
> Proelia sunt pugnata, abiens dux acer in armis (*op. cit.*, p. 98).

C'est que, pour un homme qui a vécu le duel inexpiable de François Ier, puis d'Henri II, contre Charles Quint, ce qu'on doit attendre d'un aristocrate c'est, avant tout, le service de son épée.

LE DEVOIR ARISTOCRATIQUE : LES ARMES Dorat a consacré un long poème en hexamètres à chanter la victoire du duc d'Enghien à Cerizoles (*P.*, p. 83-89), en se documentant à la meilleure des sources, les *Mémoires*[138] de Martin Du Bellay, ou, plus probablement, les notes prises en vue de leur rédaction, car Du Bellay avait pris part à ce combat. Les faits d'armes de la noblesse française y sont soigneusement mentionnés, mais, surtout, le jeune chef est triomphalement exalté avec l'aide des Muses, désormais « filles de la Seine » :

> Sequanides Musae...
> Mecum et Borbonium sub sydera ferte triumphum (*P.*, p. 83).

Enghien agit bravement — *fortiter* (*op. cit.*, p. 84) : il n'hésite pas à se lancer avec une troupe moins nombreuse que celle de son adversaire (*ibid.*), il est ardent — *acer* (*op. cit.*, p. 87), infatigable — *impiger* (*op. cit.*, p. 89) : gloire au duc (*ibid.*). Il est plaisant de noter que les adjectifs et adverbes de ce genre manquent chez le mémorialiste, narrateur objectif, tandis que le poète veut imposer l'image épique d'un chef jeune (Enghien avait vingt-cinq ans), et plein d'allant.

138. Cf. n. 135.

Le plus grand homme de guerre loué personnellement par Dorat est, bien entendu, François de Guise, celui qui, devant Metz, a su arrêter l'élan de « César » :

> (Scimus uti)
> Metis reppulerit Caesaris impetum (*Ode* VIII, 56),

le second Hannibal (*Odes* XI ; XVIII, str. 10, 12), le vainqueur de Calais et de Guines. Avant qu'il ait paru, sa renommée a épouvanté les Anglais (*Ode* XI). Ce stratège est un brave : il est empressé à marcher au devant des périls, aux appels sauvages de la trompette :

> ... strenuus
> Ire comminus periclis
> Cum uocarent horrida signa tubae (*Ode* XVIII, str. 9).

Pourtant François est un doux — *dux... benignus* (*Ode* XVII, 30-31) : il n'a pas vengé à Calais les horreurs commises par les Impériaux à Saint-Quentin.

En face de ce héros épique, le connétable, chez Dorat, paraît une terne figure. Il a eu la chance de mourir pour son prince[139], ce qui lui assure, tardivement, un divin courage — *diuina uirtus* (*Ode* XXIV bis, 10). Le poète lui reconnaît le mérite — essentiel, il est vrai — d'une fidèle obéissance à son roi :

> ... iussa Regis cum fide exsequens sui[140]
> Dum uixit (*F.*, p. 153).

Malgré la victoire de Saint-Denis, il n'a pas grande estime pour le caractère du connétable, et la mort n'y change rien. Poète royal depuis moins de six mois, il se voit dans l'obligation de célébrer ce défunt : il n'étale pas un chagrin qui n'est pas le sien, mais trouve une justification morale à cette absence de larmes : la mort du connétable a fait de lui un dieu ; mieux vaut le vénérer :

> ... Deus,
> Aut par Deis uirtute factus,
> Flendus, an est uenerandus Anna? (*Ode* XXIV bis, 10-12).

Au lieu de louer le mort, il décrit son enterrement[141]. Il ne peut s'empêcher de noter qu'à Saint-Denis, la victoire fut indécise, et que Montmorency mourut dans la tristesse de ne pas avoir vengé la patrie : *Caesum se patria dolens inulta* (Biiij v°). Enfin, à deux reprises, le nom

---

139. Dorat rapproche spontanément le destin de Montmorency de ce que fut, d'après lui, le choix d'Henri II, sa *deuotio* : *se pro patriae periclitantis,* | *Vt quondam* Decius, *salute uouit* (*Epitaphes...*, cf. n. 110, B v°).

140. En fait, le seul roi, aux yeux de Montmorency, fut Henri II, auquel il resta attaché dans la vie et dans la mort : aussi l'adjectif possessif *suus* a, bien probablement, une valeur restrictive dans l'esprit du poète.

141. *Regalesque toros, Regalis stragula lecti,* | *Armigeras acies, armigerosque duces,* | *Euersas hastas, uexilla euersa trahentes* (*op. cit.*, Aij v°). Dorat utilisera un procédé analogue dans l'« épithalame » en l'honneur de Joyeuse, transformé en *ekphrasis* de la fête.

de Guise se présente sous la plume du laudateur du connétable[142] : or
Guise était mort depuis quatre ans, mais il reste son héros.

P. Strozzi, malgré son origine étrangère, laisse un souvenir glorieux,
lui qui a coulé avec son navire amiral sous les coups des Espagnols,
alors que son escadre l'avait abandonné : le sang a inscrit dans les
astres sa gloire et celle de ses marins :

> ... laudes
> Inscriptas uestro sanguine syderibus (*P.*, p. 223).

La vraie noblesse, en effet, méprise la mort.

C'est parfois, du reste, le seul mérite que le poète reconnaisse à
l'aristocrate défunt. Sollicité de louer, en 1569, Timoléon de Cossé-
Brissac, Dorat, pour faire du mort un « cœur de lion » transforme son
nom en *Thymoleon* :

> Thymoleon fueras, cum uis animosa leonis
> Tentaret belli prima pericla tibi[143].

Visiblement l'inspiration est courte : Brissac attaquait toujours les
murs des ennemis le premier, qu'il fût à pied ou à cheval, quand on
pouvait aller à cheval :

> Primus in hostîles nam dux irrumpere muros
> Tu solitus, primus proelia inire pedes,
> Aut ab equo, quando acris equi fuit usus in armis *(ibid.).*

LE MIRAGE DE L'ARMÉE

Parfois le simulacre de la guerre, ou la
guerre en dentelles, suscite chez ce
bourgeois pacifique un sentiment esthétique. A l'école des pages, le
jeune Ronsard scintille dans sa voltige équestre :

> ... corpus apte
> Vel in equum, uel de equo
> Volans *micat* (*Ode* IV, ép. 1).

Dans la parade militaire organisée à Nancy, en avril 1552, lors du
« voyage d'Allemagne », afin d'impressionner la duchesse de Lorraine,
le roi de France, était beau au milieu de ses escadrons pleins d'allant :

> ... ipse Rex
> Gallorum, nitido *pulcher* in agmine
> Turmarum iuuenilium (*Ode* XX, 18-20).

Le poète, il est vrai, a mis ces paroles dans la bouche d'un Lorrain dia-
loguant — sept ans plus tard — avec un Français pour la plus grande

---

142. Si Montmorency est comparé à Hector, Guise, lui, fut aussi brave qu'Achille :
Guisiades fortis forti non distat Achilli (op. cit., Aij r·). Les funérailles de Guise furent plus
grandioses que celles d'Achille : *Guisiadae exequias, quales non Graecia Achilli (op. cit.*, Aij v·).
143. In *Epitaphes et Regrets sur le trespas de M.T. de Cossé, comte de Brissac*, Paris,
Buon, 1569, Aij r·. Le texte est ensuite traduit en français.

gloire du roi de France, mais il pouvait prendre un tel propos à son compte[144].

Parfois la guerre se présente à ses yeux comme l'image des prouesses des chevaliers du Moyen Age. Henri II lui apparaît comme le premier de ces féodaux batailleurs : aussi se plaît-il à noter en lui l'essentielle vertu de cette caste, son courage : le roi est un Persée (*Ode* XIV); il est, surtout, le descendant du bretteur royal, Philippe VI de Valois et, puisqu'il a su le venger, on peut oublier Crécy :

> ... Est nepos, est
> Vltus auos (*Ode* XII, 19-20).

Quel beau spectacle que le passage des Alpes de l'hiver 1556-1557, quand François de Guise conduisait une armée de jeunes princes :

> ... Lotharingus agens
> Agmen iuuenum... principum (*Ode* XVIII, ép. 10).

Le professeur royal ne voit ici que l'aspect aristocratique et chevaleresque de l'expédition[145].

LES LAIDEURS DE LA GUERRE — Toutefois ces images étincelantes ne l'impressionnent qu'un instant. Il sait que la guerre est laide : il ne compte pas les morts de Cerizoles, mais rend grâces aux soldats dont le courage a défendu la France contre les Espagnols (*P.*, p. 89).

Au siège de Metz, l'humaniste a vu les événements à la manière de Fabrice à Waterloo : des soldats se battent à l'arme blanche, peu s'en faut qu'il ne soit lui-même pris entre deux chariots, des soudards ivres le bousculent, un pont s'écroule :

> ... ad prata Mosellae
> Nam nisi fida Dei custodia saepe uocanti
> Adforet, aut rota praeteriens aut machina corpus
> Debile protereret, uel fracto ponte sub undas
> Praecipitem ferret inter currusque rotasque,
> Ebrius aut miles caeco temerarius ictu
> Cuspidis hauriret latus, ah! pastoris inermis (*Ecl.*, p. 30).

En face, les Impériaux croupissent honteusement dans la neige :

> ... pudore... tabendi pruinis
> Ante murorum moras (*Ode* XVIII, ép. 8).

Aux yeux du poète, la vraie gloire de François de Guise est d'avoir su renoncer à ses fulgurants desseins italiens pour devenir un Fabius

---

144. D'ailleurs, il a peut-être assisté lui-même à la parade de Nancy, car il mentionne sa présence au siège de Metz (*Ecl.*, p. 30).

145. Il avait dû, il est vrai, assister à son glorieux départ et voir défiler les plus beaux cavaliers du royaume, MM. d'Aumale, d'Elbeuf, aux côtés de M. de Guise, et aussi MM. de Brissac, de Nemours.

Cunctator, et ramener son armée à travers la Toscane hostile (*op. cit.*, str. 12).

Le poète royal a célébré les soldats qui sont morts bravement aux côtés du connétable à la bataille de Saint-Denis — *Ad strenuissimos milites, qui cum Duce Anna Mommorantio pro patria simul occubuerunt*[146]. Mourir glorieusement n'est pas le privilège du seul aristocrate dont, pourtant, le service des armes est la vocation propre.

MANQUE DE SYMPATHIE DE DORAT

Il y a donc lieu de s'étonner quand on voit la noblesse d'épée tenir un autre rôle. Ainsi, la louange que Dorat décerne à son ami Ronsard est peu amène pour l'aristocratie en général : si ce fringant cavalier est aussi un homme de génie, un jeune noble n'est pas souvent capable d'une telle ascèse intellectuelle :

> ... *stupebit dicatum grauibus umbris*
> *Musarum, agilibus quoque*
> *Saltibus Martis expedisse membra* (*Ode* IV, ép. 1).

Quand un brave soldat, Louis de Tournon, se mêle aussi de protéger un homme de science, Geoffroy Linocier, il s'attire par là une gloire qui n'est pas moindre :

> (laus)
> *Non minor est doctis illa fauere uiris* (*P.*, p. 15).

La litote montre bien où vont les préférences de l'auteur, quand il peut choisir entre les deux vocations de Pallas.

Mais, surtout, à partir du moment où les luttes civiles s'intensifièrent, en particulier après la mort de François de Guise, Dorat, qui n'avait pas, par nature, une sympathie débordante pour la noblesse d'épée, la jugea sans indulgence : ses deux factions sont responsables de la guerre : *nobilitas... furit ipsa duplex* (*P.*, p. 69)[147]. Le poète note qu'il ne faut pas moins de dix années de guerres civiles presque ininterrompues pour qu'on puisse reconnaître la lassitude de cette aristocratie batailleuse, épuisée par le sang versé :

> ... *fessa belli, fessaque sanguinis*
> *Iam saepe fusi nobilitas* (*Ode* XXV, 13-14)[148].

En fait, quelle que soit son admiration, sa gratitude envers certains membres de cette noblesse, elle ne représente pas à ses yeux l'élite de la nation. Ils sont le corps ; il faut chercher ailleurs l'esprit, et si l'aristocratie s'abandonne à ses fureurs belliqueuses, c'en est fait de l'esprit :

146. *Op. cit.* en n. 110, Ciiij r·.
147. Cf. ci-dessus, p. 269, 271, 274-275.
148. Encore Dorat s'empresse-t-il de mettre en avant le deuil des mères et des jeunes veuves, qui, seules, suscitent sa pitié : *Natis... matronae nurusque / Ante diem uiduae maritis* (*op. cit.*, 15-16).

mens contempta iacet (*P.*, p. 123).

La plus grande chance de la maison de Lorraine a été d'avoir en son sein, outre tant d'Achilles, un Nestor[149] :

> ... Nestorem unum, ... tot Achilleas
> De Guisiana... domo (*Ode* XXII, 61-62).

LES GRANDES DAMES Mais la famille de Lorraine se fait aussi remarquer par l'intelligence et la culture — sans parler de la beauté — de ses filles. Antoinette de Bourbon, la « mère des Guises »[150] avait veillé, en effet, à l'éducation de sa fille Marie de Lorraine et à celle de sa petite-fille, Marie Stuart[151]. Et Dorat d'admirer :

> Est docta mater. — Filia doctior (*Ode* XIX, 29).

Parmi les grandes dames, une seule a droit à un jugement aussi favorable, Camille, comtesse de Retz, qui rivalise de savoir avec les hommes savants :

> Quae certat doctis foemina docta uiris (*Epgr.*, p. 37).

La comparant à la reine des Volsques, dont elle porte le nom, le poète conclut à la supériorité de la comtesse, grâce à un jeu de mots qu'il affectionne[152] *Mars/ars* : la Camille antique ne savait que se battre, Mme de Retz pratique les arts libéraux :

> Corpore nobilior mens est : sit clara Camilla
> Marte uirum, tu sis clarior arte uirum (*Epgr.*, p. 37)[153].

DÉRISION DES Ce jugement n'est pas en faveur de la VALEURS NOBILIAIRES caste guerrière d'où est issue la comtesse savante : c'est là un point de vue politique, immédiat, mais si l'on regarde l'avenir, qu'adviendra-t-il de ces héros? Ils sont incapables d'assurer la survie de leur nom. Dorat, fidèle à Pindare et à Horace[154], a bien souvent énoncé cette idée. Une fois aux

---

149. De fait, c'est toujours au cardinal que le poète dédie ses œuvres, même s'il considère que les princes lorrains, en général, sont les aimables patrons des poètes auprès d'Henri II : *dulces apud Regem patronos* (*Ode* XVIII, str. 7).

150. Cf. G. de Pimodan, *La mère des Guises...*, Paris, Champion, 1889.

151. Sur la science de la « reine-dauphine », cf. Brantôme, *Des Dames*, éd. Lalanne, t. 7, p. 405-406.

152. Cf. *P.*, p. 69 ; 374.

153. Pour Dorat, en effet, les arts libéraux sont « mâles » : néanmoins, les femmes n'en sont pas systématiquement écartées. Il annonce à H. de Mesmes qu'il n'éduquera pas sa fille Madeleine dans les arts des femmes : *non educabo / Foemineas teneram per arteis* (*Ode* I, 63-64). La petite fille, si jolie soit-elle, sera « mâle » par l'art de son père : *Mas patria... arte* (*op. cit.*, 88).

154. Cf. par ex. *Carm.* 4, 8, 20-22 ; 4, 9, 25-28. Pour Dorat, cf. par ex. *Ode* VIII, 10-13 ; XVIII, ép. 4 etc.

enfers, Achille, le fort, a triste mine, bien que sa cuirasse scintille encore :

> Nam quid ibi uacuus iam corpore possit Achilles,
> Summa fuit cui laus in robore corporis uno,
> Et nunc umbra leuis micat inter luce carentum
> Armigeras acies (*P.*, p. 122).

Mais Tirésias, le sage devin, est roi parmi les ombres de tous ces Argiens qui semblent s'agiter sans but :

> Tiresias sapiens, temere uolitantibus umbris
> Huc illuc reliquis, solus Rex inter et imos
> Manes Argiuos *(ibid.).*

Là-bas, la seule gloire est celle de l'intelligence : *illis animi decus eminet unum (ibid.)* : justice est faite.

Telle n'est pas la règle de ce monde. Ici, toute la gloire va aux Hectors aussi bien qu'aux Achilles :

> Fama uel Hectoribus uel cessit Achillibus una (*P.*, p. 123).

Pourtant, même ici, leur force est dérisoire : pour la mettre en échec, il suffit des pleurs d'un enfant qui ne peut encore ni parler, ni marcher : Hector, glorieux et sanglant, se plie au caprice du minuscule Astyanax hurlant, et enlève le casque qui effraie ce fils de héros :

> (Astyanactulus)
> Clangore saeuo tinnulus abdidit,
> Non ante placandus parenti
> Quam caput aere truci leuasset (*Ode* XXIII, 22-24).

Après dix ans de guerres civiles, la reine-mère Catherine qui, rappelle L. Romier, se sentit toujours « faible devant les idées »[155], disait au duc d'Anjou qui lui proposait d'introduire un Robin fidèle dans le Conseil : « il vaut mieux y mettre des capitaines, qui n'ont que la raison naturelle, non fardée de lettres ni d'opiniâtreté, et qui les fait au moins venir au point, à la discrétion du Roy »[156].

Son poète ne pensait pas que tout dût aller à sa discrétion et, dans la hiérarchie des Olympiens, Apollon qui obtient l'ordre par l'Harmonie est supérieur, selon lui, à Jupiter qui l'impose par la force[157]. Où chercher les sectateurs d'Apollon pour diriger la cité ? Chez les philosophes ? chez les poètes ? Dorat, ni ses disciples, n'ont jamais eu de telles prétentions : ils se sont toujours bornés au rôle de conseillers, et sur le plan moral, plutôt que politique.

Parce qu'il rend hommage à l'aristocratie de l'intelligence, à ceux qui, selon la reine-mère, veulent « assujettir tout par leurs argumens, eloquence et sçavoir[158] », c'est dans la bourgeoisie parlementaire,

---

155. *Le royaume de Catherine de Médicis*, t. 1, p. 238.
156. Cité *ibid.*
157. Cf. ci-dessus n. 33, et ci-dessous n. 166.

dépositaire, selon lui, de toutes les valeurs humanistes et humaines, que le poète royal a mis sa confiance.

L'ARISTOCRATIE DE L'INTELLIGENCE Si Dorat n'a pas hésité à solliciter l'appui d'un roi[159] ou d'un prince[160], c'est plus volontiers vers les hauts magistrats qu'il se tourne lorsque ses amis[161], ou lui-même[162], se débattent au milieu des difficultés.

LIENS DE DORAT AVEC CE MILIEU Il semble avoir été intimement lié, de longue date, avec plusieurs de ces grands bourgeois. Le père d'Henri de Mesmes s'en était remis à lui pour choisir le précepteur de ses enfants[163]. Les trois odes dédiées à Henri (I, II, XXIII) révèlent une grande familiarité[164]. Dorat semble parler d'expérience lorsqu'il note que la maison des Séguier, située non loin d'Arcueil, est accueillante aux sectateurs des Muses et d'Apollon :

> Phoebo cara domus stat Seguieria,
> Non aduersa uiris numen amantibus
> Et Musarum et Apollinis (*Ode* III, 66-68).

Ses amis et lui fréquentaient aussi la demeure du conseiller Brinon, à Médan[165]. Autant l'esprit est supérieur au corps, autant ces hommes lui paraissent l'emporter sur la noblesse d'épée, et − la vue est plus hardie − sur la puissance royale elle-même, dont ils sont, du reste, les fidèles serviteurs.

PRIMAUTÉ DE L'ESPRIT Ce ne sont pas, en effet, les troubles civils et les manifestations de la faiblesse du pouvoir royal, qui ont fait naître chez l'humaniste l'idée que ces « grands commis » représentent le pouvoir réel, équilibré et durable. Dès 1550, dans l'ode pindarique offerte à Ronsard (IV), on voyait déjà qu'Apollon, qui fait régner la paix en ordonnant les rythmes pour apaiser les cœurs (str. 3), est

---

158. Cf. *op. cit.*, en n. 155, p. 237.
159. *Ad Regem* (Henri III), *P.*, p. 4 ; 18.
160. A Henri d'Angoulême, *P.*, p. 214 ; 224.
161. A M. de la Guesle, pour le peintre Rabel, par ex., *Epgr.*, p. 62-63 ; à H. de Mesmes, pour un ami, *P.*, p. 219.
162. A H. de Mesmes, *Ode* II, fin ; à Ph. Hurault, *P.*, p. 325 ; *Epgr.*, p. 25.
163. Cf. *Mémoires* d'Henri de Mesmes, éd. Frémy, p. 135.
164. Le poète lui fait part de ses expériences de jeune père, lui confie ses projets d'éducation.
165. Et si les murs pouvaient parler, il n'y aurait pas au monde de murs plus savants que ceux de Médan : *Non foret in terris doctior hoc paries* (In *Farrago Poëmatum* de Léger du Chesne, Paris, 1560, f˙370 r˙).

plus « efficace » que Jupiter, vainqueur des Géants par la force de son foudre (antistr. 2)[166].

Mais Apollon, dans l'ode pindarique, est un fils soumis : la victoire écrasante du roi des dieux sur les Géants est précisément un des thèmes de son chant, et il ne profite pas du sommeil de son père pour le détrôner. On aurait donc tort de voir là une allégorie de la prise du pouvoir par une bourgeoisie intellectuelle. Mais en 1565, alors que la paix civile semble difficile à rétablir, que les deux factions de la noblesse se heurtent avec passion, que le peuple ne sait pas où il va[167], le professeur royal, écrivant au président Christophe de Thou, note que l'intelligence est le seul principe de sagesse capable de gouverner l'État :

> ... mentis (que) potissima uirtus
> Illa gubernatrix rerum sapientia sola (P., p. 123).

Plus tard, en s'adressant à Henri III, alors que la réforme judiciaire commence à se dessiner, le poète propose une hiérarchie plus déférente, semble-t-il, à l'égard du monarque. Ainsi, parmi ceux qui méritent le ciel, il mentionne d'abord celui dont la force porte le monde, Alcide :

> In coelum ferri coelo meruisse ferendo
> Dicitur Alcides (P., p. 119)[168].

Dorat cite ensuite les savants qui ont découvert les lois de l'Univers et les gouvernants qui ont mis leur réussite en lumière en réformant le calendrier, mais c'est pour préférer à ces deux catégories les législateurs qui ont redressé les erreurs commises par les cités en raison de leurs mauvaises « pratiques »[169] :

> Sed maius meritum, maius illud ad astra ferendum
> Quam Numa, cum menses porrexit, Iulius annum,
> Emendare *malis* errantes *moribus* urbes *(ibid.)*.

Donc les hauts magistrats, qui, dans la France du XVIe siècle, s'efforcent de mettre de l'ordre dans la législation, représentent, après le roi, l'institution que le royaume doit honorer le plus.

VALEUR DE LA COOPTATION — On accédait à ces fonctions judiciaires supérieures par une sorte de cooptation. Ainsi, en 1549, Michel de l'Hospital, avait recommandé François Le Duaren à Mme Marguerite, duchesse

---

166. Dès sa naissance, Apollon Cynthius porte en lui ce pouvoir d'apaisement et de mesure : spontanément, son père, qui le tient dans ses bras, réduit l'éclat de son foudre : *(Iuppiter) / Dum quassat intra bracchia Cynthium, / ... / Fulminibus radians* retusis (*Ode* I, 50-52).

167. Ce texte fut composé peu après la mort de Turnèbe en juin 1565 ; le roi a tout juste quinze ans. Sur l'attitude de la noblesse, cf. *P.*, p. 69 ; sur celle du peuple, *ibid.*

168. En effet le poète royal a dû juger opportun, en dédiant ce texte au prince, de rappeler à ses peuples et à lui-même la colossale responsabilité qui est la sienne.

169. Cf. ci-dessous, p. 369-373.

de Berry, pour qu'elle fît de lui son maître des requêtes :

(Hospitalis)
Ille non te Margaridi clientem
Traderet quondam, nisi te esse dignum
Principis cura optima deligentis
Rite notasset (*Ode* XXI, 129-132).

Le poète royal apprécie que Hurault, garde des sceaux en 1578, chancelier de 1583 à 1588[170], appelle des hommes aussi « savants » que lui :

Doctus Huraltus enim sacra ad subsellia doctos
Et similes secum gaudet habere uiros (*P.*, p. 39)[171].

Hurault, petit-fils par sa mère du lieutenant-criminel Semblançay, était le gendre du président Christophe de Thou. Au cours de sa longue vie, Dorat a pu connaître plusieurs générations de ces véritables dynasties parlementaires, et il note, sans le moindre embarras, cette apparente hérédité des offices dans la famille Séguier :

Vtque pater natum, sic fratrem frater adoptans,
Alter ad alterius partes uenere gerendas (*P.*, p. 165).

Il insiste même sur les passations de pouvoir dans la hiérarchie :

Atque... natus pro Praeside Praeses,
Pro praetore illo frater et ipse suus (*Epgr.*, p. 33).

C'est une grande gloire pour une seule famille que de fournir tant de « Catons » :

Gloria magna domus quae tot tulit una Catones (*op. cit.*, p. 32).

Mais le poète ne manque pas de souligner qu'il n'y a pas là d'arbitraire et que les garanties ne font pas défaut : la *pietas* du prince, l'approbation de l'ensemble du Parlement, l'accord de l'opinion publique (*P.*, p. 165).

MÉRITE PERSONNEL
DE L'*HOMO NOVVS*

Mais si tout semble aller de soi, c'est qu'en fait la naissance était le moindre des mérites du magistrat promu :

(Seguierus)
... licet a proauuum clarorum natus honesta
Stirpe, tamen uirtute sua maioribus ipse
Praeluxit (*op. cit.*, p. 164)[172].

170. Disgracié par Henri III, il reçut à nouveau la garde des sceaux sous Henri IV.

171. Ce texte concerne les *Commentaires* d'un autre haut magistrat, Barnabé Brisson, qui publia en 1581 le *Code du Roy Henri III*. Cf. aussi *P.*, p. 37 : *Per lectos proceres noscenda ad iura uocatos.*

172. Dorat s'est plu à faire une remarque analogue à propos des aristocrates (Charles de Lorraine, Odet de Coligny, François de Foix-Candalle); cf. ci-dessus, p. 347. Érasme disait, d'une manière plus générale, pour souligner la nécessité de l'éducation libérale : on ne naît pas homme, on le devient — *homines non nascuntur, sed finguntur* (*De pueris*, 493 b).

Pourtant l'optimisme aristocratique, hérité de Pindare, est poussé loin dans le cas présent : non seulement les braves naissent des braves, mais les doctes des doctes, et les justes des justes : Antoine Séguier en est une preuve :

> Non igitur fortes modo fortibus usque creantur
> [...]
> Sed doctis doctos, iustos iustisque creari
> Patribus, Antoni tu Seguiere, probas (*Epgr.*, p. 33).

Mais il ne s'agit pas de transmettre des privilèges immérités, car le sentiment du mérite personnel, tel que, chez Salluste, Marius le définissait (*Iug.* 85), vient ici justifier l'héritage. Séguier, en effet, est l'artisan de sa propre élévation ; à la différence des aristocrates paresseux, il s'est efforcé de se mettre au niveau de ses aïeux, sans se contenter des titres dus à leurs mérites ; il s'est considéré comme un « homme nouveau », qui avait à se faire connaître :

> Namque hic ille faber sapiens, qui fabricat ipsi
> Fortunam sibi, nec titulis contentus auitis,
> Efficit ut *nouitas* sua par sit nobilis acta (*P.*, p. 164).

Malgré sa jeunesse, c'est à ses bonnes qualités, au sérieux de ses études — *artibus et studiis* (*op. cit.*, p. 165) — qu'il a dû d'être choisi. Au moment de la naissance du fils de Philippe Hurault, Dorat fait une remarque tout à fait analogue, et d'autant plus significative qu'elle est insérée dans un *Genethliacum*[173]. Dans la formule *artibus et studiis* (*op. cit.*, p. 165), employée à propos de Séguier, si floue que soit la signification des deux termes, il s'agit, de toute manière de mérites personnellement acquis. On pourrait imaginer, par exemple, que l'auteur entend *artes* au sens de « culture libérale » et *studia* dans celui d'« études spécialisées », le droit dans ce cas précis.

DOUBLE VOCATION DES JURISTES　En effet, chaque fois que Dorat parle de ses amis et protecteurs juristes, il se plaît à mentionner leur double vocation, car ils joignent la connaissance des belles-lettres à celle du droit, tel Antoine Séguier : *tantum iuris et artis inest* (*Epgr.*, p. 33). Ainsi encore, Henri de Mesmes avait reçu une solide instruction humaniste par les soins de Maledent, le précepteur que lui avait choisi Dorat[174]. Ce dernier invite son jeune ami à chanter en vers latins la gloire de son

---

173. Il ne prédit pas à l'enfant une brillante carrière, en rapport avec celle de son père, mais affirme qu'il ne la devra qu'à lui seul : *Summorum ad culmen honorum / Perueniet, non tam meritis et laude parentum / Quam studio ipso sibi fortunae faber unus / Ipse suae totum sibi sese ut debeat uni* (*P.*, p. 107).

174. Cf. n. 163.

père, quand sa carrière juridique lui en aura laissé le temps :

> Sed longa tantis pagina laudibus
> Debetur, olim carmine filii
> Explenda, postquam grande campi
> Mensus erit spatium forensis (*Ode* II, 5-8).

Il suivrait ainsi l'exemple de Silius Italicus (*op. cit.*, 9-12), et les vers sont une récréation après les fatigues du tribunal :

> Miscenda sed sunt dulcia tristibus (*op. cit.*, 133).

Henri, du reste, aurait manifesté, dans son adolescence, un goût plus vif pour l'étude des lettres que pour celle de la jurisprudence[175]. Dorat semble bien avoir été le complice du jeune garçon dans cette fréquentation des Camènes, rivales des études juridiques — *pellicibus... Camoenis* (*op. cit.*, 36), mais, fait révélateur, c'est encore le trésor antique qui a fourni des arguments en faveur du travail « plus sérieux » :

> ... tunc ueterum tibi
> *Exempla* pandens...
> Abstulit ad grauiora (*op. cit.*, 29-32).

Le ton badin de Dorat dans cette ode ne doit pas nous induire en erreur : ni ses amis, ni lui-même ne considéraient que la formation libérale ne pût aboutir qu'à une fantaisie divertissante. Sans doute peut-on, à ses moments perdus, s'amuser à faire des vers latins[176], mais l'étude de la littérature et de la civilisation antiques contribuait à la formation intellectuelle et morale. Si Guy du Faur de Pibrac, dans sa jeunesse, avait assidûment fréquenté Cicéron, ce n'était pas là un vain exercice d'école, mais pour devenir lui-même un Cicéron :

> Vt uir apud Gallos pro Cicerone fores (*P.*, p. 127).

L'humour de Dorat vise ici la méthode de ses collègues de Toulouse[177], non leur intention profonde et, pour qu'on n'en doute pas, il précise peu après ce que Cicéron est à ses yeux : *Cicero, mihi maximus autor* (*ibid.*). On sait ce que représente toujours pour lui le modèle antique[178].

---

175. Son père, selon Dorat, avait dû intervenir avec fermeté aux côtés de son précepteur : *Scimus tenello quantus inarserit / Nostras in arteis pectoris impetus / Vix uixque magno sustinendus / Et patris et monitoris aestu* (*op. cit.*, 25-28).

176. Même le grave Christophe de Thou s'y adonnait — *Per feriatos otium recreans dies / Grauibus leuabat onusta curis pectora* (*Tumulus*, Paris, Patisson, 1583, p. 10). Pibrac aussi, parfois, cultive les Muses : *pro(que) foro Helicona colis* (*P.*, p. 127). Après tout, il ne fait là que suivre l'exemple de son illustre modèle : *Ipse tuus certe Cicero, mihi maximus autor, / Palladis ad Musas transfuga saepe suae* (*ibid.*). Le poète ajoute avec humour qu'un tel divertissement méritera la louange de Scipion lui-même, car, pour se délasser, il se contentait d'aller ramasser des coquillages avec Lélius : *(Scipio, Laelius) / Quos secedentes Caietae ad littora dicunt / Conchas, umbilicos et solitos legere* (*ibid.*).

177. Cf. ci-dessus, p. 48.

178. Pour garantir le caractère sérieux de la création poétique, il cite encore Silius Italicus et Pline le Jeune (*P.*, p. 127).

Au demeurant, ce qui le frappe, c'est que beaucoup de ces grands bourgeois ne se contentent pas de se distraire en compagnie de la Muse latine, mais sont, dans la mesure où le service du roi l'autorise, des chercheurs sérieux. Ainsi, Gilles Bourdin avait su faire la part du « loisir » dans sa vie :

> Publica... sic atque forensia tractans
> Otia priuatis ut daret usque libris (*F.*, p. 163).

Or, dans la force de l'âge, il avait acquis la maîtrise du grec et du latin, sur ses vieux jours, celle de l'hébreu et de la langue « chaldaïque » :

> Nam Graecam, Latiam iuuenis callebat, Hebraeam
> Iam senior linguam, Chaldaïcamque simul (*op. cit.*, p. 165).

Barnabé Brisson, l'un des rédacteurs du *Code du Roy Henri III*, avait mené jusqu'à la publication des recherches encyclopédiques émules de celles de Varron[179], alors qu'il n'était ni professeur; ni dilettante, mais avocat, puis président :

> Non schola, dum scribit, nec suus hortus habet,
> Sed labor assiduus nunc Praesidis, ante Patroni (*P.*, p. 38).

Retraçant la carrière exemplaire d'Arnauld Desbaldit, Dorat note aussi qu'il avait travaillé pendant treize ans à un ouvrage sur les Gaulois, mais était mort avant d'avoir pu y mettre la dernière main :

> Non ita perfectum nec ab ipso auctore politum
> Annus quod decimus quartus adortus erat (*V.R.*, Eee iij r °).

Ce magistrat sérieux[180], amateur d'antiquités nationales, n'avait pas jugé déplacé que l'anagramme de son nom donnât (par les soins de Dorat) : *ARNOLDVS ESBALDITAEVS/OB LITTERAS LAVDANDVS ES* (*op. cit.*, Eee v°).

QUALITÉS MORALES DE CETTE « CLASSE » Si cette haute bourgeoisie est cultivée, et même savante, elle est irréprochable du point de vue moral :

> ... seu quis spectauerit artes,
> Seu linguam, siue ingenium, seu denique mores (*P.*, p. 166)[181].

La manière insistante dont Dorat loue le désintéressement de ces Parlementaires montre que cette qualité n'était pas fort répandue. Au

---

179. Étant donné la date, Dorat pense sûrement à *De formulis et solennibus populi Romani uerbis*, Paris, 1583 ; antérieurement, les nombreux travaux de Brisson avaient porté sur le droit civil, en particulier sur le *connubium*.

180. Avant d'occuper une charge à la cour, A. Desbaldit avait enseigné le droit à Toulouse (cf. *V. R.*, Eee v°).

181. Cette remarque concerne la famille Séguier. Dorat avait dit à propos de François Grimaudet : *Ambiguum magis an iuris laudandus ob artem, / Moribus an per quos floruit ille probis (Epgr.*, p. 17).

tribunal, notait le poète royal en 1576, c'est l'or qui fait la loi :

> Nocet sed aurum quod foro nunc imperat (*Exh.*, 239).

Il revient sur cette accusation, dénonçant l'avidité des juges — *auaros iudices* (*op. cit.*, 385), véritable fléau de la nation :

> (improbos)
> Res tota per quos nunc laborat Gallica (*op. cit.*, 156).

Mais un Nicolas Perrot[182] ne se laisse pas corrompre : *nec te corrumpunt dona metalli* (*P.*, p. 131). Christophe de Thou ne permet à rien d'entraver la marche de la Justice : *nec precio uiolabilis ullo* (*op. cit.*, p. 133). Or nous avons vu, à plusieurs reprises[183], Dorat recommander à ses amis robins des pauvres, des membres de sa famille, des artistes avec lesquels il était lié. Il l'a fait chaleureusement, mais a fixé lui-même la limite de la recommandation, et conclut un billet à Séguier :

> Quem precor ipse tuo dignere fauore tueri,
> Qua tu sancta fides, qua sacra iura sinunt (*Epgr.*, p. 88).

Dorat, qui avait le même âge que le président Christophe de Thou, a une vénération particulière pour ce vétéran du règne de François Ier, ce « Nestor de notre siècle » — *Nestor huius seculi* (*Tumulus*, p. 10)[184]. Ils ont en commun une prodigieuse énergie sur laquelle l'âge n'a pas de prise. Néanmoins Dorat (qui souffre périodiquement de la goutte) est plein d'admiration pour l'activité du président qui, jusqu'au bout, se rendait chaque jour au tribunal, le matin, et l'après-midi, et y arrivait le premier :

> Primus seniles uel per annos in forum
> Itare mane, redire post meridiem,
> Nec hoc nec illo, sed diebus singulis (*Tumulus*, p. 9).

Lui, qui a toujours eu un goût sensible pour les plaisirs de ce monde, note que ce travailleur acharné menait un train de vie modeste :

> ... parsimonia
> Victus, labos assiduus, abstinentia[185] (*op. cit.*, p. 10).

L'ÉDUCATION HUMANISTE   Cultivée et honnête, cette « classe » offre donc au service de la nation des citoyens exemplaires. Dorat, pour qui les problèmes pédagogiques ont

---

182. Sur cette famille, dont certains membres — et peut-être Nicolas lui-même — étaient réformés, cf. R. Zuber, « Humanistes parisiens en Champagne » in *Mémoires de la société d'agriculture, commerce, sciences et arts du département de la Marne*, 89 (1974), p. 125-148.

183. Cf. notamment ci-dessus, p. 357 et n. 161, 162.

184. Cf. n. 176. Sur Ch. de Thou, cf. aussi P. Champion, *Ronsard et son temps*, p. 459 et n. 5, 6.

185. Ce dernier terme, du reste, peut évoquer soit l'extrême frugalité de ses repas, soit, encore une fois, son désintéressement. Cf. Cicéron, *De off.* 2, 22, 77, et Tacite, *Ann.* 4, 35.

toujours été primordiaux, a vu là, non sans raison, le succès de l'éducation humaniste. Lui-même a souvent été sollicité par ces grands bourgeois afin de diriger l'éducation de leurs enfants, ou tout au moins, d'indiquer un maître en rapport avec les désirs de la famille. La science, en effet, n'était pas suffisante. Ainsi lorsque Dorat a fait admettre chez ses amis de Mesmes son compatriote Jean Maledent, ce « savant » fut, comme Henri de Mesmes nous l'apprend, « choisy pour sa vie innocente[186] ». Et c'est bien, pour ces hommes[187], une affaire importante que le choix d'un précepteur. Dorat est fondé à affirmer que, sans une instruction attentive — *deficiente cura docentum* (*P.*, p. 107) — un enfant, fût-il bien doué, ne saurait faire carrière. Tel ne sera pas, certes, le sort du petit Hurault, car le père, lui-même si cultivé, mettra tous ses soins, toutes ses ressources, pour que rien ne manque à la formation intellectuelle de son fils :

> Cura opibusque patris nulla non arte politi
> Formandae nulla ut desit doctrina iuuentae *(ibid.)*[188].

La vie dans ces demeures humanistes était un premier apprentissage intellectuel et civique. Tel était le cas dans la nombreuse famille des Séguier : le père veillait à ce que les enfants fussent formés dans la dignité, d'après les règles de l'éducation antique, et, selon Dorat, aucun « troupeau » d'enfants ne semblait plus heureux :

> Nec mirum formasse uirum sic publica recte :
> Se prius ipse, suamque domum formauerat omnem
> Ad disciplinae ueteris normamque decusque
> Egregiumque gregem quo non felicior alter
> Natorum et natarum (*P.*, p. 165).

On peut du reste noter que, dans cette famille de magistrats, comme chez les Morel, plus proches de la Cour, ou chez Dorat lui-même[189], les filles recevaient la même éducation humaniste que leurs frères.

Ce milieu familial stimule les enfants. Ainsi le désir d'égaler leur père excite l'énergie des jeunes de Mesmes, et les pousse à se priver des distractions offertes par les Muses tentatrices :

> ... nominis
> Mucrone districtum paterni
> Pellicibus(que) adimunt Camoenis (*Ode* II, 34-36).

---

186. *Mémoires* (cf. n. 163), p. 135.
187. Fidèles aux recommandations d'Érasme, *De pueris* 503 a-b.
188. Il y a là une tradition familiale : tous les Hurault étaient « amis des livres », note P. de Nolhac (*R. et l'H.*, p. 135).
189. Pour Madeleine, qui devait épouser le professeur royal Nicolas Goulu, Dorat avait fait un plan dès la naissance (cf. *Ode* I, 64-88) ; sur l'éducation de Charles Dorat, filleul de Camille Morel, de Charles de Lorraine, et de l'humaniste gantois Charles Uytenhove (cf. *Ode* XXIV), nous ne savons rien, mais le jeune Louis Dorat traduisait des vers latins de son père à l'âge de dix ans (*P.*, p. 161-163) ; sur la réussite intellectuelle de sa sœur aînée, cf. Marty-Laveaux, (*Œuvres* de J. D., p. XXVIJ et LXIX).

Pourtant cette éducation n'est pas guindée. Ces hommes, si accaparés par les soucis de l'État, s'accordent le temps de prendre part aux jeux de leur progéniture. Dorat nous a laissé un joli tableau d'Henri de Mesmes jouant au cheval avec sa fille sur un manche à balai[190] :

> ... Iam pater es : patres
> Iam scis quid insanire, quid sit
> Cum pueris equitare paruis
> [...]
> ... longae in arundinis
> Tergo sedentes (*Ode* XXIII, 6-11).

Et le poète s'amuse à souligner qu'il s'agit de pères que leurs mérites rendent influents — *meritis graues* (*op. cit.*, 9).

Dans ce milieu, même les très jeunes enfants ne sont pas laissés aux soins exclusifs des nourrices et des mères. Le père n'éprouve aucune honte à parler « bébé » avec des nourrissons :

> ... cum pueriliter
> Infingeres ad blaesa blaesae
> Verba tuum eloquium puellae (*op. cit.*, 30-32),

à manier la crécelle ou la poupée pour calmer l'enfant qui pleure :

> ... cum tu uel crepitacula
> Tantus senator, uel quatiens manu
> Puppas, puellarem decoris
> Immemor excuteres querelam (*op. cit.*, 33-36).

Le fait est d'autant plus révélateur que P. de l'Estoile témoigne que « Monsieur de Roissy, encore qu'il fust tenu pour habile homme et des plus doctes de sa robe, neantmoins estoit connu pour un des plus superbes qui fust à la Cour »[191].

On voit que les leçons d'Érasme qui faisait de l'éducation des enfants le premier devoir des pères avaient été entendues : *Siminus licet omnibus (negotiis) morem gerere, priores sane partes debentur liberis* (*De pueris*, 502 e-f). Mais Érasme, célibataire, s'attendrit sur le faible petit d'homme parce qu'il voit en lui une créature de Dieu ; il ne perd jamais

---

190. L'air de complicité du professeur royal (cf. *Ode* XXIII, 5-6) laisse entendre que les choses se passent de la même manière dans son propre foyer : son âge (il a quarante ans au moment de la naissance de sa fille aînée) explique peut-être en partie cette attitude, mais Henri de Mesmes est un jeune père : il a vingt-cinq ans à la naissance de sa fille. Peut-être s'était-il étonné, avant d'avoir fait lui-même cette expérience, de voir l'esclavage où son ami était réduit : c'est ce qu'insinue Dorat (cf. *Ode* XXIII, init.). Fou de joie à la naissance de son dernier fils, Dorat jouait avec lui et le faisait sauter en l'air comme un singe, selon le témoignage du Papire Masson : *seniles delicias, filiolum incredibili gaudio suscepit, blandiuscule cum eo colludens et instar simiae manibus efferens* (*Elogia*, P., Huré, 1618, t. 2, p. 289).

191. Cf. Ed. Frémy, *Henri de Mesmes...*, Paris, 1886, p. 34, n. 1. Ce décalage entre ce qui est de l'ordre du *decus* officiel et ce qui se passe en fait est sensible aussi dans la réalisation du poète : Dorat a choisi la forme lyrique — l'*Ode* XXIII commence même dans le style du « forcènement » — *furor* (1), *bacchatur* (3) — pour rendre compte d'un petit monde familier et attendrissant.

de vue la formation morale et intellectuelle que jadis, selon lui, on tenait pour le premier devoir d'amour envers ses proches : *Antehac hoc praecipuum habebatur pietatis officium, si cognatos quisque suos ad uirtutem et eruditionem institueret* (*op. cit.*, 502 d). Il n'envisage pas que des pères pourraient jouer avec de jeunes enfants, et conseille énergiquement aux mères qui agissent de la sorte de se procurer des guenons et des petites chiennes maltaises pour satisfaire leur amour du jeu : *Si usque adeo iuuat ludere, quin simias ac Melitaeas catellas sibi comparant* (*op. cit.*, 495 e-f). Les pères de famille humanistes, ses disciples, ont humanisé les prescriptions du maître, parce que leur *pietas* pour leurs enfants s'enracinent dans un amour charnel.

RÔLE DES FEMMES La mère, quant à elle, n'est pas cantonnée dans le dressage de la petite enfance ; elle est associée aux efforts de son mari dans l'éducation des enfants plus grands, comme Dorat le mentionne à propos de la famille Séguier :

> Sic aluit, sic instituit cum Matre laboris
> In partem ueniente (*P.*, p. 165).

Ce rôle, du reste, ne manque pas d'apporter à ces éducatrices irréprochables une grande illustration aux yeux de tous :

> ... pudicarum decus ingens
> Qua (= parte) matronarum tota spectatur in urbe *(ibid.)*.

Sans doute, parmi les épouses des nobles de Robe, la plus savante était-elle Antoinette de Loynes — *Deloina* — Mme Jean de Morel[192]. Dorat reconnaissait à cette épouse fidèle une grande science, une parole aisée (en latin, naturellement), et, à l'occasion du décès de son époux, il lui décernait ces vers admiratifs :

> ... Sed te, Deloina, fidelis
> Morelli coniux, tam doctam, tamque disertam,
> Tamque piam tacito quis pectine transeat ultro ?[193]

La maison des Morel était sans doute la plus directement influencée par les doctrines pédagogiques d'Érasme : le père de famille avait suivi, à Bâle, les leçons de l'humaniste de Rotterdam. La fille que Mme Morel avait eue d'un premier mariage avait épousé Jean Mercier, professeur au Collège Royal : en conséquence les quatre plus jeunes enfants avaient appris l'hébreu. Pourtant ces élèves, qui devaient plier sous ce programme écrasant, faisaient du théâtre, et étaient autorisés à jouer avec un singe. L'animal assistait même aux leçons de grec, que Dorat donnait

---

192. Cf. Nolhac, *R. et l'H.*, p. 170-178, et ci-dessus, p. 18. C'est dans ce foyer que Joachim Du Bellay semble avoir recouvré l'équilibre au cours de la dernière année de sa vie : Morel, du reste, est le dédicataire de l'*Elegia* qui est comme un bilan de la vie de son auteur (en appendice à Malcolm Smith, *J. Du Bellay's veiled victim*, Genève, 1974, p. 115-124).
193. *Tumulus*, Paris, F. Morel, 1583, p. 10.

chez les Morel aux filles de France, Élisabeth et Claude, en présence du jeune Henri d'Angoulême, comme Dorat le rappelle à ce dernier :

> Meque docente tua solitus puerile iocari
> Cum Simiola identidem (*P.*, p. 214).

Les autres dames, moins brillantes peut-être qu'Antoinette, n'étaient pourtant pas indignes de se voir confier une part des tâches pédagogiques, car leur personnalité était en harmonie avec celle de leur mari. C'était le cas de Jeanne Hennequin, fille d'un conseiller et « Maistre des Comptes » — un homme de « singulière probité »[194], comme le note son gendre Henri de Mesmes. Dorat souligne que les deux jeunes gens sont parfaitement assortis, en particulier du point de vue des qualités physiques, intellectuelles et morales :

> Ambos benignas possidentes
> Corporis ingeniique dotes
> [...]
> Vtrumque uirtutis peraeque
> Et decoris studiose amantem (*Ode* XXIII, 51-56).

Selon le poète, c'est là le présage d'une union heureuse[195] :

> ... ab omni nam retro seculo
> Foeliciori non torus alite
> Vllus coiuit, non magis par
> Nupta uiro data, uirque nuptae (*op. cit.*, 45-48).

Dans cette galerie de grandes dames, l'image d'Anne de Thou, l'épouse de Philippe Hurault, est plus neutre, comme si la forte personnalité du président Christophe de Thou, son père, devait toujours polariser l'attention[196]. Dorat reconnaît chez Anne l'amour pour ses enfants — *in natos pietas* (*F.*, p. 166), mais, selon lui, l'amour qu'elle eut pour son père fit qu'elle le suivit bientôt dans la mort *(ibid.)*. Le dernier sentiment qu'elle manifeste, pourtant, est la confiance en son époux qui sera désormais le seul éducateur de leurs enfants :

> Tu nunc es natis unus uterque parens (*op. cit.*, p. 167).

Le poète mentionne bien l'hospitalité de Philippe Hurault envers « les doctes », mais aucune présence féminine n'est sensible :

> Hos (= doctos) habet ad mensae fercula docta suae (*P.*, p. 39).

---

194. *Mémoires*, p. 147.
195. De fait, les années, semble-t-il, réalisèrent les vœux de bonheur qu'il forme à la fin de ce texte : *Sic uos senectae tempus ad ultimae / Haec sancta amoris foedera mutui / Concordis et uitae tenorem / Dent pia perpetuare fata* (*op. cit.*, 65-68).
196. Selon Dorat, quand il naît un fils chez les Hurault, le duc d'Anjou souhaite que l'enfant ait l'esprit de son grand-père maternel, vieillard insigne par son savoir et son expérience : *Optantis sobolem materni pectus habentem / Iam senioris aui, doctrina insignis et usu* (*P.*, p. 106).

Mme de Mesmes, plus connue sous le nom de Mme de Roissy, paraît avoir joui d'un caractère plus enjoué[197]. Ces réunions, sans doute, n'avaient rien de commun avec les fastueuses réceptions offertes par le conseiller Brinon, qui était célibataire[198], mais la rencontre des magistrats, des érudits et des poètes n'engendrait cependant pas la mélancolie. Aussi Dorat évoque-t-il avec regret les repas en musique chez Michel de l'Hospital, du temps où ce dernier n'était pas encore chancelier de France :

> (Musas)
> Quas olim memini domi frequenter
> Exceptas tibi musicas ad illas
> Cenas et lepidas et eruditas (Mss. Dupuy 810, f° 103 r°).

En face des désordres et des intrigues de la Cour, cette catégorie sociale semble avoir cultivé, en même temps, le bonheur et la vertu[199], tout en servant le roi avec une constante énergie et une lucide assurance, comme l'avait bien noté la perspicace Catherine[200].

Joie de la tâche accomplie, conscience sereine au milieu d'une époque troublée : c'est sur des personnalités de ce type que repose, aux yeux de l'humaniste, l'équilibre moral et politique de la nation.

LE DROIT ROMAIN CONTRE LES COUTUMES

En effet, en 1576, alors que la France vit dans un désordre provoqué aussi bien par le banditisme que par les troubles d'origine religieuse[201], Dorat proclame que le droit est le lien qui maintient le plus fermement la cohésion des cités :

> Ius ciuitatis nodus est firmissimus (*Exh.*, 169).

Ce droit — *Ius* — est, comme le montre une étymologie fantaisiste qui n'est pas neuve[202], le fils de Jupiter, nom que le poète donne sans hési-

---

197. Elle ouvrait volontiers sa demeure de la rue de Jouy aux humanistes, et Passerat a loué cette charmante hôtesse de ses qualités intellectuelles et morales. Cf. J. Espiner-Scott, « Note sur le cercle de H. de Mesmes et sur son influence », in *Mélanges Lefranc*, Paris, 1936, p. 354-361.

198. Malgré le raffinement de ses réceptions, Brinon était capable de goûter, en épicurien authentique, un repas simple, assaisonné des plaisirs de l'esprit, car Dorat, dont les finances à ce moment devaient être en mauvais état, n'hésite pas à le convier à un dîner composé de légumes et arrosé d'eau claire, dans son « jardin » : *Haec te cena meo, mi Brino, expectat in horto / Sobria (Epgr.*, p. 47).

199. Dans un style de vie familiale qui fait songer au sonnet de Plantin,. « Avoir une maison... ».

200. Les « gens de robe longue » veulent « assujettir tout par leurs argumens, eloquence et sçavoir, qui les rend si arrogans et presomptueux qu'ils veulent estre seuls crus en leurs opinions » (cité par L. Romier, *Le royaume de Catherine de Médicis*, t. 1, p. 237-238).

201. *Fac illa tanta sanguinis profusio / Desinat, aperte non per hos quae fit modo, / Qui bella bellis conserunt ciuilia, / Sed illa maior atque longe tetrior, / Ab improbis quae fit hodie latronibus (Exh.*, 382-386).

202. Sur cette étymologie, cf. P. Monteil, *Éléments de phonétique et de morphologie du latin*, Paris, 1974, p. 101.

ter, pour la circonstance, à Dieu (*Exh.*, 249 ; 328)[203]. Aussi n'est-il pas abusif de dire qu'ils font véritablement œuvre divine, ces hommes qui s'efforcent, par une juridiction rationnelle, de corriger les vices des cités :

Emendare malis errantes moribus urbes (*P.*, p. 119).

En fait, Dorat a choisi un terme ambigu — *mores*. Tout législateur, en effet, prétend bien faire œuvre « morale », agir sur les mœurs, mais en ce cas particulier ces « mauvaises pratiques » sont les *Coutumes*, qui se sont multipliées. Le titre de la pièce, *De usibus et consuetudinibus Franciscis... reformatis (ibid.)* ne laisse pas de doute, mais, pour mieux mettre en lumière l'importance de l'œuvre accompli par les réformateurs, l'humaniste les présente moins comme des jurisconsultes que comme des purificateurs du péché des citoyens[204].

Évidemment la censure des mœurs faisait bien partie des préoccupations de ces commissaires : Dorat nous a laissé dans l'*Exhortatio* (1576) des remarques attristées sur la magistrature pourrie, vénale, qui bafoue les lois[205], mais il fallait corriger aussi les institutions existantes.

L'érudit limousin, qui a passé toute sa jeunesse dans une province de droit écrit, où l'essentiel provient du droit romain[206], ressentait, plus qu'un Parisien, sans doute, l'usage du droit coutumier comme une disparité fâcheuse, et aussi comme un crime de lèse-humanisme[207].

En ce qui concerne la diversité des Coutumes, leur rédaction — étape nécessaire, sans doute, vers une justice plus claire[208] — avait, dans la pratique, amené un étalage de toutes les nuances et un foisonnement de toutes les subtilités[209] : le magistrat humaniste, aussi bien que le

203. Sur l'élaboration de la fable concernant la naissance de *Ius*, cf. G. D., « Le poète et le prince » (cf. n. 25), p. 167-168.
204. Il a probablement à l'esprit une formule de Cicéron — *emendati mores (De amic.* 61) « des mœurs irréprochables » — bien que la construction qu'il emploie soit différente.
205. Cf. *op. cit.*, en n. 25, p. 170-171.
206. Sur la situation dans les différentes provinces, cf. R. Doucet, *Institutions*, t. 1, p. 59-65.
207. Même en pays de « coutume », pourtant, le droit romain suscitait un intérêt passionné : ainsi Rabelais fit tirer à deux mille exemplaires une petite plaquette contenant le prétendu testament d'un Romain et un contrat de vente — *Ex reliquiis uenerandae antiquitatis Lucii Cuspidii testamentum. Item contractus uenditionis antiquis Romanorum temporibus initus*, Lyon, Sébastien Gryphe, 1532 : le fait qu'il s'agisse de textes apocryphes ne change rien à l'affaire, mais le chiffre du tirage est révélateur, et le nom du dédicataire aussi : Amaury Bouchard, vieil ami de Rabelais, faisait partie du Conseil du roi et était maître des requêtes du Palais. Dans les *Recherches de la France* (cf. n. 64), Étienne Pasquier après avoir rappelé que, selon Rabelais, « ce Droit estoit une belle robbe bordée de fanges » (les gloses), conclut : « Voyant le fruit qui en vient, je la diray estre une robbe d'argent brodée d'or, singulierement en ce temps icy auquel je voy tant de bons esprits l'avoir enrichy » (t. 1, col. 998).
208. Le président Christophe de Thou, presque toujours aidé de Barthélemy Faye et de Jacques Viole, s'était attaché à la publication de ces textes, dont la connaissance pouvait seule assurer les parties contre l'arbitraire du juge. Son travail s'étend de 1557 (*Coutume du Vermandois*) à 1580 (*Coutume de Paris*).
209. Pour prendre un exemple dans l'œuvre de Ch. de Thou, il avait dû distinguer la *Coutume du Vermandois*, la *Coutume de Péronne* (publiée en 1559), la *Coutume d'Amiens* (1571).

professeur, pouvait méditer sur la formule de Tacite : *corruptissima re publica plurimae leges* (*Ann.* 3, 27, 5), mais, Rome en eut l'expérience, la guerre civile peut engendrer une situation pire encore : *non mos, non ius* (*op. cit.*, 28, 2) : la France de 1576 n'en est pas loin.

Quoi qu'il en soit, la forteresse des coutumes[210] semble avoir supporté les vagues d'assaut successives des jurisconsultes, et bravé la volonté royale elle-même. Aussi, aux yeux de Dorat, celui qui viendra à bout de cette réforme mérite-t-il une gloire égale à celle que Néoptolème connut à la prise de Troie :

> ... Nunc par decus et te,
> O Seguiere[211], manet, tu nunc eris ultima Troiae
> Palma, Neoptolemus (*P.*, p. 36).

Que le mérite de la toge concurrence celui des armes.

ESPRIT DE LA RÉFORME   Bien que les essais de rationalisation antérieurs eussent été très divers, pour l'humaniste le travail consiste à régler les coutumes — qui ont dégénéré au cours des siècles, entraînant une dégradation des mœurs[212] — en prenant comme norme l'ancien droit écrit, c'est-à-dire le droit romain :

> ... lapsos per secula mores
> Exigere[213] ad normam scripti olim iuris et aequi (*ibid.*).

En effet, pour lui, le droit coutumìcr cst une séquelle fâcheuse du vieux temps, d'une époque mal dégrossie où les forces obscures de la barbarie ont vaincu la clarté romaine :

> (mores)
> ... antiqua rudi gens Gallica sanxerat aeuo :
> Namque fuit tempus cum rustica turba senilis
> Plus quam ius scriptum non scripto iure ualebat,
> Legibus et iustis mos depugnabat iniquus (*P.*, p. 119).

Non sans raison, Dorat voit dans cette prolifération des Coutumes l'origine de procès sans fin : *Perpetua assiduis... litibus... origo (ibid.)*[214]. Dans ce texte, la coutume n'est pas une forteresse ; par une métaphore plus heureuse, à notre sens, c'est une hydre, sans cesse renaissante, et

---

210. Qui ne cessaient de varier de la manière à la fois la moins expédiente et la plus déraisonnable — *ineptissime semper uariantium* (formule de Ch. du Moulin, citée par R. Doucet, *Institutions*, t. 1, p. 60 et n. 1).

211. Il s'agit de Pierre Séguier, président désigné.

212. Encore une fois *mores* désigne à la fois les « mœurs » et les « Coutumes ».

213. Nous croyons qu'*exigere* indique une action positive, pratique — *se exigere ad aliquem*, « se régler sur quelqu'un » (cf. par ex. Sénèque, *Ad Luc.* 11, 10) — plutôt que simplement exploratoire — *exigere aliquid ad aliquam rem*, « juger d'une chose d'après une autre » (cf. par ex. Tite-Live, 34, 31, 17).

214. L'ami de Dorat, Martial Deschamps, avait failli, en 1573, être victime de brigands dans un procès de succession, qui traînait depuis 1567 au tribunal de Guéret : or, en Haute-Marche, le droit romain n'intervenait qu'à titre supplétif (cf. R. Doucet, *Institutions*, t. 1, p. 65).

Henri III, parce qu'il a signé en 1579 une ordonnance qui créait une commission de légistes, peut être, à bon droit, comparé à Hercule :

> Sed nouus Alcides hanc contudit impiger Hydram
> Tertius Henricus *(ibid.).*

Dorat rapproche cet effort de rénovation judiciaire du retour à la paix[215], et vante la rapidité du roi :

> Qui simul ac pacem bellis procul undique pulsis
> Restituit regno, nunc leges pacis et aequas
> Et mores lapsos ad iura uetusta reformat *(ibid.).*

De la vieille formule que Michel de l'Hospital prononçait à l'ouverture des États Généraux de 1560, « une foi, une loi, un roi », le poète royal, désabusé, souhaiterait voir, au moins, les deux derniers termes coexister vraiment :

> Vt quibus est unus Rex Gallis lex sit et una *(P., p. 3,7).*

Le texte dédié au roi est encore plus clair, en ce qui concerne la marche à suivre pour obtenir ce résultat, que celui offert au président Séguier[216]. Une fois rassemblé le « corps du délit », que Dorat nomme dédaigneusement des « recueils de Coutumes tout pourris » — *corrupta uolumina morum (P., p. 120)*[217], les juristes vont les examiner avec soin — *dispicere (ibid.)*, et noter d'infamie[218] tous les textes autorisant une « justice » médiocre ou mauvaise :

> ... Quaecumque uel aequa parum, uel iniqua notare *(ibid.).*

Il appartient, théoriquement, au roi de trancher tous ces commentaires et gloses proliférants et malsains : c'est ce que traduit la métaphore de l'hydre. Dans un deuxième temps, il faudra restaurer le droit — *reformare* (p. 119), en s'appuyant sur l'exemple antique — *ad iura uetusta (ibid.)*[219].

Les études juridiques étaient en avance sur la législation officielle : épurées, elles faisaient au droit romain une large place[220].

215. Il s'agit de la paix dite « de la Saint-Rémy », édit signé à Poitiers, le 8 octobre 1577.
216. *P.,* p. 36 ; cf. ci-dessus, p. 370.
217. Mais, très vraisemblablement, le poète a aussi dans l'esprit le sens de *corrumpere* « falsifier » (cf. par ex. Cicéron, *Pro Archia,* 8, pour des registres).
218. *Notare* est un terme technique : à Rome ce sont les censeurs qui marquent le nom d'un citoyen coupable pour rappeler sa faute et le caractère de celle-ci (cf. par ex. Cicéron, *Pro Cluentio,* 120). Or, précisément, dans notre texte, le président Ch. de Thou est appelé *censor (P.,* p. 120).
219. C'est la méthode humaniste par excellence : Rabelais avait préconisé une démarche de ce genre pour rénover la médecine, et le latin au XVIe siècle doit sa renaissance à un processus linguistique du même ordre ; Dorat avait œuvré plus que personne pour que la *nouvelle* poésie en France naisse d'un retour aux sources pures de l'antiquité. C'est l'esprit du manifeste de la *Deffence* ; cf. aussi Ronsard, *Au Lecteur,* S.T.F.M., t. 1, p. 45.
220. Cf. Étienne Pasquier, *Recherches de la France, Œuvres,* t. 1, col. 999-1002. Dorat avait apporté sa contribution au *Tumulus* (Ode XXI) du professeur de droit François Le Duaren, à l'instigation de leur ami commun, Michel de l'Hospital. Le Duaren, successeur d'Alciat à Bourges, avait contribué, ainsi que Cujas, au renouveau de ces études, amorcé par Budé.

RÉALISATION DE   La réforme elle-même était une nécessité
LA RÉFORME   et gloire est rendue au roi Henri III
                        « sous les auspices » de qui elle a été
faite (*P.*, p. 119)[221]. En fait, dans le texte dédié à Pierre Séguier, le
poète royal loue ce dernier d'avoir insisté auprès du roi et de ses amis,
par ses prières et ses avis incessants, pour mener à bien cette même
réforme :

> Et Regem et Regis non es cunctatus amicos
> Assiduis monitis precibusque incessere donec... (*P.*, p. 37).

On voit à qui revient le mérite réel de la réforme. Ces commissaires
étaient cinq, choisis par le roi dans la première chambre du Parlement :

> Quinque uiros legit prima de sede senatus (*P.*, p. 120).

Christophe de Thou[222], âgé de plus de soixante-dix ans au moment de
la signature de l'ordonnance, assurait la présidence de la commission :
sa compétence était grande — *Vtriusque iuris primus in scientia* (*Tumulus*, p. 9)[223] — et il faisait rayonner son autorité morale sur ces
travaux. Dorat, qui lui a donné le titre de « censeur », vante les qualités
de pondération — *temperies (ibid.)* — qu'a montrées le magistrat dans
la direction difficile de ce « quadrige » assimilé à celui du Soleil :

> Sic neque Iustitiae laxantes frena, nec illi
> Tendentes angusta nimis, statuere quod ultro
> Ius reliquae sedes per Gallica regna sequantur (*P.*, p. 120)[224].

Mais le vieux président était peu doué pour « déblayer » la question du
point de vue politique. On voit les efforts qu'avait, de son côté, déployés Pierre Séguier, chargé de « pousser » la réforme dans l'entourage
royal, et le poète lui manifeste la reconnaissance qui lui est due pour la
diversité de ses efforts :

> Ergo magna manet tantae pars te quoque laudis,
> Seguiere, impulsu cuius gnauoque labore
> Tam populare bonum nostra ad Praetoria uenit (*P.*, p. 37)[225].

---

221. C'est là une formule toujours commode pour ménager la susceptibilité royale. En
outre, Dorat précise, pour finir, que les travaux ont abouti grâce à l'efficace protection du
prince : *Regis praesente fauore* (*P.*, p. 122).

222. Sur le caractère du président, cf. ci-dessus, p. 363. Dorat lui avait adressé, en 1565,
une épître qui analysait la situation politique et morale à cette date (*P.*, p. 122-125).

223. Cf. ci-dessus, n. 176.

224. Dorat note, discrètement, que les hauts magistrats ne sont pas en mesure d'imposer
une réforme, mais doivent la faire accepter (cf. *ultro*).

225. Le poète royal juge diplomatique, dans le texte dédié au roi, d'ajouter un mot aimable
pour Villeclair, son ancien gouverneur, devenu, si l'on peut dire, son préfet de police : *Nec sua
non et habenda ministro gratia Regis, / Villoquiere, tibi* (*P.*, p. 120).

Quand Ch. de Thou s'éteint en 1582, Dorat croit que le magistrat peut partir en paix, sa tâche accomplie : au milieu des épreuves civiles, il a porté sur ses épaules la France, sa mère, et ses travaux ont fait qu'il put la préserver pour la remettre, enfin, à son roi et à Dieu :

> Ipse suis te matrem humeris sine compare uexit,
> Incolumemque suo postquam Regique Deoque
> Reddidit, hic demum tranquilla morte quieuit (*Tumulus*, p. 12).

LE DROIT
DANS LA CITÉ

Plein d'espoir, le vieil humaniste croit que la Paix et les Lois, qui aiment la paix, vont maintenant revenir au royaume de France, sous la conduite d'Astrée :

> ... nunc Pax et Leges pacis amantes,
> Astraea ducente, ad Gallica regna redibunt (*P.*, p. 120).

Dans l'euphorie de la paix retrouvée, ce modeste[226] succès des juris-consultes ses amis, lui fait espérer un nouvel âge d'or : les conditions paraissaient remplies.

Dès la crise de 1558, Dorat en effet, avait eu conscience que Thémis, qui offre au roi l'esprit délié des maîtres de son art, est bienfaisante : *alma... Themis* (*Ode* XVI, 63)[227].

Pourtant, s'il s'est pris trop tôt à espérer, sa confiance ne s'était pas fourvoyée : nombre d'amis de Dorat ont aidé Henri IV dans son œuvre de reconstruction : Hurault, son mécène, se vit rendre la garde des sceaux; J.-A. de Thou — qui consacra à l'humaniste une notice nécrologique affectueuse[228], Scévole de Sainte-Marthe[229] — qui, en raison de son intimité avec l'érudit devait se charger de l'édition com-plète de ses œuvres[230] — ont aidé le prince à ramener la paix et la justice, et à mériter ainsi la dédicace de l'*Astrée*[231].

*
* *

226. Cf. R. Doucet, *Institutions*, t. 1, p. 60-61. Pourtant, après qu'on eut comblé les lacunes de la Coutume de Paris en recourant au droit romain, celle-ci devint une sorte de modèle, et l'on doit admettre qu'un pas était fait vers l'unification du droit français (cf. *op. cit.*, p. 64).

227. Dans les années noires, le poète royal, méditant sur l'expérience de Cicéron — (*ius*) *quo deuincta est hominum societas* (*De leg.* 1, 15, 42) — n'avait pas manqué d'avertir son dernier maître que le lien le plus solide d'un État, c'est le droit (*Exh.*, 169).

228. *Historia sui temporis*, Londres, 1733, t. 4, p. 549.

229. L'œuvre poétique de Scévole de Sainte-Marthe atteste l'influence de Dorat : le ma-gistrat dédia à Henri IV une ode pindarique célébrant sa victoire d'Ivry (*Pindarica*, in *Poëmata recens aucta et in lib. XV tributa*, Poitiers, 1596, p. 129-137).

230. *Omnia recenseri, non solum tanti uiri famae, sed etiam literariae rei interest. Quod breui facturum Scaeuolam Sammarthanum speramus... qui et summa studiorum consensione ac necessitudine cum Aurato, dum uixit, coniunctus fuit* (*loc. cit.* en n. 228).

231. Cf. F. Yates, *Astraea*, p. 86 et n. 2.

Les réactions de Dorat en face de la société de son époque sont complexes parce qu'elles sont celles d'un intellectuel qui médite sans cesse sur les leçons de l'antiquité, mais d'un intellectuel que ses fonctions ont engagé dans la vie politique de son temps. En outre quelle que soit la richesse et la diversité de sa culture antique où les vues morales de Salluste ou de Sénèque viennent nuancer celles de Pindare, où Cicéron, où Lucain témoignent sur l'agonie d'un État, Dorat n'a pas éliminé totalement les stéréotypes du Chrétien et du Français, surtout en ce qui concerne le pouvoir royal car, sur ce point, l'Antiquité ne lui offrait pas de modèle vraiment satisfaisant. Un chose est sûre, en tout cas : malgré la diversité de ses attitudes au cours de sa longue vie, il a toujours eu en face des événements des réactions d'intellectuel pour qui la force brutale, momentanément triomphante, est en fait dérisoire. Païen, Dorat savait que la seule énergie durable est celle de l'esprit ; son évolution spirituelle n'a rien changé à cette conviction. Aussi a-t-il toujours jugé nécessaire pour les rois, pour les grands, de s'en remettre à l'éducation humaniste, comme les Robins l'avaient compris. Mais si la naissance aristocratique crée, selon lui, des devoirs plutôt que des droits, il en va de même pour la culture, et, toute sa vie, il a continué à mener le combat contre l'Ignorance. Sa conversion l'a conforté dans son mépris de la force brutale : Dieu arme les faibles, et l'équilibre moral d'un État ne peut être fondé que sur le respect de toutes les sortes de pauvres.

CONCLUSION

Omne meum tempus in literis actum est

F. Pétrarque

La vie de Dorat fut entièrement consacrée aux lettres, non seulement sa vie de professeur et de poète, puisqu'il a fait métier d'enseigner et d'écrire, mais sa vie propre. Au soir de son existence, il pourrait dire, comme son « conseiller » Pétrarque : *Raro ulla unquam sano mihi dies otiosa praeteriit quin aut legerem, aut scriberem, aut de literis cogitarem*[1]. Son *otium* aussi était studieux[2]. Il est même plus exact de dire que la littérature forme la trame de sa vie.

Que n'a-t-il pas lu ? Grâce à la « dixième Muse » il pouvait posséder beaucoup de livres[3] ; en outre, il avait accès aux manuscrits dès leur arrivée en France, puisque la bibliothèque du roi à Fontainebleau[4], celles de ses amis de Mesmes et Hurault[5] lui étaient largement ouvertes. Aussi la lecture de son œuvre peut-elle mettre à rude épreuve le plus diligent amateur de *Quellenforschung*.

Toute sa vie, Dorat s'est intéressé aux lettres « classiques », grecques et latines, car le fait qu'il ait été *professor regius* en grec ne doit pas nous tromper : il a continuellement pratiqué la littérature latine[6], et il ne peut être tenu pour responsable du dédain affiché par Ronsard envers les productions des Romains[7]. Dorat se promène-t-il à la campagne

---

1. *De sui ipsius et multorum ignorantia*, p. 34 (éd. Capelli).
2. Parlant de son *otium* (alors que ses amis sont pris dans le *negotium*), il dit : *cum fruerer studii... quiete* (*P.*, p. 251).
3. Suffisamment, en tout cas, pour qu'un créancier jugeât qu'il valait la peine de les saisir : Dorat échappa à cette disgrâce, et il remercie chaudement les deux amis qui l'en ont sauvé (*Epgr.*, p. 87-88).
4. Il rappelle à Charles IX les trésors que François Ier y avait déjà rassemblés ; cf. ci-dessus, p. 331, et n. 87.
5. Sur les richesses de la bibliothèque des Hurault, cf. Nolhac, *R. et l'H.*, p. 135 ; Dorat, à la recherche d'un manuscrit des *Hymnes homériques* fait appel à M. de Mesmes (B. N., Mss. Lat. 8139, f° 103 v°-104 r°).
6. Sa propre création latine révèle cette familiarité ; bien sûr, Dorat a aussi composé en grec (cf. n. 123 p. 35), beaucoup moins souvent que Budé, toutefois.
7. « Les poëtes Romains ont foisonné en telle fourmiliere, qu'ilz ont apposté aux librairies plus de charge que d'honneur, excepté cinq ou six desquelz la doctrine, accompagnée

avec Baïf dont on connaît pourtant l'hellénomanie[8] ? La proportion des livres qu'ils emportent est de trois contre un en faveur du latin[9], et l'œuvre de Dorat témoigne que son intérêt ne se bornait pas aux seuls poètes : il fréquentait Platon, Aristote, Plutarque, et Cicéron, les historiens, Sénèque.

Dans la seconde partie de sa vie, après sa conversion, il a dû rapidement mettre à jour sa culture biblique. S'il fait volontiers appel aux livres historiques de la Bible, il faut mentionner particulièrement les *Psaumes*[10], qui aux côtés du *Nouveau Testament* nourrissent sa dévotion. Ses témoignages sur la littérature patristique sont moins nombreux et, comme en ce qui concerne les mystiques de son temps, on est plutôt amené à reconnaître des influences qu'à trouver mention précise de tel ou tel[11].

LES DEUX CULTURES   Dorat lui-même a voulu nous montrer la succession de ses deux cultures dans sa vie : à l'en croire, le « vieil homme » en lui fut tout imbu de culture antique ; régénéré, il a exorcisé les séductions de cette dernière. C'est la victoire des temps présents sur le passé : la Bible, actualisée par le Christianisme[12] et son message définitif, universel, a vaincu les livres des Anciens.

Il est vrai, sans doute, que la culture chrétienne est pour le moins discrète dans la première partie de l'existence de Dorat[13]. La critique a mis volontiers en valeur sa dévotion à l'égard de la culture grecque[14], mais en se situant du seul point de vue intellectuel, et même, plus précisément, littéraire. En fait, s'il est juste de parler à propos de sa

d'un parfaict artifice m'a tousjours tiré en admiration » (*Abbregé*, S. T. F. M., t. 14, p. 5). Le texte de 1567 aggrave encore le jugement : « ont foisonné en l'abondance de tant de livres empoullez et fardez ». On peut douter de l'intensité de l'influence du maître sur Ronsard à cette date. Bien que Dorat ait été un sectateur de l'« hellénisme », on ne trouve sous sa plume — au moins dans les textes qui nous sont parvenus — aucune déclaration du genre de celle d'un Leconte de Lisle : « En fait d'originalité, le monde romain est au niveau des Daces et des Sarmates » (*Préface des Poèmes antiques*, in *Derniers poèmes*, Paris, Lemerre, s. d., p. 218).

8. Baïf avait été nourri dans les lettres grecques : quand Dorat reçut le soin de son éducation, le jeune garçon était déjà un helléniste honorable. Pour chanter la fontaine de Médan, Dorat compose *Villanis*, mais son disciple Μεδαυίς.

9. Cf. ci-dessus, n. 185, p. 47 ; les Latins sont Ovide, Horace, Virgile ; le Grec Théocrite.

10. C'est, pour lui, le plus important des livres de la Bible ; cf. par ex. *Ode* XXXVII, 33-36.

11. Les textes des évangélistes ou ceux de saint Augustin sur lesquels il s'appuie sont, généralement, très connus. Il se réfère nommément à Paulin de Nole dans l'*Argumentum* de sa *Monodia tragica*.

12. Sur l'actualité d'Isaïe par ex., cf. *P.*, p. 294-295.

13. Pour une référence erronée, cf. Mss. ambr. A. 184, f ˚ 3 ˚, *in marg.*

14. Nolhac lui-même s'en prend à l'admiration globale de Dorat : « L'helléniste... ne semble pas s'être aperçu qu'il n'y a rien de commun entre Homère et Lycophron de Chalcis, qui représentent les points extrêmes de sa vaste investigation littéraire » (*R. et l'H.*, p. 88). Or, quel que soit l'intérêt du professeur pour Lycophron, le « divin Homère » a été longtemps l'objet d'un véritable culte, et plus tard Dorat s'est acharné contre cette image ; cf. ci-dessous, p. 378.

jeunesse du triomphe de l'« hellénisme », il faut entendre le terme en son sens étroit : l'effort de l'empereur Julien pour restaurer les anciens dieux du paganisme. Aux yeux de l'humaniste la lumière d'or qui baigne le monde grec est si intense qu'il ne peut plus voir le présent terne et mesquin, sinistre aussi, au moment où s'allument le bûcher d'Étienne Dolet à Paris et celui de Michel Servet à Genève :

> « ... l'impure laideur est la reine du monde,
> Et nous avons perdu le chemin de Paros[15]. »

Et Dorat, sans doute, à cette époque, se jugeait « trop vieux de trois mille ans au moins »[16]. Prise au piège du mythe des Ages, sa jeunesse a cherché dans le culte du Mythe un refuge, un peu comme Tite-Live s'était tourné, avec une admiration quasi religieuse, vers l'histoire de l'ancienne Rome pour fuir les malheurs de son temps[17]. Pétrarque, qui considère Virgile et Cicéron[18] comme des *familiares* et leur écrit, a connu une tentation analogue.

Oui, mais Tite-Live a néanmoins conduit son ouvrage jusqu'à son époque, et Dorat n'est pas resté enfermé dans sa « librairie », loin du monde, même si les jugements qu'il porte alors sur son temps sont très critiques[19]. Mais à la différence de Pétrarque, esprit novateur dans un monde usé, Dorat est né dans un siècle de découvertes, et il a cinquante ans quand il déclare :

> Me iuuat nunc esse natum (*Ode* XVIII, antistr. 7)[20].

Le désespoir pourtant le tentera de nouveau dans sa vieillesse à l'occasion des troubles civils, mais s'il a failli douter que son Dieu fût venu pour sauver les hommes, il sait que les dieux ne verseront jamais plus le nectar dans leurs coupes d'or, et son dernier refuge est dans la vertu d'Espérance : en lui le Galiléen a vaincu.

Or la conversion de l'humaniste, quoi qu'il en dise, n'a pas été acquise d'un seul coup. Si spectaculaire que paraisse la *metanoia* de l'automne 1571, la culture païenne l'avait depuis longtemps préparée. Lentement, dans la période que nous avons nommée « le temps des doutes », la philosophie du Portique est venue prendre la relève de

15. Leconte de Lisle, *Hypathie*, in *Poèmes antiques*, Paris, Lemerre, s. d., p. 68.
16. *Préface des poèmes et poésies*, in *Derniers poèmes*, Paris, Lemerre, s. d., p. 226.
17. *Ego contra hoc quoque laboris praemium petam, ut me a conspectu malorum, quae nostra tot per annos uidit aetas, tantisper certe dum prisca illa tota mente repeto, auertam* (*Praef.*, 5). S'il trouve dans l'histoire des origines de la Ville un « divertissement », Tite-Live admet qu'il s'agit d'un avantage supplémentaire ; l'humaniste, croyons-nous, a dû s'immerger absolument dans le culte du Mythe durant sa période d'« hellénolâtrie ».
18. Mais il conserve toute sa lucidité pour juger Cicéron quand il a découvert sa *Correspondance* en 1345.
19. Cf. par ex. les remarques amères adressées à son ami Maledent à propos de la médiocre situation des lettres en France (Mss. Lat. 10327, f˙ 23 r˙). Nous pensons pouvoir dater ce texte de 1539.
20. Cf. aussi *Ode* XXXIX.

celle du Jardin[21] : au milieu des malheurs du royaume, l'humaniste a commencé à sentir le besoin de croire qu'un esprit bienveillant gouverne l'univers. On ne saurait méconnaître le poids de la lecture de Cicéron et de Sénèque, et l'influence stoïcienne est sans doute aussi l'une des causes de la participation accrue du poète à la vie politique.

D'autre part, il est bien évident que les deux cultures de Dorat n'ont jamais cessé de s'affronter, mais aussi de dialoguer. Il n'a pas l'esprit dogmatique d'un Théodore de Bèze : jamais il n'a véritablement renié son rapport au monde antique. Par exemple, il ne s'est jamais soucié d'effacer aussi totalement de ses œuvres les mots *Dei, Superi* etc., que Julien César n'évitait l'emploi de ces pluriels révélateurs au temps où il sentait ses propos surveillés par les espions de Constance[22]. Sans doute, Dorat subit l'influence syncrétiste de son temps[23], mais surtout, malgré qu'il en ait, l'Antique reparaît constamment sous sa plume parce que son esprit en est imprégné. Le recours à l'« exemple » ancien reste fréquent. Parfois, ce n'est qu'une antonomase, comme lorsque le poète voit la nef Argo dans le bateau de Thevet (*Ode XXXIX*, init.)[24]. Parfois, on dépasse singulièrement le domaine du langage littéraire. Ainsi, en 1576, Dorat a d'abord conseillé à Henri III de marcher sur les traces du Christ :

> ... ire te Christi decet
> Laborioso calle (*Exh.*, 74-75).

Plus loin, il ajoute qu'il est beau de mourir pour les siens, mais c'est l'exemple d'Hector et d'Achille qu'il cite. Or cette remarque tend, précisément, à ruiner l'ancienne image du chef parfait, celle d'Ulysse[25] : le modèle, jadis trop aimé, est énergiquement rejeté, et son créateur, le « divin Homère » est devenu un « Grécaillon » pour avoir regardé ce chef égoïste avec trop de complaisance :

> (Vlysses)
> Qui sospes unus, coeteris pereuntibus,
> Euasit, haud dignus profecto laudibus
> Tot atque tantis Graeculi uatis sui (*op. cit.*, 140-142).

21. Dorat s'inscrit en faux contre le matérialisme de Lucrèce dans son liminaire pour le *Lucrèce* de Lambin en 1563 (Mss. Lat. 10327, f° 70 v°-71 r°).

22. Créant ainsi ce que J. Bidez appelait « le vague d'une sorte de monothéisme neutre et incolore » (Julien, *Œuvres*, Paris, Belles Lettres, 1932, t. 1, 1re partie, p. 114).

23. L'*Oratio funebris* de Turnèbe, prononcée au Collège Royal en décembre 1565 par son ami Léger du Chesne, est un exemple particulièrement frappant (in *Polémiques autour de la mort de Turnèbe*, p. 160-202).

24. Il faut noter qu'il s'agit d'une *ode*. Dorat, qui a condamné la littérature profane dans l'épître à Amyot qui précède l'ode *Ad Deum* (Paris., Bienné, 1571), a donné en 1574 à celle qu'il consacre à la mort de Charles IX (*Ode XXXVI*) une couleur mythologique qui la rend très différente des autres textes sur le même sujet (cf. ci-dessus, p. 264 et n. 29).

25. Cf. ci-dessus, p. 129.

Pourtant, cette irritation excessive n'a pas de suite, et c'est encore au trésor homérique que l'humaniste, en définitive, a recours :

> Laudetur ille iustius, si cum Hectore
> Periisset, aut cum Achille, seruatis suis (*op. cit.*, 145-146).

Le même texte nous met en présence d'un rapport plus subtil, qui n'est pas dialectique, entre le poète chrétien et sa culture antique : il s'agit cette fois du souvenir de Julien. En effet, lorsque Dorat déclare à Henri III que « le roi est la loi vivante » — *Rex uiua lex est* (*Exh.*, 187) — il a dans l'esprit une formule de Thémistius pour qui l'empereur est « l'incarnation de la loi » (*Orat.* 5, 64 b) : le conseiller de Julien voulait lui faire entendre combien le titulaire de la dignité impériale est au-dessus de l'humanité. Julien, lui, tient à apporter une nuance, et dans son *Eloge de Constance*, il loue l'empereur d'obéir aux lois « comme un simple citoyen » (*op. cit.*, 45 c). Et Dorat rappelle à son prince qu'il n'est qu'un de ses sujets :

> Ergo tuus tu Rex tibi, primum rege
> ... te (*Exh.*, 147-148).

Cette double ressemblance ne peut guère être fortuite. Or Dorat ne fait pas explicitement référence aux auteurs qu'il paraphrase ici. Les mots, sans doute, pouvaient seulement flotter dans son esprit : si c'est le cas, c'est qu'ils avaient été bien assimilés par lui[26]. Pourtant, le fait qu'il ait dû traduire — ce qui amène à prendre ses distances — exclut qu'il s'agisse d'une réminiscence parfaitement anonyme. L'ancien admirateur de l'Apostat sait de qui sont les textes qu'il transpose, mais il sait aussi qu'il n'a plus à redouter la pensée de Julien ou de son philosophe païen, ni donc à la rejeter systématiquement.

Il n'est certes pas aussi facile de se déprendre des séductions d'Homère, mais c'est dans une intention bien précise, pour exhorter plus efficacement le Très-Chrétien, que son poète a ainsi affronté les fantômes de sa culture ancienne.

Enfin, d'un point de vue formel, Dorat n'a jamais cherché à rejeter l'héritage antique. Au moment où il confesse, précisément, ses erreurs passées et rend grâce à Dieu qui lui a rendu la « santé » (*Ode* XXX), c'est la strophe exultante d'Alcée qu'il utilise, et il compose en latin et en grec[27]. L'*Ode* XXXVII, qui condamne énergiquement les influences antiques[28], est aussi coulée dans ce moule. Mais Dorat est allé plus loin. Il loue Jean Carpentaeius d'avoir donné à Isaïe la beauté ordonnée des

---

26. Le manuscrit de Julien (B. N., Mss. Gr. 2964) arriva à Paris en 1559 : il avait été acheté à Venise par l'ambassadeur Jean Hurault ; cf. G. Rochefort, *Œuvres complètes* de Julien, Paris, Belles Lettres, 1963, t. 2, 1ʳᵉ partie, p. XII.

27. L'ode grecque est une traduction de l'ode latine.

28. Les victimes sont Anacréon et Sappho avec « leurs plectres de délices » (*Ode* XXXVII, 121-124) : Dorat leur préfère ici la harpe du roi David.

vers de Virgile : *factus Esaïas Maro* (*P.*, p. 295)[29]. Non, Dieu n'est pas un parâtre, il n'a pas tout accordé à ses fils premiers-nés[30]. Son peuple élu, sans doute, a reçu l'essentiel, Son message, mais Dieu a mis dans l'esprit de tous les hommes le goût du *numerus* qui fonde l'harmonie[31] : les Grecs et les Latins, entre tous, mieux que les Hébreux, ont su en faire naître l'Ordre et la Beauté.

HISTOIRE ET CULTURE   Le recours au monde antique est bien une attitude intellectuelle constante chez Dorat, mais les « rapprochements » divers auxquels il se complaît ne témoignent-ils pas de son manque de sens historique ? Tel était le reproche de Laumonier à la technique appliquée par Dorat dans ses commentaires : « Il faisait sans cesse des rapprochements, sans que nous puissions affirmer si ces rapprochements entraînaient des distinctions historiques sur la différence des temps et des pays » (*Ronsard poète lyrique*, p. 379)[32].

Cette critique a pour corollaire l'idée que l'usage abusif du livre fausse le jugement sur l'actualité et nuit aux études historiques. En effet, l'accusation de Laumonier dépasse singulièrement et Dorat et le domaine poétique, puisqu'il croit pouvoir affirmer : « le sens historique a manqué généralement au XVIᵉ siècle » (*op. cit.*, p. 343). Une telle généralisation est, à coup sûr, abusive[33], et, en ce qui concerne plus spécialement Dorat, son œuvre intellectuelle peut témoigner là contre.

La recherche des « similitudes » est bien, en effet, pour l'historien le péché par excellence : elle est génératrice d'anachronisme, qu'on projette le passé sur le présent, ou le présent sur le passé. Mais lorsque l'humaniste se tourne vers l'antiquité, il s'applique à trouver non des similitudes, mais des analogies[34].

29. Le sujet deviendrait aisément le prédicat, et Dorat aimerait reconnaître comme un prophète l'auteur de la *Bucolique* 4 (cf. ci-dessus, p. 144). Pétrarque juge certain que les païens qu'il aime — Platon et Cicéron — auraient été chrétiens s'ils en avaient eu la possibilité ; cf. *De ignorantia*, p. 78 (éd. Capelli).

30. On peut, croyons-nous, donner une portée très générale à la déclaration de Dorat sur le progrès dans la connaissance (*Ode* XXXIX, 21-24).

31. *Ode* XXXVII, 57-58.

32. Laumonier ne se fonde pas sur les œuvres de Dorat, mais sur « le résultat de son enseignement tel qu'il apparaît dans les œuvres de Ronsard » (*op. cit., ibid.* et n. 1). En fait, le critique reproche à Ronsard d'avoir confondu dans une même admiration Homère et Aratos, Nicandre etc. ; en ce qui concerne Dorat, cf. ci-dessus, n. 14.

33. Cf. G. Huppert, *L'idée de l'histoire parfaite* (traduction F. et P. Braudel), Paris, 1973 : chez Étienne Pasquier, par ex., on rencontre toutes les préoccupations méthodologiques souhaitables. Dès 1914, F. von Bezold a signalé l'importance du « mouvement historique » lié au Parlement de Paris (cf. *op. cit.*, p. 9 et n. 2).

34. Les historiens ont cessé de jeter l'anathème sur l'analogie, et une formule de M. Paul Veyne est éclairante : « Qu'est-ce... que l'histoire comparée ? Une variété particulière d'histoire ? Une méthode ? Non, mais une heuristique » (*Comment on écrit l'histoire...*, Paris, 1971, p. 152 et n. 3). Cf. les travaux du colloque de l'Institut collégial européen, Loches, juillet 1978 : *L'histoire et l'analogie*.

Tel n'est pas toujours le cas de ses contemporains. Ainsi, dans le domaine linguistique, l'erreur de Bembo et des Cicéronianistes a été précisément de penser qu'on pouvait ressusciter la langue *même* dont avait usé l'auteur tant admiré. Le latin des humanistes, en revanche, apparaît bien comme une réaction contre l'usage de l'université médiévale, et ce n'est en aucun cas une marque de conservatisme : il ne s'agit ni de garder un outil désuet jugé mauvais, ni de se faire les singes[35] des maîtres du passé. Dès lors doit-on condamner les humanistes authentiques d'avoir cherché pour leur temps un outil de communication aussi riche et efficace[36] — et en outre aussi beau — que le latin du Ier siècle l'était pour les hommes du Ier siècle? Érasme, Dorat et leurs amis ont-ils manqué de sens historique en s'efforçant de régénérer un langage qui, pour eux, permettait d'enseigner et de se faire lire de Naples à Lübeck ou à Edimbourg, et de Coïmbra à Cracovie? Le rôle du latin, langue privilégiée de l'œuvre de Dorat, et de son enseignement, n'a pas été d'empêcher dans la France de son temps le développement de la langue nationale, mais de permettre l'intégration des Français dans une communauté intellectuelle européenne. Si cette communauté a rapidement perdu à l'Ouest l'éclat qu'elle connut au XVIe siècle, des universitaires roumains ou polonais portent encore de nos jours le plus vivant témoignage sur ce latin facteur d'union. Dorat et les princes qu'il a servis ont cru au mythe de cet héritage véritablement impérial[37].

Quand il s'agit de politique, le poète est totalement fidèle à des *principes* qu'il doit à ses maîtres anciens : la hiérarchie qui, dans l'esprit de la *Pythique* 1, met Apollon, le dieu des *modulamina* (*Ode* IV, antistr. 2), au-dessus de Jupiter et de la force brutale, se transposerait aisément en *cedant arma togae*[38]. Mais, d'un point de vue pratique, Dorat ne cherche dans le monde ancien que des modèles très limités[39].

Son attitude circonspecte dans ce domaine est très explicable. D'abord il est conscient de ce que l'histoire antique est fort sombre, et peut fournir de nombreux contre-exemples, comme le notait Tite-Live : *inde tibi tuaeque rei publicae... foedum inceptu, foedum exitu, quod uites* (*Praef.* 10).

35. Dans un tout autre domaine, Dorat montre qu'il ne cherche pas la similitude, mais l'analogie : c'est à propos de l'imitation des saints (*P.*, p. 329). Sur le caractère « simiesque » des imitations inadaptées, cf. ci-dessous, n. 45.

36. C'est dans le même esprit que Dorat prône l'utilisation du droit romain : il ne porte aucun jugement sur le code lui-même — susceptible d'une mise à jour — mais ce corpus a l'étrange avantage d'être écrit et d'être facteur d'unité.

37. Le latin est la langue de l'Empire, mais la France, qui a relevé l'héritage, est désormais la mère des lois.

38. Mais l'humaniste a plutôt l'occasion de constater avec tristesse, en 1565 : *Mens contempta iacet* (*P.*, p. 123), et en 1576 : *plus ualet ferrum foro* (*Exh.*, 236).

39. Ainsi, il tiendra un langage prophétique en présence d'un prince irrité s'il se trouve dans la même situation que Calchas en face d'Agamemnon, c'est-à-dire s'il peut compter sur le soutien d'un Achille (*P.*, p. 30).

En outre, jamais Dorat n'a tenté d'appliquer à son temps les théories politiques de l'antiquité (non plus que ses usages). A la différence de Pétrarque qui a cru que Cola di Rienzo pourrait ressusciter la République romaine[40], Dorat, réaliste, n'envisage pas d'autre « police » que celle où Dieu l'a fait naître. C'est que Pétrarque, né en exil, éternel pèlerin, n'avait qu'une patrie spirituelle : la Rome antique. Dorat est le citoyen d'un État qui, en fin de compte, résiste aux tempêtes : il a un patrie politique. Mécontent de la situation, il est partisan d'un changement moral — idée chère, du reste, aux historiens latins — mais il ne souhaite pas une révolution qui, à la recherche d'un modèle hors de saison, amènerait un bouleversement des structures. L'antiquité fournit toujours, malgré tout, d'utiles exemples d'attitudes politiques : la foi de Périclès ou de Cicéron dans l'éloquence délibérative, la clémence d'Auguste[41]. On n'a jamais noté, jusqu'ici, le caractère parénétique de bien des œuvres de Dorat, et il faut reconnaître l'influence de Cicéron et de Sénèque sur la réflexion de cet humaniste qui fut, malgré la Saint-Barthélemy[42], profondément un « politique ».

Jusqu'alors on ne s'était guère intéressé qu'à l'influence — majeure il est vrai — du professeur de poétique. On a vu dans le maître de Coqueret un admirateur hébété des lettres grecques[43], et même, dira-t-on, la hiérarchie des arts que prône Dorat, et qui place la poésie loin devant les arts plastiques, doit tout à Pindare et rien à Léonard de Vinci[44] : c'est vrai, mais il faut en chercher la raison ailleurs que dans l'admiration frénétique de la pensée du Thébain et dans le mépris délibéré à l'égard d'un contemporain. Le poète français, en effet, trouve son avantage dans la thèse de Pindare : elle lui permet de ne pas se sentir inférieur

---

40. Cf. par ex. Nolhac, *Pétrarque et l'Humanisme*, p. 20 ; le « tribun » était aussi un grand lecteur de Tite-Live (*op. cit.*, p. 225).

41. Mais le poète prend soin de présenter *aussi* un modèle chrétien ; cf. ci-dessus, p. 282.

42. Bien que la célébration nous paraisse choquante, la Saint-Barthélemy semble avoir été dans la vie du poète une rupture de conduite, comme elle l'a été dans l'évolution politique de la monarchie qu'il servait. J. Lecler conclut le chapitre qu'il consacre aux « Guerres civiles et édits de tolérance sous Charles IX » : « Ce règne, l'un des plus sanglants de l'histoire, n'en est pas moins décisif pour le développement de la tolérance civile en France... La Saint-Barthélemy, elle-même n'aura été qu'un revirement temporaire. Elle a entravé, mais elle n'a pu enrayer une évolution que la sauvegarde de l'unité du royaume devait un jour exiger impérieusement » (*Tolérance*, p. 84).

43. Nolhac déclare : « Ronsard ne fait jamais de réserves... quand il s'agit des Grecs, il les adopte en bloc, comme fait Dorat » (*R. et l'H.*, p. 42-43) ; cf. ci-dessus, n. 14.

44. Léonard platonise à sa manière, lui aussi : « Nous dirons donc avec raison que, dans le domaine des fictions, il y a entre peinture et poésie la même différence qu'entre un corps et l'ombre dérivée, ou même plus grande, car l'ombre de ce corps passe au moins par la vue pour accéder au sens commun, alors que sa forme imagée ne passe nullement par elle, mais se produit dans l'œil intérieur » (*Traité de la peinture*, traduction A. Chastel, s. l., Club des libraires de France, 1960, p. 38). Sans doute le texte de Léonard est resté manuscrit au XVIe siècle, mais sa pensée était connue des cercles d'artistes travaillant à la Cour.

aux artistes avec lesquels il est en concurrence constante, et l'obstination de Dorat et des siens révèle aussi l'acharnement de cette lutte d'influences.

En face du trésor antique, de fait, l'attitude de l'utilisateur — au sens le plus large du mot — est tout le contraire de la révérence. Il jouit d'une liberté, voire d'une désinvolture de « pillard », et son choix n'est limité que par le *quod decet* : il s'agit, comme ailleurs, de choisir en tenant compte de l'originalité de chaque époque et, de manière plus subtile, de choisir des modèles qui conviennent — personnellement — au poète moderne. Il ne nous appartient pas de trancher le débat sur le succès de Ronsard : il a, en tout cas, assumé la responsabilité de son choix et, en revendiquant pour la première fois chez nous l'héritage de Pindare, il a ouvert la voie aux « grandes odes » : il n'est pas sûr que ce soit là une « erreur historique ».

Sans doute, Dorat a bien présenté à ses disciples les beautés des textes anciens comme des « modèles », mais en même temps il montrait leurs auteurs comme des rivaux, suscitant ainsi une émulation éminemment tonique. Depuis le règne de François Ier les Français n'ont plus à regarder peureusement vers des modèles inaccessibles : « Maintenant toutes disciplines sont restituées, les langues instaurées ». Dès lors, il ne faut plus que « lutter avec les puissants génies des anciens » :

> Certare...
> Cum ueterum ingeniis potentum (*Ode* II, 107-108).

Ronsard n'a pas à être Pindare — il ne serait qu'un « singe »[45] — il doit être le Pindare français. En adaptant à l'enfance du Vendômois le prodige de l'abeille pindarique, le maître a précisé que c'était le signe que chacun des deux serait « le prince de la lyre en son pays » :

> Nota... lyrae
> Vtrumque fore mox principem
> *Gentilis* (*Ode* IV, ép. 3).

Dorat, pour sa part, ne s'abandonne jamais à une dévotion exclusive. Ainsi, dans la philosophie de l'art qui se dégage de son œuvre, la méthode de la *mimesis* est aristotélicienne, tandis que l'idée que la connaissance due à la création artistique est imparfaite s'inspire de Platon. A n'en pas douter l'humaniste avait aussi médité avec Ficin, et il n'a pas fait mystère de ce qu'il devait à Pétrarque[46]. Aucune de ses

---

45. C'est le terme de l'« autocritique » de Salmon Macrin — *Flacci Simia* (in *Delit. Poet. Gall.*, t. 2, p. 554). Forcadel l'emploie dans son épigramme contre le cicéronianiste Paschal : « Toy Orateur, singe du grand Romain » (*Poesie*, Lyon, 1551, p. 152). Cf. aussi le conseil par lequel Du Bellay conclut *Deff.* 2, 3, en invitant l'imitateur à choisir un modèle adapté : « Autrement son immitation ressembleroit celle du singe » (S.T.F.M., p. 107).

46. Cf. *Ecl.*, p. 29 (= 26)-34.

œuvres n'est le fruit de l'imitation d'un modèle unique[47], pas plus que
ses cours ne se bornent à présenter la thèse d'un seul commentateur.

Il était naturel que le professeur fût en rapports avec les œuvres
anciennes et les scolies, mais la fréquentation assidue de ces textes ne
l'a-t-elle pas conduit à une attitude intellectuelle jugée « puérile » par
des siècles qui ont cru détenir la rationalité ? Sans doute, dans le cas de
la Renaissance, c'est l'ancien qui est novateur, mais Dorat n'a pas
tourné le dos aux découvertes de son temps. Sa philosophie de l'histoire
se fonde, en définitive, sur un schéma de progrès indéfini, que garantit
la bonté de Dieu, et aussi Sa justice (*Ode* XXXIX).

Mais, aux yeux d'une certaine critique, ce qui paraît encore plus
vieux que l'antiquité, c'est le Moyen Age. Il est bien désinvolte, pourtant, de se débarrasser de la lecture et de la création allégoriques des
humanistes en les rejetant dans les ténèbres cimmériennes de l'époque
précédente, et en les opposant à la clarté antique. Pour les intellectuels
humanistes, ici comme en ce qui concerne le langage, il ne s'agit pas de
conserver le legs médiéval, mais de faire naître une méthode nouvelle
et fructueuse, garantie par la tradition antique[48], et qui conduit à
prendre conscience de ce qu'il existe plusieurs niveaux de lecture et
qu'on peut trouver plusieurs clés pour un texte : c'est là un refus du
dogmatisme et le fondement même de l'esprit de tolérance.

Or il est nécessaire que l'historien exerce cette vertu envers l'objet
de son étude et renonce à la juger d'emblée dérisoire. Dorat, c'est un
fait, a joué dans la société de son temps un rôle important par sa mantique. Il est certain que ses pratiques divinatoires doivent tout à l'antiquité, mais il est simpliste d'opposer l'esprit scientifique et le recours
aux livres anciens. Lorsque Cardan, en effet, s'adonne à l'astrologie,
c'est en vertu d'un esprit scientifique qui *circonscrit* le domaine du
déterminisme : les déclarations de J.-C. Scaliger sur ce point ne laissent
aucun doute[49] ; Pontus de Tyard ne l'a pas vu, et s'il condamne l'astrologie comme une pratique peu honorable pour l'esprit humain, c'est
seulement parce que ni Platon, ni Aristote n'y ont eu recours[50].

Sans doute Dorat et ses contemporains n'ont pas grand'chose à
envier aux héros des *Ethiopiques*, grands consommateurs de songes

47. Cf. notre introduction générale à l'édition des *Odes latines*; cf. aussi « Dorat imitateur d'Ovide », in *Hum. Lov.* XXII (1973), p. 177-208. Sur la souplesse de la langue de
Dorat, cf. en particulier *Ode* XXX.

48. Dorat ignore les quatre sens de l'écriture. Ses commentaires sur le texte d'Homère
sont héritiers de l'exégèse stoïcienne, d'Héraclite ou de Porphyre, et, bien entendu, de Pétrarque.

49. *Sed et interesse qua quaeque coniunctione respondeant : horoscopus, Caeli uertex,...
reliquorum Siderum suus affectus, cum Regionis Genio, hoc est Caeli facie, cui illa sit subiecta
terrarum pars* (*De subtilitate*, f° 338 r°). Scaliger oppose ici les circonstances qui ont une
action sur le destin de l'Homme, et celles qui n'en ont pas (l'attribution du nom).

50. « Platon n'a pas parlé d'astrologie, ni Aristote... opinion laquelle je m'esmerveille
avoir esté suivie par Cardan, duquel je ne puis faire que memoire honorable » (*Mantice*, à la
suite des *Discours philosophiques*, f° 144 v°).

signifiants. Mais quand l'humaniste écoute, sans intervenir, un enfant expliquer — au plein sens du mot — le déroulement de son rêve, il lui permet ainsi, très sagement, de commencer à exorciser ses angoisses. Le professeur ne savait pas, de science certaine, que la personnalité de l'Homme jaillit de son inconscient, mais quelles que soient les implications de son onirologie, il savait bien que la vie de l'Homme se reflète dans ses rêves, et que ce domaine n'est nullement méprisable.

Les sociologues de notre temps, qui ont à connaître d'un renouveau charismatique, ne sauraient se moquer des prophètes et de leurs interprètes. Au contraire, le pendule est à l'autre bout de sa course, et il faut aujourd'hui remettre en valeur les efforts du rationalisme au XVIe siècle[51].

Enfin, lorsque Dorat pratique l'anagramme ou tout autre « jeu » sur les noms, on doit reconnaître qu'il est infiniment plus sérieux que bien des sérieux commentateurs ne l'ont cru. Son « jeu »[52] est le résultat d'une longue méditation sur le langage, amorcée très tôt par la fréquentation de Postel, et si Lycophron a bien ici un rôle déterminant, on ne saurait négliger la durable influence des cabbalistes. Les étymologies, depuis celles de Cratyle, ont longtemps suscité le sourire entendu des hommes de science, mais les linguistes aujourd'hui plus modestes, aussi modestes que leur ancêtre Varron, n'hésitent pas à présenter deux ou plusieurs solutions pour le même mot[53], ce qui eût paru scandaleux il y a bien peu de temps. On ne dédaigne pas d'étudier les jeux de mots, même dans la Bible, non plus que les rapports du mot d'esprit avec l'inconscient, et l'on reconnaît au jeu verbal un caractère heuristique que Dorat ne lui refusait pas, tout en souriant, comme Socrate.

*
* *

51. Cf. *op. cit.* en n. 33, et du même auteur « *Diuinatio et eruditio* », in *History and Theory*, 1974.

52. L'anagramme, en particulier, est jugée sévèrement par un critique qui fait pourtant preuve de sympathie à l'égard de l'œuvre latine de Dorat, l'abbé Sabatier de Castres : « c'est un genre pitoyable, à la portée de tout le monde parce qu'il n'exige qu'un peu d'application et point du tout d'esprit » (*Les trois siecles de la litterature françoise ou tableau de l'esprit de nos ecrivains depuis François I, jusqu'en 1781*, 5e éd. La Haye, 1781, t. 2, p. 189).

53. Cf. par ex. P. Guiraud : « un problème caractéristique est posé par l'existence de sémantismes concurrents. Pour exprimer une idée donnée, la langue offre plusieurs modèles... Il arrive souvent que les mots tombent dans plusieurs paradigmes » (*L'Étymologie*, p. 118). Après avoir donné des exemples, M. Guiraud poursuit : « beaucoup d'autres (exemples) indiquent l'existence de faisceaux étymologiques et montrent que le dynamisme verbal peut être complexe. Et le mot « dynamisme » n'est pas une figure, c'est bien un « champ de forces » conjointes et « composées » qui est à l'origine de la création du mot — et, en tout cas, de ses emplois et de ses valeurs » (*op. cit.*, p. 118-119).

Nous sommes loin, évidemment, de la « finesse... subtile et prétentieuse » que Marty-Laveaux « surprenait » sur le portrait de l'érudit,
plus loin encore du poète boursouflé et ridicule qu'A. Hulubei a vu
dans quelques vers d'une églogue. Dorat, sans doute, pourrait se con-
soler en méditant le *De ignorantia* de son « ami » Pétrarque : *Operosa
ac difficilis res est fama, praecipue literarum*[54].

C'est qu'il est dangereux de s'exprimer avec humour[55] ou avec
ironie en présence de critiques éminemment sérieux, sûrs aussi de
savoir devant le tribunal de l'histoire ce qui est beau et ce qui ne l'est
pas : on pourrait peut-être les accuser, à leur tour, d'avoir manqué de
sens historique.

Nolhac, lui, après plus de trente ans d'études, a vu à n'en pas douter
dans le principal de Coqueret « une manière de grand homme »[56] : si,
pour un être qui n'a rien d'un héros, la grandeur se mesure à l'étendue
et à l'intensité de l'influence, Dorat eut bien accès à la grandeur. Mais
ce qui peut séduire dans cette figure d'intellectuel, c'est que l'expérience
qu'il doit à la vie est aussi riche que celle qu'il a cherchée dans ses
livres. Pendant toute son existence, Dorat a multiplié les tâches[57].
Pourtant il prenait le temps de jouer avec ses enfants ; sociable par nature, il savait conserver ses amis, même à travers la tempête politique[58] :
des amis savants, riches, influents. On sait moins qu'il accueillait aussi
bon nombre de pauvres, des gens qui n'entendaient le grec, ni le latin.

Pour l'humaniste, la culture n'est pas une manière de se couper du
monde : elle est le moyen de ne pas être seul au milieu des travaux
ennuyeux et faciles, de ne pas affronter seul les tâches, lourdes ou exal-
tantes. C'est un trésor qui n'est pas objet de latrie ; plus on y puise,
plus il est riche, car le présent ne cesse de l'enrichir.

---

54. P. 36 (éd. Capelli).
55. Cet humour (parfois noir) permet à Dorat de prendre ses distances par rapport aux
situations angoissantes ou simplement pénibles ; cf. par ex. la manière dont il raconte à Ronsard
l'impression produite par son aspect décharné sur la plus jolie servante de son ami (*Epgr.*, p. 84).
56. *R. et l'H.*, p. 52.
57. Ronsard a bien senti combien la personnalité et l'influence de son ami étaient complexes (S. T. F. M., t. 7, p. 121-122) ; cf. ci-dessus, p. 195.
58. Uytenhove, qui a quitté définitivement la France en raison des troubles religieux, est
resté en correspondance amicale avec Dorat ; cf. par ex. B. N., Mss. Lat. 18592, f° 50 r°.

BIBLIOGRAPHIE

Œuvres de Jean Dorat[1]

Ad Robertum Stephanum (1538), in Goldast, *Philologicarum epistolarum centuria...*, Francfort, 1610, p. 235-243 (B.N., Z 14190).

Hymne de Bacus par P. de Ronsard avec la version latine de J. Dorat, P., Wechel, 1555 (B.N., Rés. Ye 489 (3)).

Ronsardi Exhortatio ad milites Gallos Latinis uersibus de Gallicis expressa a Io. Aurato, P., Wechel, 1558 (B.N., Rés. Ye 494).

Triumphales Odae, P., Robert Estienne, 1558 (B.N., Rés. Yc 8025).

Epitaphia in Fran. Duarenum (s.n. TURNÈBE) : P., F. Morel, 1559 (B.N., Yc 2262).

Aduersus... Adriani Turnebi Necromastigas ; ΕΙΣ ΤΟΥΣ ΤΟΥ ΤΟΡΝΕΒΟΥ ΝΕΚΡΟΜΑΣΤΙΓΑΣ in *Adriani Turnebi... Tumulus*, P., F. Morel, 1565 (B.N., Rés. mYc 925) ; rééd. G. D., in *Polémiques autour de la mort de Turnèbe* (cf. ci-dessous, p. 394).

Epitaphes sur le tombeau de haut et puissant seigneur Anne duc de Montmorancy (sic) *pair et connestable de France*, P., Ph. G. Roville, 1567 (B.N., 4° Ln[27]. 14677).

Epitaphes et Regrets sur le trespas de M. Thimoleon de Cossé..., P., Buon, 1569 (B.N., Rés. Ye 477).

Paeanes... in triplicem uictoriam, P., Charron, 1569 (B.N., Rés. Yc 1204).

Epithalame ou chant nuptial sur le mariage de tres illustres prince et princesse, Henry de Lorraine duc de Guyse, et Catarine de Cleves comtesse d'Eu, P., 1570 (B.N., Rés. mYc 931 (2)).

Tumulus reuerendis. D. Claudii Espencaei, P., Bienné, 1571 (B.N., Rés. pYc 1366).

Ad Deum pro sanitate sibi restituta... ode latina et graeca, P., L'Huillier, 1571 (B.N., Rés. Yc 8026).

Tombeaux des Brise-Croix, Mesmes de Gaspard de Colligni, jadis admiral de France, Lyon, 1573.

Ad Ampliss. Polonorum legatos, Parisiorum urbem ingredientes..., P., F. Morel, 1573 (B.N., Yc 1206).

Magnificentiss. spectaculi... descriptio, P., F. Morel, 1573 (B.N., Rés. mYc 748).

---

1. Cf. ci-dessus, p. 12.

Elogium Francisci Balduini... cum epitaphio (s.n. MASSON, Papire), P., D. du Pré, 1573 (B.N., Ln[27]. 1148).

De profectione et aduentu Henrici Regis Polonorum... ex Gallico I.A. Baïfii, P., D. du Val, 1574 (Rés. Ye 907).

Inuictiss... Caroli Noni... Tumulus, P., F. Morel, 1574 (B.N., Rés. pX 98 bis).

In Henrici III... foelicem reditum..., P., F. Morel, 1574 (B.N., Lb[34]. 75).

Ad diuam Coeciliam, musicorum patronam, P., F. Morel, 1575 (B.N., Yc 1208).

Ad beatiss. Virginem Mariam, Laetitiae nomine apud Gallos consecratam, Ouatio...; suivi de *Ad belli Ciuilis Auctores*, P., F. Morel, 1576 (B.N., Rés. mYc 953 (10)).

Martialis Campani... Monodia tragica; suivi de *Ad Regem Exhortatio*, P., Bienné, 1576 (B.N., Yc 8027).

Eclogue latine et françoise... Ensemble l'oracle de Pan..., P., F. Morel, 1578 (B.N., Rés. mYc 945 (6)).

Tombeau de Jean de Thou, P., Patisson, 1580 (B.N., Rés. mYc 925 (13)).

Viri ampliss. Christophori Thuani tumulus, P., Patisson, 1583 (B.N., Rés. mYc 916).

Ioannis Morelli Ebred. Tumulus, P., F. Morel, 1583.

Renati Biragi... cancellarii Tumulus, P., F. Morel, 1584 (B.N., Rés. mYc 925 (11)).

In obitum... Annae Thuanae, s.n. RENAUD DE BEAUNE, *Oraison funèbre...*, P., Patisson, 1584 (B.N., Rés. mYc 925 (17)).

Tombeau de Ronsard (1585), cf. BINET, Claude; à la suite du *Discours de la vie de P. de Ronsard.*

Sibyllarum duodecim oracula, P., J. Rabel, 1586 (B.N., Rés. Yb 60).

Εἰς χαλκοτυπίαν ὕμνος... s.l. n.d. (B.N., Yc 222).

Εἰς Ἑρμην, *In Mercurium*, s.l. n.d. (B.N., Rés. gYc 579).

Poëmatia (Poëm. lib. V, Epigr. lib. III, Anagr. lib. I, Od. lib. II, Epithal. lib. I, Eclog. lib. II, Variarum rerum lib. II), P., G. Linocier, 1586 (B.N., Yc 8028-8030; Rés. mYc 1025).

Varia poemata, cf. DU CHESNE, Léger, *Farrago poematum.*

Varia poemata, cf. BUCHANAN, George, *Variorum poematum silua.*

Varia poemata, in B.N., Mss. Lat. 8138, 8139, 8143, 10327; Mss. Fr. 1663; Mss. Dupuy 810.

Varia poemata, in U.B. Utrecht, mss. 836, 837, 842[1].

Rééditions

Œuvres poétiques, éd. Marty-Laveaux, P., Lemerre, 1875.

Villanis (1552) : cf. ci-dessous, G. D., « Dorat, imitateur d'Ovide ».

Decanatus (1567) : cf. ci-dessous, G. D., « Contestation au Collège royal ».

Ad Regem Exhortatio (1576) : cf. ci-dessous, G.D., « Le poète et le prince ».

Odes latines, texte présenté, établi, traduit et annoté par G.D., Clermont-Ferrand, Association des Publications de la Faculté des Lettres et Sciences Humaines, 1979.

1. Je remercie très cordialement Monsieur A.M.M. Dekker, de l'Université d'Utrecht, qui m'a fait connaître l'existence de ces textes, transcrits par Arnold Van Buchel.

Auteurs humanistes et des XVIe, XVIIe, XVIIIe siècles

AUBIGNÉ, Agrippa d', *Les Tragiques*, éd. Garnier-Plattard, P., S.T.F.M., 1932-1933 (4 vol.).

BAÏF, Jean-Antoine de, *Carminum lib. I*, P., Patisson, 1577 (B.N., Yc 9602).

BAÏF, Jean-Antoine de, *Œuvres*, éd. Marty-Laveaux, P., Lemerre, 1881-1890 (5 vol.).

BELLEAU, Rémy, *Œuvres poétiques*, éd. Marty-Laveaux, P., Lemerre, 1878 (2 vol.).

BINET, Claude, *Discours de la vie de P. de Ronsard... Ensemble son tombeau, recueilli de plusieurs excellens personnages*, P., G. Buon, 1586 (B.N., Rés. mYc 925 (21)).

BOCCACE, Jean, *Genealogiae deorum gentilium*, éd. V. Romano, Bari, Laterza, 1951.

BOUQUET, Simon, *Bref et sommaire recueil de ce qui a été faict... à la joyeuse et triomphante entrée... de Charles IX...*, P., D. du Pré pour Codoré,1572 (B.N., Lb³³. 297).

BRANTÔME, (Pierre de Bourdeille, abbé de), *Œuvres*, éd. Lalanne, P., Société d'Hist. de Fr., 1864-1882 (12 vol.).

BRETON, Robert, *Epistolarum lib. II*, P., Bossozel, 1540 (B.N., Rés. Z. 766).

BRETON, Robert, *Orationes IV, ... Carminum lib. I*, Toulouse, N. Vieillard, 1536 (B.N., Rés. X. 2475).

BUCHANAN, George, *Franciscanus. Varia eiusdem authoris poemata*, s.l., 1566 (B.N., Yc 9595).

BUCHANAN, George, *Variorum poematum silua*, Bâle, 1568(B.N., Yc 9599).

BUCHANAN, George, *Opera omnia*, Leyde, J.A. Langerak, 1725 (B.N., Rés. Z. 1478-1479).

BUCHMANN, Théodore (dit Bibliander), *De ratione communi omnium linguarum et litterarum commentarius*, Zurich, Ch. Frosch, 1548 (B.N., X. 1498).

BUDÉ, Guillaume, *De Asse...*, P., Josse Bade, 1516 (B.N., Rés. Z 299).

BUTTET, Marc-Claude de, *Le Premier Livre des vers... auquel a esté ajouté le second, ensemble l'Amalthée*, P., M. Fezandat, 1561 (B.N., Rés. Ye 1873).

CANTER, Guillaume, *Nouarum lectionum lib. VIII*, Anvers, Plantin, 1571 (B.N., Rés. Z 2079).

CARDAN, Jérôme, *Geniturarum XII... exempla*, Bâle, H. Petrus, 1554 (B.N., R. 779).

CARPENTAEIUS, Jean, *In uaticinia Esaiae prophetae... paraphrasis, heroico carmine conscripta*, P., S. Prevosteau, 1586 (B.N., Yc 8145).

CASTELLION, Sébastien, *Sibyllina oracula de Graeco in Latinum conuersa*, Bâle, Oporin, 1546 (B.N., A. 6000 (2)).

CHAVIGNY, Jean-Aimé de, *Iani Gallici facies prior*, Lyon, Héritiers de P. Roussin, 1594 (B.N., La²⁰. 6).

CONTI, Noël, *Mythologiae, siue explicat. fabularum lib. X*, P., Sittart, 1583 (B.N., J. 24868) ; 1re éd. 1551.

DESPORTES, Philippe, *Œuvres*, éd. Michiels, P., Delahays, 1858.

DOLET, Étienne, *La manière de bien traduire d'une langue en autre...*, Lyon, Ét. Dolet, 1540 (B.N., Rés. X. 922).

DOLET, Étienne, *Erasmianus siue Ciceronianus*, éd. comm. E.-V. Telle, Genève, Droz, 1974.

DU BELLAY, Jean, cf. SALMON, Jean, *Odarum lib. III.*

DU BELLAY, Joachim, *Poëmatum lib. IV, quibus continentur Elegiae, Varia Epigrammata, Amores, Tumuli*, P., F. Morel, 1558 (B.N., Rés. Yc 1447).

DU BELLAY, Joachim, *Tumulus Henrici secundi...*, P., F. Morel, 1559 (B.N., Rés. mYc 113).

DU BELLAY, Joachim, *Xenia seu illustrium quorundam nominum allusiones...*, cf. UYTENHOVE, Charles.

DU BELLAY, Joachim, *Poésies françaises et latines* (t. 1), éd. E. Courbet, P., Garnier, 1919.

DU BELLAY, Joachim, *Œuvres complètes*, éd. Chamard, P., S.T.F.M., 1908-1931 (6 vol.).

DU BELLAY, Martin, *Mémoires*, éd. Petitot (collection complète de Mémoires relatifs à l'histoire de France, t. 19), P., Foucault, 1821.

DU CHESNE, André, *Histoire genealogique de la maison des Chasteigners*, P., S. Cramoisy, 1634 (B.N., Rés. Lm^3. 192).

DU CHESNE, Léger, *Farrago Poëmatum*, P., H. de Marnef et Gorbin, 1560 (B.N., Rés. p.Yc 1110-1111).

DURET, Claude, *Thresor de l'histoire des langues*, Cologny, M. Berjon pour la Société caldorienne, 1613 (B.N., X. 1511).

DU VERDIER, Antoine, *Bibliothèque*, Lyon, B. Honorat, 1585.

ÉRASME, Désiré, *De pueris*, éd. J.-Cl. Margolin, Genève, Droz, 1966.

ÉRASME, Désiré, *Opera omnia*, Leyde, P. Vander, 1703-1706 (11 vol.).

ESPENCE, Claude d', *Opera omnia*, éd. Génébrard, P., C. Morel, 1619 (B.N., A. 913).

ESPENCE, Claude d', *De Eucharistia*, éd. Génébrard, P., G. Chaudière, 1573 (B.N., D. 13163).

ESTIENNE, Henri, *Traicté de la conformité du langage françois avec le grec...*, Genève, H. Estienne, 1565 (B.N., Rés. X. 1904).

FICIN, Marsile, *Omnia diuini Platonis Opera*, Bâle, Froben, 1551.

GAUCHET, Claude, *Les plaisirs des champs...*, P., N. Chesneau, 1583 (B.N., Rés. Ye 594).

GIRALDI, Lelio, *De deis gentium uaria et multiplex historia...*, Bâle, Oporin, 1548 (B.N., J 1951).

GRUTER, Ian *(Ranutius Gherus), Delitiae CC Poëtarum Italorum*, Francfort, J. Rosa, 1608 (2 vol.).

GRUTER, Ian *(Ranutius Gherus), Delitiae C Poëtarum Gallorum*, Francfort, J. Rosa, 1609 (3 vol.).

GRUTER, Ian *(Ranutius Gherus), Delitiae Poetarum Belgicorum*, Francfort, J. Rosa, 1614 (4 vol.).

HOTMAN, François, *Franco-Gallia*, Genève, J. Stoerius, 1573 (B.N., 8° Le^4. 8).

JAMOT, Fédéric, *Varia Poemata Graeca et Latina*, Anvers, Plantin, 1593 (B.N., Yc 1463).

LA CHASTRE, Claude de, *Mémoires*, éd. Petitot (collection complète des Mémoires relatifs à l'histoire de France, t. 32), P., Foucault, 1823.

LAMBIN, Denis, *De utilitate linguae Graecae et recta Graecorum Latine interpretandorum ratione*, P. Bienné, 1572 (B.N., Rés. X 1249 (9)).

LAMPRIDIO, Benedetto, *Carmina*, Venise, Joliti de Ferrariis, 1550 (B.N., Rés. Yc 7745).

LE FÈVRE DE LA BODERIE, Guy, *La Galliade ou de la revolution des arts et sciences* , P., Chaudière, 1578 (B.N., Ye 519).

LE FÈVRE DE LA BODERIE, Guy, *L'Encyclie des secrets de l'eternité*, Anvers, Plantin, 1570 (B.N., Rés. Ye 518).

LE FÈVRE DE LA BODERIE, Guy, *Les Hymnes ecclesiastiques, cantiques spirituels et autres meslanges poëtiques*, P., R. Le Mangnier, 1579 (B.N., Rés. B 3817).

L'HOSPITAL, Michel de, *Œuvres complètes*, éd. P.J.S. Duféy, P., Boulland, 1824-1825 (3 vol.) ; repr. Genève, Slatkine, 1968.

MAROT, Clément, *Œuvres*, éd. Guiffrey-Plattard, P., Schemit 1911-1931 (5 vol.).

MASSON, Papire, *Elogia*, P., Huré, 1638 (B.N., Rés. G 2512).

MATHAREL, Antoine, *Ad F. Hotomani* Franco-Galliam *responsio, in qua agitur de initio regni Franciae, successione regum, publicis negotiis et politia*, P., F. Morel, 1575 (B.N., 8°Le⁴. 12).

MESMES, Henri de, *Mémoires*, éd. Frémy, P., Leroux, 1886.

MURET, Marc-Antoine, *Opera omnia*, éd. Ruhnken, Leipzig, Frotscher, 1834-1841 (3 vol.).

NANCEL, Nicolas de, *Petri Rami uita*, éd. et trad. P. Sharratt, in *Hum. Lov.*, XXIV (1975), p. 161-277.

NICERON, *Mémoires pour servir à l'histoire des hommes illustres de la République des Lettres*, P., Briasson, 1734 (particulièrement t. 26, p. 109-123).

NOSTRADAMUS, Michel de Notre-Dame, dit, *Les propheties...*, Lyon, P. Rigaud, 1566 (B.N., Rés. Ye 4475) ; la 1ʳᵉ édition est de 1555.

PASQUIER, Etienne, *Les Œuvres*, Amsterdam, Libraires associez, 1723 (2 vol.).

PÉTRARQUE, François, *Opere*, éd. Giovanni Ponte, Milan, U. Mursia et C°, 1968.

RABELAIS, François, *Œuvres*, éd. G. et G. Demerson, P., Le Seuil, 1973 ; éd. rev. 1977.

RABUTIN, François de, *Mémoires*, éd. Petitot (collection complète des Mémoires relatifs à l'histoire de France, t. 31-32), P., Foucault, 1823.

RONSARD, Pierre de, *Œuvres*, éd. Laumonier - Lebègue - Silver, P., S.T.F.M., 1914-1975 (20 vol.).

SAINTE-MARTHE, Charles de, *Oraison funebre de l'incomparable Marguerite, Royne de Navarre, duchesse d'Alençon*, P., R. Chaudière, 1550 (B.N., Rés. X 1227 (2) ; version latine, *ibid.*, Rés. X 1227 (1)).

SAINTE-MARTHE, Scévole de, *Poemata recens aucta et in libros quindecim tributa*, Poitiers, 1596 (B.N., Rés. mYc 1013).

SAINTE-MARTHE, Scévole de, *Virorum doctrina illustrium qui hoc seculo in Gallia floruerunt elogia*, Poitiers, 1598 (B.N., 8°Ln⁹. 28).

SAINT-GELAIS, Mellin de, *Œuvres complètes*, éd. Blanchemain, P., Daffis, 1873.

SALIGNAC, Bertrand de, *Mémoires*, éd. Petitot (collection complète des Mémoires relatifs à l'histoire de France, t. 32), P., Foucault, 1823.

SALMON, Jean (dit Macrin), *Carminum libellus*, P., Colines, 1528 (B.N., Rés. Yc 1070).

SALMON, Jean (dit Macrin), *Naeniarum lib. III*, P., Vascosan, 1550 (B.N., Yc 8332).

SALMON, Jean (dit Macrin), *Odarum lib. III*, P., R. Estienne, 1546 (B.N., Rés. pYc 1071 (3)).

SALMON, Jean (dit Macrin), *Le livre des Epithalames, 1528-1531* ; *Les Odes de 1530 (l. I et II)*, éd. G. Soubeille, Toulouse, Université Le Mirail, 1978.

SCALIGER, Jules-César, *Exotericarum exercitationum lib. XV de subtilitate*, P., F. Morel, 1557 (B.N., R 8514).

SCHEDE, Paul (dit Melissus), *Schediasmata*, P., Sittart, 1586 (B.N., Yc 9066).

SÉBILLET, Thomas, *Art Poetique François*, P., Corrozet, 1549 (B.N., Rés. Ye 1213).

SECOND, Jean, *Basia...*, Lyon, S. Gryphe, 1539 (B.N., Yc 2080).

SORBIN, Arnauld, *Histoire contenant un abregé de la vie, mœurs et vertus du roy Charles IX*, in CIMBER, L. et DANJOU, F., *Archives curieuses de l'histoire de France*, 1re série, t. 8, P., Beauvais, 1836.

SORBIN, Arnauld, *Tractatus de Monstris*, P., Marnef et Cavellat, 1570 (B.N., 8 ° Tb.70.1).

TABOUROT DES ACCORDS, Étienne, *Les Bigarrures*, Rouen, J. Boucher, 1595 ; 1re éd., P., Richer, 1583 (B.N., Rés. Z 2760).

THÉVET, André, *La Cosmographie universelle*, P., Lhuillier, Chaudière, 1575 (B.N., Fol. Z. Le Senne 309).

THÉVET, André, *Les singularitez de la France antarctique*, P., Héritiers de M. de la Porte, 1558 (B.N., Rés. 4 ° LK^{12}. 1).

THÉVET, André, *Les Vrais pourtraits et vies des hommes illustres grecz, latins et payens...*, P., Vve J. Kervert et G. Chaudière, 1584 (B.N., G. 1493).

THOU, Jacques-Auguste de, *Historiarum sui temporis... lib. CXXXVIII*, Londres, 1733 (7 vol.) (B.N., Rés. Fol. La^{20}. 10. a).

TOSCANO, Jean-Matthieu, *Psalmi Dauidis ex hebraïca ueritate latinis uersibus expressi...*, P., F. Morel, 1575 (B.N., A 6854).

TRIPPAULT, Léon, *Celt. Hellenisme ou Etymologique des mots françois tirez du Graec...*, Orléans, E. Gibier, 1580 (B.N., Rés. X 1985).

TYARD, Pontus de, *Discours philosophiques*, P., A. l'Angelier, 1587 (B.N., R 3437 ; exemplaire incomplet).

TYARD, Pontus de, *Mantice, ou Discours de la vérité de divination par astrologie*, Lyon, J. de Tournes, 1558 (B.N., Rés. p.R. 307).

TYARD, Pontus de, *Œuvres poétiques*, éd. Marty-Laveaux, P., Lemerre, 1875.

UYTENHOVE, Charles, *Epitaphium in mortem Herrici... secundi*, P., R. Estienne, 1560 (B.N., Rés. mYc 118).

UYTENHOVE, Charles et DU BELLAY, Joachim, *Xenia seu illustrium quorundam nominum allusiones...*, P., F. Morel, 1569 (B.N., Yc 1223).

VALET, Antoine, *Oratio in scholis medicorum... habita*, P., J. de Bordeaux, 1570 (B.N., 8 ° T^{6}. 208).

VAN BUCHEL, Arnold, *Description de Paris*, trad. annot. A. Vidier, in *Mémoires de la société de l'histoire de Paris et de l'Ile-de-France*, XXVI (1899), notamment p. 141-143.

VARILLAS, Antoine de, *Histoire de Charles IX*, Cologne, P., Marteau, 1686 (2 vol.).

VIGENÈRE, Blaise de, *Traicté des chiffres*, P., A. l'Angelier, 1586 (B.N., V 17868).

VIGENÈRE, Blaise de, *Traicté des cometes*, P., N. Chesneau, 1578 (B.N., Vz 1636).

VINCI, Léonard de, *Traité de la peinture*, éd. et trad. A. Chastel, P., Champion, 1960.

VITRAC, abbé Jean-Baptiste, *Eloge de Jean Dorat, poète et interprète du Roi, prononcé le 22e aoust 1775... au collège royal de Limoges*, Limoges, Barbou, 1775 (B.N., 8°Ln²⁷. 6197).

Auteurs des XIXe et XXe siècles

ANDRÉ, Jacques, *Étude sur les termes de couleur dans la langue latine*, P., Klincksieck, 1949.

Aspects du libertinisme au XVIe siècle (*Actes* du colloque de Sommières, éd. anonyme), P., Vrin, 1974.

AUGÉ-CHIQUET, Mathieu, *La vie, les idées et l'œuvre de J.-A. de Baïf*, P. Hachette-Privat, 1909 ; réimpr. Genève, Slatkine, 1969.

AULOTTE, Robert, *Amyot et Plutarque. La tradition des* Moralia *au XVIe siècle*, Genève, Droz, 1965.

BALMAS, Enea, *Un poeta del Rinascimento francese, Étienne Jodelle*, Florence, L. Olschki, 1962.

BOURCIEZ, Édouard, *Les mœurs polies et la littérature de Cour sous Henri II*, P., Hachette, 1886.

BRUN, Robert, *Le livre illustré en France au XVIe siècle*, P., Alcan, 1930.

BUFFIÈRE, Félix, *Les mythes d'Homère et la pensée grecque*, P., Belles Lettres, 1956.

BUSSON, Henri, *Les sources et le développement du Rationalisme dans la littérature française de la Renaissance*, P., Letouzey, 1922.

CASTOR, Grahame, *Pléiade Poetics, a study in XVIth century thought and terminology*, Cambridge, University Press, 1964.

CEARD, Jean, *La nature et les prodiges, l'insolite au XVIe siècle, en France*, Genève, Droz, 1977.

CHAMARD, Henri, *Histoire de la Pléiade*, P., Didier, 1939-1941 (4 vol.).

CHAMARD, Henri, *Joachim Du Bellay*, Lille, Le Bigot, 1900 ; réimpr. Genève, Slatkine, 1969.

CHAMARD, Henri, *Les origines de la poésie française de la Renaissance*, P., De Boccard, 1920.

CHAMPION, Pierre, *Contribution à l'histoire de la société polie. Ronsard et Villeroy*, P., Champion, 1925.

CHAMPION, Pierre, *Ronsard et son temps*, P., Champion, 1925.

CHASTEL, André, *La crise de la Renaissance, 1520-1600*, Genève, Skira, 1968.

CHASTEL, André, *Le mythe de la Renaissance, 1420-1520*, Genève, Skira, 1969.

CIMBER, L. et DANJOU, F., *Archives curieuses de l'histoire de France*, 1ʳᵉ série, t. 8, P., Beauvais, 1836 : Comptes des dépenses du roi Charles IX, p. 353-359.

COLLART, Jean, *Varron grammairien latin*, P., 1954.

CURTIUS, Ernst-Robert, *La littérature européenne et le Moyen-Age latin*, trad. Bréjoux, P., P.U.F., 1956.

DECRUE, F., *Anne de Montmorency*, P., Plon, Nourrit et Cᵒ, 1885.

DELUMEAU, Jean, *La civilisation de la Renaissance*, P., Arthaud, 1967.

DEMERSON, Geneviève, « Contestation au Collège royal », in *Vita Latina*, 65 (mars 1977), p. 19-35.

DEMERSON, Geneviève, « Dorat initiateur d'Ovide », in *Hum. Lov.*, XXII (1973), p. 177-216.

DEMERSON, Geneviève, « L'attitude religieuse de Dorat », in *Hum. Lov.*, XXIII (1974), p. 145-187.

DEMERSON, Geneviève, « Le poète et le prince », in *Hum. Lov.*, XXVI (1977), p. 162-203.

DEMERSON, Geneviève, « L'ode pindarique latine en France au XVIᵉ siècle », in *A.C.N.A.*, Münich, W. Fink, p. 285-305.

DEMERSON, Geneviève, *Polémiques autour de la mort de Turnèbe*, Clermont-Ferrand, Faculté des Lettres, 1975.

DEMERSON, Geneviève, « Qui peuvent être les Lestrygons? », in *Vita Latina*, 70 (juin 1978), p. 36-42.

DEMERSON, Guy, *La mythologie classique dans l'œuvre lyrique de la « Pléiade »*, Genève, Droz, 1972.

DEMERSON, Guy, « Un mythe des libertins spirituels : le prophète Élie », in *Aspects du libertinisme au XVIᵉ siècle* (*Actes* du colloque de Sommières), P., Vrin, 1974, p. 105-120.

DESGUINE, André, « Deux éloges posthumes de Jean Dorat », in *Renaissance Studies in honor of Isidore Silver*, éd. Frieda S. Brown, in *Kentucky Romance Quarterly XXI* (1974, suppl. nᵒ 2), p. 143-155.

DUBOIS, Claude-Gilbert, *Mythe et langage au XVIᵉ siècle*, Bordeaux, Ducros, 1970.

DOUCET, R., *Les institutions de la France au XVIᵉ siècle*, P., Picard, 1948 (2 vol.).

DURRY, M.-J., « Une lettre inédite de Dorat », in *Mélanges Chamard*, P., Nizet, 1951, p. 63-69.

EHRMANN, Jean, *Antoine Caron, peintre de la cour des Valois*, Genève, Droz, 1955.

EVENETT, H. O., « Claude d'Espence et son Discours du colloque de Poissy », in *Rev. hist.*, CLXIV (1930), p. 40-78.

FEBVRE, Lucien, *Le problème de l'incroyance au XVIᵉ siècle, La religion de Rabelais* P., Albin Michel, 1942 ; éd. rev. 1962.

FOUCAULT, Michel, *Les mots et les choses*, P., Gallimard, 1966.

FOULET, Lucien, « Dorat et Ronsard » in *R.H.L.F.*, XIII (1906), p. 312-316.

GADOFFRE, Gilbert, « L'université collégiale et la Pléiade », in *French Studies*, XI (oct. 1957), p. 293-304.

GADOFFRE, Gilbert (éd.), *Les hommes de la Renaissance et l'analogie* (dact.), Loches, 1976.

GENETTE, Gérard, *Mimologiques, Voyage au pays de Cratylie*, P., Le Seuil, 1976.

GRIMAL, Pierre, *Dictionnaire de la mythologie grecque et latine*, P., P.U.F., 3e éd. rev. 1963.

HAAG, Émile, *La France protestante*, 2e éd., P., Sandoz et Fischbacher, 1877-1888.

HAUSER, H. et RENAUDET, A., *Les débuts de l'âge moderne* (Peuples et civilisations, t. 8), P., P.U.F., 1929.

HULUBEI, Alice, *L'Églogue en France au XVIe siècle*, P., Droz, 1938.

HUPPERT, George, *L'idée de l'histoire parfaite* (trad. F. et P. Braudel), P., Flammarion, 1973.

IJSEWIJN, Jozef (éd.), *A.C.N.L.*, Münich, W. Fink, Leuven, University Press, 1973.

IJSEWIJN, Jozef, *Companion to Neo-latin studies*, North Holland publishing company, Amsterdam, New York, Oxford, 1977.

IJSEWIJN, Jozef, « Le latin des humanistes français », in *L'humanisme français au début de la Renaissance* (colloque de Tours 1972), P., Vrin, 1973, p. 329-341.

IRIGOIN, Jean, *Histoire du texte de Pindare*, P., Klincksieck, 1952.

JACQUOT, Jean (éd.), *Les fêtes de la Renaissance*, P., C.N.R.S., 1956.

JAMESON, (Mrs.), *Sacred and legendary art*, Boston, Hougton and C°, s.d. (2 vol.).

JUNG, Marc-René, *Hercule dans la littérature française du XVIe siècle*, Genève, Droz, 1966.

KEATING, L. Clark, *Studies on the literary salon in France, 1550-1615*, Cambridge, Mass., Harvard University Press, 1941.

LAUMONIER, Paul, *Ronsard poète lyrique*, P., Hachette, 1909.

LAURENS, Pierre et BALAVOINE, Claudie, *Musae reduces, anthologie de la poésie latine de la Renaissance*, Leyde, Brill, 1975 (2 vol.).

LECLER, Joseph, *Histoire de la tolérance au siècle de la Réforme*, P., Aubier, (t. 2) 1955.

LEVI, A.H.T. (éd.), *Humanism in France at the end of the Middle Ages and in the early Renaissance* (*Actes* du colloque de Warwick-Coventry), Manchester, University Press, 1970.

LUBAC, Henri de, *Exégèse médiévale*, P., Aubier, 1959-1964 (4 vol.).

Lumières de la Pléiade (*Actes* du colloque international de Tours), P., Vrin, 1966.

MARGOLIN, J.-Cl., *Érasme par lui-même*, P., Le Seuil, 1965.

Mc FARLANE, Ian D., « Jean Salmon Macrin », in *B.H.R.*, XXI (1959), p. 55-84; 310-349, et XXII (1960), p. 73-89.

Mc FARLANE, Ian D., « Poésie néo-latine et poésie de langue vulgaire à l'époque de la Pléiade », in *A.C.N.L.*, Münich, W. Pink, Leuven, University Press, 1973, p. 389-403.

MAURO, Frédéric, *Le XVIe siècle européen. Aspects économiques*, P., P.U.F., 1970.

MICHEL, Alain, *Pétrarque et la pensée latine*, Avignon, Aubanel, 1974.

MUND-DOPCHIE, Monique, « Le premier travail français sur Eschyle : le *Prométhée enchaîné* de Jean Dorat », in *Les lettres romanes*, XXX (1976), p. 261-274.

MURARASU, D., *La poésie néo-latine et la renaissance des lettres antiques en France (1500-1549)*, P., J. Gamber, 1928.

NOLHAC, Pierre de, *Pétrarque et l'Humanisme*, P., E. Bouillon, 1892.

NOLHAC, Pierre de, *Ronsard et l'Humanisme*, P., Champion, 1922 ; réimpr., Champion, 1966.

PANOFSKY, Erwin, *Essais d'iconologie. Thèmes humanistes dans l'art de la Renaissance*, trad. Cl. Herbette et B. Teyssèdre, P., Gallimard, 1967.

Platon et Aristote à la Renaissance (*Actes* du Colloque de Tours), P., Vrin, 1976.

QUENTIN-BAUCHART, Ernest, *Le livre d'Heures de Henri II*, P., Société des Bibliophiles français, 1890.

ROBIQUET, Pierre-Paul, *De Ioannis Aurati poetae Regii uita et latine scriptis poematibus*, P., Hachette, 1887.

ROMIER, Lucien, *Le royaume de Catherine de Médicis*, P., Perrin, 1922-1925 (2 vol.).

ROMIER, Lucien, *Les origines politiques des guerres de religion*, P., Perrin et C°, 1913-1914 (2 vol.).

SAMSON, Max et SCHOELL, Frédéric, *Cours d'histoire des États européens* (t. 15, 16, 17), P., L'Auteur ; Berlin, Duncker, 1831.

SAULNIER, V.-L., « Les poètes de la prise de Calais », in *Bull. du Bibliophile*, 1949, p. 270-274.

SECRET, François, *L'ésotérisme de Guy Le Fèvre de la Boderie*, Genève, Droz, 1969.

SECRET, François, « De quelques courants prophétiques et religieux sous le règne d'Henri III », in *Revue de l'histoire des religions*, CLXXII (1967), p. 1-32.

SEZNEC, Jean, *La survivance des dieux antiques*, Londres, Warburg Institute, 1940.

SHARRATT, Peter (éd.), *French Renaissance studies, 1540-1570* (*Actes* du Colloque d'Edimbourg), Edimbourg, University Press, 1976.

SHARRATT, Peter, « Ronsard et Pindare : un écho de la Voix de Dorat », in *B.H.R.*, XXXIX (1977), p. 97-114.

SILVER, Isidore, *The Pindaric Odes of Ronsard*, P., André, 1937.

SMITH, Malcolm, *Joachim Du Bellay's veiled victim*, Genève, Droz, 1974.

SOCIÉTÉ DE L'HISTOIRE DU PROTESTANTISME FRANÇAIS (éd.), *L'amiral de Coligny et son temps* (*Actes* du colloque de Paris), P., Vrin, 1974.

SOULIÉ, Marguerite, « La poésie inspirée par la mort de Coligny », in *Actes* du colloque *L'amiral de Coligny et son temps*, p. 389-406.

TERVARENT, Guy de, *Attributs et symboles dans l'art profane, 1450-1600*, Genève, Droz, 1958 (supplément et index, 1964).

TILLEY, Arthur, « Dorat and the Pleiade », in *Studies in the French Renaissance*, Cambridge (Mass.), University Press, 1922, p. 219-232.

VAN TIEGHEM, Paul, *La littérature latine de la Renaissance. Étude d'histoire littéraire européenne*, P., Droz, 1944.

WALKER, D.-P., « Les théories musicales de Kepler et l'analogie », in *Actes* du colloque de l'Institut collégial européen, Loches, 1976, p. 26-31.

WALKER, D.-P., « Orpheus the theologian and Renaissance Platonists », in *Journal of the Warburg and Courtauld Institutes*, XVI (1953), p. 100-120.

WEBER, Henri, *La création poétique au XVIe siècle en France, de Maurice Scève à Agrippa d'Aubigné*, P., Nizet, 1956 (2 vol.).

WEBER, Henri, « L'analogie corps social/corps humain », in *Actes* du colloque de Loches, 1976, p. 60-65.

YARDENI, Myriam, *La conscience nationale en France pendant les guerres de religion*, Louvain et Paris, Nauwelaerts, 1971.

YATES, Frances, *The French Academies in the XVIth century*, Londres, Warburg Institute, 1947.

YATES, Frances, « L'entrée de Charles IX et de sa reine à Paris », in *Les Fêtes de la Renaissance*, éd. J. Jacquot, P., C.N.R.S., 1956, p. 61-82.

YATES, Frances, *Astraea. The imperial theme in the XVIth century*, Londres, Routledge and Kegan Paul, 1975.

INDEX

Le nom des personnes nées après 1800 ne figure pas dans l'index.
Le nom des personnages mythologiques et celui des figures allégoriques sont en capitales.

NÉOPTOLÈME, 370.
NEPTUNE, 109, 199, 315.
Néron, 142, 225, 263, 264, 280, 283.
NESTOR, 120, 355, 363.
Neufville (Nicolas de), 82, 92, 94, 115, 116.
Nicandre, 183, 380.
Niceron, 3, 11, 246.
Nicolas (Simon), 157.
Nicomaque, 228.
Nonnos, 98, 107, 136, 172, 174, 175, 179, 198, 199, 204, 281.
Nostradamus (Michel de Nostre Dame, dit), 6, 149, 223, 224, 236-239, 241, 242, 244, 245, 252, 260.
Numa, 142, 208, 358.
Nuysement (Clovis Hesteau de), 47, 224.
NYMPHES, 57, 62, 95, 108-110, 112.

ŒDIPE, 265, 297.
OGMIOS, cf. HERCULE.
Olive, 94.
Olivier (chancelier), 213.
Oppien, 57.
ORPHÉE, 63, 78, 81, 134, 137, 138, 143, 144, 193.
Osée, 152.
Ovide, 19, 30, 47, 101-104, 142, 146, 191, 195, 229, 241, 376.

PAIX, 277, 280, 281, 284, 285, 299, 323, 373.
PALÉMON, 199, 248.
Paléphatos, 179, 182, 183.
PALLAS, cf. MINERVE.
PAN, 56, 58, 114, 192, 233.
Paracelse, 150.
Paré (Ambroise), 13, 25, 31, 96, 97, 241, 296, 302.
PARQUE(S), 90, 113, 202.
Pascal (Blaise), 67, 91.
Paschal (Pierre de), 45-49, 174, 383.
Pasquier (Étienne), 4, 37, 38, 40, 123, 286, 324, 369, 371, 380.
Passerat (Jean), 133, 282, 368.
Pastoureau, 267, 300.
Paul (saint), 49, 52, 124, 139, 145, 147, 153, 161, 162.
Paulin de Nole (saint), 154, 158, 376.
PÉGASIDES, cf. MUSES.
PÉLÉE, 35, 113.
Peletier (Jacques), 32, 34, 179.
PÉNÉLOPE, 183, 184, 293.
PENTHÉE, 199.
Peraxylus (A.), 176.
Périclès, 48, 382.
Périon (Joachim), 201.
Pernéty (dom A.-J.), 183.
Perrot (Nicolas), 269, 363.

Perse, 342.
PERSÉE, 278, 353.
Pétrarque (François), 6, 7, 16, 36, 45, 61, 89, 94, 144, 179, 180, 186-189, 192, 200, 208, 217, 232, 233, 244, 346, 375, 377, 380, 382-384, 386.
PETREOLUS (berger d'églogue), 187, 189, 323, 324, 346.
PHÉBÉ, cf. DIANE.
Philippe II (roi d'Espagne), 195-197, 296, 323, 324, 334.
Philippe VI (roi de France), 192, 353.
PHILOLOGIE, 254.
Philon, 138.
Pibrac (Guy du Faur de), 48, 85, 315, 316, 332, 341, 361.
PICUS, 241.
Pie V, 142, 290.
PIÉRIDES, cf. MUSES.
Pierre (saint), 142.
Pilon (Germain), 79, 80, 99, 109, 132.
Pindare, 6-8, 19-22, 49, 53, 57, 77, 84, 86, 91, 93, 94, 96, 100, 101, 115, 170, 171, 174-178, 194, 210, 220, 224, 254, 347, 348, 355, 357, 360, 374, 381-383.
Plantin (Christophe), 136, 368.
Platon, 34, 38, 55, 61, 62, 64, 65, 70-75, 83, 86, 88, 98, 117, 124, 143, 147, 157, 173, 182, 200, 202, 204, 208, 209, 227, 376, 379, 380, 383, 384.
Pline l'Ancien, 60, 101, 103, 158, 183, 197, 239, 241.
Pline le Jeune, 103, 361.
Plutarque, 69, 73, 74, 129, 148, 173, 181, 200, 227, 244, 376.
PLUTUS, 291.
Pocque, 126.
Poitiers (Diane de), 191, 192, 325.
Pollion, 262.
Polybe, 41.
Polyclète, 87.
Pompée, 265.
Porcien (Catherine de), cf. Clèves.
Porphyre, 384.
POSÉIDON, cf. NEPTUNE.
Possevino (Antoine), 43, 44.
Postel (Guillaume), 121, 122, 136, 138, 205, 224, 226, 385.
Poyet (chancelier), 122.
Primatice, 104.
Prince Noir, 308.
Priscien, 208.
Proclus, 143.
Properce, 30, 263.
PROTÉE, 35, 99.
PROVIDENCE, 142, 152, 154, 161.
Prudence, 101, 140.
Ptolémée, 217, 331.
Pythagore, 72, 74, 123, 143, 182, 202,

TABLE DES ILLUSTRATIONS

TABLE DES MATIÈRES

L'image de Dorat, p. 1. — L'héritage critique, p. 3. — Orientation de cette étude, p. 10. — Remarques sur la bibliographie de Dorat, p. 12.

Motivations personnelles, p. 15.
La Brigade et le latin, p. 20.
Sociologie du latin, p. 23 ; Paris et la *translatio studii*, p. 25 ; le latin et le rêve de la *translatio imperii*, p. 25 ; l'auditoire du Collège Royal, p. 26 ; les vertus du latin, p. 28.
Les traductions, p. 30 ; leur nécessité, p. 31 ; qualités indispensables, p. 34 ; Dorat traducteur de lui-même, p. 34.
Les problèmes de la « fabrique renouvelée », p. 36 ; vocabulaire technique, p. 38 ; vocabulaire de l'abstraction, p. 40 ; les noms propres, p. 41.
Les hérésies « latinolâtres », p. 42 ; le centon, p. 43 ; le « cicéronianisme », p. 44.
Conclusion, p. 49.

Union des arts, p. 51 ; poésie et peinture, p. 52 ; poésie et musique, p. 54 (l'univers sonore de Dorat, p. 56).
Similitude des méthodes : *mimesis,* p. 60 (cas particulier du portrait, p. 63) ; quête perpétuelle de l'art, p. 65 ; espoir de connaissance, p. 66 ; musique et *numerus,* p. 68.
Communauté morale, p. 75 ; *simplicitas* des artistes, p. 76 ; ascèse des artistes, p. 78 ; émulation, p. 79.
Communauté de buts, p. 82 ; la connaissance, p. 82 ; l'action sur les passions, p. 83 ; poésie et survie, p. 87.
Hiérarchie des arts, p. 92 ; fragilité des créations plastiques, p. 93 ; image fragmentaire, p. 95 ; *pictura tacens,* p. 97.
Vt pictura poesis, p. 100 ; goût pour la couleur, p. 100 ; l'*Ode* VI et les *Heures* d'Henri II, p. 102 ; *Sibyllarum XII oracula,* p. 105 ; *Ekphraseis* de fêtes, p. 107 (pauvreté des

Composition VANTH S.A., Imprimerie P. COUTY (Clermont-Ferrand)

Dépôt légal : décembre 1983. N°212.   Imprimé en France